LAATSTE RONDE

IAN RANKIN

Laatste ronde

Vertaald door ROB KUITENBROUWER
en FRANK LEKENS

Uitgeverij Luitingh

© 2007 John Rebus Ltd.
All rights reserved
© 2008 Nederlandse vertaling
Rob Kuitenbrouwer, Frank Lekens en uitgeverij
Luitingh ~ Sijthoff B.V., Amsterdam
Alle rechten voorbehouden
Oorspronkelijke titel: *Exit Music*
Omslagontwerp: Pete Teboskins/Twizter.nl
Omslagfotografie: Hollandse Hoogte

ISBN 978 90 245 2853 0
NUR 305

www.boekenwereld.com

De grens is nooit
ergens anders. En geen borstwering
houdt de nacht buiten.
NORMAN MACCAIG, 'Hotelkamer, twaalfde verdieping'

Mijn vader zei altijd dat de klop van een politieman onmiskenbaar
is, en dat is ook zo: de roffel op het vernis is een uiterst openbaar
commando dat zich verlustigt in het schuldgevoel van degene die het
hoort.
ANDREW O'HAGAN, *Blijf bij mij*

Dag een

Woensdag 15 november 2006

I

Het meisje schreeuwde, ze schreeuwde maar één keer, maar het was genoeg. Toen het echtpaar bij haar kwam, onder aan Raeburn Wynd, zat ze geknield, met haar gezicht in haar handen, en haar schouders gingen op en neer van het huilen. De man keek even naar het lijk en probeerde het toen aan het zicht van zijn vrouw te onttrekken, maar die had zich al afgewend. Hij pakte zijn telefoon en belde het alarmnummer. Het duurde tien minuten voordat de politie kwam en in die tijd probeerde het meisje weg te lopen, waarop de man kalm uitlegde dat ze beter kon wachten en over haar schouder wreef. Zijn vrouw zat op de stoep, ondanks de kou zo laat op de avond. November in Edinburgh, nog geen nachtvorst maar het scheelde niet veel. King's Stables Road was geen drukke weg. Een eenrichtingsbord voorkwam dat auto's deze weg gebruikten als sluiproute van de Grassmarket naar Lothian Road. 's Nachts bood hij een verlaten aanblik, met niet veel meer dan een parkeergarage aan één kant en de Castle Rock en een begraafplaats aan de andere. De straatverlichting leek te zwak, dus je was op je hoede als je daar liep. Het echtpaar, een stel van middelbare leeftijd, was naar St. Cuthbert's Church geweest, waar kerstliederen waren gezongen om geld in te zamelen voor het kinderziekenhuis. De vrouw had een krans van hulsttakken gekocht, die nu links van het lijk op de grond lag. Onwillekeurig dacht haar man: als we net een minuut vroeger of later waren geweest, hadden we misschien niets gehoord en waren we nu onderweg naar huis, met die krans op de achterbank en Classic FM op de radio.

'Ik wil naar huis,' snikte het meisje klaaglijk. Ze was overeind gekomen, had geschaafde knieën. Haar rok was te kort, vond de man, en dat spijkerjack kon de kou ook nooit tegenhouden. Ze kwam hem bekend voor. Hij had overwogen – heel even – om haar zijn jas te lenen. In plaats daarvan herhaalde hij nog eens dat ze hier moest blijven. Ineens lichtten hun gezichten blauw op. De politieauto, met het zwaailicht aan.

'Daar zul je ze hebben,' zei de man, en sloeg zijn arm om het meisje als om haar te troosten. Haalde hem weer weg toen hij zijn vrouw zag kijken.

De politiewagen bleef met brandend zwaailicht en draaiende motor staan. Er stapten twee agenten uit, die niet de moeite namen om hun pet op te zetten. Een van de twee had een grote zwarte zaklamp in zijn hand. Raeburn Wynd liep steil af en kwam uit op een reeks tot woningen verbouwde stallen waarin vroeger de paarden en de koetsen van de vorst waren ondergebracht. Verraderlijk glad als het vroor.

'Misschien is hij uitgegleden en met zijn hoofd op de keien terechtgekomen,' opperde de man. 'Of hij sliep in de openlucht, of had een paar glazen te veel op...'

'Dank u wel, meneer,' zei een van de agenten, op een toon die iets anders suggereerde. Zijn collega had de zaklamp aangeknipt en de man zag een plas bloed op de grond, en bloed op de handen en kleren van het lichaam dat daar lag, en haren die in het bloed op zijn gezicht plakten.

'Of iemand heeft hem tot moes geslagen,' zei de eerste agent. 'Tenzij hij natuurlijk herhaaldelijk langs een kaasrasp is uitgegleden.'

Zijn jongere collega huiverde. Hij zat bij de man geknield om hem in het licht van de zaklamp te bekijken, maar kwam weer overeind. 'Van wie is die krans?' vroeg hij.

'Van mijn vrouw,' zei de man, en hij vroeg zich later af waarom hij niet gewoon had gezegd: 'Van mij.'

'Jack Palance,' zei inspecteur John Rebus.

'Ik zeg toch, die ken ik niet.'

'Grote filmster.'

'Noem 's een film.'

'Er staat een necrologie van hem in de *Scotsman*.'

'Dan moet je toch een paar titels kunnen noemen van films waarin ik hem gezien heb.' Brigadier Siobhan Clarke stapte uit en gooide het portier dicht.

'Hij speelde vaak de schurk in westerns,' ging Rebus door.

Clarke liet de agenten haar legitimatie zien en nam de zaklamp aan die de jongste van de twee aanreikte. De technische recherche was onderweg. Er had zich een groepje kijkers gevormd, gelokt door het blauwe schijnsel van de surveillancewagen. Rebus en Clarke hadden nog laat zitten werken op bureau Gayfield Square: brainstormen over een onopgeloste moord waar ze geen verdachte voor hadden. Ze waren allebei blij dat de melding hen daarvan had verlost. In Rebus' aftandse Saab 900 waren ze hierheen gereden en nu stond hij bij de kofferbak om plastic overschoenen en rubberhandschoenen te pakken. Hij moest hem een keer of vijf met veel lawaai dichtsmijten voor hij dicht bleef.

'Moet ik nodig inruilen,' mopperde hij.

'Wie wil zo'n oud barrel nog?' vroeg Clarke terwijl ze de handschoenen aantrok. En toen hij geen antwoord gaf, vroeg ze: 'Zag ik daar nou een paar bergschoenen liggen?'

'Net zo oud als de auto,' verklaarde Rebus, en hij liep naar het lijk. De twee rechercheurs vielen stil, namen de dode en de omgeving nauwlettend op.

'Die is flink toegetakeld,' zei Rebus. Hij keek naar de jongste van de twee agenten. 'Hoe heet jij, jong?'

'Goodyear, inspecteur... Todd Goodyear.'

'Todd?'

'Meisjesnaam van mijn moeder,' legde Goodyear uit.

'Ooit van Jack Palance gehoord, Todd?'

'Zat die niet in *Shane*?'

'Jou moeten ze promoveren.'

Goodyears partner grinnikte. 'Pas maar op of hij gaat ú uithoren in plaats van een verdachte.'

'Hoezo?' vroeg Clarke.

De agent – minstens vijftien jaar ouder dan zijn compagnon, en ongeveer drie keer zo dik – knikte in Goodyears richting. 'Ik ben niet goed genoeg voor Todd,' legde hij uit. 'Die moet en zal bij de recherche.'

Goodyear ging er niet op in. Stond met zijn notitieboek in de aanslag. 'Zullen we alvast gegevens gaan noteren?' vroeg hij. Rebus keek naar het trottoir. Een echtpaar van middelbare leeftijd zat op de stoeprand, hand in hand. Daarachter de tiener, die rillend en met haar armen om zich heen geslagen tegen de muur zat. Achter haar begon de kijkende menigte op te rukken, de waarschuwingen alweer vergeten.

'Jullie kunnen beter die meute op afstand houden,' opperde Rebus, 'tot we de plaats delict hebben gezekerd. De dokter komt zo.'

'Geen pols meer,' zei Goodyear. 'Ik heb gevoeld.'

Rebus keek hem kwaad aan.

'Ik zei toch dat ze dat niet leuk vinden,' zei Goodyears partner grinnikend.

'Sporencontaminatie,' zei Clarke tegen de jonge agent, en ze toonde hem haar handschoenen en overschoenen. Hij sloeg beschaamd zijn ogen neer.

'De dokter moet het overlijden vaststellen,' zei Rebus. 'Gaan jullie het schorriemorrie maar duidelijk maken dat ze naar huis moeten.'

'Veredelde uitsmijters, dat zijn we,' zei de oudere agent tegen zijn collega terwijl ze zich omdraaiden.

'Nou, gezellige nachtclub,' zei Clarke zacht. Ze bekeek het lijk weer. 'Normale kleren, waarschijnlijk geen zwerver.'

'Zoek jij een identiteitsbewijs?'

Ze zette een paar stappen en hurkte bij het lijk, voelde aan de broek- en jaszakken. 'Ik voel niks,' zei ze.

'Zelfs geen medeleven?'

Ze keek naar Rebus. 'Trek je dat pantser uit als je je gouden horloge krijgt?'

'Au,' zei Rebus geluidloos. Dat was de reden voor al dat overwerk van de laatste tijd: over tien dagen ging Rebus met pensioen, en hij wilde alles graag afronden.

'Uit de hand gelopen beroving?' verbrak Clarke de stilte.

Rebus haalde slechts zijn schouders op om aan te geven dat hij niet overtuigd was. Hij vroeg haar met de lamp bij te schijnen op het lijk: zwarte leren jas, openhangend gedessineerd overhemd dat waarschijnlijk ooit blauw was geweest, vale spijkerbroek met een zwarte leren riem, zwarte suède schoenen. Voor zover Rebus kon zien, een gegroefd gezicht, grijzend haar. Begin vijftig? Ongeveer een meter tachtig. Geen sieraden, geen polshorloge. Het bracht Rebus' persoonlijke dodental op... wat zou het zijn? Een stuk of dertig, veertig in de loop van zijn meer dan dertig jaar lange carrière. Tien dagen later en deze arme donder was het probleem van iemand anders geweest. Dat kon nog steeds. Al wekenlang voelde hij de spanning bij Siobhan Clarke: ze keek een beetje uit naar Rebus' vertrek – misschien zelfs meer dan een beetje. Pas dan kon ze echt beginnen zichzelf te bewijzen. Haar ogen waren op hem gevestigd, alsof ze wist wat hij dacht. Hij keek haar aan met een lepe glimlach.

'Ik ben nog niet dood,' zei hij, terwijl de bestelbus van de technische recherche arriveerde.

De dienstdoende arts had vastgesteld dat het slachtoffer was overleden. De mannen van de TR hadden Raeburn Wynd boven en beneden met lint afgezet. Er waren lampen opgesteld en er was een scherm opgetrokken, zodat nieuwsgierigen alleen nog een vaag schimmenspel zagen. Rebus en Clarke hadden witte overalls aangetrokken zoals de forensische experts die ook droegen. Een camerateam was net gearriveerd en de auto van het mortuarium stond te wachten. Ineens waren er ook dampende bekers thee verschenen. Uit de verte kwam het geluid van sirenes onderweg naar een andere melding, dronken gelal uit Princes Street, en misschien zelfs het roepen van een uil op het kerkhof. Het tienermeisje en het echtpaar was een verklaring afgenomen, en die stond Rebus nu door te lezen, geflankeerd door de twee agenten, van wie de oudste – zo wist hij nu – Bill Dyson heette.

'Het gerucht gaat dat u eindelijk uw biezen pakt,' zei Dyson.

'Zaterdag over een week,' beaamde Rebus. 'Jij zit er vast ook niet ver meer vandaan.'

'Maand of zeven. Blij toe. Ik heb al een fijn baantje als taxichauffeur geregeld. Maar hoe die arme Todd het zonder mij moet redden...'

'Ik moet er niet aan denken,' zei Goodyear lijzig.

'Terwijl jij toch zo'n denker bent,' zei Dyson, en Rebus concentreerde zich weer op de aantekeningen. Het meisje dat het lijk gevonden had heette Nancy Sievewright. Ze was zeventien en onderweg naar huis. Ze kwam van een vriendin die in Great Stuart Street woonde, zelf woonde ze in Blair Street, om de hoek van de Cowgate. Ze was klaar met school en werkloos, maar wilde een opleiding voor tandartsassistente gaan doen. Goodyear had haar verklaring afgenomen en Rebus was onder de indruk: keurig handschrift, veel details genoteerd. Een verschil van dag en nacht met de aantekeningen van Dyson – een wirwar van haastig en bijna onleesbaar gekrabbel. De resterende zeven maanden konden agent eerste klas Bill Dyson niet snel genoeg voorbij zijn. Rebus meende uit het gekriebel op te maken dat het echtpaar Roger en Elizabeth Anderson heette en dat ze woonden in Frogston Road West, aan de zuidrand van de stad. Er stond een telefoonnummer bij maar geen indicatie van hun leeftijd of beroep. Wat Rebus wel kon ontwaren, waren de woorden 'toevallig langs' en '999 gebeld'. Hij gaf de boekjes terug zonder iets te zeggen. Ze zouden alle drie later nogmaals worden gehoord. Rebus keek op zijn horloge en vroeg zich af waar de lijkschouwer bleef. Tot die tijd kon hij weinig doen.

'Zeg maar dat ze naar huis mogen.'

'Dat meisje staat nog te trillen op d'r benen,' zei Goodyear. 'Zullen we haar naar huis brengen?'

Rebus knikte en keek Dyson aan. 'En de andere twee?'

'Hun auto staat op de Grassmarket.'

'Waren ze gaan winkelen?'

Dyson schudde zijn hoofd. 'Concert in St. Cuthbert's.'

'Allemaal dingen die ik je niet had hoeven te vragen,' zei Rebus, 'als je het gewoon had opgeschreven.' Terwijl zijn blik zich in Dysons ogen boorde, wist hij dat de ander één vraag op de lippen brandde: of het ook maar ene moer uitmaakte. Maar die oude rot was zo verstandig om het niet hardop te zeggen... althans niet voordat de andere oude rot buiten gehoorsafstand was.

Rebus liep naar Clarke, die de teamleider van de TR bij zijn auto stond uit te horen. Hij heette Thomas Banks – 'Tam' voor wie hem kende. Hij knikte naar Rebus en vroeg of hij welkom was op zijn afscheidsfeestje.

'Waarom is iedereen er zo happig op om mij uit te zwaaien?'

'Ik zou er niet van opkijken,' zei Tam, 'als de bobo's van het hoofdbureau een houten staak en een hamer meenemen, om zeker te weten dat ze écht van je af zijn.' Hij knipoogde naar Clarke. 'Siobhan zegt dat je het zo hebt weten te ritselen dat je laatste werkdag een zaterdag is. Is dat om te zorgen dat wij allemaal thuis voor de buis zitten als jij over de horizon verdwijnt?'

'Kwam gewoon zo uit,' beweerde Rebus. 'Is er nog thee?'

'Jij wou niet,' verweet Tam hem.

'Dat was een halfuur geleden.'

'Het is graag of niet, John.'

'Ik vroeg Tam net,' kwam Clarke tussenbeide, 'of zijn team al iets voor ons heeft.'

'En hij zei zeker dat we geduld moeten hebben?'

'Daar komt het wel op neer,' bevestigde Tam, terwijl hij een smsje las. 'Steekpartij bij een pub in de Haymarket,' zei hij.

'Drukke avond,' zei Clarke. En tegen Rebus: 'De dokter denkt dat onze man is doodgeslagen, misschien geschopt. Hij wedt dat zwaar hoofdletsel de doodsoorzaak zal blijken te zijn.'

'Daar ga ik niet om wedden,' zei Rebus.

'Ik ook niet,' zei Tam, terwijl hij aan zijn neus krabde. Hij draaide zich om naar Rebus: 'Weet je wie die jonge knul is?' Een knikje in de richting van de surveillancewagen. Todd Goodyear hield het achterportier open voor Nancy Sievewright terwijl Bill Dyson met zijn vingers op het stuur zat te trommelen.

'Ik ken hem niet,' erkende Rebus.

'Maar zijn opa misschien wel...' Daar liet hij het bij: Rebus mocht het zelf uitdokteren. Dat duurde niet lang.

'Toch niet Harry Goodyear?'

Tam knikte, zodat Clarke moest vragen wie Harry Goodyear was.

'Van voor jouw tijd,' zei Rebus.

Waar ze dus ook niets wijzer van werd. Zoals gewoonlijk.

2

Toen Rebus Clarke naar huis reed, werd ze op haar gsm gebeld. Ze maakten rechtsomkeert en reden naar de Cowgate, waar het mortuarium was. Bij de dienstingang stond een wit busje. Rebus zette zijn auto ernaast en ging Clarke voor. De avondploeg bestond uit twee man. De een was in de veertig en Rebus vond dat hij op een ex-gedetineerde leek. Een vaalblauwe tatoeage kroop van onder de kraag van zijn overall tot halverwege zijn hals. Het duurde even voordat Rebus zag dat het een soort slang was. De andere man was een stuk jonger, een slungelige figuur met een bril.

'Jij bent de dichter, neem ik aan,' raadde Rebus.

'Lord Byron noemen we hem,' raspte het oudere type.

'Daardoor herkende ik hem,' zei de jongeman tegen Rebus. 'Ik ben gisteren naar een poëzieavond geweest waar hij voordroeg...' Hij keek op zijn horloge. 'Eergisteren,' corrigeerde hij zichzelf, wat Rebus eraan herinnerde dat het al na middernacht was. 'Toen droeg hij precies dezelfde kleren.'

'Zijn gezicht is nauwelijks nog herkenbaar,' wierp Clarke tegen.

De jongeman knikte. 'Ja, maar verder... zijn haar, die jas en die riem...'

'Hoe heet hij dan?' vroeg Rebus.

'Todorov. Alexander Todorov. Het is een Rus. Ik heb een van zijn boeken in de stafkamer liggen. Hij heeft het voor me gesigneerd.'

'Dat is dan wel een paar centen waard.' Zijn collega klonk ineens geïnteresseerd.

'Wil je het even halen?' vroeg Rebus. De jongeman knikte en wurmde zich langs hen de gang op. Rebus keek naar de rij deuren van de koelcellen. 'Waar ligt hij?'

'Nummer drie.' De man klopte tegen de deur. Er zat een naam-kaartje op, nog onbeschreven. 'Ik denk niet dat Lord Byron zich vergist – die knul is niet op zijn achterhoofd gevallen.'

'Hoe lang werkt hij hier al?'

'Paar maanden. Chris Simpson heet-ie.'

Clarke had ook een vraag. 'Enig idee wanneer de sectie verricht wordt?'

'Zo gauw de pathologen van hun luie reet komen.'

Rebus had de *Evening News* van een tafel gepakt. 'Ziet er niet goed uit voor Hearts,' zei de man. 'Pressley is geen aanvoerder meer en die coach is maar een tussenpaus.'

'Welja, maak mijn collega maar blij,' zei Rebus. Hij hield de krant omhoog zodat ze de voorpagina kon zien. In Pilrig Park was een tiener gemolesteerd, een sikh; zijn haar was afgeknipt.

'Godzijdank niet onze wijk,' zei ze. Ze hoorden voetstappen en draaiden zich alle drie om, maar het was slechts Chris Simpson die terugkwam met zijn boek, een dunne hardcover. Rebus nam het aan en bekeek de achterflap. De dichter staarde hem met een ern-stig gezicht aan. Rebus liet het aan Clarke zien, die haar schouders ophaalde.

'Lijkt wel dezelfde leren jas,' zei Rebus. 'Maar hier heeft hij een of andere gouden ketting om zijn hals.'

'Had-ie op die lezing ook,' bevestigde Simpson.

'En die kerel die je net hebt binnengebracht?'

'Die niet, ik heb snel even gekeken. Misschien hebben ze die mee-genomen... de lui die hem beroofd hebben, bedoel ik.'

'Of misschien is hij het niet. Hoe lang zat die Todorov hier?'

'Hij had een of andere beurs gekregen. Hij is al een tijd weg uit Rusland – noemt zichzelf een balling.'

Rebus bladerde in het boek. *Astapovo Blues* was de titel. Het waren Engelse gedichten, met titels als 'Raskolnikov' en 'Leonid' en 'Goelag in het hoofd'. 'Wat betekent de titel?' vroeg hij Simp-son.

'Dat is de plaats waar Tolstoj is overleden.'

Zijn collega grinnikte. 'Ik zei toch dat-ie niet van gisteren is.'

Rebus gaf het boek aan Clarke, die de titelpagina opsloeg. 'Bes-te Chris,' had Todorov daar geschreven, 'blijf erin geloven, zoals ik wel en niet heb gedaan.'

'Wat bedoelde hij daarmee?' vroeg ze.

'Ik had gezegd dat ik ook dichter probeerde te worden. Dat betekent dat ik het eigenlijk al ben, zei hij. Ik denk dat hij bedoelt dat hij wel is blijven geloven in zijn eigen poëzie, maar niet in Rusland.' De jongeman begon te blozen.

'Waar was die lezing?' vroeg Rebus.

'De Scottish Poetry Library – bij de Canongate.'

'Was hij in gezelschap? Zijn vrouw, of iemand van de uitgeverij?'

Simpson zei dat hij dat niet wist. 'Hij is beroemd, hoor. Hij werd wel genoemd als Nobelprijskandidaat.'

Clarke had het boek dichtgeslagen. 'We kunnen altijd het Russische consulaat proberen,' stelde ze voor. Rebus knikte langzaam. Ze hoorden buiten een auto stoppen.

'Dat zal er alvast één zijn,' zei de oudere man. 'Laten we het lab maar klaarmaken, Byron.'

Simpson had een hand uitgestoken voor zijn boek maar Clarke zwaaide ermee.

'Mag ik het nog even houden, meneer Simpson? Ik beloof dat ik het niet op eBay zet.'

Daar was de jongeman niet blij mee, maar hij kreeg een por van zijn collega. Clarke bezegelde de deal door het boek in haar jaszak te laten glijden. Rebus had zich omgedraaid naar de buitendeur, die werd opengetrokken door professor Gates. Zijn ogen stonden slaperig en hij werd op de voet gevolgd door dr. Curt – de twee lijkschouwers werkten zo vaak samen dat Rebus ze in gedachten als een twee-eenheid beschouwde. Moeilijk voor te stellen dat ze buiten het werk ieder afzonderlijk een privéleven hadden.

'Ah, John,' zei Gates, en stak hem een hand toe die al net zo ijskoud was als de koelcel waar ze stonden. 'De nacht krijgt een bittere smaak. En daar hebben we brigadier Clarke – die ongetwijfeld staat te popelen om uit de schaduw van haar leermeester te treden.'

Clarke pruttelde inwendig, maar ze zweeg. Wat had het voor zin om te zeggen dat ze wat haar betreft allang uit Rebus' schaduw was getreden? Rebus zelf schonk haar een troostende glimlach voordat hij de asgrijze Curt een hand gaf. Elf maanden geleden was hij behandeld voor kanker en hij was nog niet helemaal op krachten, al was hij wel voorgoed gestopt met roken.

'Hoe gaat het, John?' vroeg Curt. Rebus dacht dat hij dat eerder aan hem zou moeten vragen, maar hij knikte alleen maar.

'Hij ligt in lade twee,' zei Gates tegen zijn collega. 'Wedden?'

'In drie,' zei Clarke. 'We denken dat het een Russische dichter is.'

'Toch niet Todorov?' vroeg Curt, met één opgetrokken wenkbrauw. Clarke liet hem het boek zien en de wenkbrauw schoot nog wat verder omhoog.

'Ik had achter jou geen poëzieliefhebber gezocht,' zei Rebus.

'Hebben we te maken met een diplomatiek incident?' snoof Gates. 'Moeten we bedacht zijn op paraplu's met een vergiftigde punt?'

'Lijkt eerder op een overvaller die door het lint is gegaan,' legde Rebus uit. 'Tenzij er een vergif bestaat dat de huid van je gezicht stroopt.'

'*Fasciitis necroticans*,' mompelde Curt.

'Veroorzaakt door *Streptococcus pyogenes*,' vulde Gates aan. 'Niet dat wij dat ooit in het echt zijn tegengekomen.' Rebus meende oprechte teleurstelling in zijn stem te horen.

Zwaar hoofdletsel: de politiearts had helemaal gelijk gehad. Rebus zat zonder licht aan in zijn woonkamer en rookte een sigaret. De overheid had roken al verboden op de werkplek en in de kroeg en zou nu ook gaan proberen om het bij mensen thuis te verbieden. Rebus vroeg zich af hoe ze dat wilden klaarspelen. Er stond een cd van John Hiatt op, zachtjes. Het nummer heette 'Lift Up Every Stone'. Zijn hele loopbaan lang had hij nooit iets anders gedaan. Maar Hiatt sjouwde met stenen om een muur te bouwen, terwijl Rebus ze alleen optilde om het duistere gewemel eronder te bekijken. Hij vroeg zich af of de songtekst een gedicht was, en wat de Russische dichter gevonden zou hebben van Rebus' eigen variatie op het thema. Ze hadden het consulaat gebeld maar geen gehoor gekregen, zelfs geen antwoordapparaat, dus waren ze maar naar huis gegaan. Siobhan was tijdens de sectie al weggedommeld, tot grote irritatie van Gates. Het was Rebus' schuld: hij had haar voortdurend laten overwerken in een poging belangstelling te wekken voor al die oude, onopgeloste dossiers, al die zaken die nog aan hem knaagden. Misschien ook in de hoop dat ze de herinnering aan hem levend zouden houden...

Rebus had haar thuis afgezet en was door de stille nachtelijke straten naar Marchmont gereden, had uiteindelijk een plek voor zijn auto gevonden en zat nu in zijn flat op de tweede verdieping. De woonkamer had een erker, waar zijn fauteuil stond. Hij nam zich voor om in zijn bed te slapen maar achter de bank lag een dekbed, voor het geval dat. Hij had ook een fles whisky binnen handbereik – achttien jaar oude Highland Park, vorig weekend gekocht, met nog genoeg voor een paar flinke glazen. Sigaretten en drank en een beetje muziek. Ooit had hij daaruit voldoende troost kunnen putten, maar hij vroeg zich af of dat zo bleef als hij eenmaal was afgezwaaid. Wat had hij verder nog?

Een dochter in Engeland, die samenwoonde met een universitair docent.

Een ex die naar Italië was verhuisd.

De kroeg.

Hij zag zich nog geen taxi rijden of vooronderzoek doen voor advocaten. Hij zag zich ook geen 'nieuw leven' beginnen zoals sommigen deden – verkassen naar Marbella of Florida of Bulgarije. Sommigen hadden hun pensioengeld in vastgoed gestoken, verhuurden kamers aan studenten – een hoofdinspecteur die hij kende was op die manier binnengelopen, maar Rebus had geen zin in het gedoe. Hij zou die studenten steeds achter de vodden zitten over schroeiplekken in het tapijt of vuile vaat op het aanrecht.

Sporten? Deed-ie niet.

Hobby's? Wat hij nu deed.

'Beetje zielig vanavond, John?' vroeg hij hardop. Toen grinnikte hij, wetend dat hij kon somberen als de beste, dat hij Schotland met gemak een gouden plak kon bezorgen op de Olympische Mopperspelen. Hij was tenminste niet net dichtgenaaid en teruggeschoven in lade drie. In gedachten had hij een lijstje afgevinkt – criminelen die hij kende, die bij een vechtpartij door het lint konden gaan. De meesten zaten in de cel of zwaar onder de medicijnen in een tbs-kliniek. Gates had het zelf gezegd: 'Hier is iemand razend geworden.'

'Of meerdere mensen,' had Curt aangevuld.

Dat was waar, er konden meerdere daders zijn. Het slachtoffer had een knal tegen het achterhoofd gekregen die hard genoeg was om een schedelbreuk te veroorzaken. Met een hamer, een ploertendoder of een honkbalknuppel – iets in die trant. Rebus vermoedde dat dat de eerste klap was geweest. Hard genoeg om het slachtoffer buiten westen te slaan, waarna zijn belager niets meer te vrezen had. Waarom zijn gezicht dan nog zo ongenadig bewerken? Zoals Gates al had gezegd, zou de gemiddelde overvaller die moeite niet nemen. Die haalde snel de zakken leeg en nam de benen. Van één vinger was een ring verdwenen, en aan de linkerpols had het slachtoffer zichtbaar een horloge gedragen. Een kleine schram in zijn hals kon erop wijzen dat een halsketting was afgerukt.

'Niks gevonden op de plaats delict?' had Curt gevraagd, terwijl hij zijn sternumzaag pakte.

Rebus had zijn hoofd geschud.

Stel dat het slachtoffer zich had verzet... de overvaller misschien had getergd... Of kon het om racisme gaan, iemand die aanstoot nam aan zijn accent?

'Hij heeft een stevig galgenmaal genoten,' had Gates gezegd toen hij de maag opende. 'Een *bhuna* van garnalen, zo te zien, en bier erbij. En bespeurt u ook een vleugje cognac of whisky, dr. Curt?'

'Onmiskenbaar.'

Zo waren ze verder gegaan terwijl Siobhan Clarke vocht tegen de slaap en Rebus naast haar zat te kijken hoe de lijkschouwers hun werk deden.

Geen geschaafde knokkels of resten van huid onder de nagels – niets wees erop dat het slachtoffer zich had kunnen verweren. Eenvoudige confectiekleding, die ging naar het lab. Eenmaal schoongewassen leek het gezicht al meer op dat van de omslagfoto. Toen Siobhan Clarke even wegdommelde had Rebus het boek uit haar zak gevist en de biografische gegevens op de flaptekst gelezen. Geboren in 1960 in de Moskouse wijk Zhdanov, letterkunde gedoceerd, tal van literaire prijzen gewonnen, zes poëziebundels voor volwassenen geschreven en een voor kinderen.

En nu, in zijn luie stoel bij het raam, probeerde Rebus te bedenken welke Indiase restaurants je had in de buurt van King's Stables Road. Zou hij morgen nazoeken in het telefoonboek.

'Nee, John,' verbeterde hij zichzelf. 'Het is al morgen.'

Hij had bij een tankstation de *Evening News* gekocht om de koppen nog eens door te nemen. In de Crown Court was het Marmionproces bezig – schietpartij in een pub in Gracemount, met één dode en een gewonde die van geluk mocht spreken dat hij het had overleefd. De jonge sikh was ervan afgekomen met wat blauwe plekken, maar volgens zijn geloof was zijn haar heilig, en dat moesten zijn belagers hebben geweten of vermoed.

En Jack Palance was dood. Rebus wist niet hoe de man in het echt was geweest, maar in films had hij altijd harde bikkels gespeeld. Rebus schonk zich nog een Highland Park in en hief het glas.

'Op de harde bikkels,' zei hij, en sloeg het glas in één keer achterover.

Siobhan Clarke was bij het einde van de lijst restaurants in het telefoonboek. Ze had een stuk of vijf mogelijke etablissementen onderstreept, al behoorden in feite álle Indiase restaurants tot de mogelijkheden – Edinburgh was een kleine stad waar alles makkelijk te belopen was. Maar ze zouden beginnen met de zaken die het dichtst bij de plaats delict lagen, en van daaruit in een kring naar buiten werken. Ze had haar laptop aangezet en op internet naar Todorov gezocht. Dat leverde duizenden treffers op. Hij stond zelfs in Wikipedia. Een deel van wat ze vond was in het Russisch. Een paar essays uit de vs, waar zijn werk aan de universiteit werd gelezen. Ze vond ook recensies van *Astapovo Blues* en wist nu dat de gedichten over Russische auteurs uit het verleden gingen, maar tegelijkertijd kritiek bevatten op de huidige politiek in Todorovs vaderland – ook al woonde hij al tien jaar niet meer in moedertje Rusland. Dat hij zichzelf een balling noemde was terecht, en zijn opvattingen over het Rusland van na de perestrojka hadden hem woedende reacties en hoongelach vanuit het politburo opgeleverd. Eén interviewer had gevraagd of hij zichzelf beschouwde als een dissident. 'Een constructieve dissident,' was zijn antwoord geweest.

Clarke nam nog een slok lauwe koffie. Dit is jouw zaak, meid, sprak ze zichzelf toe. Straks was Rebus er niet meer. Iets waar ze niet te veel aan probeerde te denken. Ze werkten nu al jaren samen en konden haast elkaars gedachten lezen. Ze wist dat ze hem zou missen, maar ze wist ook dat ze zich moest instellen op een toekomst zonder hem. O, ze zouden nog wel eens samen iets gaan drinken en af en toe een hapje eten. Ze zou hem op de hoogte houden van de laatste roddels en nieuwtjes. En hij zou misschien blijven doorzagen over die onopgeloste dossiers, de zaken waarmee hij haar nu probeerde op te zadelen...

De tv stond op bbc News 24, maar met het geluid uit. Ze had een paar telefoontjes gepleegd om te verifiëren of zich nog niemand had gemeld die de dichter miste. Verder viel er weinig te doen, ze schakelde de tv en haar computer uit en liep naar de badkamer. De lamp was stuk, dus kleedde ze zich in het donker uit, poetste haar tanden en merkte dat ze de borstel afspoelde met warm in plaats van koud water. De lamp op het nachtkastje, waar een lichtroze sjaal overheen lag, liet ze aan. Ze installeerde zich tegen de kussens en trok haar knieën op om *Astapovo Blues* erop te leggen. Iets meer dan veertig pagina's, waar Chris Simpson wel tien pond voor had neergeteld.

Blijf erin geloven, zoals ik wel en niet heb gedaan...

Het eerste gedicht in de bundel eindigde met de regels:

Het land bloedde en huilde, huilde en bloedde
En hij wendde zijn ogen af
Om er niet van te hoeven getuigen

Ze bladerde terug naar de titelpagina en zag dat de bundel uit het Russisch was vertaald door Todorov zelf, 'met hulp van Scarlett Colwell'. Clarke leunde achterover en begon aan het tweede gedicht. Het had vier strofen, en bij de derde viel ze in slaap.

DAG TWEE

Donderdag 16 november 2006

3

De Scottish Poetry Library bevond zich in een van de ontelbare steegjes bij de Canongate. Rebus en Clarke waren er voorbij voordat ze hem hadden gezien en belandden bij het parlement en het paleis van Holyrood. Toen ze terug de heuvel op reden, ditmaal wat langzamer, reden ze er weer voorbij.

'Je kunt hier ook nergens parkeren,' klaagde Clarke. Ze waren met haar auto gegaan, zodat het Rebus' taak was om op te letten wanneer ze bij Crighton's Close waren.

'Ik geloof dat het daar was,' zei hij, achteromkijkend. 'Zet hem op de stoep, dan gaan we even kijken.'

Clarke zette de knipperlichten aan, sloot haar auto af en klapte de zijspiegel in zodat die er niet af werd gereden. 'Als ik een bon krijg, is-ie voor jou,' waarschuwde ze Rebus.

'We zijn in functie, Shiv. Daar komen we wel onderuit.'

De Poetry Library was een modern gebouw dat slim verstopt was tussen de woonhuizen. Een baliemedewerkster verwelkomde hen met een stralende glimlach. Die verdampte zodra Rebus zijn legitimatie toonde.

'Poëzieavond een paar dagen terug – Alexander Todorov.'

'O ja,' zei ze. 'Prachtig. We hebben een paar van zijn boeken te koop.'

'Was hij alleen in Edinburgh? Geen familie of zoiets...?'

De vrouw kneep haar ogen half toe en haar hand klemde zich om de kraag van haar vest. 'Is er iets gebeurd?'

Het was Clarke die antwoord gaf. 'Ik ben bang dat de heer Todorov gisteravond is overvallen.'

'Lieve hemel,' riep de bibliothecaresse uit. 'En is hij...?'

'Als een pier,' vulde Rebus aan. 'We zoeken nabestaanden, of op zijn minst iemand die hem kan identificeren.'

'Alexander was hier als gast van de PEN en de universiteit. Hij is al een paar maanden in de stad...' De stem van de bibliothecaresse trilde, ze beefde over haar hele lichaam.

'De PEN?'

'Een schrijversorganisatie... komt op voor de mensenrechten.'

'Waar verbleef hij?'

'De universiteit had een woning in Buccleuch Place geregeld.'

'Familie? Een echtgenote wellicht...?'

Maar de vrouw schudde haar hoofd. 'Ik geloof dat zijn vrouw is overleden. Ik dacht niet dat ze kinderen hadden – des te beter, misschien.'

Rebus dacht even na. 'Wie had die poëzieavond georganiseerd? De universiteit, het consulaat...?'

'Scarlett Colwell.'

'Zijn vertaalster?' vroeg Clarke, en de bibliothecaresse knikte.

'Scarlett zit in de vakgroep Slavische Talen.' De bibliothecaresse begon te zoeken tussen de papieren op haar bureau. 'Ik heb haar nummer hier ergens... wat vreselijk allemaal. Ik kan u niet zeggen hoe ontdaan ik ben.'

'Niets aan de hand op de avond zelf?' vroeg Rebus, zo achteloos mogelijk.

'Aan de hand?' Toen ze zag dat ze geen nadere uitleg kreeg, schudde ze haar hoofd. 'Het ging geweldig. Schitterend gebruik van metaforen en ritme... zelfs als hij voordroeg in het Russisch voelde je de passie.' Ze viel even stil bij de herinnering, en zuchtte toen: 'Alexander zat na afloop met plezier te signeren.'

'De toon waarop u dat zegt,' zei Clarke, 'wekt de indruk dat dat ook wel eens anders was.'

'Alexander Todorov was een dichter, een groot dichter.' Alsof dat alles verklaarde. 'Ah, hier heb ik het.' Ze hield het papier omhoog maar leek niet van plan het af te geven. Clarke voerde het nummer in op haar mobiel en bedankte de bibliothecaresse.

Rebus keek om zich heen. 'Waar vond die voordracht plaats?'

'Hierboven. Er zaten meer dan zeventig mensen in de zaal.'

'Het is zeker niet gefilmd?'

'Gefilmd?'

'Voor het nageslacht.'

'Waarom vraagt u dat?'

Rebus haalde slechts zijn schouders op.

'Er is wel een geluidsopname gemaakt,' gaf de vrouw toe. 'Iemand van een muziekstudio.'

Clarke had haar notitieboekje getrokken. 'Naam?' vroeg ze.

'Abigail Thomas.' Maar dat bedoelde Clarke niet, realiseerde de bibliothecaresse zich. 'O, van de man die de opname maakte bedoelt u? Charlie nog iets...' Abigail Thomas sloot haar ogen om de naam uit haar geheugen op te diepen, en sperde ze toen open. 'Charles Riordan. Hij heeft zijn eigen studio in Leith.'

'Dank u wel, mevrouw Thomas,' zei Rebus. 'Weet u met wie we het beste contact op kunnen nemen?'

'U kunt het bij de PEN vragen.'

'Was hier die avond niemand van het consulaat?'

'Dat lijkt me niet.'

'Hoezo?'

'Alexander was uitgesproken kritisch over de huidige situatie in Rusland. Een paar weken terug zat hij nog in het panel van *Question Time*.'

'Dat tv-programma?' vroeg Clarke. 'Daar kijk ik wel eens naar.'

'Hij sprak dus behoorlijk goed Engels,' opperde Rebus.

'Als hij zin had,' zei de bibliothecaresse met een spottende glimlach. 'Als je dingen zei die hem niet aanstonden, leek hij onze taal ineens niet meer meester.'

'Klinkt als een kleurrijk figuur,' moest Rebus toegeven. Hij zag dat op een tafel bij de trap een stapeltje boeken van Todorov was uitgestald. 'Zijn die te koop?' vroeg hij.

'Jazeker. Wilt u er een?'

'Zijn ze toevallig gesigneerd?' Hij zag haar knikken. 'Dan neem ik er zes mee.' Hij reikte in zijn binnenzak naar zijn portemonnee terwijl de bibliothecaresse opstond om de boeken te halen. Hij voelde dat Clarke hem aanstaarde en mimede een woord naar haar.

Het leek op 'eBay'.

Er zat geen bon onder de ruitenwisser maar de automobilisten die zich langs de auto probeerden te wurmen keken wel boos. Rebus gooide de tas met boeken op de achterbank. 'Moeten we haar bellen dat we komen?'

'Misschien verstandig,' beaamde Clarke. Ze drukte de toetsen van haar mobiel in en hield hem aan haar oor. 'Zeg, weet jij hoe je op eBay iets moet verkopen?'

'Kom ik wel achter,' zei Rebus. 'Spreek maar met haar af bij zijn woning, voor het geval hij daar zijn roes ligt uit te slapen en onze kerel in het lijkenhuis een dubbelganger is.' Hij duwde zijn vuist tegen zijn mond om een geeuw te verbergen.

'Te weinig geslapen?' vroeg Clarke.

'Waarschijnlijk net zoveel als jij,' zei hij tegen haar.

Clarke kreeg de centrale van de universiteit aan de lijn. Ze vroeg naar Scarlett Colwell en werd doorverbonden.

'Mevrouw Colwell?' Een stilte. 'Sorry, dóctor Colwell.' Ze keek naar Rebus en sloeg haar ogen ten hemel.

'Vraag of ze mijn jicht kan genezen,' fluisterde hij. Clarke gaf hem een stomp tegen zijn schouder en begon dr. Scarlett Colwell het slechte nieuws te vertellen.

Twee minuten later reden ze naar Buccleuch Place, een achttiende-eeuws huizenblok van zes verdiepingen tegenover de nieuwere, en veel lelijkere universiteitsgebouwen. Een van die moderne blokkendozen stond boven aan de lijst van gebouwen die volgens de Edinburghse bevolking zo snel mogelijk tegen de vlakte moesten. Misschien kon het gebouw die vijandigheid voelen, want het begon uit zichzelf in te storten. Er vielen geregeld grote brokken van de gevel.

'Jij hebt hier nooit gestudeerd, hè?' vroeg Rebus toen Clarke's auto over de kasseien rammelde.

'Nee,' zei ze, en manoeuvreerde de auto in een lege plek. 'Jij?'

Rebus schamperde. 'Ik ben zo'n fossiel, ik stam uit het stenen tijdperk, toen je nog zonder bul agent kon worden.'

'Fossielen zijn toch meestal van vóór het stenen tijdperk?'

'Ik heb nu eenmaal niet gestudeerd, dus ik zou het niet weten. Denk je dat we daar een bakje koffie kunnen drinken?'

'In zijn woning?' Rebus knikte. 'Wil jij de koffie van een dode drinken?'

'Ik heb wel erger gedronken.'

'Ik geloof het graag.' Clarke was uitgestapt en Rebus liep achter haar aan. 'Daar moet het ergens zijn.'

Ze stond boven aan de trap en had de voordeur al van het slot gedraaid. Ze zwaaide even, en Rebus en Clarke zwaaiden terug – Clarke uit beleefdheid, en Rebus uit bewondering, want Scarlett Colwell was erg knap. Lang, golvend kastanjebruin haar, donkere ogen, weelderig figuur. Ze droeg een strak groen minirokje, zwarte panty's en halfhoge bruine laarzen. Een Roodkapje-jas die slechts tot haar middel reikte. Een windvlaag blies een haarlok in haar ogen en Rebus had het gevoel dat hij in een Magnum-reclame terecht was gekomen. Hij zag dat haar mascara een beetje was doorgelopen – teken dat ze een paar tranen had geplengd nadat ze het nieuws had gekregen – maar ze stelde zich heel zakelijk voor.

Ze volgden haar de trap op naar de bovenste verdieping, waar ze een andere sleutel uit haar tas opdiepte en de deur van Alexander Todorovs flat opende. Rebus was op de tussenverdieping blijven staan om uit te puffen en arriveerde pas toen de deur al openzwaaide. Er viel weinig te zien in de flat: een klein halletje voerde naar de woonkamer met open keuken. Een kleine douche en een aparte wc, slaapkamer met uitzicht op de Meadows. Omdat ze op de bovenste verdieping zaten, liepen de plafonds schuin af. Rebus vroeg zich af of de dichter wel eens zijn hoofd had gestoten nadat hij in bed overeind was geschoten. De hele woning voelde niet zozeer leeg als wel totaal verlaten, in de rouw om het verlies van de laatste bewoner.

'Het spijt ons dat dit nodig is,' zei Siobhan Clarke toen ze gedrieën in de woonkamer stonden. Rebus keek om zich heen: een prullenmand vol verfrommelde gedichten, een lege cognacfles naast de versleten sofa, een busplattegrond van Edinburgh, aan de muur geprikt boven een klaptafeltje waarop een elektrische schrijfmachine stond. Geen computer of tv of stereo te bekennen, alleen een draagbare radio waarvan de antenne was afgebroken. Overal boeken, Engels, Russisch, en een paar in andere talen. Op de leuning van de bank lag een Grieks woordenboek. Op een voor snuisterijen bedoelde plank lagen lege bierblikjes. Uitnodigingen voor feestjes in de afgelopen maand op de schoorsteenmantel. In het trappenhuis hadden ze een telefoon zien hangen. Rebus vroeg of de dichter een gsm had gehad. Toen Colwell nee schudde en haar haren mee golfden, wist Rebus dat hij nog meer vragen wilde stellen die ze hoofdschuddend kon beantwoorden. Clarke kuchte om hem tegen te houden.

'Ook geen computer?' vroeg hij toch.

'Hij mocht die op mijn werk gebruiken,' zei Colwell. 'Maar Alexander wantrouwde technologie.'

'U kende hem redelijk goed?'

'Ik was zijn vertaler. Toen de beurs beschikbaar kwam heb ik hard voor hem gelobbyd.'

'Waar zat hij voordat hij naar Edinburgh kwam?'

'Een tijdje in Parijs... daarvoor in Keulen... Stanford, Melbourne, Ottawa...' Ze perste er een glimlach uit. 'Hij was erg trots op de stempels in zijn paspoort.'

'Nu u daarover begint,' zei Clarke. 'Zijn zakken waren leeg. Enig idee wat hij normaliter op zak zou hebben?'

'Een notitieboekje en een pen... en wat geld, denk ik...'

'Creditcards?'

'Hij had een bankpas. Ik geloof dat hij een rekening had geopend bij First Albannach. Er moeten hier wel afschriften liggen.' Ze keek om zich heen. 'Hij was beroofd, zegt u?'

'In ieder geval overvallen.'

'Wat voor man was hij, dr. Colwell?' vroeg Rebus. 'Als iemand hem op straat aanviel, zou hij dan tegenstribbelen, terugvechten?'

'Dat denk ik wel. Hij was een stevige kerel. Hield van een goed glas wijn, echt iemand van het conflictmodel.'

'Was hij opvliegend?'

'Niet bijzonder.'

'Maar u noemde hem iemand van het conflictmodel.'

'In de zin dat hij wel van een stevige discussie hield,' verbeterde Colwell zich.

'Wanneer hebt u hem voor het laatst gezien?'

'In de Poetry Library. Hij ging na afloop naar de kroeg, maar ik wilde naar huis, ik heb nog een hoop essays na te kijken voordat de kerstvakantie begint.'

'Met wie ging hij naar de kroeg?'

'Er waren een paar dichters uit de stad: Ron Butlin, Andrew Greig... Abigail Thomas was er vast ook bij, al was het maar om de drank te betalen – Alexander was nogal slordig met geld.'

Rebus en Clarke wisselden een blik: ze moesten nog eens met de bibliothecaresse gaan praten. Rebus schraapte zijn keel, probeerde zijn volgende vraag uit te stellen. 'Bent u bereid het stoffelijk overschot te identificeren, dr. Colwell?'

Het bloed trok weg uit haar gezicht.

'U lijkt hem beter gekend te hebben dan de meeste mensen,' pleitte Rebus. 'Of weet u een familielid dat we kunnen vragen?'

Maar ze had haar besluit al genomen. 'Goed, ik doe het wel.'

'We kunnen er nu meteen heen rijden,' zei Clarke. 'Als u het goedvindt.'

Colwell knikte langzaam en staarde voor zich uit. Rebus keek Clarke aan. 'Bel het bureau,' zei hij, 'en vraag Hawes en Tibbet om de flat te doorzoeken – paspoort, bankpas, notitieboekje... Als die hier niet liggen, zijn ze door iemand meegenomen of ergens gedumpt.'

'En zijn sleutels,' vulde Clarke aan.

'Scherp.' Rebus liet zijn blik weer door de kamer gaan. 'Moeilijk te zeggen of de woning doorzocht is of niet. Of ziet het er anders uit dan anders, dr. Colwell?'

Colwell schudde haar hoofd weer en moest een haarlok uit haar ogen plukken. 'Het zag er altijd zo uit.'

'TR is niet nodig,' zei Rebus tegen Clarke. 'Alleen Hawes en Tibbet.' Clarke knikte en pakte haar mobiel. Rebus had een opmerking van Colwell gemist.

'Over een uur heb ik een werkcollege,' herhaalde ze.

'U bent ruim op tijd terug,' verzekerde hij haar. Het kon hem weinig schelen of het klopte. Hij stak zijn hand uit naar Clarke. 'Sleutels.'

'Pardon?'

'Jij blijft hier om Hawes en Tibbet binnen te laten. Ik rij dr. Colwell naar het mortuarium.'

Clarke probeerde hem met haar blik op andere gedachten te brengen, maar gaf uiteindelijk toch toe.

'Vraag maar of zij je daarna naar de Cowgate rijden,' zei Rebus om de pijn te verzachten.

4

Ze kon direct bevestigen dat hij het was, ook al ging zijn lichaam bijna helemaal schuil onder de lijkwade om de sporen van de sectie aan het oog te onttrekken. Colwell legde haar voorhoofd even tegen Rebus' schouder en stond zichzelf één enkele traan uit beide ogen toe. Rebus betreurde het dat hij geen schone zakdoek bij zich had, maar ze haalde er een uit haar schoudertas, depte haar ogen en snoot haar neus. Professor Gates stond erbij, gekleed in een driedelig pak dat hem vier of vijf jaar geleden nog prachtig had gestaan. Handen voor zich gevouwen, hoofd gebogen, respectvolle uitstraling.

'Dat is Alexander,' wist Colwell uiteindelijk uit te brengen.

'Weet u het zeker?' wilde Rebus weten.

'Absoluut.'

'Misschien,' opperde Gates, en zijn hoofd kwam omhoog, 'wilt u een kopje thee voordat we de papierwinkel afhandelen?'

'Een paar formulieren maar,' verklaarde Rebus zacht. Colwell knikte langzaam en ze liepen gedrieën naar de werkkamer van de patholoog. Het was een benauwd hok zonder ramen waar de lucht vochtig was van de douche ernaast. De dagploeg was begonnen en Rebus kende de man die de thee bracht niet. Gates noemde hem Kevin, hij vroeg hem de deur achter zich te sluiten en sloeg de map op zijn bureau open.

'Was de heer Todorov trouwens een autoliefhebber?' vroeg hij.

'Volgens mij wist hij nog niet waar de motorkap zat en waar de kofferbak,' zei Colwell met een flauwe glimlach. 'Toen zijn bureaulamp stuk was, moest ik er een nieuwe in draaien.'

Gates glimlachte terug en keek Rebus aan. 'De TR vroeg zich af of hij als monteur had gewerkt. Er zat olie op de zoom van zijn jas en op zijn broek, bij de knieën.'

Rebus dacht aan de plek waar hij gevonden was. 'Er kan olie op straat hebben gelegen,' stemde hij in.

'King's Stables Road,' zei de patholoog. 'Veel van die stallen zijn toch omgebouwd tot garagebox?'

Rebus knikte en keek naar Colwell om te zien hoe zij het opnam.

'Ga maar door,' zei ze. 'Ik ben klaar met snotteren.'

'Wie heb je gesproken?' vroeg Rebus aan Gates.

'Ray Duff.'

'Ray is geen kwaaie,' zei Rebus. Hij wist maar al te goed dat Ray Duff de beste forensisch expert was die ze hadden.

'Wedden dat hij nu op de plaats delict is?' zei Gates. 'Op zoek naar olie?'

Rebus knikte en zette de thee aan zijn mond.

'We weten nu dat Alexander inderdaad het slachtoffer is,' verbrak Colwell de stilte. 'Moet ik het stilhouden? Wilt u dat de pers het niet te weten komt?'

Gates snoof luidruchtig. 'Onmogelijk om dit uit de publiciteit te houden, dr. Colwell. Het politiekorps is zo lek als een mandje – net als dit gebouw trouwens.' Hij keek naar de deur. 'Nietwaar, Kevin?' riep hij. Ze hoorden iemand wegschuifelen in de gang. Gates glimlachte tevreden en pakte de hoorn van de telefoon, die overging.

Rebus wist dat het Siobhan Clarke was, die bij de receptie op hem stond te wachten...

Toen ze Colwell hadden afgezet bij de universiteit, had Rebus zijn collega een lunch aangeboden. Toen hij zei dat hij trakteerde had Clarke hem aangestaard en gevraagd of hem iets scheelde. Hij had zijn hoofd geschud, waarop ze zei dat hij dan waarschijnlijk iets van haar gedaan wilde krijgen.

'Wie weet of ik ooit nog de kans krijg als ik straks met pensioen ben,' was zijn verklaring geweest.

Ze gingen naar een bistro boven een winkel in West Nicolson Street, waar de dagschotel een wildpastei was. Geserveerd met patat en doperwten, waar Rebus een kwart fles HP-saus overheen spoot. Hij beperkte zich tot een klein glas Deuchar's en had buiten nog vier trekken van een sigaret kunnen nemen voor hij de zaak binnenging. Tussen een paar happen bladerdeeg door vertelde hij over Ray Duff en vroeg of alles goed was gegaan in Todorovs flat.

'Denk je dat Colin op Phyllida valt?' mijmerde Clarke. Agent Phyllida Hawes en Colin Tibbet deelden een kamer met Rebus en Clarke op bureau Gayfield Square. Tot voor kort hadden ze daar gewerkt onder het boze oog van hoofdinspecteur Derek Starr, maar die was momenteel gedetacheerd op het hoofdbureau in Fettes Avenue, op zoek naar de promotie waar hij recht op meende te hebben. Zodra Rebus was afgetaaid, zo ging het gerucht, zou Clarke zijn plaats innemen en bevorderd worden tot inspecteur. Het was een gerucht waarvoor Clarke doof probeerde te blijven.

'Waarom vraag je dat?' Rebus hief zijn glas en zag dat het al bijna leeg was.

'Ze lijken het erg goed met elkaar te kunnen vinden.'

Rebus staarde haar aan en probeerde gekwetst te kijken. 'En wij niet?'

'Ja, prima,' zei ze glimlachend. 'Maar volgens mij zijn ze ook een paar keer samen uit geweest – en hebben ze liever niet dat iemand dat weet.'

'Denk je dat ze in het bed van onze dooie liggen te knuffelen?'

Clarke trok een vies gezicht bij die suggestie. En even later: 'Ik vraag me gewoon af hoe ik ermee moet omgaan.'

'Zodra je van mij af bent en zelf aan de touwtjes trekt?' Rebus legde zijn vork neer en keek haar misprijzend aan.

'Jij bent hier degene die zo nodig alle losse eindjes aan elkaar wil breien,' klaagde ze.

'Misschien, maar ik heb nooit geprobeerd om relatietherapeut te spelen.' Hij pakte zijn glas weer maar moest constateren dat er niets meer in zat.

'Wil je koffie?' vroeg ze verzoenend. Hij schudde zijn hoofd en begon op zijn zakken te kloppen.

'Ik snak vooral naar een sigaret.' Hij vond zijn pakje en stond op. 'Ik ga even naar buiten, neem jij maar koffie.'

'En vanmiddag?'

Hij dacht na. 'We schieten sneller op als we het werk verdelen. Ga jij naar de bibliothecaresse, dan ga ik naar King's Stables Road.'

'Prima,' zei ze, zonder te verhelen dat ze het helemaal niet prima vond. Rebus bleef even staan alsof hij nog iets wou zeggen, zwaaide toen met zijn sigaret en liep naar de deur.

'En nog bedankt voor de lunch,' zei ze zodra hij buiten gehoorsafstand was.

Rebus meende wel te weten waarom de toon van hun gesprekken binnen de kortste keren bits werd. Spanningen waren onvermijdelijk in deze periode: hij op het punt om het slagveld te verlaten, zij in afwachting van promotie. Ze werkten al zo lang samen, waren bijna even lang bevriend... logisch dat er spanningen waren.

Iedereen ging ervan uit dat ze ooit met elkaar naar bed waren geweest, maar daar had voor beiden geen sprake van kunnen zijn. Hoe hadden ze dan moeten samenwerken? Het zou alles of niets zijn geweest en ze hielden allebei te veel van hun werk om daar iets tussen te laten komen. Hij had haar laten beloven geen surprise-party te organiseren in zijn laatste werkweek. Hun chef op bureau Gayfield Square had aangeboden iets te regelen, maar dat had Rebus hoofdschuddend afgeslagen.

'Niemand heeft zo'n lange staat van dienst als jij,' had hoofdinspecteur Macrae aangedrongen.

'Dan zijn het al die mensen die het zo lang met me hebben uitgehouden die een medaille verdienen,' had Rebus geantwoord.

Onder aan de helling was Raeburn Wynd nog steeds afgezet, maar één bewoner kroop doodgemoedereerd onder het blauw-witte politielint door, immuun voor de gedachte dat er ook maar één vierkante centimeter van Edinburgh kon zijn waar hij niet mocht komen. Dat maakte Rebus althans op uit het handgebaar dat de man maakte toen Ray Duff waarschuwde dat hij valse sporen aanbracht op een plaats delict. Duff stond meer verdrietig dan boos zijn hoofd te schudden toen Rebus bij hem aankwam.

'Gates dacht al dat ik je hier zou vinden,' zei Rebus. Duff sloeg zijn ogen ten hemel.

'En nu banjer jíj weer door mijn sporen heen.'

Rebus antwoordde met een grimas. Duff hurkte bij zijn instrumentenkoffer, een rode hard plastic gereedschapskist van een bouwmarkt. De talloze vakjes vouwden als een harmonica open, maar Duff was ze net aan het dichtschuiven.

'Ik dacht dat jij er nu wel je gemak van zou nemen,' zei Duff.

'Dat dacht je niet.'

Duff lachte. 'Nee, inderdaad.'

'Iets gevonden?' vroeg Rebus.

Duff klapte zijn kist dicht en tilde hem op terwijl hij overeind kwam. 'Ik ben naar boven gelopen en heb alle garageboxen bekeken. Maar als het daar was gebeurd, zou je op de weg sporen van bloed moeten zien.' Hij stampte op de klinkers om het te onderstrepen.

'En?'

'Het bloed zit ergens anders, John.' Hij wenkte Rebus mee en sloeg links af King's Stables Road in. 'Zie je iets?'

Rebus tuurde naar het plaveisel en zag bloedspatten. Met flinke afstanden ertussen, maar een duidelijk spoor. Het bloed verkleurd, maar nog herkenbaar. 'Waarom hebben we dat gisteravond niet gezien?'

Duff haalde zijn schouders op. Zijn auto stond langs de straat en hij deed hem van het slot om de gereedschapskist op te bergen.

'Hoe ver ben je het gevolgd?' vroeg Rebus.

'Ik wou het net gaan doen toen jij kwam.'

'Aan de slag dan.'

Ze gingen op weg, de ogen gericht op de schaarse bloeddruppels. 'Ga je bij het THZD?' vroeg Duff.

'Zouden die me willen hebben?' Het THZD was het Team Herziening Zware Delicten, drie gepensioneerde rechercheurs die zich over onopgeloste zaken bogen.

'Heb je gehoord van ons succes vorige week?' zei Duff. 'DNA-spoor in zweet van een vingerafdruk. Dat soort dingen kan van pas komen in cold cases. Door DNA-vermeerdering kunnen we achteraf alsnog een DNA-profiel genereren.'

'Alleen jammer dat ik daar geen chocola van kan genereren.'

Duff grinnikte. 'De wereld verandert, John. Sneller dan de meesten van ons kunnen bijhouden.'

'Verwijs je me nu naar de schroothoop?'

Duff haalde zijn schouders op. Ze waren een paar honderd meter gevorderd en stonden bij de uitgang van een parkeergarage. Er waren twee uitritten met een slagboom waartussen je als klant kon kiezen. Als je betaald had voor je kaartje, duwde je het in de gleuf en ging de slagboom omhoog.

'Is het slachtoffer al geïdentificeerd?' vroeg Duff, terwijl hij om zich heen speurde naar bloedspatten.

'Een Russische dichter.'

'Had hij een auto?'

'Hij kon nog geen peertje verwisselen.'

'Maar ja, een parkeergarage, John... daar ligt altijd olie op de grond.'

Rebus had gezien dat beide slagbomen waren voorzien van een intercom. Hij drukte een knop in en wachtte. Na enkele ogenblikken kwam de luidspreker krakend tot leven.

'Ja?'

'Kunt u me misschien helpen...'

'Wou je de weg vragen of zo? Luister maat, dit is een parkeergarage. Alleen bedoeld om je auto te parkeren.' Het duurde een seconde voor Rebus het doorhad.

'U kunt me zien,' zei hij. Inderdaad: een beveiligingscamera in de hoek bovenin, gericht op de uitgang. Rebus wuifde ernaar.

'Sta je met panne?' vroeg de stem.

'Politie,' zei Rebus. 'Ik wil u even spreken.'

'Waarover?'

'Waar zit u?'

'Eerste verdieping,' zei de stem uiteindelijk. 'Gaat het over die optater met mijn auto?'

'Hangt ervan af – hebt u een kerel doodgeslagen?'

'Jezus, nee.'

'Dan zal het wel meevallen. We komen eraan.' Rebus liep naar Ray Duff, die op zijn knieën onder een BMW zat te turen.

'Ik vind er niet veel aan, dat nieuwe model,' zei hij toen hij merkte dat Rebus achter hem stond.

'Iets gevonden?'

'Volgens mij ligt hier bloed onder... en flink wat ook. Als je het mij vraagt loopt het spoor hiernaartoe.'

Rebus liep om de auto heen. Er lag een bonnetje op het dashboard waaruit bleek dat hij om elf uur die ochtend de parkeergarage was ingereden.

'De auto ernaast,' zei Duff, 'ligt daar iets onder?'

Rebus liep om de grote Lexus heen maar zag niets. Er zat niets anders op dan ook te knielen. Een eindje touw of ijzerdraad. Hij stak zijn hand onder de auto, grabbelde met zijn vingers tot hij de buit kon binnenhalen. Klom weer overeind en liet zijn vondst tussen duim en wijsvinger bungelen.

Zilveren halsketting.

'Ray,' zei hij, 'haal je gereedschapskist maar.'

5

Clarke besloot dat het weinig zin had helemaal bij de bibliotheca-resse langs te gaan, dus belde ze haar vanuit Todorovs flat, waar Hawes en Tibbet aan het zoeken waren. Ze had het nummer van de bibliotheek net ingetoetst toen Hawes zwaaiend met het paspoort van de overledene uit de slaapkamer kwam.

'Onder een hoek van de matras,' zei Hawes. 'De eerste plek waar ik keek.'

Clarke knikte en liep naar de overloop om rustig te kunnen praten.

'Mevrouw Thomas?' sprak ze in haar mobiel. 'Met brigadier Clarke, sorry dat ik u alweer moet lastigvallen...'

Drie minuten later stond ze in de woonkamer met niet meer dan een paar namen: ja, Abigail Thomas was na de voordracht met Todorov meegegaan naar de pub, maar ze had zelf maar één glas gedronken en geweten dat de dichter die avond nog wel vier of vijf kroegen zou afgaan.

'Hij leek me in goede handen bij meneer Riordan,' zei ze tegen Clarke.

'De geluidstechnicus?'

'Ja.'

'Was er verder niemand bij? Geen andere dichters?'

'Alleen wij drieën, en zoals ik al zei, ik ben niet lang gebleven...'

Colin Tibbet had alle laden en keukenkastjes doorzocht en kantelde nu de sofa om te kijken of daar nog iets anders onder lag dan stof. Clarke pakte een boek van de vloer. Een exemplaar van *Astapovo Blues*. Ze had wat informatie over Tolstoj opgezocht en wist nu dat hij was overleden op een treinstationnetje, op de vlucht voor de echtgenote die niets voelde voor zijn spartaanse levensstijl. Daardoor begreep ze wat meer van het laatste gedicht van de bundel, 'Codex Coda', met zijn refrein van 'een koude, zuivere dood'. Ze zag dat Todorov zelf nog niet tevreden was geweest met de gedichten in de bundel – overal stonden verbeteringen in potlood. Ze viste een prop uit zijn prullenmand en vouwde die open.

Stadslawaai onzichtbaar
De lucht die oproer kraait
Dichtgeslibd als een

Verder stond er alleen gekrabbel op het vel. Op het bureau lag een map waar niets in zat. Een boekje killer *sudoku*'s, allemaal ingevuld. Pennen en potloden en een nooit gebruikte kalligrafieset, compleet met instructies. Ze liep naar de muur en keek naar de buskaart van Edinburgh, trok een lijn van King's Stables Road naar Buccleuch Place. Todorov had tientallen verschillende routes kunnen nemen. Misschien had hij een kroegentocht gemaakt of was hij een beetje verdwaald. Geen enkele reden om in een rechte lijn naar huis te gaan. Misschien van huis vertrokken, George Square overgestoken, naar de Candlemaker Row en via de steile helling omlaag naar de Grassmarket. Genoeg pubs daar, en één straat verderop King's Stables Road...

Haar telefoon ging. Rebus.

'Phyl heeft zijn paspoort gevonden,' zei ze.

'En ik heb net zijn halsketting gevonden, op de grond in de parkeergarage.'

'Dus hij is daar vermoord en in het steegje gedumpt?'

'Daar wijst het bloedspoor wel op.'

'Of hij is weggewankeld en op straat in elkaar gezakt.'

'Kan ook,' erkende Rebus. 'Maar de vraag is, wat deed hij in die parkeergarage? Ben jij in zijn flat?'

'Ik wilde net vertrekken.'

'Zeg eerst even dat ze ook moeten zoeken naar autosleutels en een rijbewijs. En vraag Scarlett Colwell of Todorov over een auto beschikte. Zal wel niet, maar toch maar even vragen...'

'Staat er geen verlaten auto in de parkeergarage?'

'Goeie, Shiv. Laat ik uitzoeken. Ik spreek je nog.' Hij hing op en ze moest onwillekeurig glimlachen: zo gedreven had ze Rebus in maanden niet gehoord. Ze vroeg zich af – niet voor de eerste keer

– wat hij straks moest doen als hij zijn werk niet meer had.

Antwoord: haar lastigvallen waarschijnlijk – haar elke dag bellen, uithoren over het werk.

Clarke kreeg dr. Colwell aan de lijn op haar mobiel, die ze blijkbaar had vergeten uit te schakelen.

'Excuseer,' zei Clarke. 'Zit u midden in uw werkcollege?'

'Ik heb ze maar weggestuurd.'

'Dat kan ik me voorstellen. Misschien kunt u beter de rest van de dag vrij nemen. Het moet een hele schok voor u zijn.'

'En wat moet ik dan? Mijn vriend zit in Londen, ik heb het hele huis voor mij alleen.'

'Misschien is er een andere vriend of vriendin die u kunt bellen?' Clarke keek op naar Hawes, die de kamer weer in kwam, maar ditmaal schouderophalend: geen notitieboekje, sleutels of bankpas. Tibbet had al evenmin succes en zat op de stoel fronsend in *Astapovo Blues* te bladeren. 'Maar goed,' ratelde Clarke verder, 'ik bel eigenlijk om te vragen of Alexander een auto had.'

'Nee.'

'Kon hij wel rijden?'

'Ik heb geen idee. Ik zou in ieder geval niet bij hem in de auto gaan zitten.'

Clarke knikte en wierp een blik op de kaart aan de muur – Todorov leek meer iemand om de bus te nemen. 'Bedankt,' zei ze.

'Hebt u Abi Thomas al gesproken?' vroeg Colwell ineens.

'Ze is met hem meegegaan naar de pub.'

'Dat zal wel.'

'Maar ze heeft maar één glas gedronken.'

'O ja?'

'Klinkt alsof u haar niet gelooft, dr. Colwell.'

'Abi Thomas kreeg al opvliegers als ze zijn gedichten maar las... kunt u nagaan hoe opgewonden ze moet zijn geweest om naast hem op een bankje in een louche pub te zitten.'

'Nou, bedankt voor uw hulp...' Maar Colwell had al opgehangen. Clarke staarde naar de telefoon en merkte toen dat ze zelf door twee paar ogen werd aangestaard. Hawes en Tibbet.

'Ik denk niet dat we hier nog iets vinden, Siobhan,' opperde Hawes, en haar partner klakte instemmend met zijn tong. Hij was een centimeter of twee korter en een decimeter of twee minder intelligent, maar verstandig genoeg om haar het woord te laten doen.

'Terug naar het bureau?' stelde Clarke voor, wat leidde tot enthousiast geknik. 'Goed,' stemde ze in, 'maar we kijken nog één keer rond – en ditmaal speciale aandacht voor autosleutels en alles wat er verder op kan wijzen dat hij wel eens een auto moest parkeren.' Waarna ze Tibbet het boek uit handen pakte en op de stoel ging zitten om te kijken of ze nog iets over het hoofd had gezien in 'Codex Coda'.

Het forensisch team had geprobeerd de BMW opzij te duwen, maar zonder succes. Nu stonden ze te overleggen wat ze zouden doen: zelf de auto opkrikken of een takelwagen laten komen. In de rest van de parkeergarage was het ook een drukte van belang: een rij agenten in witte overalls schuifelde op de knieën de verdieping af op zoek naar sporen op de grond. Todd Goodyear zat er ook tussen, hij begroette Rebus met een knikje. Er werden foto's genomen en video-opnames gemaakt en buiten kamde een ander team de hele route van de steeg naar de garage af. De jongens van de TR deden hun best hun schaamte te verbergen over het feit dat ze het bloedspoor de vorige avond niet hadden gevonden. Elke keer als Ray Duff hun de rug toekeerde, wierpen ze hem een vuile blik toe.

Dat was het tafereel dat de eigenaresse van de BMW aantrof toen ze arriveerde, met in haar handen een aktetas en een stel boodschappentassen. Todd Goodyear kreeg de taak haar een verklaring af te nemen.

'En hou het kort,' zei Tam Banks, die met zijn team zo snel mogelijk aan de slag wilde op de plek waar de auto stond.

Rebus stond bij de bewaker van de garage. Die had net rondgekeken op de andere verdiepingen. Hij heette Joe Wills en het uniform dat hij droeg was waarschijnlijk voor iemand met een andere maat gemaakt. Hij had al uitgelegd dat je niet makkelijk kon zien of een auto was achtergelaten.

'Bent u vierentwintig uur open?' had Rebus gevraagd.

Wills had zijn hoofd geschud. 'We gaan om elf uur dicht.'

'En kijkt u dan niet of er nog auto's staan?'

Wills had nogal nadrukkelijk zijn schouders opgehaald. Weinig bevredigend werk, vermoedde Rebus.

Nu stond Wills uit te leggen dat hij nog steeds niet wist of er auto's waren die hier de hele nacht hadden gestaan.

'Eens in de twee weken controleren we de kentekens,' zei hij.

'Dus een gestolen auto, om maar wat te noemen, kan hier rustig twee weken staan voordat jullie het doorhebben?'

'Dat is het beleid.' Rebus schatte hem in als een drinker: grijze stoppelbaard, haar dat een wasbeurt kon gebruiken, roodomrande ogen. Ergens in zijn kantoortje had hij waarschijnlijk een fles met het een of ander om de thee en koffie op te peppen.

'Wat zijn de werktijden?'

'Van zeven tot drie of van drie tot elf. Ik werk liever 's ochtends. Vijf dagen werken, twee dagen vrij. De weekenden worden meestal door anderen gedaan.'

Rebus keek op zijn horloge: nog twintig minuten voordat Wills werd afgelost.

'Straks begint uw collega – zat hij hier gisteravond ook?'

Wills knikte. 'Gary heet hij.'

'Heb je hem vandaag nog niet gesproken?'

Wills haalde zijn schouders op. 'Het enige wat ik van Gary weet is: huis in Shandon, Hearts-supporter, stoot van een vriendin.'

'Dat is al iets,' mompelde Rebus. En hij vervolgde: 'We gaan uw bewakingscamera's eens bekijken.'

'Waarom?' Rebus' kwade frons ontlokte de man slechts een glazige blik.

'Om te kijken of er iets op de band staat wat we kunnen gebruiken.' Aan de uitdrukking op Wills' gezicht zag Rebus al wat eraan kwam: één enkel woord dat zou klinken als een echo en een vraag tegelijk.

'Band...?'

Toch liepen ze weer omhoog over de helling. Het schuilhol van Wills was een klein hok met vuile ramen, er speelde een radio. Vijf flikkerende zwart-witschermen, en een zesde dat uit stond.

'Bovenste verdieping,' legde Wills uit. 'Die heeft kuren.'

Rebus keek naar de overige vijf. Wazig beeld, kon je nog geen kenteken op onderscheiden. Zelfs de cijfers van de verdieping waren moeilijk te lezen. 'Wat heeft dit in godsnaam voor zin?' vroeg hij.

'De chefs denken dat het de klanten een veilig gevoel geeft.'

'Dat is dan niet terecht, daar kan die arme donder in het lijkenhuis over meepraten.' Rebus wendde zich af van de schermen.

'Er is wel een camera geweest die ongeveer op die plek gericht was,' zei Wills. 'Maar ze worden af en toe verzet...'

'En jullie nemen niks op?'

'Recorder heeft het een maand terug begeven.' Wills knikte in de richting van een stoffige lege plek onder de beeldschermen. 'Niet dat we daar veel mee deden. Het enige wat de bazen interesseert is klanten die weg proberen te komen zonder betalen. Het systeem is behoorlijk waterdicht, dat komt niet veel voor.' Wills bedacht iets. 'Er is ook een trap van de straat helemaal tot boven. In het trappenhuis is vorig jaar een klant mishandeld.'

'O?'

'Ik heb toen wel gezegd dat ze er camera's moesten ophangen, maar daar is nooit wat mee gedaan.'

'Je kunt het maar gezegd hebben.'

'Wat zou ik me ook druk maken... wij raken onze baan toch kwijt. Ze gaan ons vervangen door één kerel op een motor die heen en weer mag scheuren tussen een stuk of zes garages tegelijk.'

Rebus keek om zich heen in het benauwde hok. Waterkoker en theemokken, een paar beduimelde paperbacks en tijdschriften, en de radio – alles uitgestald op het tafeloppervlak tussen de beeldschermen. Hij vermoedde dat de bewakers het grootste deel van de tijd met hun rug naar het scherm zaten. Waarom ook niet? Minimumloon, de baas slechts een vage, verre dreiging, geen enkele zekerheid over hun baan. Een of twee keer per dag iemand die op de intercom drukte, mensen die hun kaartje kwijt waren of geen kleingeld hadden. Er stond een rekje met cd's, bands die Rebus vaag kende: Kaiser Chiefs, Razorlight, Killers, Strokes, White Stripes...

'Ik zie geen cd-speler,' zei hij.

'Die zijn van Gary,' legde Wills uit. 'Hij heeft altijd zo'n klein ding bij zich.'

'Met een koptelefoon?' raadde Rebus, en zag Wills knikken. 'Geweldig,' mompelde hij. 'U werkte hier vorig jaar ook al?'

'Volgende maand werk ik hier drie jaar.'

'En uw collega?'

'Maand of acht, negen. Ik heb zijn dienst ook wel geprobeerd, maar dat is niks voor mij. Ik heb de middag en avond graag voor mezelf.'

'Betere tijd om te drinken?' teemde Rebus. Wills' gezicht verstrakte, zodat Rebus aandrong. 'Ooit problemen gehad, meneer Wills?'

'Hoe bedoelt u?'

'Met de politie.'

Wills krabde demonstratief roos van zijn hoofd. 'Lang geleden,' zei hij uiteindelijk. 'De bazen weten ervan.'

'Gevochten?'

'Diefstal,' verbeterde Wills. 'Maar dat is twintig jaar geleden.'

'En uw auto? U zei dat u een optater had gehad?'

Maar Wills stond door het raam te kijken. 'Daar zul je Gary hebben.' Buiten het hok was een lichtkleurige auto gestopt die de chauffeur nu op slot deed.

De deur werd opengegooid. 'Wat is er beneden allemaal aan de hand, Joe?' Gary was niet helemaal in uniform. Rebus vermoedde dat de jas nog in zijn plastic tas zat, met zijn broodtrommel. Hij was een paar jaar jonger dan Wills, een stuk slanker en vijftien centimeter langer. Hij gooide twee kranten op de balie maar kon de kamer niet in – met Rebus erbij was het te krap. De man schudde zijn jas af: hagelwit overhemd, maar geen stropdas – had vast een clipdas in een broekzak zitten.

'Ik ben inspecteur Rebus, recherche,' zei Rebus. 'Gisteravond is hier iemand zwaar mishandeld.'

'Op niveau 0,' zei Wills nog.

'Is hij dood?' vroeg de nieuw aangekomene met opengesperde ogen. Wills haalde zijn vlakke hand langs zijn keel en maakte een bijbehorend geluid. 'Godsamme. Weet Magere Hein dat al?'

Wills schudde zijn hoofd en zag dat Rebus een verklaring nodig had. 'Zo noemen we een van de chefs,' zei hij. 'Zij is de enige die we ooit te zien krijgen. Draagt altijd een lange zwarte jas met een capuchon.'

Vandaar de naam. Rebus knikte dat hij het begreep. 'Ik moet je een verklaring afnemen,' zei hij tegen de jongere man. Wills had ineens haast, begon wat spullen bij elkaar te pakken om in zijn plastic tas te stoppen.

'Tijdens jouw dienst gebeurd, Gary,' zei hij hoofdschuddend. 'Magere Hein zal niet blij zijn.'

'Dat is niks nieuws.' Gary was het hok uit gestapt om Wills vrij baan te geven. Rebus stapte ook naar buiten, happend naar adem.

'We spreken elkaar nog,' waarschuwde hij de vertrekkende Wills. Die wuifde zonder om te kijken. Rebus richtte zijn aandacht op Gary. Slungelachtig, vond hij, en met hangende schouders alsof hij zich onprettig bewust was van zijn lengte. Een lang gezicht met een hoekige kaak en uitstekende jukbeenderen, bekroond met een flinke bos donkerblond haar. Rebus zei het bijna hardop: jij moet op het podium staan in een band, in plaats van te verpieteren in zo'n uitzichtloos baantje. Maar misschien dacht Gary daar anders over. Knappe knul in ieder geval, wat die 'stoot van een vriendin' verklaarde. Al wist Rebus natuurlijk niet wat Joe Wills op dat gebied gewend was...

Twintig minuten later was hij niet veel verder dan een herhaling van wat hij al wist: naam Gary Walsh; maisonnette in Shandon; werkte hier negen maanden; had daarvoor in een taxi gereden maar hield niet van nachtwerk; had de vorige avond niets bijzonders gezien of gehoord.

'Wat gebeurt er om elf uur?' had Rebus gevraagd.

'Dan sluiten we de tent. Metalen hek komt omlaag bij de in- en uitgang.'

'Kan er dan niemand meer in of uit?' Walsh had zijn hoofd geschud. 'En controleer je of je niemand insluit?' Bevestigend geknik. 'Stonden er nog auto's op niveau o?'

'Niet dat ik me herinner.'

'Zet je je auto altijd hier?'

'Ja.'

'Maar als je weggaat rij je via niveau o?' De jongen knikte. 'En je hebt niets gezien?'

'Niks gehoord ook.'

'Er moet bloed op de grond hebben gelegen.'

Hij haalde zijn schouders op.

'Je bent een muziekliefhebber.'

'Kun je wel zeggen.'

'Achterover in je stoel, voeten op tafel, oordopjes in, ogen dicht... Lekkere bewaker.'

Rebus had nog een blik op de monitoren geworpen en negeerde Walsh' boze frons. Twee camera's op niveau o. Eén gericht op de slagbomen, de andere op de tegenoverliggende hoek. Met een mobiele telefoon kon je nog betere opnamen maken.

'Sorry dat ik u niet van dienst kan zijn,' had Walsh gezegd, zonder moeite te doen om oprecht te klinken. 'Wie was het eigenlijk?'

'Een Russische dichter, Todorov.'

Walsh had even nagedacht. 'Ik lees nooit gedichten.'

'Welkom bij de club,' had Rebus gezegd. 'We hebben alleen wel een flinke wachtlijst...'

47

6

CR Studios zat op de bovenste verdieping van een voormalig pakhuis vlak bij Constitution Street. Charles Riordans hand bleek, toen Clarke hem schudde, mollig en klam te zijn en liet op haar eigen hand een vies gevoel achter dat met wrijven niet verdween. Hij had ringen aan zijn rechterhand maar niet aan zijn linker, en om zijn pols bungelde een zwaar gouden horloge. Clarke zag zweetvlekken in de oksels van zijn lichtpaarse overhemd. Riordan had zijn mouwen opgerold en zijn blote armen waren bedekt met zwart krullend haar. Aan zijn manier van bewegen kon ze zien dat hij altijd als een drukbezet persoon wilde overkomen. Direct achter de deur zat een receptioniste achter een balie en aan een mengtafel was een technicus met de knoppen in de weer, de ogen gericht op een scherm waar Clarke iets zag wat wel geluidsgolven zouden zijn.

'Welkom in de wereld van het geluid,' zei Riordan.

'Indrukwekkend,' erkende Clarke. Door een raam zag ze twee opnamecabines, beide leeg. 'Wel een beetje krap voor een band.'

'We hebben ruimte voor singer-songwriters,' zei Riordan. 'Man met gitaar, dat werk. Maar we doen meer gesproken woord – radiospotjes, audioboeken, voice-overs...'

Een nogal gespecialiseerde wereld dus, dacht Clarke onwillekeurig. Ze vroeg of er een kamer was waar ze elkaar onder vier ogen konden spreken, maar Riordan spreidde slechts zijn armen.

Gespecialiseerd – en klein.

'Enfin,' begon ze, 'zoals ik aan de telefoon al zei –'

'Ja!' barstte Riordan uit. 'Niet te geloven dat hij dood is!'

De receptioniste noch de technicus knipperde met de ogen. Riordan had het ze blijkbaar verteld zodra hij had opgehangen.

'We proberen de laatste gangen van de heer Todorov na te gaan.'

Clarke had haar notitieboekje opengeslagen om indruk te maken. 'Ik geloof dat u eergisteren nog wat met hem bent gaan drinken.'

'Ik heb hem daarna ook nog een keer gezien, schat.' Riordan klonk alsof hij er trots op was. Hij droeg een zonnebril maar zette die nu af. Er kwamen grote, zwartomrande ogen tevoorschijn. 'Ik heb hem op een etentje getrakteerd.'

'Gisteravond?' De man knikte. 'Waar?'

'West Maitland Street. We hadden een paar biertjes gedronken bij de Haymarket. Hij was een dagje naar Glasgow geweest.'

'Enig idee waarom?'

'Hij wilde het daar gewoon eens zien. Hij wilde het verschil tussen de twee steden zien, om ons land beter te begrijpen. Nou, succes ermee. Ik woon hier al bijna mijn hele leven en ik begrijp er nog geen donder van.' Riordan schudde zijn hoofd. 'Hij probeerde het wel uit te leggen – zijn theorie over ons – maar die ging bij mij het ene oor in en het andere uit.'

Clarke zag de receptioniste en de technicus een blik met elkaar wisselen, alsof ze dachten: dat is wel vaker zo.

'Dus hij was naar Glasgow geweest,' vatte ze samen. 'Hoe laat had u afgesproken?'

'Uur of acht. Hij had gewacht tot na de spits, zodat-ie goedkoper kon reizen. Ik heb hem afgehaald van de trein en toen zijn we een paar kroegen afgegaan. Hij had toen al het een en ander op.'

'Was hij dronken?'

'Meer luidruchtig. Het probleem met Alex was dat hij intellectueler ging doen naarmate hij meer dronk. Knap vervelend, want als je met hem meedronk raakte je snel de draad kwijt.'

'En na het restaurant?'

'Niks bijzonders. Ik moest naar huis, hij zei dat-ie nog dorst had. Hem kennende zal hij wel naar Mather's zijn gegaan.'

'In Queensferry Street?'

'Maar hij kan ook goed naar het Caledonian Hotel zijn gegaan.'

Aan de westkant van Princes Street, dus een steenworp afstand van King's Stables Road.

'Hoe laat was dat?'

'Zal een uur of tien geweest zijn.'

'In de Scottish Poetry Library begreep ik dat u de voordracht hebt opgenomen.'

'Klopt. Ik heb veel dichters gedaan.'

'Charlie heeft veel van álles gedaan,' voegde de technicus eraan toe. Riordan bracht een nerveus lachje uit.

'Hij doelt op een klein project van me... ik ben bezig aan een soort soundscape van Edinburgh. Van poëzieavonden tot geroezemoes in de kroeg, straatlawaai, het Water of Leith bij zonsopgang, voetbalsupporters, het verkeer in Princes Street, het strand bij Portobello, honden die worden uitgelaten in de Hermitage... ik heb al voor honderden uren materiaal.'

'Zeg maar rustig duizenden,' verbeterde de technicus.

Clarke probeerde zich niet te laten afleiden. 'Kende u de heer Todorov al?'

'Ik had al eens een voordracht van hem opgenomen, in een lunchroom.'

'Welke?'

Riordan haalde zijn schouders op. 'Was voor een boekhandel, Word Power.'

Die had Clarke die middag gezien, tegenover de pub waar ze met Rebus had geluncht. Ze moest denken aan een regel in een gedicht van Todorov – 'nergens verbanden' – en vond dat de dichter er weer helemaal naast zat.

'Wanneer was dat?'

'Drie weken geleden. Die avond zijn we ook de kroeg in gedoken.'

Clarke tikte met haar pen op haar notitieboekje. 'Hebt u de rekening van het restaurant nog?'

'Denk het wel.' Riordan viste zijn portemonnee uit zijn zak.

'Die zien we dit jaar voor het eerst,' zei de technicus, en de receptioniste begon te lachen. Ze zat te spelen met een pen die ze tussen haar tanden had. Clarke was ervan overtuigd dat die twee iets met elkaar hadden, misschien zonder dat hun baas het wist. Riordan had een hele stapel bonnetjes tevoorschijn gehaald.

'Moet ik nodig naar de accountant brengen...' mompelde hij. 'Ah, dit is hem.' Hij gaf hem aan haar. 'Mag ik vragen wat u ermee wilt?'

'Daar staat op hoe laat u hem gekregen hebt. Negen uur achtenveertig – zoals u al zei.' Clarke schoof het bonnetje achter in haar notitieboekje.

'Eén ding hebt u nog niet gevraagd,' zei Riordan plagend. 'Waarom ik met hem had afgesproken.'

'Oké... waarom?'

'Alex wilde de opname van zijn voordracht hebben. Hij was nogal tevreden over hoe het gegaan was.'

Clarke moest denken aan Todorovs flat. 'In welke vorm wilde hij die hebben?'

'Ik heb hem op cd gezet.'

'Hij had geen cd-speler.'

Riordan haalde zijn schouders op. 'Genoeg mensen die er wel een hebben.'

Dat was waar, maar de cd was nergens opgedoken, waarschijnlijk meegenomen met de andere bezittingen die verdwenen waren...

'Kunt u voor mij ook een kopietje maken, meneer Riordan?' vroeg Clarke.

'Wat hebt u daaraan?'

'Dat weet ik nog niet goed, maar ik zou hem graag eens in volle glorie bezig horen, zogezegd.'

'De master ligt in mijn studio thuis. Ik kan er morgen een cdtje van branden.'

'Ik werk op bureau Gayfield Square – kan iemand het daar misschien afgeven?'

'Ik laat het een van de kinderen wel brengen,' zegde Riordan toe, met een blik op de technicus en de receptioniste.

'Bedankt voor uw hulp,' zei Clarke.

Toen in maart het rookverbod van kracht werd, had Rebus gedacht dat tenten als de Oxford Bar in grote problemen zouden komen – traditionele pubs waar de klanten weinig verlangden: een pint bier, een sigaret, paardenrennen op de tv en een directe verbinding met de bookmaker. Toch hadden de meeste van zijn favoriete cafés het overleefd, ook al was hun klandizie teruggelopen. Maar de rokers vormden een taaie subgroep die buiten bij de deur stond te kletsen en te roddelen. Het gesprek van vanavond was het gebruikelijke allegaartje: iemand gaf zijn mening over een pas geopende tapasbar, terwijl de vrouw naast hem zich afvroeg wat het rustigste tijdstip was om naar Ikea te gaan; een pijproker hield een pleidooi voor Schotse onafhankelijkheid terwijl zijn Engels klinkende buurman beweerde dat het zuiden maar al te blij zou zijn met zo'n echtscheiding – 'en alimentatie kun je dan op je buik schrijven!'

'De olie in de Noordzee is alimentatie genoeg,' zei Pijpmans.

'Die raakt nu al op. Over twintig jaar komen jullie weer bedelen.'

'Over twintig jaar zijn we een tweede Noorwegen.'

'Een tweede Albanië zul je bedoelen.'

'Het probleem is,' zei een andere roker, 'als Labour zijn Schotse zetels in Westminster verliest, komt het nooit meer aan een meerderheid.'

'Zit wat in,' zei de Engelsman.

''s Ochtends vroeg, of vlak voor sluitingstijd?' vroeg de vrouw zich af.

'Stukjes inktvis, tomaat,' zei haar buurman. 'Best lekker, als je eraan gewend bent...'

Rebus drukte zijn sigaret uit en ging naar binnen. Zijn rondje drank stond op hem te wachten, het wisselgeld ernaast. Colin Tibbet was uit de achterkamer gekomen om te helpen dragen.

'Je mag je das nu wel afdoen, hoor,' plaagde Rebus hem. 'We zijn niet op het bureau.'

Tibbet glimlachte maar zei niets. Rebus stopte het wisselgeld in zijn zak en pakte de twee glazen. Dat Phyllida hele pinten dronk beviel hem wel. Tibbet zat aan de jus d'orange en Clarke hield het op witte wijn. Ze zaten aan het achterste tafeltje. Clarke had haar notitieboekje op tafel gelegd. Hawes hief haar nieuwe glas om in stilte te toosten. Rebus wrong zich weer op zijn stoel.

'Drukker aan de bar dan ik dacht,' excuseerde hij zich.

'Mooi even tijd om er een op te steken,' berispte Clarke hem. Hij ging er niet op in.

'Oké, wat hebben we?' vroeg hij.

Wat ze hadden was een tijdbalk van de laatste twee tot drie uur van Todorovs leven. Ze hadden een groeiende lijst bezittingen van de overledene die waren verdwenen – waarschijnlijk gestolen. Ze hadden een nieuwe plaats delict, de parkeergarage.

'Is er enige reden om aan te nemen,' opperde Colin Tibbet, 'dat het hier gaat om meer dan een bijzonder gewelddadige beroving?'

'Niet echt,' gaf Clarke toe, maar haar blik kruiste die van Rebus en hij knipperde bevestigend met zijn ogen. Er zat iets niet lekker; Clarke voelde het ook. Er zat gewoon iets niet lekker. Rebus' telefoon lag op tafel en begon te trillen, waardoor er rimpels trokken over het oppervlak van het glas bier ernaast. Hij pakte het toestel en liep ermee weg, voor een betere ontvangst of om te ontkomen aan het geroezemoes. Ze waren niet de enigen in de achter-kamer: in een hoek zat een groep toeristen zich te vergapen aan advertenties en andere dingen die aan de muur hingen. Aan een ander tafeltje zaten twee mannen in pak naar elkaar toe gebogen en praktisch onhoorbaar over iets te discussiëren. De tv stond afgestemd op een quizprogramma.

'We zouden met ons vieren moeten meedoen,' zei Tibbet. Hawes vroeg wat hij bedoelde. 'De week voor kerst organiseert het hoofdbureau een kroegquiz,' legde hij uit.

'Tegen die tijd zijn wij nog maar met ons drieën,' wees Clarke hem terecht.

'Heb je al iets gehoord over de promotie?' vroeg Hawes. Clarke schudde haar hoofd. 'Ze nemen de tijd,' zei Hawes, en wreef zo nog wat zout in de wond. Rebus kwam terug.

'Het wordt al gekker en gekker,' zei hij terwijl hij weer plaatsnam. 'Bericht van Howdenhall. Uit laboratoriumtests blijkt dat onze Russische dichter in de loop van de dag geëjaculeerd heeft. Vlekken in zijn onderbroek, schijnt het.'

'Misschien een avontuurtje in Glasgow,' gokte Clarke.

'Kan,' zei Rebus.

'En anders met die geluidsman?' opperde Hawes.

'Todorov is getrouwd geweest,' zei Clarke.

'Maar met dichters weet je het nooit,' zei Rebus. 'Kan ook na het etentje gebeurd zijn natuurlijk.'

'Kan elk moment geweest zijn, tot hij werd neergeslagen.' Clarke en Rebus wisselden weer een blik.

Tibbet zat te schuifelen op zijn stoel. 'Of hij heeft... je weet wel.' Hij kuchte even, werd rood.

'Wat?' vroeg Clarke.

'Je weet wel,' herhaalde Tibbet.

'Ik geloof dat Colin aan masturbatie denkt,' kwam Hawes tussenbeide. Tibbets blik was een studie in dankbaarheid.

'John?' De barkeeper. Rebus draaide zich om. 'Ik dacht dat je dit wel zou willen zien.' Hij hield een krant op. De laatste editie van de *Evening News*. DOOD VAN EEN DICHTER was de kop, met daaronder in vette letters: 'De vrijbuiter die *njet* zei!' met een archieffoto van Alexander Todorov in de Princes Street Gardens, waarachter de donkere massa van het kasteel oprees. Een tartan sjaal om zijn nek. Waarschijnlijk zijn eerste dag in Schotland. Een man met nog twee maanden te leven.

'Het ligt op straat,' zei Rebus en nam de krant aan. Hij keek de tafel rond of iemand hem kon helpen met zijn volgende vraag: 'Is dat gepaste beeldspraak?'

DAG DRIE

Vrijdag 17 november 2006

7

In het recherchekantoor op bureau Gayfield Square hing een akelige geur. Die viel in het heetst van de zomer het meest op, maar
dit jaar leek de geur vastbesloten om te blijven hangen. Soms was
hij een paar dagen of weken verdwenen, maar op een ochtend sloop
hij toch je neus weer in. Er was veel over geklaagd en de politie-
vakbond had zelfs met een werkonderbreking gedreigd. Er was
overal gezocht naar een oorzaak, onder vloeren en in afvoeren, er
waren vallen gezet voor ongedierte, alles zonder resultaat.

'Geur van de dood,' zeiden sommige oudgedienden. Rebus wist
wat ze bedoelden: af en toe werd in een woonkazerne uit de jaren
zestig een in staat van ontbinding verkerend lijk gevonden in een
fauteuil, of dreef er een rond in de haven. Voor die gevallen was in
het mortuarium een aparte kamer gereserveerd, waar het personeel
een radio op de vloer had staan: 'Om je een beetje af te leiden van
de stank.'

Op het bureau was de enige oplossing het opengooien van alle
ramen, waardoor het stervenskoud werd. De kamer van hoofdinspecteur James Macrae – door een glazen deur gescheiden van het
recherchekantoor – was net een koelcel. Met een vooruitziende blik
had Macrae deze ochtend een straalkachel meegenomen van zijn
huis in Blackhall. Rebus had ergens gelezen dat in Blackhall de rijk-
ste inwoners van de stad woonden. Niet de plek die je zou verwachten: rijen en rijen bungalows. In Barnton en de New Town
stonden huizen die miljoenen kostten. Maar misschien verklaarde
dat juist waarom de mensen daar niet zo rijk waren als de inwoners van Bungalowland.

Macrae had de straalkachel aangesloten en ingeschakeld, maar
hij stond aan zijn kant van het bureau en de warmte kwam niet

verder. Phyllida Hawes was zo dicht bij het bureau komen staan dat ze zowat bij Macrae op schoot zat, wat haar een kwade frons opleverde.

'Oké,' blafte hij, en hij sloeg de handen ineen als voor een verbeten gebed. 'Stand van zaken.' Maar voordat Rebus kon beginnen, signaleerde Macrae nog een probleem. 'Doe de deur dicht, Colin. Om de warmte binnen te houden.'

'Beetje krap, inspecteur,' zei Tibbet. Hij stond in de deuropening en hij had gelijk: met Macrae, Rebus, Clarke en Hawes was de kamer zo goed als gevuld.

'Ga jij dan maar naar je bureau,' antwoordde Macrae. 'Phyllida kan je verslag uitbrengen.'

Maar dat zinde Tibbet ook niet: als Clarke inspecteur werd, was er ruimte voor een nieuwe brigadier, dus waren hij en Hawes niet alleen partners maar ook rivalen. Hij drukte zich plat tegen de deur en wist hem te sluiten.

'Stand van zaken,' herhaalde Macrae. Maar toen ging de telefoon. Grommend nam hij op. Rebus vreesde voor de gezondheid van zijn chef. Zijn eigen bloeddruk was al niet om over naar huis te schrijven, maar Macrae zag vrijwel altijd paars, en hoewel hij een paar jaar jonger was dan Rebus had hij bijna geen haar meer. Zoals Rebus' eigen dokter bij zijn laatste keuring had gezegd: 'Je hebt geluk gehad, John. Maar geluk raakt een keer op.'

Macrae gromde slechts een paar keer en legde de hoorn er weer op. Hij keek naar Rebus. 'Iemand van het Russische consulaat bij de balie.'

'Ik vroeg me al af wanneer ze zouden komen,' zei Rebus. 'Siobhan en ik moeten hem even spreken, inspecteur. Ondertussen kunnen Phyl en Colin u bijpraten over de zaak – we hebben gisteravond krijgsberaad gehouden.'

Macrae knikte en Rebus keek naar Clarke.

'Een van de verhoorkamers?' stelde ze voor.

'Dacht ik ook aan.' Ze verlieten de kamer en liepen door het recherchekantoor. De wanden waren nog leeg. In de loop van de dag zouden er foto's van de plaats delict worden opgehangen, met namen, taaklijsten en tijdschema's. Soms kon je op de plaats delict zelf een tijdelijk hoofdkwartier inrichten en van daaruit werken. Maar dat leek Rebus in dit geval niet zinvol. Ze zouden posters ophangen bij de ingang van de parkeergarage met een oproep voor tips en misschien moesten Hawes en Tibbet of een paar man van de uniformdienst flyers onder ruitenwissers steken. Maar deze grote, koude kamer werd het zenuwcentrum. Clarke keek over haar schouder naar het kantoor van Macrae. Hawes en Tibbet leken te wedijveren om hun chef de interessantste weetjes voor te schotelen.

'Je zou haast denken dat er een brigadierspost te vergeven valt,' zei Rebus. 'Op wie zet jij je geld?'

'Phyl heeft meer dienstjaren,' antwoordde Clarke. 'Zij moet de aangewezen kandidaat zijn. Als Colin het wordt, denk ik dat ze opstapt.'

Rebus knikte. 'Welke kamer?' vroeg hij.

'Ik zit graag in 3.'

'Waarom?'

'Vieze, beschadigde tafel, graffiti op de muren... echt een kamer waar je wordt verhoord als je wat hebt gedaan.'

Rebus glimlachte om haar redenering. Zelfs als je onschuldig was, voelde je je in verhoorkamer 3 geïntimideerd.

'Gelijk heb je,' zei hij.

De man van het consulaat heette Nikolaj Stahov. Hij stelde zich met een bescheiden glimlach voor. Hij zag er jong uit en had een glimmend gezicht, met een scheiding in zijn lichtbruine haar die hem nog jongensachtiger maakte. Maar hij was een meter tachtig en breed van postuur, en droeg een zwarte wollen driekwartjas, compleet met ceintuur en opgeslagen kraag. Uit één jaszak bungelden zwarte leren handschoenen – wanten eigenlijk, zag Rebus, glad en aaneengesloten waar de vingers hadden moeten zitten. *Heeft moeders je flink warm aangekleed?* had hij willen vragen. In plaats daarvan gaf hij Stahov een hand.

'Onze deelneming met het overlijden van de heer Todorov,' zei Clarke, en stak ook haar hand uit naar de Rus. Naast een handdruk kreeg ze een lichte buiging.

'Mijn consulaat wil graag horen dat u er alles aan doet,' zei Stahov, 'om de dader te vinden en te berechten.'

Rebus knikte langzaam. 'We zitten misschien meer op ons gemak in een van de verhoorkamers...'

Ze namen de jonge Rus mee door de gang en stopten bij de derde deur. Die zat niet op slot. Rebus trok hem open en wenkte Clarke en Stahov naar binnen. Daarna verschoof hij het bordje op de deur van 'vrij' naar 'bezet'.

'Gaat u zitten,' zei hij. Stahov keek de kamer rond terwijl hij zich op de stoel liet zakken. Hij wilde zijn handen op tafel leggen maar bedacht zich en legde ze in zijn schoot. Clarke was tegenover hem gaan zitten en Rebus bleef tegen de muur geleund staan met zijn armen over elkaar. 'Wat kunt u ons over Alexander Todorov vertellen?' vroeg hij.

'Ik ben hier gekomen om me te laten geruststellen over het onderzoek en omdat het protocol dat vereist, inspecteur. U moet toch ook weten dat ik als diplomaat geen enkele verplichting heb uw vragen te beantwoorden.'

'Diplomatieke onschendbaarheid,' erkende Rebus. 'We dachten gewoon dat u ons alle mogelijke hulp zou willen bieden. Het is tenslotte een van uw landgenoten die is vermoord, en een tamelijk bekende ook.' Hij probeerde gekwetst te klinken.

'Natuurlijk, natuurlijk, dat staat buiten kijf.' Stahov keek steeds van de een naar de ander, in een poging het woord tot hen beiden te richten.

'Fijn,' zei Clarke. 'Dan wilt u vast wel vertellen of hij u een grote doorn in het oog was.'

'Doorn?' Lastig uit te maken of zijn taalbeheersing tekortschoot of dat hij het niet wilde begrijpen.

'Hoe vervelend was het voor u,' probeerde Clarke, 'dat in Edinburgh een bekende dissidente dichter verbleef?'

'Dat was helemaal niet vervelend.'

'U was er blij mee?' vroeg Clarke geveinsd naïef. 'Werd er een borrel voor hem georganiseerd op het consulaat? Hij werd wel genoemd als Nobelprijskandidaat... Dat moet u grote voldoening hebben geschonken.'

'In Rusland stelt de Nobelprijs tegenwoordig niet zoveel voor.'

'Todorov had de laatste tijd een paar voordrachten gehouden... Bent u daarheen geweest?'

'Ik had andere verplichtingen.'

'Heeft iemand anders van het consulaat –'

Maar nu vond Stahov het welletjes. 'Ik zie niet in hoe dit uw onderzoek kan dienen. Uw vragen kunnen zelfs worden opgevat als een rookgordijn. Of wij blij waren met Alexander Todorov is van geen enkel belang. Hij is vermoord in úw stad, in úw land. In Edinburgh zijn vaker spanningen tussen bevolkingsgroepen en religies... Er zijn Poolse gastarbeiders mishandeld. Het verkeerde voetbalshirt dragen kan al een provocatie zijn.'

Rebus keek naar Clarke. 'Over rookgordijn gesproken...'

'Ik spreek de waarheid.' Stahovs stem begon te trillen en hij probeerde zijn kalmte te bewaren. 'Wat mijn consulaat wil, inspecteur, is op de hoogte gehouden worden van uw vorderingen. Dan kunnen we Moskou verzekeren dat u een gedegen en onbevooroordeeld onderzoek uitvoert, en kunnen zij uw regering weer in kennis stellen van onze tevredenheid daarover.'

Rebus en Clarke leken hierover na te denken. Rebus maakte zijn armen los en stak zijn handen in zijn zak.

'Natuurlijk bestaat ook altijd de mogelijkheid,' zei hij kalm, 'dat de heer Todorov is belaagd door iemand die hem iets kwalijk nam. Dat kán iemand zijn uit de Russische gemeenschap hier in Edinburgh. Ik neem aan dat het consulaat een lijst bijhoudt van de Russische staatsburgers die hier wonen en werken?'

'Ik had begrepen dat Alexander Todorov gewoon het zoveelste slachtoffer is van de dagelijkse criminaliteit in deze stad, inspecteur.'

'In dit stadium zou het dom zijn om een mogelijkheid uit te sluiten.'

'En die lijst kan ons erg helpen,' zei Clarke met klem.

Stahov liet zijn blik van de een naar de ander gaan. Rebus hoopte dat hij snel een beslissing nam. Eén nadeel van de keuze voor verhoorkamer 3: het was er nog kouder dan in de andere. De overjas van de Rus zag er lekker warm uit, maar Rebus vermoedde dat het niet lang meer zou duren voor Siobhan begon te bibberen. Nog een wonder dat hun adem niet in wolkjes uit hun mond kwam.

'Ik zal zien wat ik kan doen,' zei Stahov uiteindelijk. 'Maar voor wat hoort wat. Dan houdt u mij op de hoogte van de vorderingen?'

'Geef ons uw nummer,' zei Clarke. De jonge Rus scheen dit op te vatten als instemming.

Rebus wist wel beter.

Bij de balie lag een pakje voor Siobhan Clarke. Rebus was naar buiten gegaan om een sigaret te roken en te kijken of Stahov een chauffeur had. Clarke opende de gewatteerde envelop en haalde er een cd uit, waarop met zwarte viltstift 'Riordan' geschreven was. Veelzeggend dat hij er zijn eigen naam op zette en niet die van Todorov. Ze nam de cd mee naar boven, maar daar was niets waarop ze hem kon afspelen. Daarom liep ze naar de parkeerplaats en kwam Rebus tegen, die net naar binnen liep.

'Een grote zwarte Mercedes stond op hem te wachten,' bevestigde Rebus zijn vermoedens. 'Kerel met zonnebril en handschoenen aan het roer. Waar ga jij naartoe?'

Toen ze dat had uitgelegd zei hij dat hij wel mee wilde luisteren, al wist hij niet of hij 'de hele rit' zou uitzitten. Maar uiteindelijk zaten ze samen een uur en een kwartier in Clarke's auto, met de motor aan voor de verwarming. Riordan had alles opgenomen: kletsend publiek, dan de inleiding door Abigail Thomas, Todorovs een halfuur durende voordracht en de vragensessie na afloop, waarin de meeste vragenstellers politieke onderwerpen vermeden. Toen het applaus wegstierf en het publiek wegdruppelde, stond Riordans microfoon nog steeds open en ving flarden van gesprekken op.

'Die man is geobsedeerd,' zei Clarke.

'Zeg dat wel,' beaamde Rebus. Bijna het laatste wat ze hoorden was een flard Russisch gemompel. 'Die zegt waarschijnlijk: dank Chroesjtsjov dat het voorbij is,' speculeerde Rebus.

'Wie is Chroesjtsjov?' vroeg Clarke. 'Een vriend van Jack Palance zeker?'

De lezing zelf was fascinerend geweest, de stem van de dichter klonk afwisselend sonoor, blaffend, klaaglijk en bulderend. Hij las enkele gedichten voor in het Engels, andere in het Russisch, en de meeste in beide talen – meestal eerst in het Russisch, daarna in het Engels.

'Lijkt wel een beetje op Schots, hè?' had Clarke op een gegeven moment gevraagd.

'Voor iemand uit Engeland misschien,' was Rebus' repliek. Ja hoor, ze had zelf de voorzet gegeven, zoals zo vaak. Al zolang ze elkaar kenden was haar 'zuidelijke' accent een makkelijk mikpunt van spot voor Rebus. Ditmaal liet ze het maar lopen.

'Dit gedicht heet "Raskolnikov",' had ze op een ander moment gezegd. 'Dat herinner ik me nog. Raskolnikov is een personage uit *Misdaad en straf*.'

'Een boek dat ik waarschijnlijk al gelezen had voordat jij was geboren.'

'Heb jij Dostojevski gelezen?'

'Dacht je dat ik daarover zou liegen?'

'Waar gaat het dan over?'

'Over schuldgevoel. Een van de grote Russische romans, als je het mij vraagt.'

'Hoeveel Russische romans heb je gelezen?'

'Dat doet er niet toe.'

Nu zette zij de cd-speler uit en draaide hij zich naar haar toe. 'Je hebt het optreden gehoord, je hebt zijn bundel doorgenomen – heb je ook maar iets gevonden wat naar een motief voor een moord kan leiden?'

'Nee,' gaf ze toe. 'En ik weet wat je denkt: Macrae wil dit opvatten als een uit de hand gelopen beroving.'

'Precies wat het consulaat graag wil.'

Ze knikte peinzend. 'Met wie heeft hij seks gehad?' vroeg ze uiteindelijk.

'Is dat relevant?'

'Dat weten we pas als we het weten. De waarschijnlijkste kandidaat is Scarlett Colwell.'

'Omdat ze bloedmooi is?' Rebus klonk niet overtuigd.

'Kun je de gedachte niet verdragen dat ze het met een ander doet?' plaagde Clarke.

'Wat dacht je van mevrouw Thomas in de bibliotheek?' Maar nu was het Clarke's beurt om te schamperen.

'Die lijkt me niet in de race,' legde ze uit.

'Daar leek dr. Colwell niet zo zeker van.'

'Dat zegt waarschijnlijk meer over dr. Colwell dan over mevrouw Thomas.'

'Misschien had Colin wel gelijk,' tastte Rebus verder. 'En onze gepassioneerde dichter kan natuurlijk ook een hoer hebben opgepikt in Glasgow.' Hij zag Clarke's blik. 'Sorry, sekswerker moet ik zeggen. Of is de terminologie weer veranderd sinds de vorige keer dat ik op de vingers werd getikt?'

'Ga zo door en je krijgt nog een tik.' Ze zweeg even maar bleef hem strak aankijken. 'Grappig om je voor te stellen dat jij *Misdaad en straf* leest.' Ze haalde diep adem. 'Ik heb Harry Goodyear nagetrokken.'

'Dacht al dat je dat zou doen.' Hij richtte zijn aandacht op de voorruit en de troosteloze parkeerplaats waarop ze uitkeken. Clarke zag dat hij zin had het raampje open te draaien zodat hij kon roken. Maar buiten lag de stank op de loer, zwevend boven het asfalt.

'Hij had een pub in Rose Street, in de jaren tachtig,' zei ze. 'Jij was brigadier en hebt meegeholpen om hem achter de tralies te krijgen.'

'Hij dealde daar in drugs.'

'Hij is in de gevangenis overleden, hè? Een jaar of twee later... hartproblemen of zo. Todd Goodyear moet nog een kleuter zijn geweest.' Ze zweeg voor het geval hij er iets aan wilde toevoegen, en ging toen verder. 'Todd heeft een broer, wist je dat? Sol heet-ie, is al een paar keer met ons in aanraking gekomen. Nou ja, hij woont in Dalkeith, dus het viel onder e-Divisie. Raad eens waar het om ging.'

'Drugs?'

'Je weet er dus van.'

Rebus schudde zijn hoofd. 'Gokje.'

'En je wist niet dat Todd Goodyear bij de politie zat?'

'Je gelooft het misschien niet, Shiv, maar ik ga niet de gangen na van alle kleinkinderen van mensen die ik twintig jaar geleden achter de tralies heb gezet.'

'Het grappige is, we hebben Sol niet alleen opgepakt voor bezit – hij is ook voorgeleid voor dealen. De rechter gaf hem het voordeel van de twijfel.'

Rebus keek haar aan. 'Hoe weet je dat allemaal?'

'Ik was vanochtend al vóór jou op het bureau. Even zoeken op de computer en een belletje naar de recherche van Dalkeith. Het gerucht ging destijds dat Sol Goodyear dealde voor Big Ger Cafferty.'

Ze zag meteen dat ze een zenuw had geraakt: Cafferty, dat was een onopgelost probleem – een gróót onopgelost probleem. Zijn naam stond boven aan Rebus' lijst van onafgewerkte probleemgevallen. Cafferty probeerde zich voor te doen als crimineel in ruste, maar Rebus en Clarke wisten wel beter.

Cafferty had het in Edinburgh nog steeds voor het zeggen.

En had zich ook een plaats verworven boven aan háár lijst.

'Gaat dit nog ergens naartoe?' vroeg Rebus, en hij richtte zijn blik weer op het uitzicht door de voorruit.

'Niet echt.' Ze haalde de cd uit de speler. De radio kwam op vol volume tot leven – Forth 1, met een deejay die honderduit praatte. Ze zette hem uit. Rebus had iets gezien.

'Ik wist niet dat daar een camera hing,' zei hij. Hij doelde op de hoek van het gebouw, tussen de eerste en tweede verdieping. De camera was gericht op het parkeerterrein.

'Om vandalisme tegen te gaan. Doet me eraan denken – zou het nut hebben om camerabeelden uit het centrum te bekijken van de nacht dat Todorov werd vermoord? Er hangen ongetwijfeld camera's aan de westkant van Princes Street, en misschien ook in Lothian Road. Als hij door iemand werd geschaduwd...' Ze maakte haar zin niet af.

'Kun je doen,' erkende hij.

'Speld in een hooiberg,' zei ze. Zijn zwijgen leek dat te bevestigen en ze legde haar hoofd tegen de hoofdsteun. Geen van beiden had zin om terug te gaan naar binnen. 'Ik heb in de krant eens gelezen dat er geen land is waar zoveel beveiligingscamera's hangen. In Londen alleen al meer dan in de hele Verenigde Staten... zou dat waar zijn?'

'Ik zie het nog niet terug in de misdaadstatistieken.' Rebus kneep zijn ogen half dicht. 'Wat hoor ik nou?'

Clarke zag dat Tibbet boven bij een raam stond te zwaaien. 'Volgens mij moeten ze ons hebben.'

'Misschien heeft de moordenaar berouw gekregen en zich aangegeven.'

'Misschien,' zei Clarke, zonder het ook maar een moment te geloven.

8

'Ben je hier al eens geweest?' vroeg Rebus toen ze door de metaal-detector waren. Hij veegde zijn kleingeld bij elkaar om het weer in zijn zak te stoppen.

'Ik heb een rondleiding gehad toen het net was geopend,' gaf Clarke toe.

In het plafond waren vormen uitgespaard, Rebus vroeg zich af of die een soort kruisvaarderskruisen moesten voorstellen. Drukte van belang in de grote hal. Tafels voor groepen die een rondleiding kregen, met naamkaartjes voor de deelnemers en een bord waarop stond welke groep het was. Overal stond personeel klaar om be-zoekers naar de receptie te leiden. Aan de andere kant van de hal begonnen schoolkinderen in uniform aan een vroege lunch.

'Ik ben hier voor het eerst,' zei Rebus. 'Ik heb me altijd afge-vraagd hoe vierhonderd miljoen pond eruit zou zien...'

Vanaf het moment dat de plannen voor het Schotse parlement openbaar waren geworden, hadden ze aanleiding gegeven tot felle meningsverschillen. Sommigen vonden het een gedurfd, revolutio-nair ontwerp, anderen een raar en veel te duur gedrocht. De ar-chitect was overleden voordat het project was voltooid, evenals de projectleider van de opdrachtgever. Maar nu was het af en in vol bedrijf, en Rebus moest toegeven dat de parlementszaal er heel bij-zonder uitzag als er een debat op tv kwam.

Toen ze tegen de receptioniste zeiden dat ze voor Megan Mac-farlane kwamen, drukte die twee bezoekerspasjes voor ze af. Ze controleerde telefonisch of ze inderdaad verwacht werden, waar-op een bode hun vroeg om hem te volgen. Het was een lange man die met ferme pas liep en – net als de receptioniste – waarschijn-lijk geen dag jonger dan vijfenzestig was. Ze volgden hem door de gangen, een lift in en nog meer gangen door.

'Veel beton en hout,' merkte Rebus op.

'En glas,' vulde Clarke aan.

'Van dat speciale, dure glas natuurlijk,' speculeerde Rebus.

Hun gids bleef zwijgen tot ze de zoveelste hoek omsloegen, waar een jongeman hen opwachtte.

'Bedankt, Sandy,' zei hij. 'Ik breng ze wel verder.'

De gids draaide zich om en Clarke bedankte hem, maar kreeg slechts een grom als antwoord. Misschien was hij gewoon buiten adem.

'Ik ben Roddy Liddle,' zei de jongeman. 'Ik werk voor Megan.'

'En wie ís Megan precies?' vroeg Rebus. Liddle staarde hem aan alsof hij dacht dat hij een grapje maakte. 'Onze chef heeft alleen maar gezegd dat we hierheen moesten om met haar te praten,' legde Rebus uit. 'Ze had hem blijkbaar gebeld.'

'Ik heb hem gebeld,' zei Liddle, en hij liet het klinken als een van de vele zware taken die hij onbekommerd op zich nam.

'Heel mooi, knul,' zei Rebus. Dat 'knul' viel duidelijk in verkeerde aarde. Liddle was begin twintig en meende aan het begin van een mooie politieke carrière te staan. Hij nam Rebus eens goed op en besloot geen energie aan hem te verspillen.

'Megan zal het wel uitleggen.' Waarop Liddle zich omdraaide en hen voorging naar het eind van de gang.

De werkkamers van de parlementariërs waren ruim bemeten, met een bureau voor hun assistent en een voor de politicus zelf. Hier zag Rebus voor het eerst een van die beruchte 'denkhoekjes' – een kleine alkoof met een grillig gebogen venster en een kussen om op te zitten. Daar moesten de parlementsleden hun briljante ideeën uitbroeden. En daar zat Megan Macfarlane. Ze stond op om hun de hand te schudden.

'Fijn dat u zo snel kon komen,' zei ze. 'Ik weet dat u hard bezig bent met het onderzoek, dus ik zal u niet lang ophouden.' Ze was klein en slank en zag er onberispelijk uit, elk haartje op zijn plek en de make-up perfect gedoseerd. Ze droeg een leesbrilletje laag op haar neus en tuurde daaroverheen. 'Ik ben Megan Macfarlane,' zei ze, een impliciete uitnodiging aan hen om zich ook voor te stellen. Liddle zat alweer achter zijn bureau om de berichten op zijn computer te lezen. Rebus en Clarke stelden zich voor, het parlementslid keek om zich heen waar ze konden zitten en kreeg toen een beter idee.

'Laten we beneden koffiedrinken. Roddy, moet ik er een voor je meenemen?'

'Nee dank je, Megan. Eén kop per dag is genoeg voor mij.'

'Zit wat in. Heb ik vandaag geen zitting meer?' Ze wachtte tot hij zijn hoofd had geschud en keek toen naar Clarke. 'Met het oog op het toilet. Niet handig om hoge nood te krijgen als je midden in een betoog zit...'

Ze liepen terug zoals ze gekomen waren en gingen naar beneden over een indrukwekkende trap. Macfarlane zei dat de Schotse Nationale Partij vol verwachting uitkeek naar de verkiezingen in mei.

'In de laatste peilingen liggen we vijf procent voor op Labour. Blair is impopulair en Gordon Brown ook. De oorlog in Irak, handel in adellijke titels – een van mijn collega's heeft dat onderzoek aangezwengeld. Nu is Labour in paniek omdat Scotland Yard zegt dat het "belangrijke en waardevolle gegevens" heeft gevonden.' Ze glimlachte tevreden. 'De tegenpartij hangt momenteel van schandalen aan elkaar.'

'U aast dus op de proteststem?' vroeg Rebus.

Die opmerking keurde Macfarlane geen antwoord waardig.

'Als u in mei wint,' ging Rebus verder, 'krijgen we dan een referendum over afscheiding van Engeland?'

'Absoluut.'

'En dan verwacht u een economisch wonder?'

'Labour laat de Schotten al vijftig jaar lang in de steek, inspecteur. Het wordt hoog tijd dat er iets verandert.'

In de rij bij de balie zei ze dat zij 'trakteerde'. Rebus bestelde een espresso, Clarke een kleine cappuccino. Macfarlane nam zelf een zwarte koffie waar ze drie zakjes suiker in goot. Ze liepen naar een leeg tafeltje vlakbij en duwden de daar achtergelaten kopjes opzij.

'We tasten nog steeds in het duister,' zei Rebus terwijl hij zijn koffie oppakte. 'Neem me niet kwalijk als ik meteen ter zake kom, maar zoals u zelf al zei: er ligt nog een moordonderzoek op ons te wachten.'

'Absoluut,' erkende Macfarlane. Ze zweeg even, als om haar gedachten op een rijtje te krijgen. 'Wat weet u over mij?' begon ze.

Rebus en Clarke wisselden een blik. 'Tot we hier ontboden werden,' zei Rebus, 'hadden we allebei nog nooit van u gehoord.'

Het parlementslid probeerde niet te laten merken dat het haar raakte en blies op haar koffie voor ze een slok nam.

'Ik ben een Schotse nationalist,' zei ze.

'Dat hadden we al geraden.'

'Dat betekent dat ik hart heb voor mijn land. Als Schotland in deze nieuwe eeuw wil bloeien – zonder de knellende banden van het Verenigd Koninkrijk – heeft het behoefte aan ondernemingszin, aan initiatief en investeringen.' Ze telde het af op haar vingers. 'Daarom ben ik een actief lid van de csv, de Commissie Stedelijke Vernieuwing. Niet dat het ons alleen om de steden te doen is, overigens. Ik heb zelfs al een naamsverandering voorgesteld om dat duidelijk te maken.'

'Neem me niet kwalijk,' zei Clarke, die zag hoe Rebus zich zat op te winden. 'Maar mag ik vragen wat wij daarmee te maken hebben?'

Macfarlane sloeg de ogen neer en glimlachte verontschuldigend. 'Als ik over mijn passie begin, ratel ik maar door, ben ik bang.'

Rebus' blik naar Clarke sprak boekdelen.

'Dit vervelende incident,' ging Macfarlane verder, 'met die Russische dichter...'

'Wat is daarmee?' wilde Rebus weten.

'Er is momenteel een groep zakenlui in Schotland – heel rijke zakenlui, en allemaal Russen. Uit de olie-, gas- en staalindustrie en andere bedrijfstakken. Zij kijken naar de toekomst, inspecteur – Schotlands toekomst. We moeten zorgen dat de banden die we in de loop der jaren zo zorgvuldig hebben opgebouwd niet in gevaar worden gebracht. Wat we vooral niet willen is dat iemand denkt dat ons land niet openstaat voor anderen, voor andere culturen en nationaliteiten. Neem nu wat die jonge sikh is overkomen...'

'Wilt u weten,' vatte Clarke samen, 'of deze moord racistische motieven had?'

'Een lid van de delegatie heeft die zorg geuit,' gaf Macfarlane toe. Ze keek naar Rebus, maar die zat weer naar het plafond te staren, hij was er nog steeds niet uit. Hij had gehoord dat de uitsparingen boten moesten voorstellen. Toen hij zijn aandacht weer op het parlementslid vestigde, vroeg haar bezorgde gezicht om geruststelling.

'We kunnen niets uitsluiten,' zei hij echter. 'Racistische motieven kunnen een rol spelen. Dat zei het Russische consulaat vanochtend zelf ook. Er zijn eerder gastarbeiders uit Oost-Europa mishandeld. Dus dat is zeker iets waar we naar zullen kijken.'

Ze leek geschokt door zijn woorden, precies zoals hij had gewild. Clarke verborg haar glimlach achter haar koffiekop. Rebus dacht dat er nog meer lol uit te peuren viel. 'Hebben sommigen van die zakenlui de heer Todorov onlangs ontmoet? Dan zouden we die graag willen spreken.'

Macfarlane werd een antwoord bespaard doordat iemand naar hun tafel kwam. Net als Rebus en Clarke had hij een kaartje opgespeld waaruit bleek dat hij een bezoeker was.

'Megan,' zei hij met lijzige stem, 'ik zag je al zitten toen ik bij de receptie stond. Stoor ik niet?'

'Helemaal niet.' Het parlementslid kon haar opluchting nauwelijks verbergen. 'Ik haal koffie voor je, Stuart.' En tegen Rebus en Clarke: 'Dit is Stuart Janney, van de First Albannach Bank. Stuart, dit zijn de rechercheurs die de moord op Todorov onderzoeken.' Janney gaf hun eerst een hand voordat hij een stoel bij het tafeltje trok.

'Ik hoop dat u beiden klant bij ons bent,' zei hij glimlachend.

'Als u mijn banksaldo kende,' zei Rebus, 'zou u blij zijn dat ik bij de concurrent zit.'

Janney grimaste demonstratief. Hij had een regenjas over zijn arm hangen, die hij nu op zijn schoot legde. 'Akelig nieuws, die moord,' zei hij, terwijl Macfarlane in de rij ging staan voor koffie.

'Akelig,' beaamde Rebus.

'Als ik Macfarlane zo hoor,' voegde Clarke eraan toe, 'heeft ze er met u al over gesproken.'

'We hadden het er vanochtend toevallig over,' erkende Janney en kamde met een hand door zijn blonde haar. Met zijn sproeten en zijn roze huid deed hij Rebus denken aan een jonge uitvoering van de golfer Colin Montgomerie. Zijn ogen waren van hetzelfde donkerblauw als zijn das. Janney leek te vinden dat een nadere verklaring op zijn plaats was. 'We spraken elkaar over de telefoon.'

'Hebt u iets te maken met die Russische bezoekers?' vroeg Rebus. Janney knikte.

'FAB is altijd op zoek naar nieuwe klanten, inspecteur.'

FAB: zo werd de First Albannach Bank meestal genoemd. Het was een koosnaampje, maar het ging hier wel om een van de grootste werkgevers – en waarschijnlijk het meest winstgevende bedrijf – in heel Schotland. In tv-reclame werd FAB voorgesteld als één grote familie, de spotjes vormden een soort minisoap, en het fonkelnieuwe hoofdkantoor – ondanks veel protesten gebouwd in de groene gordel – was een complete miniatuurstad, inclusief winkelcentrum en lunchrooms. Het personeel kon er naar de kapper of boodschappen doen voor het avondeten. Er was een sportzaal en een golfbaan voor werknemers.

'Dus als u iemand zoekt om u weer in de zwarte cijfers te helpen...' Janney haalde twee visitekaartjes tevoorschijn. Macfarlane lachte toen ze het zag en gaf hem zijn koffie, zwart. Interessant, dacht Rebus: hij drinkt het net zoals zij. Maar hij durfde te wedden dat wanneer Janney iets dronk met een andere belangrijke klant, hij juist hetzelfde bestelde als díé klant. Op de politieacademie Tulliallan was daar een jaar of twee geleden een cursus over gegeven: Invoelend Verhoren. Als je een getuige of een verdachte verhoorde, moest je naar raakvlakken zoeken, zelfs al moest je ervoor liegen. Rebus was er nooit aan toegekomen om het uit te proberen, maar hij zag dat iemand als Janney zoiets glad zou afgaan.

'Stuart is onverbeterlijk,' zei het parlementslid. 'Wat heb ik nou gezegd over klanten werven? Het is onethisch.' Maar ze zei het met een glimlach, en Janney grinnikte en schoof zijn visitekaartjes naar Rebus en Clarke.

'Meneer Janney zegt net,' begon Clarke, 'dat u vanochtend over Alexander Todorov had gesproken.'

Megan Macfarlane knikte langzaam. 'Stuart is adviseur van de CSV.'

'Ik zou verwachten dat de FAB niet erg pronationalistisch is, meneer Janney,' zei Rebus.

'Volledig neutraal,' zei Janney met klem. 'De commissie telt twaalf leden, afkomstig uit vijf politieke partijen.'

'En met hoeveel daarvan hebt u vandaag gebeld?'

'Tot nu toe alleen met Megan,' gaf de bankier toe. 'Maar het is nog niet eens lunchtijd.' Hij keek omstandig op zijn horloge.

'Stuart adviseert ons over BII,' zei Macfarlane. 'Binnenlandse Investeringsinitiatieven.'

Rebus negeerde haar. 'Heeft mevrouw Macfarlane u gevraagd om langs te komen, meneer Janney?' vroeg hij. Toen de bankier een blik wisselde met het parlementslid had Rebus zijn antwoord. Hij richtte zich tot Macfarlane zelf. 'Welke zakenman was het?'

Ze knipperde met haar ogen. 'Pardon?'

'Wie maakte zich zo'n zorgen om Alexander Todorov?'

'Waarom wilt u dat weten?'

'Is er een reden waarom ik dat níét zou mogen weten?' Rebus trok een wenkbrauw omhoog om zijn woorden kracht bij te zetten.

'Daar heeft de inspecteur je mooi beet, Megan,' zei Janney met een scheve grijns. Het kwam hem te staan op een dreigende frons, die alweer verdwenen was toen Macfarlane naar Rebus keek.

'Sergej Andropov,' zei ze.

'Er is een Russische president geweest die Andropov heette,' zei Clarke.

'Geen familie,' zei Janney, en hij nam een slok koffie. 'Op het hoofdkantoor noemen ze hem Mefisto.'

'Hoezo dat?' Clarke klonk oprecht nieuwsgierig.

'De overnames die hij heeft georkestreerd, de manier waarop hij van zijn bedrijf een wereldspeler heeft gemaakt, de bestuursraden die hij voor zich heeft gewonnen, zijn tactische en strategische spelletjes...' Het klonk alsof Janney zo nog wel een dag kon doorgaan. 'Het is ongetwijfeld als koosnaam bedoeld.'

'Zo te horen heeft hij uw hart in ieder geval wel veroverd,' zei Rebus droog. 'Ik neem aan dat First Albannach graag zaken zou doen met die grote meneren.'

'Dat doen we al.'

Rebus wilde de glimlach van het gezicht van de bankier vegen. 'Nou ja, Alexander Todorov had zijn rekening ook bij uw bank, en kijk hoe het hem is vergaan.'

'Dat is waar ook, meneer,' viel Clarke hem bij. 'Kunt u ons misschien inzage geven in Todorovs bankrekening en zijn transacties van de laatste tijd?'

'Daar zijn regels voor...'

'Dat begrijp ik, maar het kan ons helpen om de dader te vinden. En dat zou dan weer een hele geruststelling zijn voor uw klanten.'

Janney tuitte bedachtzaam zijn lippen. 'Is er een executeur-testamentair?'

'Niet dat wij weten.'

'Bij welk filiaal zat hij?'

Clarke spreidde haar armen en schokschouderde met een hoopvolle glimlach.

'Ik zal kijken wat ik kan doen.'

'Heel erg bedankt,' zei Rebus. 'Wij zitten op bureau Gayfield Square.' Hij keek demonstratief om zich heen. 'Niet zo chic als hier, maar aan ons is de belastingbetaler dan ook niet failliet gegaan...'

9

Het was een kort ritje van het parlement naar het stadhuis. Aan de balie zei Rebus dat ze om twee uur een afspraak hadden met de burgemeester en veel te vroeg waren, en of ze hun auto daarom voor het gebouw mochten laten staan. Niemand scheen dat een probleem te vinden, waarop Rebus met een stralende glimlach vroeg of ze in de tussentijd bij Graeme MacLeod konden langsgaan. Weer bezoekerspasjes, een detectiepoort door, en ze waren binnen. Toen ze op de lift stonden te wachten, keek Clarke Rebus aan.

'Wat ik wou zeggen: dat met Macfarlane en Janney heb je goed aangepakt.'

'Ik dacht al dat je dat vond, aangezien je mij bijna al het werk liet doen.'

'Kan ik het compliment nog intrekken?' Maar ze glimlachten allebei. 'Wanneer komen ze erachter dat we onder valse voorwendselen een parkeerplaats hebben ingepikt?'

'Ligt eraan of ze de moeite nemen het te verifiëren bij de secretaris van de burgemeester.' De lift ging open en ze stapten in. Ze gingen omlaag naar de tweede verdieping onder de grond, waar ze weer werden opgewacht door een man. Rebus stelde hem aan Clarke voor als Graeme MacLeod en MacLeod nam ze mee naar de CTC, de Cameratoezichtcentrale. Rebus was er al eerder geweest maar Clarke niet, en ze zette grote ogen op toen ze de batterij beeldschermen zag, tientallen, drie boven elkaar, met mensen die er achter toetsenborden naar zaten te kijken.

MacLeod vond het fijn als bezoekers onder de indruk waren en had geen aanmoediging nodig om zijn toespraakje te geven.

'Tien jaar hangen er nu camera's in de stad,' begon hij. 'Het begon met een stuk of tien in het centrum, nu hebben we er meer dan honderddertig, en binnenkort komen er nog meer bij. We staan in directe verbinding met de centrale meldkamer in Bilston, en zo'n twaalfhonderd arrestaties per jaar zijn te danken aan wat wij in dit benauwde kamertje allemaal oppikken.'

Warm was het er zeker – de hitte van al die beeldschermen – en Clarke liet haar jas van haar schouders glijden.

'We zijn vierentwintig uur per dag, zeven dagen per week in de lucht,' ging MacLeod verder, 'en we kunnen een verdachte volgen en ondertussen aan de politie doorgeven waar ze hem kunnen vinden.' Boven elke monitor stond een getal. MacLeod wees er een aan. 'Dat is de Grassmarket. En Jenny' – hij doelde op de vrouw aan het bureau ervoor – 'kan met dat toetsenbord de camera bedienen, die kan ronddraaien en inzoomen op iemand die parkeert of uit een winkel of een kroeg komt.'

Jenny liet zien hoe het ging en Clarke knikte bedachtzaam.

'Heel scherp beeld,' zei ze. 'En in kleur – ik had zwart-wit verwacht. Er hangen zeker geen camera's in King's Stables Road?'

MacLeod grinnikte. 'Ik wist al dat jullie daarvoor kwamen.' Hij pakte een logboek en bladerde een paar pagina's terug. 'Martin had die nacht dienst. Hij heeft de politieauto's en ambulances gevolgd.' MacLeod liet zijn vinger langs de betreffende aantekeningen glijden. 'Heeft de beelden van die avond nog eens bekeken maar niets kunnen vinden.'

'Wil niet zeggen dat er niets is.'

'Absoluut.'

'Siobhan vertelde me daarnet,' zei Rebus, 'dat in ons land meer camera's hangen dan in enig ander land ter wereld.'

'Twintig procent van alle beveiligingscamera's ter wereld. Een op elke twaalf inwoners.'

'Dat is niet niks,' mompelde Rebus.

'Slaat u alle beelden op?' vroeg Clarke.

'We doen ons best. Op harde schijf en videoband. Maar we hebben ons te houden aan bepaalde richtlijnen...'

'Graeme bedoelt dat hij ons niet zomaar beelden kan geven,' legde Rebus uit. 'Wet Bescherming Persoonsgegevens, uit '97.'

MacLeod knikte. 'Uit '98, om precies te zijn. We mogen jullie wel beelden geven, maar pas als er aan een hoop eisen is voldaan.'

'Daarom vertrouw ik altijd op Graeme's oordeel.' Rebus draaide zich naar MacLeod. 'En ik vermoed dat jullie met een soort digitale stofkam door de opnames zijn gegaan?'

MacLeod glimlachte en knikte. 'Jenny heeft me geholpen. We hadden foto's van het slachtoffer van de persbureaus. Ik denk dat we hem gevonden hebben op Shandwick Place. Hij was te voet en alleen. Dat is net na tienen. Daarna zien we hem anderhalf uur later in Lothian Road. Maar zoals je al vermoedde, hebben we geen camera's in King's Stables Road zelf.'

'Kreeg je de indruk dat hij door iemand werd gevolgd?' vroeg Rebus.

MacLeod schudde zijn hoofd. 'En Jenny ook niet.'

Clarke stond weer naar de schermen te turen. 'Nog een paar jaar en dit kost me mijn baan.'

MacLeod lachte. 'Dat betwijfel ik. Cameratoezicht is een gevoelige aangelegenheid. Privacy is altijd een heet hangijzer, en de privacywaakhonden volgen ons met argusogen.'

'Het zal weer eens niet,' mompelde Rebus.

'Jij hebt toch ook liever niet dat er een camera bij jou door de gordijnen gluurt?' plaagde MacLeod.

Clarke had iets bedacht. 'Charles Riordan rekende om negen uur achtenveertig af in dat restaurant. Todorov vertrok en liep via Shandwick Place de stad in. Waarom doet hij er dan een halfuur over om in Lothian Road te komen, nog geen kilometer verder?'

'Onderweg aangelegd voor een borrel?' opperde Rebus.

'Riordan had het over Mather's of het Caledonian Hotel. Waar hij ook geweest is, om twintig voor elf moet hij weer op straat hebben gestaan, zodat hij vijf minuten later bij de parkeergarage was.' Ze zweeg tot Rebus instemmend had geknikt.

'Daar gaat om elf uur het luik dicht,' vulde hij aan. 'Het moet allemaal heel snel zijn gebeurd.' Toen, tegen MacLeod: 'En later, Graeme?'

MacLeod was op die vraag voorbereid. 'De voorbijgangster die het lijk vond, heeft dat gemeld om twaalf over elf. We hebben de beelden van de Grassmarket en Lothian Road bekeken van tien minuten daarvoor tot tien minuten erna.' Hij haalde zijn schouders op. 'Gewoon cafébezoekers, groepjes collega's, mensen die gewinkeld hebben... geen psychopathische overvallers die met een hamer lopen te zwaaien.'

'Zou wel handig zijn als wij die beelden konden bekijken,' zei Rebus. 'Misschien kennen wij gezichten die jullie niks zeggen.'

'Zit wat in.'

'Maar dan wil je eerst dat we aan bepaalde eisen voldoen?'

MacLeod had zijn armen over elkaar geslagen, afdoende antwoord op de vraag.

Onderweg naar buiten liepen ze langs de receptie en Rebus opende net een nieuw pakje sigaretten toen een gemeenteambtenaar in een of ander officieel kostuum hen staande hield. Het duurde even voor Rebus zag dat de burgemeester zelf er ook stond, haar gouden ambtsketen om de hals. Ze keek niet erg blij.

'Het schijnt dat wij een afspraak hebben?' vroeg ze. 'Al lijken alleen jullie daarvan op de hoogte te zijn.'

'Misverstandje, vrees ik,' excuseerde Rebus zich.

'Niet gewoon een truc om een parkeerplaats in te pikken?'

'Het idee alleen al.'

Ze keek hem boos aan. 'Ik zou ook maar snel vertrekken – we hebben die plaats nodig voor belangrijker gasten.'

Rebus voelde hoe zijn vingers het sigarettenpakje bijna fijnknepen. 'Wat is nou belangrijker dan een moordonderzoek?' vroeg hij.

Ze begreep waar hij op doelde. 'Die Russische dichter? Dat moet snel worden opgelost.'

'Om de geldschieters uit het land van de Wolga tevreden te stellen?' raadde Rebus. En er schoot hem nog wat te binnen: 'In hoeverre is de gemeente daar eigenlijk bij betrokken? Megan Macfarlane zegt dat het een kwestie van de Commissie Stedelijke Vernieuwing is.'

De burgemeester knikte. 'Maar de gemeente heeft er ook iets over te zeggen.'

'Dus u helpt een handje mee om die rijke stinkers in de watten te leggen. Fijn om te weten dat mijn belastingcenten zo nuttig besteed worden.'

De burgemeester had een stap naar voren gezet en keek nu nog bozer. Ze wilde hem net van repliek dienen toen haar assistent kuchte. Door het raam was een lange zwarte auto te zien die de toegangspoort van het gebouw in manoeuvreerde. De burgemeester zei niets meer, draaide zich om en was weg. Rebus gaf haar vijf seconden en liep toen ook naar buiten, met Clarke naast zich.

'Fijn hè, vrienden maken?' zei ze.

'Over een week ben ik met pensioen, Shiv. Wat kan het mij schelen?'

Ze liepen een paar meter over het trottoir tot Rebus bleef staan om zijn sigaret aan te steken.

'Heb je de krant vanochtend gelezen?' vroeg Clarke. 'Andy Kerr is gisteravond gekozen tot politicus van het jaar.'

'Moet ik die kennen?'

'De grote man achter het rookverbod.'

Rebus snoof schamper. Enkele voorbijgangers bleven kijken hoe de officieel uitziende auto stopte bij de wachtende burgemeester. Haar in livrei gestoken assistent stapte naar voren om het achterportier te openen. Het getinte glas had de inzittenden aan het oog onttrokken, maar zodra de man uitstapte vermoedde Rebus dat hij een van de Russen was. Zware jas, zwarte handschoenen en een hoekig, serieus gezicht. Jaar of veertig misschien, kort en goed verzorgd kapsel, grijzend bij de slapen. Staalgrijze ogen die de hele omgeving scherp opnamen, ook Rebus en Clarke, terwijl hij de burgemeester een hand gaf en antwoordde op iets wat zij had gezegd. Rebus zoog de rook diep in zijn longen en zag het gezelschap in het gebouw verdwijnen.

'Het lijkt wel alsof het Russische consulaat een taxiservice runt,' zei hij, terwijl hij de zwarte Mercedes monsterde.

'Zelfde auto als Stahov?' raadde Clarke.

'Zou kunnen.'

'En de chauffeur?'

'Lastig te zeggen.'

Er was weer een gemeenteambtenaar verschenen, die gebaarde dat hun auto plaats moest maken voor de Mercedes. Rebus stak een vinger op om aan te geven dat hij met één minuutje weg zou zijn. Toen zag hij dat Clarke haar bezoekerspasje nog op had.

'Die moeten we teruggeven,' zei hij. 'Hou eens vast.' Hij reikte haar de half opgerookte sigaret aan maar die nam ze niet aan, dus legde hij hem op een vensterbank. 'Let op dat hij niet wegwaait,' zei hij terwijl hij haar pas in ontvangst nam en die van hemzelf losmaakte.

'Die hoeven ze heus niet terug,' merkte ze op. Rebus glimlachte alleen en liep naar de receptie.

'Die moesten we nog teruggeven,' zei hij tegen de vrouw achter de balie. 'Kun je vast wel recyclen, hè? Alle kleine beetjes helpen.' Nog steeds een smile op zijn gezicht, zodat de vrouw teruglachte.

'O, trouwens,' zei hij, en boog zich over de balie, 'die kerel die

78

net aankwam, is dat wie ik denk dat het was?'

'Een of andere zakentycoon,' zei de vrouw. Ja, want het gastenboek lag voor zijn neus en de laatste naam die erin stond – in dikke blauwe inkt, zo te zien uit een vulpen – was de naam die ze nu uitsprak.

'Sergej Andropov.'

'Waarheen?' vroeg Clarke.

'De kroeg.'

'Maakt het nog uit welke?'

'Mather's, natuurlijk.'

Maar toen Clarke over Johnston Terrace reed, vroeg Rebus haar een omweg te nemen en reden ze na een aantal malen links af te hebben geslagen King's Stables Road in via de Grassmarket. Ze stopten bij de parkeergarage en zagen Hawes en Tibbet daar aan het werk. Clarke claxonneerde terwijl ze de motor uitschakelde. Tibbet draaide zich om en zwaaide. Hij stak flyers onder ruitenwissers – DE POLITIE VRAAGT UW AANDACHT: HEEFT U IETS GEZIEN OF GEHOORD? Hawes was in de weer met een sandwichbord bij de uitrit van de garage, een grote versie van de flyer met precies dezelfde bewoordingen. Een korrelige foto van Todorov en de tekst: 'Woensdagavond 15 november rond elf uur is in deze parkeergarage een man zwaar mishandeld. Hij is later aan zijn verwondingen bezweken. Heeft u iets gezien? Kent u iemand die hier die avond zijn auto had geparkeerd? Belt u dan met de politie...' En het nummer van de meldkamer.

'Dat is slim,' merkte Rebus op. 'Want momenteel is op het recherchekantoor niemand aanwezig.'

'Dat zei Macrae ook al,' zei Hawes instemmend, terwijl ze het resultaat van haar werk bekeek. 'Die vroeg zich af hoeveel mankracht we nodig hadden.'

'Ik hou van een klein, goed ingespeeld team,' antwoordde Rebus.

'Geen Hearts-supporter dus,' zei Tibbet spottend.

'Ben jij soms voor Hibs, Colin? Net als Siobhan?'

'Livingston,' wees Tibbet hem terecht.

'Hearts is tegenwoordig toch van een Rus?'

Het was Clarke die antwoord gaf. 'Hij komt uit Litouwen.'

Hawes vroeg waar Rebus en Clarke naartoe gingen.

'Naar de kroeg,' antwoordde Clarke.

'Bofkont.'

'Het is voor het werk, hoor.'

'Wat zullen Colin en ik hierna doen?' Hawes keek naar Rebus.

'Terug naar het honk,' zei hij. 'En de stortvloed aan telefoontjes afhandelen.'

'En iemand moet de BBC voor me bellen,' schoot Clarke te binnen. 'Of ze ons de aflevering van *Question Time* kunnen sturen waar Todorov in zat. Ik wil wel eens zien of hij echt zo'n oproerkraaier was.'

'Ze hebben er gisteravond op het nieuws een stukje van herhaald,' zei Colin Tibbet. 'Ze hadden een item over de moord en dat waren blijkbaar de enige beelden van hem die ze in hun archief hadden.'

'Komt-ie nou mee,' zei Clarke. 'Wil jij dan misschien de BBC bellen?'

Hij haalde zijn schouders op als om te zeggen: mij best. Clarke's aandacht werd getrokken door het pak flyers dat hij nog in zijn hand had. Ze waren op verschillende kleuren papier gedrukt, maar de meeste waren felroze.

'We moesten ze snel hebben,' legde Tibbet uit. 'En dit was in de aanbieding.'

'Kom,' zei Rebus tegen Clarke en liep naar de auto. Maar Hawes had meer ideeën.

'We moeten de getuigen nog een keer horen,' riep ze. 'Dat kunnen Colin en ik ook doen.'

Het kostte Rebus vijf seconden om te doen of hij erover nadacht en het aanbod af te slaan.

Eenmaal in de auto staarde hij naar het bord dat hun verbood door te rijden naar Lothian Road.

'Zal ik het wagen?' vroeg Clarke.

'Moet je zelf weten.'

Ze beet op haar lip en keerde toch maar om. Tien minuten later reden ze over Lothian Road en passeerden King's Stables Road. 'Je had het moeten wagen,' zei Rebus. Twee minuten later parkeerden ze bij de gele lijn voor Mather's, nadat ze een verkeersbord hadden genegeerd waarop stond dat Queensferry Street alleen toegankelijk was voor bussen en taxi's. Het witte bestelbusje voor hen had hetzelfde gedaan, net als de stationwagen achter hen.

'Een heel konvooi van wetsovertreders,' zei Rebus.

'Waar moet het heen met deze stad,' zei Clarke knarsetandend. 'Wie bedenkt dat verkeersbeleid?'

'Jij bent toe aan een borrel,' liet Rebus haar weten. Hij kwam niet vaak in Mather's maar het was een kroeg die hem wel aanstond. Ouderwets, weinig stoelen, merendeels ingenomen door ernstig kijkende mannen. Begin van de middag, de tv stond op Sky Sports. Clarke had een paar flyers meegenomen – gele, geen roze – en ging daarmee de tafels af, terwijl Rebus er een ophield voor de barkeeper.

'Twee avonden terug,' zei hij. 'Uur of tien, misschien iets later.'

'Toen werkte ik niet,' zei de barkeeper.

'Wie dan wel?'

'Terry.'

'En waar is Terry?'

'In zijn nest, waarschijnlijk.'

'Werkt hij vanavond weer?' De barkeeper knikte en Rebus drukte hem de flyer in handen. 'Ik wil dat hij me belt, of hij die kerel nou gezien heeft of niet. Als ik geen telefoontje krijg, heb jij het gedaan.'

De barkeeper vertrok zijn mondhoeken alleen even. Clarke was bij Rebus komen staan. 'Die kerel in de hoek schijnt je te kennen,' zei ze. Rebus keek, knikte en liep naar de tafel, Clarke achter hem aan.

'Alles goed, Lange?' zei Rebus bij wijze van groet.

Hij leek alleen te zijn – halve pint en een glas whisky – en nam er zijn gemak van, één voet op de stoel naast hem, hand krabbend onder zijn overhemd. Hij droeg een vaal denimshirt dat openviel tot onder het borstbeen. Rebus had hem in geen zeven of acht jaar gezien. Hij noemde zichzelf Podeen – Lange Podeen. Vroeger bij de marine, daarna uitsmijter, en nu begon de ouderdom zijn tol te eisen: het grote gelooide gezicht stond op instorten, de meeste tanden achter de vlezige lippen waren al verdwenen.

'Het gaat, meneer Rebus, het gaat.' Er werden geen handen geschud, alleen een lichte knik en vluchtig oogcontact.

'Dit je stamkroeg?' vroeg Rebus.

'Hangt ervan af wat u bedoelt.'

'Ik dacht dat je aan de kust zat.'

'Dat is alweer jaren geleden. Een mens verandert, soms moet je verkassen.' Er lag een pakje shag op tafel, met een aansteker en vloeitjes. Podeen pakte de zak shag en begon ermee te spelen.

'Heb je iets voor ons?'

Podeen blies zijn wangen bol en ademde uit. 'Twee avonden terug zat ik hier ook, en die kerel is hier toen niet geweest.' Een knikje in de richting van de flyer. 'Maar ik ken hem wel, hij kwam hier wel vaker tegen sluitingstijd. Een nachtbraker, als je het mij vraagt.'

'Net als jijzelf?'

'En uw persoon, meen ik me te herinneren.'

'Pijp en pantoffels tegenwoordig, Lange,' hield Rebus hem voor. 'Kop warme choco en om tien uur naar bed.'

'Zie ik niet scherp voor me. U raadt nooit wie ik laatst tegenkwam: onze ouwe vriend Cafferty. Hoe komt het dat u hem nooit hebt opgeborgen?'

'Dat hebben we wel een paar keer gedaan.'

Podeen trok een bedenkelijk gezicht. 'Een paar jaar hier en daar. Maar hij wist toch altijd weer overeind te krabbelen, hè?' Podeens blik kruiste die van Rebus weer. 'Ik hoor dat u met pensioen gaat. Geen slechte carrière als zwaargewicht gehad, meneer Rebus, maar dat zal toch altijd aan u blijven kleven...'

'Wat?'

'Dat u geen knock-out in uw vuisten had.' Podeen hief zijn glas whisky. 'Afijn, ik toost op uw ouwe dag. Misschien zien we u hier dan wat vaker. Al moet u in de meeste kroegen in de stad op uw tellen passen – genoeg mensen die nog een appeltje met u te schillen hebben, meneer Rebus, en als u niet meer bij de politie zit...' Podeen haalde met een theatraal gebaar zijn schouders op.

'Bedankt Lange, dat is een opsteker.' Rebus keek naar de flyer. 'Heb je hem wel eens gesproken?' Podeen grimaste en schudde zijn hoofd. 'Iemand anders hier misschien?'

'Hij stond altijd aan de bar, zo dicht mogelijk bij de deur. Hij kwam voor de drank, niet voor het gezelschap.' Hij zweeg even. 'U vraagt niet naar Cafferty.'

'Oké dan, wat is daarmee?'

'Ik moest u de groeten doen.'

Rebus staarde hem aan. 'Is dat alles?'

'Dat is alles.'

'En waar heeft dat historische gesprek plaatsgevonden?'

'Hier aan de overkant, grappig genoeg. Ik liep hem tegen het lijf toen ik het Caledonian Hotel uit kwam.'

Hun volgende halte. Het enorme roze gebouw had twee ingangen. De ene leidde naar de receptie en daar was een portier geposteerd. De andere voerde meteen naar de bar, die zowel openstond voor hotelgasten als voor zwervers. Rebus vond dat hij dorst had en bestelde een pint. Clarke hield het bij tomatensap.

'Was aan de overkant goedkoper geweest,' merkte ze op.

'Daarom mag jij trakteren.' Maar toen de rekening kwam, legde hij er snel een briefje van vijf op, hopend dat hij nog wat terugkreeg.

'Je maat in Mather's had wel gelijk, hè?' mijmerde Clarke. 'Als ik ga stappen let ik ook altijd goed op de gezichten om me heen, voor het geval ik een bekende tegenkom.'

Rebus knikte. 'Wij hebben zoveel tuig achter de tralies gestopt, geheid dat een paar daarvan nu weer vrij rondlopen. Zorg maar dat je gaat stappen in tenten van beter allooi.'

'Zoiets als dit?' Clarke keek om zich heen. 'Wat zou Todorov hierin gezien hebben?'

Rebus dacht even na. 'Ik weet het niet,' erkende hij. 'Misschien gewoon eens een andere *vibe*.'

'Een *víbe*?' Clarke glimlachte.

'Dat heb ik vast van jou.'

'Dat dacht ik niet.'

'Van Tibbet dan. Wat is er trouwens mis mee? Prima woord toch?'

'Klinkt niet helemaal goed uit jouw mond.'

'Had je me in de sixties moeten horen.'

'Toen was ik nog niet geboren.'

'Dat hoef je me niet steeds in te wrijven.' Hij had zijn glas half leeg en wenkte de barkeeper, flyer in de aanslag. Hij was een klein, graatmager mannetje met een kaalgeschoren hoofd. Hij droeg een tartan vest en das en hoefde maar een paar seconden naar Todorovs foto te kijken voordat hij begon te knikken. Zijn kale schedel glom in het licht.

'Die is hier de laatste tijd een paar keer geweest.'

'Eergisteravond ook?' vroeg Clarke.

'Ik geloof het wel.' De barkeeper concentreerde zich, fronste zijn wenkbrauwen. Rebus wist dat mensen dat soms deden om een goede leugen te bedenken. Op het naamkaartje op het vest stond alleen Freddie.

'Even na tienen,' zei Rebus. 'Hij had hem al stevig om.'
Freddie knikte weer. 'Bestelde een grote cognac.'
'Is dat het enige wat hij gedronken heeft?'
'Ik geloof het wel.'
'Heb je met hem gesproken?'
Freddie schudde zijn hoofd. 'Maar nu weet ik wie hij is – ik heb het op het nieuws gezien. Wat een gruwelijk verhaal.'
'Gruwelijk,' beaamde Rebus.
'Zat hij aan de bar?' vroeg Clarke. 'Of aan een tafel?'
'Aan de bar, altijd aan de bar. Ik wist dat het een buitenlander was, maar hij gedroeg zich niet als een dichter.'
'Hoe gedragen dichters zich dan, in jouw ervaring?'
'Ik bedoel dat hij daar alleen maar wat stuurs voor zich uit zat te kijken. Maar ik geef toe, ik heb hem wel eens wat zien schrijven.'
'De laatste keer dat hij hier was?'
'Nee, daarvoor. Een klein notitieboekje dat hij steeds uit zijn zak haalde. Een van de serveersters dacht dat hij misschien een recensent van een tijdschrift was die hier incognito kwam. Dat leek mij niet.'
'De laatste keer dat hij hier was heb je dat notitieboekje niet gezien?'
'Hij zat met iemand te praten.'
'Met wie?' vroeg Rebus.
Freddie haalde alleen zijn schouders op. 'Een andere gast. Ze zaten ongeveer waar u nu zit.' Rebus en Clarke keken elkaar aan.
'Waar hadden ze het over?'
'Niet netjes om mee te luisteren.'
'Ik ken maar weinig barkeepers die niet meeluisteren met de gesprekken van hun klanten.'
'Misschien spraken ze geen Engels.'
'Wat dan – Russisch?' Rebus kneep zijn ogen half toe.
'Kan,' leek Freddie toe te geven.
'Hangen hier camera's?' Rebus keek om zich heen. Freddie schudde zijn hoofd.
'Was het een man of een vrouw met wie hij zat te praten?' vroeg Clarke.
Het duurde even voor Freddie antwoord gaf. 'Een man.'
'Beschrijf hem eens.'

Weer een stilte. 'Iets ouder dan hij... steviger gebouwd. 's Avonds is het licht hier gedimd, en het was druk...' Hij haalde verontschuldigend zijn schouders op.

'Dit helpt ons al enorm,' verzekerde Clarke hem. 'Hebben ze lang zitten praten?' Freddie haalde weer zijn schouders op. 'Zijn ze niet samen weggegaan?'

'Die dichter ging in zijn eentje weg.' Daarover klonk Freddie tenminste heel stellig.

'De cognac is hier vast niet goedkoop,' zei Rebus, om zich heen kijkend.

'Je kunt het zo duur krijgen als je het hebben wil,' gaf de barkeeper toe. 'Maar als het op de kamerrekening komt, sta je daar niet zo bij stil.'

'Tot je moet afrekenen,' zei Rebus instemmend. 'Maar onze Russische vriend logeerde hier niet, Freddie.' Hij zweeg om zijn woorden te laten bezinken. 'Dus op wiens rekening dronk hij hier?'

De barkeeper realiseerde zich dat hij zijn mond voorbij had gepraat. 'Luister,' zei hij, 'ik wil geen problemen krijgen...'

'Met míj wil je zeker geen problemen krijgen,' liet Rebus weten. 'Was zijn gesprekspartner een hotelgast?'

Freddie keek van de een naar de ander. 'Ach ja,' zei hij, en het klonk alsof hij de moed opgaf. Rebus en Clarke keken elkaar aan.

'Als je vanuit Moskou op zakenreis komt,' zei ze zacht, 'met een soort handelsdelegatie... naar welk hotel ga je dan?'

Op die vraag was maar één antwoord mogelijk, maar de hotelreceptie kon hen niet verder helpen. Ze lieten de duty manager komen en Rebus herhaalde zijn vraag.

'Bivakkeren hier ook Russische zakenlui?'

De duty manager bestudeerde Rebus' legitimatie. Toen gaf hij hem terug en vroeg of er een probleem was.

'Alleen als uw hotel de voortgang van mijn moordonderzoek blijft belemmeren,' zei Rebus lijzig.

'Moord?' De manager had zich voorgesteld als Richard Browning. Hij droeg een kraakhelder inktzwart pak met een geruit overhemd en een lavendelblauwe das. Het bloed stroomde naar zijn wangen toen hij Rebus' vraag herhaalde.

'Een paar avonden geleden is een man vertrokken uit uw bar en daarna niet verder gekomen dan King's Stables Road, waar hij is doodgeslagen. Dat wil zeggen dat de laatsten die hem in leven hebben gezien cocktails achterover zaten te slaan in uw hotel.' Rebus was een stap dichter bij Browning komen staan. 'Ik kan uw gastenlijst vorderen en al uw gasten een voor een gaan horen... misschien aan een grote tafel bij de ingang, zodat iedereen het goed kan zien...' Rebus wachtte even. 'Dat kán ik doen, maar dat kost tijd en het is zo'n gedoe. Of...' Weer een korte stilte. 'Of u vertelt mij welke Russen u hier te gast hebt.'

'U kunt ook de rekeningen van de bar doornemen,' voegde Clarke eraan toe, 'en kijken wie eergisteravond even na tienen een grote cognac heeft besteld.'

'Onze gasten hebben recht op privacy,' sputterde Browning tegen.

'We willen alleen namen,' zei Rebus, 'geen lijst van alle porno die ze op hun hotelkamer bekijken.'

Browning rechtte zijn rug.

'Oké,' suste Rebus, 'zo'n hotel is dit niet. Maar hébt u hier nu Russen zitten of niet?'

Browning erkende het met een knikje. 'U weet dat er een handelsdelegatie in de stad is?' Dat bevestigde Rebus. 'We hebben er eerlijk gezegd maar drie of vier. De rest zit elders in de stad – het Balmoral, George, Sheraton, Prestonfield...'

'Kunnen ze het niet goed met elkaar vinden?' vroeg Clarke.

'Niet genoeg presidentiële suites,' zei Browning snuivend.

'Hoe lang blijven ze hier nog?'

'Een paar dagen. Ze gaan tussendoor ook naar Gleneagles, maar ze houden hun kamer aan. Hoeven ze niet uit en weer in te checken.'

'Fijn als je het kunt betalen,' merkte Rebus op. 'Wanneer krijgen we hun namen?'

'Ik moet het eerst aan de general manager voorleggen.'

'Wanneer?' herhaalde Rebus.

'Dat kan ik echt niet zeggen,' sputterde Browning. Clarke gaf hem een kaartje met haar mobiele nummer.

'Hoe sneller hoe beter,' spoorde ze hem aan.

'Of we installeren een tafel bij de ingang,' voegde Rebus eraan toe.

Browning stond te knikken en staarde naar de vloer terwijl ze wegliepen. De portier zag ze naderen en hield de deur open. Bij wijze van fooi gaf Rebus hem een van de felgekleurde flyers. Toen ze de weg overstaken naar Clarke's auto – die ze had geparkeerd op een lege taxistandplaats – zag Rebus een limo bij de ingang stoppen: de zwarte Mercedes van het stadhuis, waar dezelfde man uit stapte, Sergej Andropov. Hij leek weer ogen in zijn rug te hebben en keek even om naar Rebus voor hij naar binnen ging. De auto sloeg de hoek om en reed het parkeerterrein van het hotel op.

'Zelfde chauffeur als van Stahov?' vroeg Clarke.

'Ik kon het nog steeds niet goed zien,' zei Rebus. 'Maar dat doet me eraan denken dat ik binnen nog iets had willen vragen. Namelijk: waarom laat een respectabel hotel als het Caledonian iemand als Big Ger Cafferty het pand binnen?'

10

Ze wachtten tot zes uur voordat ze bij de getuigen langsgingen, met het idee dat ze dan meer kans maakten om ze thuis aan te treffen. Roger en Elizabeth Anderson woonden in een vrijstaand jarendertighuis aan de zuidelijke rand van de stad, met uitzicht op de Pentland Hills. Het tuinpad naar de voordeur was verlicht zodat ze goed zicht hadden op de indrukwekkende rotspartijen en een gazon dat leek te worden bijgehouden met een nagelknipper.

'Mooie hobby voor mevrouw Anderson,' gokte Clarke.

'Wie weet – misschien is zij de carrièrevrouw en zit hij thuis.'

Maar toen Roger Anderson de deur opende droeg hij kantoorkleding, met de stropdas los en zijn boord open. In één hand had hij de avondkrant en hij had zijn leesbril op zijn voorhoofd geschoven.

'O, u bent het,' zei hij. 'Ik vroeg me al af wanneer u zou komen.' Hij liep weer naar binnen, ging ervan uit dat ze wel zouden volgen. 'De politie,' riep hij naar zijn vrouw. Rebus begroette haar met een glimlach toen ze de keuken uit kwam.

'Ik zie dat u de krans nog niet hebt opgehangen,' zei hij, wijzend op de voordeur.

'Ik moest hem van haar weggooien,' zei Roger Anderson en pakte de afstandsbediening om de tv uit te zetten.

'We zouden net gaan eten,' merkte zijn vrouw op.

'We hebben niet lang werk,' verzekerde Clarke haar. Ze had een map bij zich. Todd Goodyear en Bill Dyson hadden hun aantekeningen uitgetikt. Goodyears verslag was onberispelijk, dat van Dyson zat vol spelfouten. 'U hebt het slachtoffer niet als eerste gevonden, toch?' vroeg Clarke.

Elizabeth Anderson was de kamer in gekomen en stond achter

de stoel van haar man, de stoel waarin Roger Anderson zich weer liet zakken zonder de rechercheurs uit te nodigen plaats te nemen. Maar Rebus bleef ook liever staan – zo kon hij rondlopen in de kamer, alles goed opnemen. Anderson had zijn krant op de koffietafel gelegd naast een kristallen tumbler met gin-tonic – zo te ruiken drie delen gin op één deel tonic.

'We hoorden dat meisje gillen,' zei hij, 'en gingen kijken wat er aan de hand was. Dachten dat ze was belaagd of zo.'

'En uw auto...' Clarke deed alsof ze de aantekeningen doornam.

'Op de Grassmarket,' zei Anderson.

'Waarom daar?' viel Rebus in.

'Waarom niet?'

'Is nogal een eind lopen naar de kerk. Daar was een kerstsamenzang of zoiets?'

'Inderdaad.'

'Is dat niet een beetje vroeg?'

'Volgende week gaat de kerstverlichting aan.'

'En was het zo laat afgelopen?'

'We zijn daarna nog iets gaan eten.' Anderson leek verontwaardigd dat het nodig werd geacht hem vragen te stellen.

'U had niet aan de parkeergarage gedacht?'

'Die gaat om elf uur dicht – ik wist niet zeker of we dan al terug zouden zijn.'

Rebus knikte. 'U kent hem dus wel? U kent de openingstijden?'

'Ik heb hem wel eens gebruikt. Maar op de Grassmarket is het na halfzeven gratis.'

'Altijd op de kleintjes letten,' erkende Rebus, en hij keek om zich heen in de grote, goed gemeubileerde kamer. 'In de aantekeningen las ik dat u werkt bij...?'

'Bij First Albannach.'

Rebus knikte weer en probeerde zijn verrassing te verbergen. Dyson had niet de moeite genomen de man naar zijn beroep te vragen.

'Stom toeval dat u me nu al thuis treft,' ging Anderson verder. 'Razend druk de laatste tijd.'

'Kent u Stuart Janney toevallig?'

'Vaak genoeg gesproken... wat heeft dit allemaal te maken met die arme stakker die dood is?'

'Waarschijnlijk niets, meneer Anderson,' gaf Rebus toe. 'Maar we proberen altijd een zo volledig mogelijk beeld te krijgen.'

'Nog een reden dat we de auto altijd op de Grassmarket zetten,' zei Elizabeth Anderson, op nauwelijks meer dan fluistertoon, 'is dat die goed verlicht is, en er is altijd volk op straat. Daar houden we rekening mee.'

'U liep er anders via een behoorlijk enge route naartoe,' merkte Clarke op. 'Op dat uur is King's Stables Road meestal uitgestorven.'

Rebus stond naar een stel ingelijste foto's in een kast te kijken. 'Uw trouwdag,' zei hij voor zich uit.

'Zevenentwintig jaar geleden,' bevestigde mevrouw Anderson.

'Dat uw dochter?' Hij wist het antwoord al: een handvol foto's waarin ze opgroeide van peuter tot volwassene.

'Deborah. Ze studeert, volgende week komt ze naar huis.'

Rebus knikte langzaam. De recentste foto's leken te zijn verborgen achter ingelijste herinneringen aan het schoolkind en de kleuter met wisseltanden. 'Ik zie dat ze een goth-periode heeft gehad.' Het haar ineens gitzwart, dikke kohlranden om de ogen.

'Ik zie wederom niet in,' kwam Roger Anderson tussenbeide, 'wat dit te maken heeft...'

Rebus wuifde het bezwaar weg. Clarke keek op van de aantekeningen waarin ze zogenaamd had staan lezen.

'Ik weet dat het een domme vraag is,' zei ze met een glimlach, 'maar u hebt nu tijd gehad om alles nog eens door te nemen in uw hoofd. Hebt u er niets aan toe te voegen? Iemand die u hebt gezien, iets wat u hebt gehoord?'

'Niks,' zei meneer Anderson.

'Niks,' herhaalde zijn vrouw. En toen zei ze: 'Het is best een beroemde dichter, hè? We hebben al pers aan de lijn gehad.'

'Die kunt u beter niets vertellen,' adviseerde Rebus.

'Ik wil wel eens weten hoe ze verdomme aan ons adres komen,' gromde haar man. 'Zijn we hier nu klaar mee, denkt u?'

'Ik begrijp niet precies wat u bedoelt.'

'Kunnen we u nog terugverwachten, ook al hebben we u niets meer te melden?'

'Nou, u moet nog naar het bureau komen om een officiële verklaring af te leggen,' liet Clarke hun weten. Ze trok een visitekaartje uit de map. 'Belt u eerst dit nummer en vraag naar agent Hawes of Tibbet.'

'Wat heeft dat in godsnaam voor zin?' vroeg Roger Anderson.

'Dit is een moordonderzoek, meneer Anderson,' zei Rebus gedecideerd. 'Er is een man tot moes geslagen, en de moordenaar loopt vrij rond. Het is onze taak om hem te vinden... het spijt me als u dat enige overlast bezorgt.'

'Klinkt niet alsof het u heel erg spijt,' mopperde Anderson.

'Ik verga van de wroeging, meneer Anderson – excuses als dat niet altijd goed overkomt.' Rebus draaide zich om alsof hij wilde vertrekken, maar bleef staan. 'Wat voor auto hebt u trouwens, dat u hem liever parkeert op een goed verlichte plaats?'

'Een Bentley – de Continental GT.'

'Ik begrijp dat u bij FAB dus niet in de postkamer werkt?'

'Dat wil nog niet zeggen dat ik daar niet begonnen ben, inspecteur. Als u ons nu wilt excuseren. Volgens mij hoor ik ons avondeten droogkoken.'

Mevrouw Anderson sloeg verschrikt haar hand voor haar mond en snelde de keuken in.

'Als het is aangebrand,' zei Rebus, 'kunt u zichzelf altijd troosten met een paar glazen gin.'

Anderson negeerde die opmerking en stond op om de twee rechercheurs zijn huis uit te leiden.

'Was het trouwens lekker?' vroeg Clarke terloops, terwijl ze de aantekeningen terug in haar tas stopte. 'Uw etentje na de dienst in de kerk?'

'Ja, was heel aardig.'

'Ik ben altijd op zoek naar nieuwe restaurantjes.'

'Het valt vast wel binnen uw prijsklasse,' zei Anderson, met een glimlach die het tegenovergestelde suggereerde. 'De Pompadour heet het.'

'Ik laat hem wel betalen,' zei Clarke, met een knikje naar Rebus.

'Doe dat,' zei Anderson lachend. Hij stond nog te grinniken toen hij de voordeur achter hen dichtdeed.

'Geen wonder dat zijn vrouw graag in de tuin klust,' mompelde Rebus. 'Is ze tenminste even weg bij die zelfingenomen zak.' Hij liep het tuinpad af en zocht in zijn zakken naar een sigaret.

'Als ik iets interessants vertel,' plaagde Clarke, 'trakteer jij dan op een etentje in de Pompadour?'

Rebus was met zijn aansteker in de weer en knikte.

'Het menu lag op de balie van de portier.'

Rebus blies een rookpluim de lucht in. 'Hoezo dat?'

'Omdat,' legde Clarke uit, 'de Pompadour het restaurant van het Caledonian is.'

Hij staarde haar even aan, liep toen terug naar de deur en bonsde erop met zijn vuist. Roger Anderson keek niet blij maar Rebus gaf hem geen tijd om te gaan klagen.

'Voordat Alexander Todorov werd vermoord,' zei hij, 'heeft hij wat gedronken in de bar in het Caledonian.'

'Nou en?'

'U zat in het restaurant daar – hebt u hem daar niet gezien?'

'Elizabeth en ik zijn niet in de bar geweest. Het is een groot hotel, inspecteur...' Anderson duwde de deur weer dicht. Rebus overwoog zijn voet ertussen te zetten. Jaren geleden dat hij zoiets had gedaan. Maar hij wist niet wat hij de man verder nog moest vragen, dus keek hij Roger Anderson alleen strak aan tot de massief houten deur hem aan het gezicht onttrok. Zelfs toen bleef hij nog een paar seconden staren, als om hem telepathisch te dwingen de deur weer te openen. Maar Anderson was verdwenen. Rebus liep de tuin uit.

'Wat denk jij?' vroeg Clarke.

'Laten we eerst de andere getuige gaan horen. Daarna wil ik wel een gokje wagen.'

Nancy Sievewright woonde op de derde verdieping van een portiekflat in Blair Street. Aan de overkant van de straat hing een neonbord van een sauna. Hoger op de steile helling van de straat stond een kluitje rokers bij een bar en er klonk wat geschreeuw en gebrul van de kant van Hunter Square, waar daklozen vaak rondhingen tot de politie ze wegstuurde.

Bij de voordeur van het flatgebouw was niet veel licht, dus hield Rebus zijn brandende aansteker bij de intercom terwijl Clarke de namen probeerde te lezen. Huurflats met een snel wisselende populatie, zodat bij sommige knopjes een handvol namen stond, of plakkertjes waarop met pen de nieuwe bewoners waren gekrabbeld. De naam van Sievewright was nog net leesbaar; toen Clarke op de bel drukte, klikte de deur open zonder dat iemand de moeite nam te vragen wie er aanbelde. In het trappenhuis werkte de verlichting nog, en onder aan de trap lagen een paar vuilniszakken en een stapel telefoonboeken die niemand wilde.

'Iemand heeft hier een kat,' zei Rebus snuivend.

'Of incontinentie,' stemde Clarke in. Ze liepen de betonnen trap op en Rebus bleef op elke verdieping staan, zogenaamd om de namen op de deuren te lezen maar eigenlijk gewoon om op adem te komen. Toen hij de derde verdieping bereikte, had Clarke daar al aangebeld. De deur werd geopend door een jongeman met warrig haar en een baard van een week. Hij had eyeliner op en droeg een rode bandana.

'U bent Kelly niet,' zei hij.

'Helaas, sorry.' Clarke hield haar legitimatie op. 'We komen voor Nancy.'

'Die is er niet.' Hij klonk meteen op zijn hoede.

'Heeft ze iets gezegd van een dode die ze gevonden heeft?'

'Wat?' De mond van de jongeman viel open en bleef zo staan.

'Ben je haar vriend?'

'Huisgenoot.'

'Heeft ze het niet verteld?' Clarke wachtte op een reactie, maar die kwam niet. 'Nou goed, we komen alleen even praten. Ze heeft niets misdaan –'

'Dus als jij ons nu gewoon binnenlaat,' viel Rebus in, 'doen wij net of we die hasjwalm niet ruiken.' Hij schonk de jongen een bemoedigend bedoelde glimlach.

'Oké.' De jongeman opende de deur iets verder. Het hoofd van Nancy Sievewright verscheen om de hoek van haar kamerdeur.

'Hallo, Nancy,' zei Clarke terwijl ze de hal in stapte. Overal dozen – troep voor de glas- en papierbak, troep voor de vuilnis, troep die geen plaats had gevonden in de beperkte kastruimte in de flat. 'We komen je even een paar dingen vragen.'

Nancy stond in de hal en sloot de deur van haar kamer achter zich. Ze droeg een kort, strak rokje met zwarte leggings en een topje dat haar middel – en een gepiercete navel – bloot liet.

'Ik sta op het punt om weg te gaan,' zei ze.

'Dan zou ik iets meer aantrekken,' zei Rebus. 'Het is stervenskoud.'

'We hebben niet lang werk,' verzekerde Clarke de tiener. 'Waar kunnen we even rustig praten?'

'In de keuken,' zei Nancy. Ja, want de zoete hasjgeur kwam vanachter een andere deur, waarschijnlijk de woonkamer. Daar klonk ook muziek, iets zweverigs en elektronisch. Rebus kon het niet plaatsen, maar het deed hem een beetje denken aan Tangerine Dream.

De keuken was klein en rommelig, de huisgenoten leken vooral te leven op afhaalmaaltijden. Het raam stond op een kier maar dat kon de stank van de gootsteen niet verbloemen.

'Hier heeft iemand de afwas niet gedaan,' merkte Rebus op.

Nancy ging er niet op in. Ze had haar armen over elkaar geslagen en wachtte op een vraag. Clarke dook weer in haar map en diepte er Todd Goodyears voorbeeldige verslag uit op, plus een visitekaartje.

'We wilden je vragen binnenkort langs te komen op het bureau,' begon Clarke, 'om een officiële verklaring af te leggen. Vraag maar naar deze agenten.' Ze gaf haar het visitekaartje. 'En we willen je alvast wat vragen. Was je onderweg naar hier toen je het slachtoffer vond?'

'Ja.'

'En je kwam van een vriendin in...' Clarke deed alsof ze het verslag bestudeerde. Ze had verwacht dat Nancy de zin wel zou afmaken, maar de tiener leek het zich niet goed te herinneren. Clarke friste haar geheugen op: 'In Great Stuart Street.' Nancy knikte. 'Hoe heet die vriendin, Nancy?'

'Waarom wilt u dat weten?'

'Doen we altijd, gewoon zo veel mogelijk gegevens verzamelen.'

'Ze heet Gill.'

Clarke schreef de naam op. 'Achternaam?' vroeg ze.

'Morgan.'

'En haar huisnummer?'

'Zestien.'

'Fijn.' Clarke schreef dat ook op. 'Bedankt.'

De deur van de woonkamer ging open en het gezicht van een meisje verscheen, om meteen weer te verdwijnen zodra ze Rebus' borende blik zag.

'Wie is jullie huisbaas?' vroeg hij Nancy. Ze haalde haar schouders op.

'Ik betaal mijn huur aan Eddie.'

'Is dat de jongen die opendeed?'

Ze knikte en Rebus liep terug naar de hal. Boven op een van de kartonnen dozen lag een stapel post. Terwijl Clarke nog een vraag stelde keek hij de post door en zag een envelop, waarbij hij stilhield. Geen postzegel, gefrankeerd met een stempel, en de bedrijfsnaam MGC Verhuur. Rebus legde de post terug en luisterde naar Nancy's antwoord.

'Ik weet niet of de parkeergarage al dicht was – wat maakt het uit?'

'Niet veel,' gaf Clarke toe.

'We denken dat het slachtoffer daar is mishandeld,' vulde Rebus aan. 'Hij is weggestrompeld naar de straat waar jij hem hebt gevonden, of hij is daarheen gesleept.'

'Ik heb niets gezíén!' jammerde het meisje. De tranen sprongen in haar ogen en ze sloeg haar armen nog strakker om zich heen. De deur van de woonkamer ging weer open en Eddie verscheen in de hal.

'Val haar niet lastig,' zei hij.

'We vallen haar niet lastig, Eddie,' zei Rebus. De jongeman verbleekte omdat Rebus zijn naam bleek te kennen. Hij bleef nog een ogenblik staan maar droop toen af. 'Waarom had je hem er niet over verteld?' vroeg Rebus aan Nancy.

Ze schudde langzaam haar hoofd en slikte de tranen weg. 'Ik wou het gewoon allemaal vergeten.'

'Daar kan ik inkomen,' zei Clarke meelevend. 'Maar als je toch nog iets te binnen schiet...' Ze wees naar het visitekaartje.

'Dan bel ik,' beloofde Nancy.

'En kom ook even naar het bureau,' herinnerde Clarke haar. 'Maandag, maakt niet uit hoe laat.' Nancy Sievewright knikte en leek totaal ontredderd. Clarke wierp een blik op Rebus, vroeg zich af of hij nog vragen had. Hij besloot van wel.

'Nancy,' vroeg hij zacht, 'ben je wel eens in het Caledonian Hotel geweest?'

Het meisje schamperde. 'Tuurlijk, daar ben ik vaste klant.'

'Nee, serieus.'

'Wat denkt u?'

'Niet dus.' Rebus gebaarde met zijn hoofd naar Clarke dat het tijd was om te vertrekken. Maar eerst duwde hij de deur van de woonkamer open. Er hing een dikke rookwalm. Geen plafonnière, alleen een paar staande lampjes met paarse peertjes en een rij witte kaarsen op de schoorsteenmantel. De koffietafel lag vol vloeitjes, stukjes karton en plukjes tabak. Naast Eddie lagen nog drie mensen uitgestrekt op de bank en de vloer. Rebus knikte en liep weer weg. 'Gebruik je zelf iets?' vroeg hij Nancy. 'Jointje misschien?' Ze trok de voordeur open.

'Soms,' gaf ze toe.

'Fijn dat je er eerlijk voor uitkomt,' zei Rebus. Bij de deur stond een ander meisje: Kelly, vermoedelijk. Ze was waarschijnlijk even oud als Nancy, maar zo opgemaakt dat ze de meeste eenentwintigplusclubs wel binnen zou komen.

'Doei,' zei Nancy tegen de rechercheurs. Terwijl de deur dichtging hoorden ze Kelly vragen wie ze waren, en Nancy die antwoordde dat ze voor de huisbaas werkten. Rebus snoof.

'En raad eens wie die huisbaas is.' Clarke haalde haar schouders op. 'Morris Gerald Cafferty – MGC Verhuur.'

'Ik wist dat hij een paar flats had,' zei Clarke.

'Je kunt in deze stad geen plek bedenken of die vent heeft er wel zijn klauwen in,' peinsde Rebus.

'Ze loog,' zei Clarke.

'Over die vriendin waar ze vandaan kwam?' Rebus knikte.

'Waarom zou ze liegen?'

'Kan ze zoveel redenen voor hebben.'

'Zoals die blowende kameraadjes.' Clarke begon de trap af te lopen. 'De moeite waard om te kijken of er een Gill Morgan woont in Great Stuart Street 16?'

'Moet jij weten,' zei Rebus. Hij keek over zijn schouder naar de deur van Nancy Sievewrights flat. 'Maar ze valt wel op in deze zaak.'

'Hoezo?'

'Voor alle andere betrokkenen lijkt het Caledonian een soort tweede thuis te zijn.'

Clarke's mondhoeken krulden omhoog toen achter hen de deur openging. Hij bleef openstaan en Nancy Sievewright kwam zachtjes de trap afgelopen.

'U kunt wel iets voor mij doen,' zei ze met gedempte stem.

'Wat dan?'

'Die engerd bij mij vandaan houden.'

De twee rechercheurs keken elkaar aan. 'Welke engerd bedoel je?' vroeg Clarke.

'Die met zijn vrouw, die 999 heeft gebeld...'

'Roger Anderson?' Rebus keek haar scherp aan.

Nancy knikte nerveus. 'Hij is hier gisteren geweest. Ik was er niet, maar hij moet gewacht hebben tot ik thuiskwam. Toen stond zijn auto nog voor de deur.'

'Wat wilde hij van je?'

'Zei dat-ie zich zorgen om me maakte en wou weten of alles goed ging.' Ze liep de trap weer op. 'Ik heb het er helemaal mee gehad.'

'Waarmee?' riep Rebus, maar ze gaf geen antwoord en trok alleen de deur zachtjes achter zich dicht.

'Godsamme,' fluisterde Clarke. 'Wat nou dan?'

'Iets om meneer Anderson naar te vragen. Grappig, ik zat al te denken dat Nancy een beetje op zijn dochter lijkt.'

'Hoe is hij aan haar adres gekomen?'

Rebus haalde zijn schouders op. 'Komt nog wel,' zei hij na kort nagedacht te hebben. 'Ik heb nog een kleine missie voor jou vanavond...'

Die kleine missie betekende dat ze op zichzelf was aangewezen toen ze tegenover Macrae zat in diens kantoor. Hij was naar een of andere officiële gelegenheid geweest en droeg een smoking met een zwart strikje. Buiten stond een auto met chauffeur te wachten om hem naar huis te rijden. Hij ging aan zijn bureau zitten, deed het strikje af en knoopte zijn boord los. Hij had een glas water bij de waterkoeler getapt en wachtte tot Clarke iets zou zeggen. Ze schraapte haar keel en vervloekte Rebus. Zijn idee was: naar haar zou Macrae wel luisteren. Dat was alles.

'Het gaat om Alexander Todorov, inspecteur,' begon ze.

'Heb je een verdachte?' Macrae's gezicht lichtte op, maar niet lang. Ze schudde haar hoofd.

'We denken alleen dat het wel eens meer kan zijn dan een uit de hand gelopen beroving.'

'O ja?'

'We hebben nog niet veel concreet bewijs, maar er zijn wel veel...' Veel wat? Ze kon geen overtuigende formulering bedenken. 'Veel sporen die we moeten nalopen, en ze lijken allemaal te wijzen op meer dan een willekeurige beroving.'

Macrae leunde achterover in zijn stoel. 'Ik hoor hier Rebus in,' zei hij. 'Hij heeft je gestuurd om zijn zaak te bepleiten.'

'Dat wil nog niet zeggen dat ik het er niet mee eens ben, inspecteur.'

'Hoe sneller je van hem af bent hoe beter.' Clarke was zichtbaar geërgerd en Macrae wuifde verontschuldigend met zijn hand. 'Je snapt wel wat ik bedoel, Siobhan. Hoe lang is het nog voor hij vertrekt? Een week... en dan? Is de zaak opgelost voordat hij zijn spullen pakt?'

'Waarschijnlijk niet,' gaf Clarke toe.

'En dan blijf jij ermee zitten, Siobhan.'

'Daar heb ik niks op tegen.'

Macrae staarde haar aan. 'Denk je dat het een paar dagen extra werk waard is, die ingeving van hem?'

'Het is meer dan een ingeving,' zei Clarke stellig. 'Todorov stond in contact met diverse mensen, en het is meer een kwestie van die mensen uitsluiten dan dat we ze ineens verdenken.'

'En als er nu toch minder achter schuilt dan het lijkt? Dat hebben we met John al vaker gehad.'

'Hij heeft in de loop der tijd veel zaken opgelost,' zei Clarke.

'Jij bent een overtuigend pleitbezorger, Siobhan.' Macrae glimlachte vermoeid. 'Ik weet dat John je meerdere is,' zei hij uiteindelijk, 'maar ik geef jou de leiding van het onderzoek naar de moord op Todorov. Dat is handiger, dat zal hijzelf meteen beamen.'

Clarke knikte langzaam maar zei niets.

'Twee, drie dagen – kijk wat je nog kunt opduikelen. Je hebt Hawes en Tibbet – wie wil je verder inschakelen?'

'Dat laat ik wel weten.'

Macrae keek bedachtzaam. 'Iemand van de Russische ambassade heeft met Scotland Yard gepraat... en dié hebben weer gepraat met onze geliefde hoofdcommissaris.' Hij zuchtte. 'Als hij wist dat ik John Rebus hierop losliet, kreeg-ie een toeval.'

'Toeval bestaat niet, inspecteur,' probeerde Clarke, maar het kwam haar slechts te staan op een strenge blik.

'Daarom heb jíj de leiding, Siobhan. Niet John. Is dat duidelijk?'

'Jawel, commissaris.'

'Hij hangt hier zeker ergens rond tot jij verslag komt uitbrengen?'

'U kent hem goed, inspecteur.'

Macrae wuifde even met zijn hand ten teken dat ze kon gaan. Ze liep het recherchekantoor door en de trap af naar de receptie, waar ze een bekend gezicht zag. Todd Goodyear had er blijkbaar net een dienst op zitten, of anders werkte hij in burger, want hij droeg een strakke zwarte spijkerbroek en een zwart bomberjack. Clarke liet nadrukkelijk blijken dat ze hem even moest plaatsen.

'Plaats delict van Todorov? Agent Goodyear?'

Hij knikte en keek naar de map die ze nog steeds bij zich had. 'Hebt u mijn verslag?'

'Zoals je ziet...' Ze probeerde tijd te winnen, vroeg zich af wat hij hier deed.

'Had ik het goed gedaan?'

'Prima.' Hij leek te vissen naar een groter compliment maar ze herhaalde slechts het woord 'prima' en vroeg toen wat hij hier deed.

'Ik stond op u te wachten,' bekende hij. 'Ik had gehoord dat u overwerkte.'

'Ik ben hier nog maar een kwartier.'

Hij knikte. 'Ik zat buiten in de auto.' Hij keek over haar schouder. 'Is inspecteur Rebus niet mee?'

'Luister Todd, wat wil je nou eigenlijk?'

Goodyear liet zijn tong langs zijn lippen glijden. 'Ik dacht dat Dyson het wel gezegd zou hebben – ik wil graag bij de recherche.'

'Moet je doen.'

'En ik vroeg me af of u misschien iemand nodig had...' Hij maakte zijn zin niet af.

'Bij Todorov, bedoel je?'

'Het is een mooie kans voor mij om iets te leren. Het was mijn eerste moord... ik ben razend benieuwd hoe dat dan verder gaat.'

'Heel simpel: een hoop geploeter, waarbij je uiteindelijk meestal met lege handen achterblijft.'

'Klinkt top.' Hij grijnsde. 'Ik weet hoe ik een verslag moet opstellen, brigadier... ik laat niet snel een steekje vallen. Ik heb het gevoel dat ik méér kan.'

'En doordrammen kun je als de beste, hè?'

'Gaat u wat met me drinken, dan probeer ik u op andere gedachten te brengen.'

'Ik heb een afspraak.'

'Morgen dan? Trakteer ik op koffie.'

'Morgen is het zaterdag en hoofdinspecteur Macrae heeft hier nog geen geld voor uitgetrokken.'

'Geen overwerk dus?' Goodyear knikte dat hij het begreep.

Clarke dacht even na. 'Waarom vraag je het niet aan Rebus in plaats van aan mij? Hij is mijn superieur.'

'Ik dacht dat ik bij u sneller gehoor zou vinden.'

'Omdat ik makkelijker in te palmen ben?'

'Dat zeg ik niet.'

Clarke aarzelde nog even voor ze de knoop doorhakte. 'Ik heb de leiding over dit onderzoek, dus laten we maandagochtend vroeg koffie gaan drinken. Er is een tentje in Broughton Street waar ik wel eens kom.' Ze sprak tijd en plaats met hem af.

'Bedankt, brigadier,' zei Goodyear. 'U zult er geen spijt van krijgen.' Hij stak zijn hand uit en ze bekrachtigden hun afspraak met een stevige handdruk.

Dag vier

Maandag 20 november 2006

I I

Siobhan Clarke kwam tien minuten te vroeg maar Goodyear zat er al. Hij was in uniform, maar met het bomberjack van vrijdagavond eroverheen, dichtgeritst tot aan zijn kin.

'Word je niet graag in uniform gezien?' vroeg Clarke.

'Ach, u weet hoe het is...'

Dat wist ze inderdaad. Een uniform droeg ze allang niet meer, maar haar baan was nog steeds iets waar ze niet snel voor uitkwam. Op feestjes leken mensen altijd net iets minder op hun gemak zodra ze wisten wat ze voor de kost deed. En als ze ging stappen, vonden kerels het een afknapper, of gingen ze er juist overdreven grappen over maken: *Wacht maar tot je mijn wapenstok ziet, dan wil je mij wel arresteren. Mag je me aan je bed vastbinden.*

Goodyear was overeind gekomen en vroeg wat ze wilde. 'Wordt al aan gewerkt,' verzekerde ze hem. Haar cappuccino was al klaar, Goodyear hoefde hem alleen te betalen en mee te nemen. Ze zaten op krukken aan een tafel bij het raam. Het was een souterrain, dus ze hadden uitzicht op langslopende benen. De wind voerde regenbuien aan vanaf de Noordzee, iedereen had haast om zijn bestemming te bereiken. Clarke zei dat ze geen suiker hoefde en dat hij best mocht ontspannen.

'Het is geen sollicitatiegesprek.'

'Dat dacht ik juist wel,' zei hij met een nerveus lachje, waarbij hij een rij scheve tanden ontblootte. Zijn oren staken ook een beetje uit en zijn oogharen waren lichtblond. Hij dronk een kop filterkoffie en de kruimels op zijn bord wezen op een verorberde croissant. 'Leuk weekend gehad?' vroeg hij.

'Fantástisch weekend,' verbeterde ze. 'Hibs heeft met 6-1 gewonnen en Hearts heeft verloren van de Rangers.'

'Hibs-supporter dus.' Hij knikte en sloeg de informatie op. 'Bent u naar de wedstrijd geweest?'

Ze schudde haar hoofd. 'Ik was in Motherwell. Moest genoegen nemen met een film.'

'*Casino Royale*?'

Ze schudde haar hoofd. '*The Departed*.' Ze vielen stil, tot Clarke iets bedacht. 'Hoe lang zat je hier al?'

'Niet zo lang. Ik was vroeg wakker en dacht: ik kan net zo goed meteen gaan...' Hij haalde diep adem. 'Eerlijk gezegd was ik niet zeker of ik het kon vinden, dus ben ik ruim op tijd vertrokken. Ik ben graag goed voorbereid.'

'Staat genoteerd, agent Goodyear. Vertel eens iets over jezelf.'

'Wat?'

'Maakt niet uit.'

'Nou ja, ik neem aan dat u wel weet wie mijn opa was...' Hij keek op en ze knikte. 'Dat weten de meeste mensen wel, al durft niet iedereen het te zeggen.'

'Je was nog jong toen hij is gestorven,' zei Clarke.

'Vier jaar. Maar ik had hem al bijna een jaar niet gezien. Pa en ma namen me nooit mee als ze hem gingen opzoeken.'

'In de gevangenis, bedoel je?' Nu was het Goodyears beurt om te knikken.

'Mijn moeder ging er een beetje aan onderdoor... Ze was altijd al onzeker, en haar ouders vonden dat ze met mijn vader beneden haar stand was getrouwd. Dus toen zijn vader in de bak belandde, zagen ze hun gelijk bevestigd. Plus dat mijn vader er een handje van had om zijn verdriet te verdrinken.' Hijj glimlachte zuur. 'Sommige mensen kunnen misschien maar beter nooit trouwen.'

'Maar dan was er geen Todd Goodyear geweest.'

'God zal er wel een bedoeling mee hebben gehad.'

'Zit daar ergens een verklaring voor waarom je bij de politie bent gegaan?'

'Misschien – maar fijn dat u er niet klakkeloos van uitgaat. Het is me al zo vaak voorgehouden. "Je probeert boete te doen, Todd," of: "Je wilt laten zien dat niet alle Goodyears van hetzelfde laken een pak zijn."'

'Beetje al te makkelijk,' stemde Clarke in.

'En u, brigadier? Waarom bent u bij de politie gegaan?'

Ze overwoog even of ze hem de waarheid zou vertellen. 'Ik denk dat het rebellie tegen mijn ouders was. Dat waren van die echte linkse types, opgegroeid in de jaren zestig.'

'En de enige manier om in opstand te komen was deel uitmaken van het establishment?' Goodyear glimlachte begrijpend.

'Zo kun je het zeggen,' beaamde Clarke, en ze zette de kop aan haar lippen. 'Wat vindt je broer ervan?'

'U weet dat hij wat akkefietjes heeft gehad?'

'Ik weet dat zijn naam in de boeken staat,' gaf Clarke toe.

'Hebt u me nagetrokken?' Maar die vraag ging Clarke niet beantwoorden. 'Ik spreek hem nooit meer.' Goodyear zweeg even. 'Dat is ook weer niet helemaal waar – toen hij in het ziekenhuis lag, heb ik hem wel opgezocht.'

'Niks ernstigs?'

'Hij was betrokken geraakt bij een of andere stomme caféruzie. Zo is Sol.'

'Is hij ouder of jonger dan jij?'

'Twee jaar ouder. Niet dat je het zou zeggen. Toen ik nog een kind was, zeiden de buren altijd dat ik zoveel ouder leek dan hij. Daarmee bedoelden ze dat ik braver was. Plus dat ik altijd boodschappen deed en zo...' Hij leek even weg te zinken in zijn herinneringen en schudde zijn hoofd om ze te verdrijven. 'Inspecteur Rebus en Big Ger Cafferty zijn oude bekenden van elkaar, hè?' zei hij.

De vraag verraste Clarke. 'Hangt ervan af hoe je dat precies bedoelt,' zei ze behoedzaam.

'Gerucht dat onder de collega's gaat. Dat ze nogal dik zijn met elkaar.'

'Ze hebben de pest aan elkaar,' hoorde Clarke zichzelf zeggen.

'Echt?'

Ze knikte. 'Ik vraag me wel eens af waar het op zal uitlopen...' Ze was praktisch in zichzelf aan het praten, want die gedachte was de laatste weken vaak door haar hoofd gegaan. 'Nog een speciale reden dat je dat vraagt?'

'Toen Sol begon te dealen, was dat volgens mij omdat Cafferty hem had ingepalmd.'

'Denk je dat of weet je dat?'

'Hij heeft het nooit willen toegeven.'

'Hoe weet je het dan zo zeker?'

'Mag je als agent nooit op je intuïtie afgaan?'

Clarke glimlachte en moest weer aan Rebus denken. 'Het wordt niet op prijs gesteld.'

'Maar daarom gebeurt het nog wel.' Hij tuurde naar het restje koffie in zijn mok. 'Ik ben blij met wat u zegt over inspecteur Rebus. U klonk niet verbaasd toen ik over Cafferty begon.'

'Zoals ik al zei, ik heb een paar dingen nagetrokken.'

Hij knikte glimlachend en vroeg of ze nog een kop wilde.

'Een is wel genoeg.' Clarke dronk haar kop leeg en had maar enkele seconden nodig om haar besluit te nemen. 'Je zit op bureau Torphichen, hè?'

'Ja.'

'Kunnen ze je daar een ochtend missen?' Goodyear begon te glunderen als een kind op pakjesavond. 'Ik bel ze wel,' zei Clarke, 'om te zeggen dat ik je voor een paar uur heb ingepikt.' Ze stak een vermanende vinger op. 'Paar uurtjes maar. Kijken hoe het gaat.'

'U zult geen spijt krijgen,' zei Todd Goodyear.

'Dat zei je vrijdag al – het is je geraden ook.' Mijn onderzoek, dacht Clarke, en mijn team... en hier wierf ze voor het eerst een nieuw teamlid. Misschien was het zijn onbedorven enthousiasme, dat haar herinnerde aan de agente die zij ook ooit was geweest. Of de gedachte dat ze hem verloste uit de klauwen van een partner die de kantjes ervan afliep. En nu Rebus op het punt stond met pensioen te gaan kon ze wel een buffer gebruiken tussen zichzelf en de andere collega's...

Was het een goede daad of puur eigenbelang? vroeg ze zich af.

Kon iets ook allebei tegelijk zijn?

Roger Anderson was halverwege de oprit toen hij achteromkeek en de auto zag die de uitgang blokkeerde. Het elektrische hek was opengegaan met een druk op de knop, maar er stond een Saab op de weg zodat hij er niet uit kon.

'Stelletje stomme...' Hij vroeg zich af wie van de buren het was. Bij de familie Archibald twee huizen verderop was het altijd een komen en gaan van werklui en logés. De Graysons aan de overkant hadden deze winter twee zonen die nog even thuis woonden voor ze gingen studeren. En dan had je de huis-aan-huisverkopers en mensen die folders rondbrachten... Hij toeterde, waarop zijn vrouw voor het raam van de eetkamer verscheen. Zat er in de Saab iemand op de passagiersstoel? Nee... nota bene gewoon achter het stuur! Anderson drukte nog een paar maal op zijn claxon, maakte toen zijn gordel los en beende op de auto af. Aan de bestuurderskant ging het raampje omlaag, een gezicht staarde hem aan.

'O, u bent het.' Een van de rechercheurs van de vorige avond... inspecteur nog iets.

'Inspecteur Rebus,' friste Rebus zijn geheugen op. 'Hoe gaat het vanochtend, meneer Anderson?'

'Luister, inspecteur, ik kom vandaag heus nog wel op het bureau langs...'

'Wanneer het uitkomt. Maar daar kom ik niet voor.'

'O?'

'Na ons gesprek zijn we vrijdagavond nog langs geweest bij de andere getuige – mevrouw Sievewright.'

'O ja?'

'Die vertelde dat u bij haar langs was geweest.'

'Klopt.' Anderson keek over zijn schouder alsof hij wou zien of zijn vrouw buiten gehoorsafstand was.

'Was daar een reden voor?'

'Ik wilde weten of alles goed met haar... Ze had immers een flinke schok te verwerken gehad.'

'Dus liet u haar nog maar een keer schrikken.'

Andersons wangen werden rood. 'Ik ging alleen maar om te kijken –'

'Dat zei u al,' onderbrak Rebus hem. 'Maar wat ik me afvraag: hoe kwam u aan haar naam en adres? Ze staat niet in het telefoonboek.'

'Die had die agent me gegeven.'

'Brigadier Clarke?' Rebus fronste. Maar Anderson schudde zijn hoofd.

'Toen ze onze verklaring noteerden. Of eigenlijk net daarna. Ik had aangeboden om haar naar huis te rijden, snapt u. Toen gaf hij haar naam en noemde Blair Street.'

'En u hebt heel Blair Street afgezocht tot u een deurbel vond met haar naam erbij?'

'Is dat soms verboden?'

'Dan weet uw vrouw er zeker ook alles van?'

'Nu moet u eens luisteren...'

Maar Rebus startte zijn motor. 'Tot ziens op het bureau... met uw geliefde echtgenote, natuurlijk.'

Hij reed weg met het raampje nog open en liet dat een paar minuten zo. Op dit uur van de ochtend wist hij dat het verkeer richting centrum traag zou vorderen. Hij had de vorige avond maar drie pints gedronken en nu toch een houten kop. Zaterdag had hij wat televisiegekeken, en weer een dode betreurd – de voetballer Ferenc Puskás. Rebus was een tiener toen de Europacup-finale in Hampden was gespeeld. Real Madrid tegen Eintracht Frankfurt, 7-3. Historische wedstrijd, en Puskás een van de sterren. De jonge Rebus had Puskás' land van herkomst Hongarije in de atlas opgezocht en erheen gewild.

Jack Palance, en nu Puskás, voorgoed verdwenen. Zo ging dat met helden.

Dus: zaterdagavond naar de Oxford Bar, verdriet verdrinken, en de volgende ochtend geen enkele herinnering aan de gesprekken in de kroeg. Zondag: boodschappen en de was doen, en het nieuws dat een Russische journalist, een zekere Litvinenko, in Londen was vergiftigd. Toen was Rebus opgeveerd in zijn stoel en had hij het geluid van de tv harder gezet. Gates en Curt hadden grappen gemaakt over vergiftigde paraplupunten, maar hier was iets vergelijkbaars in het echt gebeurd. Volgens één theorie was de maaltijd in een sushibar vergiftigd en zat de Russische maffia erachter. Litvinenko lag onder bewaking in het ziekenhuis. Rebus had Siobhan maar niet gebeld, het was tenslotte gewoon toeval. Hij was gespannen geweest, elke ochtend met een beklemd gevoel wakker geworden. Zijn laatste weekend als politieman. Het begin van zijn laatste week nu. Siobhan had het goed gedaan, vrijdagavond. Ze had zelfs een tikje schuldig gekeken toen ze vertelde dat Macrae haar de leiding over het onderzoek had gegeven.

'Logisch,' was het enige wat Rebus had gezegd, waarna hij de drankjes was gaan halen. Hij meende wel te weten hoe Macrae ertegenaan keek. *Zit minder achter dan het lijkt...* Zo had hij het volgens Siobhan geformuleerd. Maar het zou Rebus nog mooi een weekje bezighouden tot zijn pensionering; daarna zou Macrae Siobhan wel overhalen terug te keren naar zijn eigen theorie: een uit de hand gelopen beroving.

'Logisch,' herhaalde hij nu, terwijl hij een sluiproute insloeg. Tien minuten later parkeerde hij bij bureau Gayfield Square. Geen spoor van Siobhans auto. Hij ging naar boven en vond Hawes en Tibbet samen achter één bureau. Ze zaten naar de telefoon te staren.

'Geen resultaat?' raadde Rebus.

'Elf telefoontjes tot nu toe,' zei Hawes. Ze tikte op de blocnote die voor haar lag. 'Eén automobilist die op de bewuste avond al om kwart over negen uit de parkeergarage was vertrokken en dus volstrekt niks te melden had, maar gewoon een praatje wou maken.' Ze keek Rebus aan. 'Als hobby's heeft hij wandelen in de heuvels en joggen, als u het wilt weten.' Ze wist zonder te kijken dat Tibbet naast haar zat te grijnzen en gaf hem een por.

'Phyl heeft een halfuur met hem aan de lijn gehangen,' zei Tibbet met een onderdrukte pijnkreun.

'En verder?' vroeg Rebus.

'Anonieme bellers en grappenmakers,' antwoordde Hawes. 'En één man van wie we hopen dat hij nog terugbelt. Hij begon over een vrouw die op straat rondhing, maar de verbinding werd verbroken voor ik meer kon vragen.'

'Had waarschijnlijk gewoon Nancy Sievewright gezien,' relativeerde Rebus. Maar hij dacht: waarom zou Nancy daar 'rondhangen'? 'Ik heb een klusje voor jullie,' zei hij, en hij pakte Hawes' blocnote en sloeg een lege bladzij op. Hij schreef naam en adres van Nancy's 'vriendin' Gill Morgan op. 'Ga eens kijken of dit klopt. Sievewright zegt dat ze onderweg naar huis was van Great Stuart Street. Als er iemand met deze naam op dat adres woont, ondervraag haar dan grondig.'

Hawes staarde naar de pagina. 'Denkt u dat ze liegt?'

'Ze leek moeite te hebben om het zich te herinneren. Maar inmiddels heeft ze die vriendin waarschijnlijk ingeseind.'

'Ik voel het meestal aan wanneer iemand me iets probeert wijs te maken,' zei Tibbet.

'Komt omdat je een goeie rechercheur bent, Colin,' zei Rebus tegen hem. Tibbets borst zwol op, wat Hawes in de lach deed schieten.

'Hij heeft je net wat wijsgemaakt,' legde ze hem uit. Ze stond op en zei: 'Kom.' Tibbet liep bedremmeld achter haar aan en draaide zich om in de deuropening.

'Lukt dat wel, met de telefoons?' vroeg hij Rebus.

'Als hij overgaat, neem ik op... is dat het ongeveer?'

Tibbet probeerde zijn gepikeerde blik te verhelen en Hawes verscheen weer in de deuropening om hem mee te tronen. 'Als u zich verveelt kunt u trouwens televisiekijken,' zei ze tegen Rebus. 'We hebben die video waar Siobhan om vroeg.'

Rebus zag hem op het bureau liggen. *Question Time* stond er-op.

'Kunt u nog iets van opsteken,' was het afscheidssalvo vanuit de deuropening. Niet van Hawes maar van Tibbet. Rebus was onder de indruk.

'We maken nog wel een kerel van je, Colin,' mompelde hij, en pakte de videoband.

12

Charles Riordan was niet in zijn studio. De receptioniste zei dat hij die ochtend thuis werkte en gaf zijn adres in Joppa. Het was een kwartier rijden langs het gladde, grijze wateroppervlak van de Firth of Forth. Onderweg tikte Goodyear tegen het zijraam.

'Katten- en hondenasiel daar,' zei hij. 'Ben ik een keer geweest, op zoek naar een huisdier. Maar uiteindelijk kon ik niet kiezen... Ik dacht: ik kom nog wel eens terug.'

'Ik heb nooit een huisdier gehad,' zei Clarke. 'Moeite genoeg om voor mezelf te zorgen.

Hij lachte. 'Ook geen vriend?'

'Ik heb er wel een paar gehad.'

Hij lachte weer. 'Nu, bedoel ik.'

Ze draaide haar hoofd lang genoeg opzij om hem aan te kijken. 'Je draaft door, Todd.'

'Zijn de zenuwen.'

'Stel je daarom zoveel vragen?'

'Nee, helemaal niet. Het is gewoon... nou ja, gewoon belangstelling.'

'Voor mij?'

'Voor iedereen.' Hij zweeg even. 'Volgens mij zijn we hier op aarde met een doel. Je komt er nooit achter wat dat is als je geen vragen stelt.'

'En jouw "doel" is wroeten in mijn liefdesleven?'

Hij kuchte even en begon te blozen. 'Zo had ik het niet bedoeld.'

'Onder de koffie zei je dat God ergens een bedoeling mee had. Ga je me nu vertellen dat je gelovig bent?'

'Dat ben ik toevallig wel, ja. Is daar iets mis mee?'

'Helemaal niet. Inspecteur Rebus was het vroeger ook, en met hem heb ik het jaren uitgehouden.'

'Vroeger?'

'Toen ging hij naar de kerk...' Ze peinsde even. 'Naar tientallen kerken, eigenlijk. Elke week een andere.'

'Op zoek naar iets wat hij niet kon vinden,' raadde Goodyear.

'Hij vermoordt me als hij weet dat ik het je heb verteld,' waarschuwde Clarke.

'Maar u bent zelf niet gelovig?'

'Hemel, nee,' zei ze glimlachend. 'Dat is nogal lastig, met dit werk.'

'Vindt u?'

'De dingen die wij tegenkomen... mensen met wie het is misgegaan, die zichzelf en anderen kwaad berokkenen.' Ze wierp weer een blik op hem. 'God zou ons toch naar zijn evenbeeld hebben geschapen?'

'Daar kunnen we nog de hele dag over discussiëren.'

'Dan vraag ik liever of jij een vriendin hebt.'

Hij knikte. 'Sonia. Werkt bij de TR.'

'En wat hebben jullie dit weekend gedaan – behalve naar de kerk gaan, natuurlijk.'

'Zij had zaterdag een vrijgezellenfeest, ik heb haar nauwelijks gezien. Sonia is niet zo'n kerkganger...'

'En hoe gaat het met je broer?'

'Wel goed, geloof ik.'

'Weet je dat dan niet?'

'Hij is ontslagen uit het ziekenhuis.'

'Ik dacht dat je zei dat hij een paar klappen had gekregen.'

'Er had ook iemand een mes getrokken...'

'Hij of die ander?'

'Die ander. Vandaar dat Sol gehecht moest worden.'

Clarke dacht even na. 'Je zei dat het misging tussen je ouders toen je grootvader de cel in moest...'

Goodyear liet zich tegen de rugleuning zakken. 'Mama begon pillen te slikken. Kort daarna ging mijn vader bij haar weg en begon hij meer te drinken dan ooit. Soms kwam ik hem tegen in het winkelcentrum en herkende hij me niet eens.'

'Dat komt aan, als je klein bent.'

'Sol en ik zaten vooral bij tante Susan, de zus van ma. Haar huis was er eigenlijk te klein voor, maar ze klaagde nooit. 's Zondags ging ik met haar mee naar de kerk. Soms was ze zo moe dat ze zat te knikkebollen in de kerkbank. Ze had altijd een zak snoepjes bij zich, en één keer gleed die van haar schoot en rolden ze over de vloer.' De herinnering deed hem glimlachen. 'Veel meer valt er niet te vertellen.'

'Komt mooi uit, we zijn er bijna.' Ze reden door Portobello High Street en het was voor Clarke de eerste keer dat ze er niet werd opgehouden door wegwerkzaamheden. Na twee minuten sloegen ze Joppa Road in, een straat met victoriaanse rijtjeshuizen.

'Nummer achttien,' zei Goodyear, die het als eerste zag. Volop ruimte om te parkeren – de meeste mensen waren met de auto naar hun werk, vermoedde Clarke. Ze trok de handrem aan en zette de motor uit. Goodyear liep al over het pad naar de voordeur.

'Net wat ik nodig heb,' mompelde ze in zichzelf terwijl ze de gordel losmaakte. 'Een heilige...' Niet dat ze het meende: zodra ze het had gezegd, realiseerde ze zich ook van wie ze het had – of althans de gedachte erachter.

John Rebus.

Ze stond net naast Goodyear toen de deur openging en Charles Riordan met een verbaasd gezicht het politie-uniform monsterde. Toen herkende hij Clarke en liet de twee binnen.

In de hal stonden boekenkasten zonder boeken. Ze waren gevuld met ouderwetse bandrecorderbanden en dozen vol cassettes.

'Kom binnen, als je erdoor kunt,' zei Riordan. Hij ging hen voor naar wat de woonkamer had moeten zijn, maar nu was uitgerust als studio, inclusief geluidwerend materiaal tegen de wanden en een mengtafel die ook weer was ingesloten door dozen vol cassettes, minidisks en ouderwetse spoelen. Op de vloer een wirwar van kabels, microfoons onder het stof op een kastje, en de gordijnen voor het enige raam leken wel een centimeter dik.

'Welkom in huize Riordan,' zei Charles Riordan.

'Niet getrouwd, denk ik?' vroeg Clarke.

'Ooit wel, maar ze hield het niet uit.'

'Al die apparatuur, bedoelt u?'

Maar Riordan schudde zijn hoofd. 'Ik maak graag geluidsopnames.' Hij liet een betekenisvolle stilte vallen. 'Van álles. Dat ging Audrey op den duur op de zenuwen werken.' Hij stak zijn handen in zijn zakken. 'Wat kan ik vandaag voor u doen, rechercheur?'

Clarke keek om zich heen. 'Worden we opgenomen, meneer Riordan?'

Riordan grinnikte en wees bij wijze van antwoord op een dunne zwarte microfoon.

'En gisteren in uw studio?'

Hij knikte. 'Een DAT-recorder. Al hou ik tegenwoordig meer van digitaal.'

'DAT ís toch digitaal?' vroeg Goodyear.

'Maar het blijft een tape. Ik bedoel rechtstreeks op de harde schijf opnemen.'

'Zou u hem uit willen zetten?' vroeg Clarke, en het klonk als de eis die het ook was. Riordan haalde zijn schouders op en zette een schakel op het mengpaneel om.

'Meer vragen over Alexander?' vroeg hij.

'Een paar, ja.'

'Hebt u de cd gekregen?'

Clarke knikte. 'Nog bedankt daarvoor.'

'Hij kon mooi voorlezen, hè?'

'Zeker,' erkende Clarke. 'Maar ik wilde eigenlijk iets vragen over de avond van zijn dood.'

'Ja?'

'U zei dat u na het etentje uit elkaar was gegaan. U ging naar huis en de heer Todorov wilde nog wat gaan drinken?'

'Inderdaad.'

'En u zei toen dat hij ofwel naar Mather's of naar het Caledonian zou zijn gegaan. Waarom specifiek die twee?'

Riordan haalde zijn schouders op. 'Die lagen allebei op de route.'

'Dat liggen er wel meer,' wierp Clarke tegen.

'Misschien had-ie die namen laten vallen.'

'Herinnert u het zich niet?'

'Is het belangrijk?'

'Zou kunnen.' Clarke keek naar Goodyear. Hij speelde zijn rol: schouders achteruit, benen iets van elkaar, handen voor zich gevouwen... en zwijgen. Hij zag er *officieel* uit. Clarke betwijfelde of Riordan aandacht zou hebben voor de uitstekende oren of de scheve tanden of de bleke oogleden... het enige wat hij zou zien was het uniform, dat hem de ernst van de situatie inwreef.

Riordan had peinzend over zijn kin staan wrijven. 'Dan zal hij ze wel een keer genoemd hebben,' zei hij.

'Maar niet op de avond van dat etentje?' Clarke zag dat Riordan zijn hoofd schudde. 'Dus hij had daar geen afspraak?'

'Hoe bedoelt u?'

'Toen u afscheid had genomen, is de heer Todorov meteen naar de bar van het Caledonian gegaan. Daar raakte hij met iemand aan de praat. Benieuwd of hij dat vaker deed.'

'Alexander hield van mensen: mensen die hem trakteerden en naar zijn verhalen luisterden en er dan zelf een paar vertelden.'

'Nooit gedacht dat het Caledonian zo'n goeie plek is om verhalen te vertellen.'

'Nou en of. Hotelbars zijn ideaal. Daar tref je vreemden, aan wie je soms in een kwartier of een halfuur je hele hebben en houden vertelt. Ongelooflijk hoe openhartig sommige mensen zijn tegen volslagen vreemden.'

'Misschien juist omdát het vreemden zijn,' merkte Goodyear op.

'Daar zit wat in,' zei Riordan.

'Maar hoe weet ú dit allemaal, meneer Riordan?' vroeg Clarke. 'Mag ik aannemen dat u stiekem opnames hebt zitten maken in gelegenheden als het Caledonian?'

'Zo vaak,' gaf Riordan toe. 'En in treinen en bussen – mensen die zitten te snurken of in zichzelf praten of een staatsgreep beramen. Zwervers op een bankje in het park en politici op campagne. De schaatsbaan, picknicks in het park, mannen met een dubbelleven die bellen met hun minnares.' Hij draaide zich om naar Goodyear. 'Hobby van me,' legde hij uit.

'En wanneer is dat een obsessie geworden?' vroeg Goodyear beleefd. 'Enige tijd voordat uw vrouw u verliet, stel ik me zo voor.'

De glimlach smolt van Riordans gezicht. Goodyear besefte dat hij een fout had gemaakt en keek naar Clarke. Die schudde langzaam haar hoofd.

'Hebt u verder nog vragen?' vroeg Riordan koeltjes.

'U hebt geen idee met wie Alexander Todorov in het hotel iets gedronken kan hebben?' hield Clarke aan.

'Nee.' Riordan liep naar de deur. Goodyear mimede 'sorry' naar Clarke terwijl ze hun gastheer volgden naar de voordeur.

In de auto zei Clarke tegen Goodyear dat hij zich geen zorgen moest maken. 'Ik denk toch niet dat hij ons nog veel meer kon vertellen.'

'Evengoed. Ik had er niet tussendoor moeten komen met mijn grote snater.'

'Weer wat geleerd,' zei Clarke, en ze startte de motor.

13

'Wat doet Ketelbinkie hier?' vroeg Rebus. Hij leunde achterover in zijn stoel, voeten op het bureau, de afstandsbediening van de videorecorder in zijn hand, en hij had het beeld net stilgezet.

'Hij is gedetacheerd door Torphichen,' zei Clarke. Rebus staarde haar aan maar ze ontweek zijn ogen. Todd Goodyear had zijn hand naar Rebus uitgestoken, maar die wierp er slechts een blik op en nam hem niet aan. Goodyear liet zijn arm weer zakken en Clarke zuchtte geërgerd.

'Nog iets leuks op tv?' vroeg ze na een lange stilte.

'Die video die je had opgevraagd.' Rebus leek de nieuwkomer al uit zijn gedachten te hebben gezet. 'Kom maar kijken.' Hij speelde de band weer af, maar zette het geluid heel zacht. Een panel van politici en commentatoren kreeg vragen van een intelligent uitziend publiek. Op de vloer stond met grote letters het woord 'Edinburgh'.

'Opgenomen in The Hub,' legde Rebus uit. 'Ik ben daar eens naar een jazzconcert geweest, ik herkende het meteen.'

'Houdt u van jazz?' vroeg Goodyear, maar hij kreeg geen antwoord.

'Zie jij wie ik zie?' vroeg Rebus aan Clarke.

'Megan Macfarlane.'

'Typisch dat ze dat niet gezegd heeft,' zei Rebus peinzend. 'Toen de presentator de panelleden voorstelde, noemde hij haar de nummer twee van de SNP, de gedoodverfde opvolger van de partijleider. Waarmee ze in feite, volgens de presentator, "presidentskandidaat in spe van een onafhankelijk Schotland" is.'

'En de rest van het panel?'

'Mensen van Labour, de Tories en de Lib Dems.'

'Plus Todorov.' De dichter zat naast de presentator aan de half-ronde tafel. Hij leek ontspannen, zat met zijn pen op een papier te krabbelen. 'Hoe doet hij het?'

'Weet meer van politiek dan ik,' gaf Rebus toe. 'En lijkt overal een mening over te hebben.'

Goodyear had zijn armen over elkaar geslagen en zijn aandacht op het scherm gericht. Rebus wierp weer een blik op Clarke en kreeg nu wel oogcontact. Ze haalde haar schouders op en kneep als waarschuwing haar ogen half toe. Rebus draaide zich naar Goodyear.

'Weet je dat ik je opa achter de tralies heb helpen stoppen?'

'Lang geleden,' zei de jongeman.

'Dat kan zijn, maar als het een probleem is kun je het beter me-teen zeggen.'

'Het is geen probleem.' Goodyear stond nog naar het scherm te staren. 'Wat is er met die Macfarlane?'

'Schots parlementslid van de SNP,' legde Clarke uit. 'Heeft er al-le belang bij dat wij geen heisa maken.'

'Vanwege al die Russische zakentycoons die in de stad zijn?' Goodyear zag dat Clarke onder de indruk was. 'Ik lees wel eens een krant,' legde hij uit. 'Dus u hebt Macfarlane gesproken, maar ze heeft niet gezegd dat ze het slachtoffer kende?'

'Daar komt het op neer.' Rebus bekeek de nieuwe rekruut wat aandachtiger.

'Nou ja, politici hè. Het laatste wat die willen is slechte publici-teit. En een moordonderzoek is wel "slecht".' Goodyear haalde zijn schouders op, analyse voltooid.

Het tv-programma was bijna afgelopen, de parmantige presen-tator kondigde aan dat ze volgende week uitzonden vanuit Hull. Rebus zette de band af en strekte zijn rug.

'Waar hebben jullie eigenlijk gezeten?' vroeg hij.

'Riordan,' zei Clarke, en ze praatte hem bij. Halverwege kwa-men Hawes en Tibbet binnen, die moesten worden voorgesteld aan Todd Goodyear. Hawes had cakejes meegenomen en verontschul-digde zich dat ze niet op Goodyear had gerekend.

'Ik ben niet zo'n zoetekauw,' zei deze hoofdschuddend. Tibbet had kort voor zijn promotie naar de recherche een paar maanden uniformdienst op bureau Torphichen gedaan en vroeg hem naar oude collega's. Rebus viel aan op zijn *shortbread* met karamel terwijl Clarke water ging opzetten. Ze keek even bij Macrae, maar die was nergens te bekennen.

'Vergadering op het hoofdkantoor,' zei Rebus toen ze een mok thee op zijn bureau zette. En op fluistertoon: 'Heb je hem al toestemming gevraagd voor de Sundance Kid?'

'Nog niet.' Ze keek even naar Goodyear, die met Tibbet en Hawes zat te kletsen en hen zelfs aan het lachen wist te maken.

'Iemand van de uniformdienst laten helpen bij een moordonderzoek?' Hij bleef fluisteren. 'Weet je het wel zeker?'

'Macrae heeft mij de leiding gegeven.'

'Zodat je dus verantwoordelijk bent voor alles wat verkloot wordt.'

'Fijn dat je me daar even aan herinnert.'

'Wat weet je van hem?'

'Ik weet dat hij jong en gretig is, en dat hij al te lang opgescheept zit met een waardeloze partner die er de kantjes van afloopt.'

'Ik hoop dat dat geen hint is, brigadier.' Rebus slurpte thee uit zijn mok.

'Ik zou niet durven, inspecteur.' Ze keek weer naar Goodyear. 'Ik wil hem alleen even aan het vak laten ruiken. Een paar dagen en dan mag-ie weer terug naar West End. Macrae heeft trouwens zelf gezegd dat een paar nieuwe rekruten...'

Rebus knikte langzaam, kwam overeind en liep naar de anderen, legde een hand op Goodyears schouder.

'Jij hebt Nancy Sievewright een verklaring afgenomen, hè?' vroeg hij. Goodyear knikte. 'Toen ze zei dat ze daar toevallig langskwam, kreeg je toen het gevoel dat ze loog?'

De jongeman dacht even na, beet op zijn onderlip. 'Niet echt,' zei hij.

'Het is ja of nee.'

'In dat geval: nee, niet.'

Rebus knikte en draaide zich naar Hawes en Tibbet. 'Wat heb je in Great Stuart Street gevonden?'

'Daar woont een Gill Morgan, en die kent Nancy Sievewright.'

Rebus staarde Hawes aan. 'Maar?'

Tibbet wilde niet buitengesloten worden. 'Maar,' zei hij, 'we kregen de indruk dat ze een verhaaltje afdraaide dat haar was ingefluisterd.'

Rebus keek Goodyear weer aan. 'En agent Tibbet merkt het wanneer iemand hem iets op de mouw wil spelden... Wat maak je daaruit op?'

Goodyear beet nog eens op zijn lip. 'Dat ze die vriendin heeft gevraagd haar verhaal te bevestigen, omdat ze die avond tegen ons heeft gelogen.'

'Tegen jóú,' corrigeerde Rebus. 'En je had het niet door.' Toen hij zijn punt gemaakt had, leek hij de jongeman te vergeten en richtte zijn aandacht weer op Hawes en Tibbet. 'Wat is Morgan voor iemand?'

Hawes: 'Mooie woning... woont er zo te zien in haar eentje.'

'Geen andere naam bij de deurbel,' zei Tibbet.

'Doet modellenwerk, zegt ze. En had vandaag geen klussen. Maar als je het mij vraagt heeft ze een lopende rekening bij de Bank van Paps en Mams.'

'Ander milieu dan Sievewright dus,' zei Rebus, en hij wachtte tot hij Clarke instemmend zag knikken. 'Hoe kennen ze elkaar dan?'

Hawes en Tibbet stonden met de mond vol tanden. Rebus klakte vermanend met zijn tong, een leraar die zijn slimste leerlingen nu toch op een fout had betrapt.

'Ik denk dat ze gewoon in dezelfde kringen kwamen,' flapte Tibbet eruit.

Rebus keek hem geërgerd aan. 'Regatta's? Paardenraces?'

Hawes vond dat ze haar partner te hulp moest schieten. 'Zó rijk was ze nou ook weer niet.'

'Ik bedoel maar, Phyl,' zei Rebus.

'Misschien moeten we haar binnenhalen,' stelde Clarke voor.

'Mag jij beslissen, Shiv,' hield Rebus haar voor. 'Jij hebt de leiding over het onderzoek gekregen.'

Dit was nieuws voor Hawes en Tibbet. Ook voor Goodyear, zo te zien. Hij stond naar Rebus te kijken alsof hij zich afvroeg hoe een brigadier ineens hoger geplaatst kon zijn dan een inspecteur. Een rinkelende telefoon verbrak de stilte. Rebus stond er het dichtst bij en nam op.

'Todorov-onderzoek, met inspecteur Rebus.'

'O, hallo.' Het was een man en zijn stem beefde. 'Ik had al eens gebeld...'

Rebus keek naar Hawes. 'Over een vrouw, meneer? Fijn dat u de moeite neemt om terug te bellen.'

'Ja, nou...'

'Wat kan ik voor u doen, meneer...?'

'Moet ik mijn naam geven?'

'We kunnen dit zo vertrouwelijk behandelen als u wilt, meneer, maar een naam zou wel prettig zijn.'

'Wat bedoelt u met "vertrouwelijk"?'

Voor de draad ermee, bedoel ik! wilde Rebus in de hoorn schreeuwen. Maar hij hield zijn stem vlak en vriendelijk en dacht aan een goede raad die hij ooit had gekregen: oprechtheid is alles – als je dát kunt veinzen, zijn de mogelijkheden onbegrensd.

'Goed dan,' zei de man. 'Ik heet –' Hij viel weer stil. 'Noem me maar George, bedoel ik.'

'Dank je wel, George.'

'George Gaverill.'

'George Gaverill,' herhaalde Rebus, en hij zag dat Hawes het noteerde. 'Wat heb je te vertellen, George? Mijn collega zei iets over een vrouw...'

'Ja.'

'En je belt vanwege die folders van ons in de parkeergarage?'

'Dat sandwichbord bij de uitgang,' verbeterde de man hem. 'Het is vast niks. Ik bedoel, ik heb het op het nieuws gezien... die arme kerel is toch doodgeslagen? Ik denk niet dat zij dat gedaan kan hebben.'

'Dat zal wel niet, meneer. Maar we proberen toch zo veel mogelijk informatie te verzamelen, om een compleet beeld te krijgen.' Rebus sloeg zijn ogen ten hemel. Clarke maakte een cirkelende beweging met haar vinger: hou hem aan de praat.

'Ik zou niet willen dat mijn vrouw er iets achter zoekt,' zei Gaverill.

'Natuurlijk. En die vrouw...?'

'Op de avond dat die man werd vermoord –' De stem viel ineens weg en Rebus dacht dat hij hem kwijt was. Maar toen hoorde hij hem ademhalen. 'Ik liep over King's Stables Road...'

'Hoe laat was dat?'

'Tien uur... kwart over, misschien.'

'En daar stond een vrouw?'

'Ja.'

'Dit kan ik nog volgen, meneer.' Rebus sloeg zijn ogen weer ten hemel.

'Ze bood zich aan.'

Nu viel Rebus even stil. 'U bedoelt...?'

'Net wat ik zeg: ze wou seks met me, al gebruikte ze zelf grovere bewoordingen.'

'En dat was in King's Stables Road?'

'Ja.'

'Bij de parkeergarage?'

'Buiten bij de parkeergarage, ja.'

'Een prostituee?'

'Ik denk het. Zoiets overkomt je niet elke dag – mij althans niet.'

'En wat hebt u tegen haar gezegd?'

'Ik moest daar natuurlijk niets van weten.'

'En dat was om een uur of tien, of kwart over?'

'Zoiets, ja.'

Rebus haalde zijn schouders op om de anderen te laten weten dat hij niet goed wist wat hij hieraan had. Hij wilde eigenlijk een signalement, maar dat zou beter gaan in een persoonlijk gesprek. Dan zou Rebus ook aan Gaverills ogen kunnen zien of hij te maken had met een fantast.

'Kan ik u niet overhalen om naar het bureau te komen?' begon hij kalm. 'Ik kan niet genoeg benadrukken hoe cruciaal uw informatie kan zijn.'

'Echt waar?' Gaverill klonk gretig, maar dat duurde slechts even. 'Maar mijn vrouw... Ik kan echt niet...'

'U kunt vast wel een of andere smoes bedenken.'

'Hoezo dat?' blafte de man ineens.

'Ik dacht gewoon...' Maar er was al opgehangen. Rebus vloekte binnensmonds en legde de hoorn erop. 'In de film had iemand de beller ondertussen gelokaliseerd.'

'Ik heb nog nooit gehoord van sekswerkers in die straat of daar in de buurt,' zei Clarke sceptisch.

'Hij klonk wel authentiek,' wierp Rebus tegen.

'Denk je dat Gaverill zijn echte naam is?'

'Ik wil wedden van wel.'

'Dan kijken we in het telefoonboek.' Clarke richtte zich tot Hawes en Tibbet. 'Aan de slag.'

Ze gingen aan de slag en Rebus zat op de telefoon te tikken met zijn vinger, inwendig biddend dat hij weer tot leven kwam. Toen dat gebeurde, trok hij de hoorn met een ruk van de haak.

'Dat had ik niet moeten doen,' zei Gaverill. 'Dat was onbeleefd.'

'Ik begrijp best dat u een beetje voorzichtig bent,' stelde Rebus hem gerust. 'We hoopten al dat u terug zou bellen. Dit is zo'n onderzoek waarbij we wanhopig zitten te wachten op de gouden tip.'

'Maar ze was geen overvaller of zoiets.'

'Daarom kan ze nog wel iets gezien hebben. We denken dat het slachtoffer even voor elven is aangevallen. Als zij toen in de buurt was...'

'Ja, ik begrijp het.'

Hawes en Tibbet hadden het voor elkaar. Rebus kreeg een papiertje onder zijn neus geschoven: adres en telefoonnummer van George Gaverill.

'Ik weet het goed gemaakt,' zei Rebus. 'Dit gesprek kost u alleen maar geld. Ik bel u wel terug. Zit u op het 229-nummer?'

'Ja, maar ik wil niet...' De rest van de zin bleef in Gaverills keel steken.

'Goed,' zei Rebus, nu met wat staal in zijn stem. 'Ofwel wij komen bij u thuis langs om u te horen, ofwel u komt bij ons langs, op bureau Gayfield Square. Wat gaat het worden?'

Gaverill zei dat hij er over een halfuur zou zijn. Hij klonk als een kind dat een standje heeft gekregen.

Maar voordat Gaverill er was, kregen ze nog drie andere bezoekers. Eerst kwamen Roger en Elizabeth Anderson. En toen Hawes en Tibbet met hen naar een verhoorkamer waren gegaan, diende Nancy Sievewright zich aan. Rebus vroeg de agenten aan de balie om haar in een lege kamer te zetten – 'maar niet in verhoorkamer 3' – en een kop thee te geven.

'Ik wil niet dat ze Anderson ziet,' legde hij Clarke uit.

Ze knikte. 'We moeten Anderson nog wel vragen wat hij te zeggen heeft over Nancy's verhaal.'

'Is al gebeurd,' stemde Rebus in. Ze fronste, maar hij haalde alleen zijn schouders op. 'Ik was vanochtend toch in de buurt, dacht dat ik het net zo goed even kon vragen.'

'Wat zei hij?'

'Dat hij bezorgd om haar was. Had haar naam en adres gekregen van...' Rebus draaide zich om naar Todd Goodyear. 'Toch niet van jou, hè?'

'Moet Dyson zijn geweest,' zei Goodyear.

'Dacht ik al. Maar goed, ik heb Anderson gewaarschuwd.' Hij

leek even na te denken en vroeg Clarke toen of zij samen met Goodyear Sievewrights officiële verklaring wilde afnemen.

'Kan Todd ook weer wat van leren,' was zijn argument.

'Je vergeet één ding, John: ik heb de leiding.'

'Ik probeer ook maar te helpen.' Rebus spreidde zijn armen, de vermoorde onschuld.

'Dank je, maar ik hoor liever wat Gaverill te zeggen heeft.'

'Ik heb de indruk dat hij snel geïntimideerd is. Mij vertrouwt hij nu, maar als hij ons met zijn drieën tegenover zich vindt...' Hij schudde zijn hoofd weer. 'Ik hoop niet dat-ie weer dichtklapt.'

'Dat zien we dan wel weer,' was het enige wat Clarke zei. Rebus haalde zijn schouders op en liep naar het raam.

'Wil je ondertussen mijn theorie horen?' zei hij.

'Waarover?'

'Waarom hij zo bang is dat zijn vrouw erachter komt?'

'Omdat zij zal denken dat hij op het aanbod is ingegaan?' opperde Goodyear.

Maar Rebus schudde zijn hoofd. 'Integendeel, jongeman. Wil brigadier Clarke een gokje wagen?'

'Verras ons maar,' zei ze, en sloeg haar armen over elkaar.

'Wat is er in King's Stables Road nog meer?' vroeg Rebus.

'Castle Rock,' zei Goodyear.

'En?'

'Een begraafplaats,' zei Clarke.

'Precies,' zei Rebus. 'En in de hoek van die begraafplaats staat een oude uitkijktoren. Die werd een paar eeuwen geleden gebruikt om te waken tegen grafschenners. Als het aan mij ligt, nemen ze die toren weer in gebruik. Het is 's avonds niet pluis op dat kerkhof...' Hij liet een betekenisvolle stilte vallen.

'Gaverill is homo,' speculeerde Clarke, 'en zijn vrouw weet van niks?'

Rebus haalde zijn schouders op maar leek tevreden dat ze tot dezelfde conclusie was gekomen als hij.

'Dus dat aanbod van die vrouw interesseerde hem niet eens,' maakte Goodyear het af, en hij knikte begrijpend.

Op dat moment ging de telefoon. De balie, om te laten weten dat George Gaverill op hen stond te wachten.

Ze hadden al besloten hem mee te nemen naar het recherchekantoor – net iets prettiger dan een verhoorkamer. Maar eerst ging

Rebus hem hartelijk begroeten en liep met hem door de gang naar verhoorkamer 2, waar hij hem vroeg een blik door het kijkgat te werpen.

'Ziet u die jonge vrouw?' vroeg Rebus zacht.

'Ja,' fluisterde Gaverill.

'Is zij het?'

Gaverill draaide zich om. 'Nee,' zei hij. Rebus staarde hem aan. Gaverill was ongeveer een meter vijfenzestig, rank postuur en bleek gezicht met muizig bruin haar en een soort uitslag op zijn gezicht. Begin veertig waarschijnlijk, en Rebus had het gevoel dat hij die uitslag al sinds zijn tienerjaren had.

'Zeker weten?' vroeg Rebus.

'Volgens mij wel. Die vrouw was iets langer. Niet zo jong en niet zo mager.'

Rebus knikte en ging met hem terug door de gang, waarna ze de trap op liepen naar het recherchekantoor. Hij schudde zijn hoofd toen Clarke naar hem opkeek – geen herkenning. Met een scheve glimlach op haar gezicht hield ze de *Evening News* op. Er stond een foto in van Litvinenko; hij lag aan infusen in een ziekenhuisbed en door het vergif was zijn haar uitgevallen.

'Toeval,' was het enige wat Rebus zei, terwijl Clarke zich voorstelde aan Gaverill.

'Ontzettend bedankt dat u wou komen, meneer Gaverill.'

Goodyear zat aan de telefoon notities te maken. Weer een tipgever, maar Goodyear leek er niet blij mee. Clarke nodigde Gaverill met een armgebaar uit om plaats te nemen.

'Wilt u iets drinken?' vroeg ze.

'Ik wil hier graag vanaf zijn.'

'Prima,' zei Rebus. 'Ter zake dan. Kunt u in uw eigen woorden vertellen wat er precies voorviel?'

'Zoals ik al zei, inspecteur. Ik liep rond kwart over tien door King's Stables Road en daar hing een vrouw rond bij de uitgang van de parkeergarage. Ik dacht dat ze op iemand stond te wachten, maar toen ik erlangs liep sprak ze me aan.'

'Wat zei ze?'

'Ze vroeg of ik...' Gaverill slikte, zijn adamsappel ging op en neer.

'Haar wou naaien?' opperde Rebus.

'Precies,' beaamde Gaverill.

'Noemde ze een prijs?'

'Ze zei dat het... ik geloof dat ze zoiets zei als "vrijblijvend" of zo. Vrijblijvend, geen addertjes. Ze zei dat ze gewoon wou...' Maar hij kreeg het weer niet over zijn lippen.

'En dat moest ter plekke gebeuren?' Rebus klonk ongelovig.

'Misschien in de parkeergarage...'

'Zei ze dat?'

'Dat weet ik niet goed meer. Ik ben doorgelopen. Ik was eerlijk gezegd nogal van de kaart.'

'Dat kan ik me voorstellen,' zei Clarke meelevend. 'Vreselijk als zoiets gebeurt. Kunt u zeggen hoe ze eruitzag?'

'Nou ja... ik weet het niet precies. Ongeveer even lang als ik... iets ouder dan die meid beneden, maar ik ben niet goed in leeftijden – bij vrouwen, bedoel ik.'

'Veel make-up?'

'Beetje make-up... en parfum, maar ik weet niet welk merk.'

'Vond u dat ze eruitzag als een prostituee?' vroeg Rebus.

'Niet het soort dat je op tv ziet. Ze was niet uitdagend gekleed. Ze droeg een jas met een capuchon. Het was koud die avond, moet u weten.'

'Een jas met een capuchon?'

'Een soort duffel misschien... of iets langer... ik weet het niet precies.' Hij lachte zenuwachtig. 'Ik wou dat ik u meer kon vertellen.'

'Hier hebben we veel aan,' verzekerde Rebus hem.

'Heel veel,' zei Clarke nog.

'Om eerlijk te zijn,' ging Gaverill verder, 'toen ik er later op terugkeek, dacht ik dat ze ze misschien niet allemaal op een rijtje had. Ik weet nog dat ik een keer een vrouw heb gezien op de traptreden van een kerk bij de Bruntsfield Links, die lag daar met haar benen in de lucht en haar rok opgetrokken, en die bleek later ontsnapt te zijn uit het Royal Edinburgh...' Hij leek te denken dat uitleg op zijn plaats was: 'Daar zitten de...'

'Psychiatrische patiënten,' knikte Clarke.

'Ik was nog maar een kind toen dat gebeurde, maar het staat me nog steeds bij.'

'Zoiets vergeet je niet,' beaamde Rebus. 'Kan je voor het leven van vrouwen genezen.' Hij lachte om het luchtig te laten klinken, maar Clarke maande hem met haar blik om voorzichtig te zijn.

'Irene is een bijzondere vrouw, inspecteur,' zei Gaverill.

'Ongetwijfeld, meneer Gaverill. Al lang getrouwd?'

'Negentien jaar. Ze was mijn eerste echte vriendinnetje.'

'Het eerste en het laatste, hè?' zei Rebus verzoenend.

'Meneer Gaverill,' kwam Clarke tussenbeide, 'wilt u misschien nog één ding voor ons doen? Ik zou graag een compositietekening van die vrouw laten maken. Kan dat?'

'Nu meteen?' Gaverill keek op zijn horloge.

'Zo snel mogelijk, nu ze nog vers in uw geheugen ligt. We kunnen met tien, vijftien minuten iemand hier hebben...' Met andere woorden: een halfuur.

'Wat ik me nog afvroeg,' begon Rebus weer, 'wat voor werk doet u?'

'Veilingen,' zei Gaverill. 'Ik koop spullen en verkoop ze door.'

'Variabele werktijden dus,' zei Rebus. 'U kunt altijd tegen Irene zeggen dat u bij een klant zat.'

Clarke kuchte, maar Gaverill had er niets achter gezocht. 'Tien minuten?' vroeg hij.

'Kwartiertje hooguit,' verzekerde Clarke hem.

Broodjes voor tussen de middag: ze hadden hun bestelling aan Goodyear gegeven – dat hoorde allemaal bij het leerproces, had Rebus benadrukt. Roger en Elizabeth Anderson waren naar huis, Nancy Sievewright ook. Hawes en Tibbet hadden er geen nieuwe informatie uit gekregen. Rebus zat naar de computertekening van een vrouwengezicht te kijken. Gaverill had nadrukkelijk gezegd dat de helft van het gezicht schuilging in de schaduw van de capuchon, die ver over het hoofd was getrokken.

'Niet iemand die wij kennen,' zei Clarke, niet voor de eerste keer. Gaverill was net vertrokken, in een niet al te best humeur. Het had de expert bijna een uur gekost om, gewapend met laptop, software en printer, een digitale compositietekening te maken.

'Kan iedereen zijn,' antwoordde Rebus. 'Maar goed... stel dat zij daar stond, wie ze ook is.'

'Geloof je Gaverills verhaal?'

'Jij niet dan?'

'Ik vond hem oprecht klinken,' flapte Goodyear eruit, en voegde er snel aan toe: 'Maar dat zegt ook niet alles.'

Rebus snoof schamper, gooide het restant van zijn broodje in de prullenbak en veegde de kruimels van zijn overhemd.

'Dus nu hebben we een vrouw,' zei Hawes, 'die mannen de parkeergarage in lokt voor een anoniem vluggertje?' Ze wachtte even. 'Ik snap wel waarom Siobhan twijfelt.'

'Zoiets gebeurt niet vaak,' beaamde Clarke. 'Of hebben de jongens andere ervaringen?'

Rebus keek naar Tibbet en Tibbet keek naar Goodyear. Geen van drieën zei iets.

'Een hoer dus,' zei Tibbet dan maar.

'Sekswerker,' corrigeerde Rebus.

'Maar de Andersons en Nancy Sievewright zijn ook langs de parkeergarage gekomen en zij hebben geen vrouw met een capuchon gezien.'

'Wil niet zeggen dat ze er niet was, Colin,' merkte Rebus op.

'Maar misschien was het een valstrik?' vroeg Goodyear. 'Een vrouw die een man meelokt...'

'Om hem te beroven,' zei Rebus. 'Komen we dan toch weer uit bij onze overvaltheorie? Die werkwijze ben ik in het echt nooit tegengekomen – niet in Edinburgh. En nog iets: het lab zegt dat Todorov die dag seks heeft gehad.'

Het was even stil in de kamer terwijl ze de kluwen in hun hoofd probeerden te ontwarren. Clarke zat met de ellebogen op haar bureau en begroef haar gezicht in haar handen. Na een poosje keek ze op.

'Is er ook maar iets wat mij ervan weerhoudt de logische conclusie te trekken en daarmee naar Macrae te stappen? Het slachtoffer is bij een beroving in elkaar geslagen en voor dood achtergelaten.' Ze knikte naar de compositietekening. 'En dat is onze enige verdachte.'

'Tot nu toe,' waarschuwde Rebus. 'Maar Macrae zei dat we nog een paar dagen door mogen zoeken. Die kunnen we toch gebruiken?'

'Waar wou je dan gaan zoeken?'

Rebus probeerde een antwoord te bedenken, maar moest het opgeven. Hij wenkte Clarke mee naar de gang, Hawes en Tibbet leken beledigd dat hij hen buitensloot. Rebus bleef boven aan de trap staan. Clarke kwam achter hem aan, de armen over elkaar geslagen.

'Weet je zeker dat Phyl en Col het goedvinden dat Goodyear ineens in het team zit?' vroeg hij.

'Hoezo?'

'Hij is niet een van ons.'

Ze staarde hem aan. 'Ik denk niet dat zíj degenen zijn die er moeite mee hebben.' Ze zweeg even en zei toen: 'Weet jij nog hoe jouw eerste dag bij de recherche was?'

'Staat me vaag iets van bij.'

'Ik herinner me de mijne nog als de dag van gisteren. Ze hadden het zo vaak over "vers bloed" dat ik ging denken dat het vampiers waren.' Ze zette haar handen in haar zij. 'Todd wil van het recherchewerk proeven, John.'

'Zo te horen heeft hij zijn tanden alvast in jou gezet.'

Haar glimlach werd een frons, maar de gedachte aan vampiers had Rebus op een idee gebracht. 'Het is misschien niks,' zei hij, 'maar de bewaker in de parkeergarage zei iets over een van hun chefs, de enige die ze daar ooit zagen. Magere Hein noemde hij haar. Weet je waarom?'

'Nee, waarom?' Clarke was niet van plan om zich te laten sussen.

'Omdat ze altijd een capuchon opheeft.'

14

Gary Walsh zat in het kantoortje van de parkeergarage waar hij Joe Wills een uur geleden had afgelost. Met zijn uniformjas openhangend en zonder stropdas maakte hij een ontspannen indruk.

'Luizenbaantje,' zei Rebus plagend, terwijl hij op de halfopen deur klopte. Walsh haalde zijn voeten van het tafelblad, trok de dopjes uit zijn oren en zette de discman uit. 'Wat heb je opstaan?'

'Primal Scream.'

'En wat had je gedaan als ik een van je chefs was geweest?'

'Wij zien nooit iemand anders dan Magere Hein.'

'Dat zei je al... heeft ze al van de moord gehoord?'

'Van een journalist.'

'En?' Rebus keek naar een krant die naast de radio lag: de middageditie van de *Evening News*, met de kruiswoordpuzzel al ingevuld.

Walsh haalde zijn schouders op. 'Ze wilde het bloed zien.'

'Schat van een vrouw.'

'Ze is best aardig.'

'Heeft ze ook een naam?'

Walsh zat hem aandachtig op te nemen. 'Al iemand gepakt?'

'Nog niet.'

'Waarom wil u Cath spreken?'

'Heet ze zo? Cath?'

'Cath Mills.'

'Lijkt ze hier een beetje op?'

Walsh nam de afbeelding van de vrouw met capuchon van Rebus aan en bekeek hem met een uitgestreken gezicht, schudde toen zijn hoofd.

'Zeker weten?' vroeg Rebus.

'In de verste verte niet.' Walsh gaf de afbeelding terug. 'Wie moet dat zijn?'

'Een getuige heeft een vrouw zien rondhangen bij de uitgang op de avond dat Todorov werd vermoord. We willen mensen uitsluiten.'

'Dan kunt u haar al meteen uitsluiten. Cath is hier die avond niet geweest.'

'Toch wil ik haar telefoonnummer.'

Walsh wees naar een prikbord achter de deur. 'Daar hangt het.'

Rebus schreef het gsm-nummer op. 'Hoe vaak komt ze langs?'

'Paar keer per week misschien – één keer tijdens Joe's dienst en één keer tijdens de mijne.'

'Nooit problemen gehad met de hoeren in de buurt?'

'Nooit geweten dat er hier zaten.'

Juist toen Rebus zijn notitieboekje dichtsloeg, ging de zoemer. Walsh keek naar een monitor: een chauffeur was uitgestapt en stond bij de slagboom.

'Wat is het probleem?' sprak Walsh in de microfoon.

'Dat klereding heeft mijn kaartje ingeslikt.'

Walsh rolde met zijn ogen naar Rebus. 'Gebeurt vaak de laatste tijd,' zei hij. Hij drukte op een knop en de slagboom ging omhoog. De chauffeur stapte in en reed weg zonder ook maar iets te zeggen.

'Ik zal die uitgang moeten afsluiten,' mompelde Walsh, 'tot ze hem eens komen maken.'

'Geen dag zonder avontuur hier, hè?'

Walsh snoof. 'Die vrouw,' zei hij, en kwam overeind, 'denkt u dat die er iets mee te maken had?'

'Waarom vraag je dat?'

Walsh knoopte zijn uniformjas dicht. 'Vrouwelijke overvallers zijn dun gezaaid, toch?'

'Dat is waar,' gaf Rebus toe.

'En het wás toch een overval? In de krant staat dat zijn zakken waren leeggehaald.'

'Zo ziet het er wel uit.' Rebus zweeg even. 'Om elf uur sluit je af, hè?'

'Inderdaad.'

'Rond dat tijdstip is hij gevonden.'

'O ja?'

'Maar jij hebt niets gezien?'

'Niks.'

'Je moet langs Raeburn Wynd gereden zijn.'

Walsh haalde slechts zijn schouders op. 'Niks gezien en niks gehoord. Zeker geen vrouw met een capuchon. Anders was ik me waarschijnlijk rot geschrokken, met dat kerkhof aan de overkant...' Hij maakte zijn zin niet af, fronste zijn voorhoofd.

'Wat is er?' vroeg Rebus.

'Het zal wel niks zijn... maar ik denk ineens aan die griezelrondleidingen... dan trekken ze ook rare pakken aan om de toeristen de stuipen op het lijf te jagen...'

'Ik denk niet dat onze onbekende vrouw aan zoiets meedeed.' Maar Rebus wist wat hij bedoelde. Je zag ze 's avonds laat over de Royal Mile lopen, gidsen verkleed als vampier of Joost mag weten wat. 'Ik dacht ook niet dat die rondleidingen in deze buurt plaatsvinden.'

'Het is niet pluis op het kerkhof,' beaamde Walsh, die aanstalten maakte om zijn hok te verlaten. Hij had een glanzend plastic bord met de tekst BUITEN DIENST gepakt. Rebus ging hem voor.

'Heb je daar wel eens overlast van?' vroeg Rebus.

'Junks die om geld vragen... Als je het mij vraagt hebben zij vorig jaar die kerel in het trappenhuis in elkaar geslagen.'

'Daar had je collega het over. Nooit opgelost?'

Walsh snoof, en Rebus wist genoeg. 'Enig idee bij welk bureau dat gemeld is?'

'Dat was voordat ik hier werkte.' Walsh kneep zijn ogen half toe. 'Is het omdat die kerel een buitenlander is of omdat-ie een bekendheid is?'

'Ik geloof niet dat ik je begrijp.' Ze liepen de helling af naar de uitgang.

'Dat u er zoveel tijd in steekt?'

'Dat doe ik omdat hij vermoord is, meneer Walsh,' zei Rebus, en pakte zijn mobiel.

Megan Macfarlane was naar een bijeenkomst in Leith geweest. Roddy Liddle zei dat ze waarschijnlijk wel tien minuten kon missen in de Starbucks vlak bij het parlement, dus daar zaten Clarke en Todd Goodyear te wachten. Goodyear dronk thee en Clarke een extra sterke Americano. Ze had ook getrakteerd op worteltaart, al had Goodyear willen betalen.

'Ik trakteer,' had ze aangedrongen. En had toen om een bon gevraagd, in de hoop dat ze het kon declareren. Ze zaten aan een tafel bij het raam, met uitzicht op een donker wordende Canongate. 'Stomme plek om een parlement te bouwen,' zei ze.

'Uit het oog, uit het hart,' zei Goodyear.

Ze glimlachte en vroeg hoe het recherchewerk tot nu toe beviel. Hij dacht even na voor hij antwoord gaf.

'Ik ben blij dat ik mag blijven.'

'Tot nu toe,' waarschuwde ze.

'En jullie lijken goed op elkaar ingespeeld als team. Dat vind ik ook fijn. Het onderzoek zelf...' Hij maakte zijn zin niet af.

'Zeg het maar.'

'Ik denk dat jullie allemaal – en het is niet als kritiek bedoeld – een beetje idolaat zijn van inspecteur Rebus.'

'Kun je "een beetje" idolaat zijn?'

'U weet wel wat ik bedoel... hij is oud en ervaren, heeft in de loop der jaren heel wat meegemaakt. Dus als hij een ingeving krijgt, holt iedereen erachteraan.'

'Zo gaat het in sommige onderzoeken nu eenmaal, Todd. Je gooit een steentje in het water en de kringen rimpelen alle kanten op.'

'Maar het zijn toch helemaal geen kringen?' In het vuur van zijn betoog schoof hij zijn stoel dichter bij de tafel. 'Het is eerder een rechte lijn. Iemand begaat een misdaad en de recherche moet hem opsporen. Meestal gaat het min of meer vanzelf – de dader krijgt wroeging en geeft zich aan, of iemand heeft hem gezien, of het is een bekende en hij verraadt zichzelf door vingerafdrukken of DNA-sporen.' Hij wachtte even. 'Ik krijg het gevoel dat inspecteur Rebus een hekel heeft aan dat soort onderzoeken, de zaken waarin een motief al te makkelijk voor het oprapen ligt.'

'Je ként hem nauwelijks,' zei Clarke geprikkeld.

Goodyear voelde dat hij te ver was gegaan. 'Ik bedoel alleen dat hij de dingen graag complex maakt, zodat het een uitdaging blijft.'

'En hier zit minder achter dan het lijkt – wil je dat zeggen?'

'Ik wil alleen zeggen dat je niets moet uitsluiten.'

'Bedankt voor de goede raad.' Clarke's stem was even koud als de worteltaart. Goodyear staarde in zijn mok en keek opgelucht toen de deur openging en Megan Macfarlane naar hun tafel liep. Ze had een paar kilo ringbanden bij zich die ze kletterend op de vloer deponeerde. Roddy Liddle was naar de balie gelopen om iets te bestellen.

'Je moet wat overhebben voor de goede zaak,' klaagde Macfarlane. Ze keek met een vragende glimlach naar Todd Goodyear en Clarke stelde hen aan elkaar voor.

'Ik ben een bewonderaar,' zei Goodyear. 'Ik heb grote bewondering voor uw standpunt over het openbaar vervoer.'

'En u hebt niet toevallig een paar duizend vrienden die er ook zo over denken?' Macfarlane had zich op een stoel laten vallen en staarde naar het plafond.

'Ik ben ook altijd voor onafhankelijkheid geweest,' ging Goodyear verder. Ze keek even naar hem en draaide zich toen om naar Clarke.

'Deze bevalt me beter,' zei ze.

'Over inspecteur Rebus gesproken,' zei Clarke, 'hij excuseert zich. Maar hij is degene die zag dat u in die aflevering van *Question Time* zat. We vragen ons af waarom u dat niet had gezegd.'

'Is dat alles?' Macfarlane klonk geïrriteerd. 'Ik dacht dat u misschien iemand had opgepakt.'

'Is dat de enige keer dat u de heer Todorov heeft ontmoet?' ging Clarke door.

'Ja.'

'In de studio dus?'

'The Hub,' corrigeerde Macfarlane. 'Ja, we waren daar een uur voordat de opnames begonnen.'

'Ik dacht dat het live werd uitgezonden,' onderbrak Goodyear haar.

'Niet echt,' zei het parlementslid. 'Jim Bakewell kwam natuurlijk te laat, waar ben je anders Labourminister voor. De crew was er niet blij mee, misschien dat hij daarom zo weinig spreektijd kreeg.' Ze veerde op bij de herinnering en bedankte Liddle uitbundig toen die arriveerde met haar zwarte koffie en een espresso voor zichzelf. Hij trok een stoel bij en gaf Goodyear een hand.

'Denk je dat hierover gefluisterd gaat worden, Roddy?' vroeg Macfarlane, terwijl ze een eerste zakje suiker in haar kop leegde. 'Dat ik gesignaleerd ben met een agent in uniform?'

'Hoogstwaarschijnlijk wel,' zei Liddle lijzig, en zette het minieme kopje aan zijn mond.

'U had het over Todorov,' drong Clarke aan.

'Ze vraagt naar *Question Time*,' legde Macfarlane uit aan haar assistent. 'Denkt dat ik iets verberg.'

'Ik vraag me alleen af,' corrigeerde Clarke, 'waarom u het niet had gezegd.'

'Vertel eens, brigadier, hebben de andere panelleden zich ook bij u gemeld met hun herinneringen aan die uitzending?' Het leek een retorische vraag. 'Nee, en zij zouden ongeveer hetzelfde hebben gezegd als ik: onze Russische vriend sloeg veel wijn achterover, propte wat broodjes naar binnen en zei geen stom woord tegen ons. Ik kreeg de indruk dat hij het niet begrepen had op politici.'

'En na de uitzending?'

'Stonden de taxi's al klaar... hij gromde tot ziens en vertrok, met een fles wijn onder zijn jas.' Ze zweeg even. 'Wat u daaraan heeft in uw onderzoek is mij een raadsel.'

'Is dat de enige keer geweest dat u hem hebt ontmoet?'

'Dat zei ik net toch al?' Ze keek vragend naar haar assistent. Dat deed Clarke ook.

'En u, meneer Liddle?' vroeg ze. 'Hebt u hem in The Hub nog gesproken?'

'Ik heb me aan hem voorgesteld. Ik vond hem nogal nors. Er zit meestal wel iemand van buiten de politiek in het programma, en de redactie houdt doorgaans uitgebreide voorgesprekken. De redacteur die met Todorov had gepraat klonk niet erg enthousiast, je kon aan haar samenvatting horen dat hij weinig toeschietelijk was geweest. Ik begrijp nog steeds niet waarom ze hem in het programma hadden.'

Clarke dacht even na. Charles Riordan had gezegd dat Todorov graag met mensen praatte, maar de klant in Mather's had gezegd dat er nauwelijks een stom woord uit kwam. En nu zeiden Macfarlane en Liddle ongeveer hetzelfde. Was Todorov een man met twee gezichten geweest? 'Wiens idee zou het zijn geweest om hem uit te nodigen?' vroeg ze Liddle.

'De producer, de presentator, een redacteur... iedereen kan iemand voorstellen.'

'Kan het ook geweest zijn,' kwam Goodyear ertussen, 'dat ze een signaal wilden afgeven aan Moskou?'

'Zou kunnen,' gaf Macfarlane toe. Ze leek onder de indruk.

'Hoe bedoel je?' vroeg Clarke aan Goodyear.

'Een tijdje terug is daar een journaliste doodgeschoten. Misschien wilde de BBC laten zien dat je de vrije meningsuiting niet zo makkelijk kunt beknotten.'

'Uiteindelijk is dat wel gebeurd, nietwaar?' zei Liddle. 'Anders hadden we nu dit gesprek niet. En kijk wat die arme Rus in Londen is overkomen...'

Macfarlane wierp hem een woedende blik toe. 'Dat is nou precíés het soort verhalen dat we de kop in moeten drukken!'

'Natuurlijk, natuurlijk,' mompelde hij, en hij richtte zijn aandacht op zijn kopje, dat al leeg was.

'Om het nog even op een rijtje te zetten,' verbrak Clarke de stilte, 'u hebt Todorov allebei ontmoet bij de opname van *Question Time*, maar u hebt niet echt met hem gepraat. U had hem nooit eerder ontmoet en hebt hem daarna ook nooit meer gezien – moet ik het zo in mijn verslag zetten?'

'Verslag?' Macfarlane blafte zowat.

'Niet voor de openbaarheid,' stelde Clarke haar gerust. En na een korte stilte gaf ze de coup de grâce: 'Tot het proces, natuurlijk.'

'Brigadier, ik heb toch al uitgelegd dat we een paar invloedrijke investeerders in de stad hebben en dat er maar weinig voor nodig is om die af te schrikken?'

'Maar u bent het er toch mee eens,' wierp Clarke tegen, 'dat we moeten laten zien hoe grondig en gewetensvol onze politie te werk gaat?'

Macfarlane leek iets te willen zeggen, maar haar mobiel trilde. Ze wendde zich af van de tafel terwijl ze opnam.

'Stuart, hoe gaat het?'

Clarke durfde te wedden dat het de bankier was, Stuart Janney.

'Ik hoop dat je een tafel voor ze hebt bij Andrew Fairlie?' Macfarlane was opgestaan en liep al weg. Ze ging naar buiten en keek door het raam terwijl ze doorpraatte.

'Het restaurant van Gleneagles,' legde Liddle uit.

'Weet ik,' zei Clarke. En tegen Goodyear: 'Daar overnachten onze economische redders in de nood – copieus diner en na het ontbijt een balletje slaan.' Ze vroeg Liddle wie daarvoor opdraaide. 'De hardwerkende belastingbetaler?' gokte ze. Hij haalde zijn schouders op en ze draaide zich weer om naar Goodyear. 'Denk je nog steeds dat de zachtmoedigen de aarde zullen bezitten, Todd?'

'Psalm 37, vers 11,' dreunde Goodyear op. Maar nu ging Clarke's eigen telefoon. Ze nam op en hield hem aan haar oor. John Rebus vroeg hoe het ermee stond.

'Ik word net met de Bijbel om de oren geslagen door agent Goodyear,' zei ze tegen hem. 'Over dat de zachtmoedigen de aarde zullen bezitten en zo.'

15

Rebus had alleen maar gebeld omdat hij zich verveelde. Maar nog geen minuut nadat hij Clarke aan de lijn had gekregen, stopte een zwarte Volkswagen Golf met piepende remmen bij de uitgang van de parkeergarage. De vrouw die uitstapte moest Cath Mills zijn, dus Rebus kapte het telefoongesprek af.

'Mevrouw Mills?' zei hij en stapte op haar af. Met het invallen van de schemering waren er bijtende windvlagen opgestoken vanaf de Noordzee. Hij wist niet wat voor kleding hij van 'Magere Hein' had verwacht – een lange mantel misschien. Wat ze droeg was eerder een soort anorak, met een capuchon met bontrand. Ze was eind dertig, lang, rood haar in een pagekapsel, zwart brilletje. Een bleek, rond gezicht, rode lippenstift. Ze leek volstrekt niet op de computertekening in zijn zak.

'Inspecteur Rebus?' zei ze en drukte hem kort de hand. Daarna stak ze haar handen, in zwarte leren autohandschoenen gehuld, meteen in haar zak. 'Rottigste tijd van het jaar,' mompelde ze met een blik op de hemel. 'Je staat in het donker op en je komt in het donker thuis.'

'Houdt u kantoortijden aan?' vroeg Rebus.

'Er is altijd wel iets wat om je aandacht vraagt.' Ze wierp een geërgerde blik op het BUITEN DIENST-bord bij de slagboom.

'Dus woensdagavond was u ook op pad?'

Ze stond nog naar de slagboom te kijken. 'Pas om negen uur thuis, geloof ik. Probleem in Canning Street – daar was iemand niet afgelost. Ik heb hem overgehaald een dubbele dienst te draaien en dat was dat.' Langzaam richtte ze haar aandacht op Rebus. 'Dat is de avond dat die man is vermoord.'

'Inderdaad. Jammer dat uw camera's niet werken... daar hadden we wat aan gehad.'

'Die hebben we niet opgehangen om bloedbaden te registreren.'

Daar ging Rebus niet op in. 'Dus u was hier niet toevallig in de buurt om een uur of tien op die bewuste avond?'

'Wie zegt dat?'

'Niemand, maar er is een vrouw gezien en u voldoet aan het signalement...' Oké, dat ging een beetje te ver, maar hij wilde zien hoe ze zou reageren. Het enige wat ze deed was fronsen en de armen over elkaar slaan.

'Wie heeft beschreven hoe ik eruitzie?' vroeg ze, met een blik richting de parkeergarage. 'Hebben de jongens verhaaltjes opgehangen? Dan zal ze dat duur te staan komen.'

'Ze zeiden alleen dat u soms een capuchon opheeft. Een voorbijganger heeft buiten een vrouw zien rondhangen die ook een capuchon ophad...'

'Een vrouw met een capuchon op? 's Winters, om tien uur 's avonds? Gek, zeg!'

Rebus wenste ineens dat de dag voorbij was. Hij wou op een barkruk zitten met een glas voor zich en alles achter de rug hebben. 'Als u hier niet was,' zuchtte hij, 'zeg dat dan gewoon.'

Ze dacht even na. 'Ik weet het niet zeker,' zei ze uiteindelijk, tergend lijzig.

'Hoe bedoelt u?'

'Lijkt me wel spannend, verdachte zijn in een moordonderzoek...'

'Bedankt, maar we hebben al genoeg last van mensen die onze tijd verdoen.' En hij voegde eraan toe: 'Misschien dat we de hardnekkigste gevallen nog vervolgen ook.'

Er brak een glimlach door op haar gezicht. 'Sorry,' zei ze. 'Lange zware dag achter de rug. Nog geen reden om u te pesten.' Ze richtte haar aandacht weer op de slagboom. 'Ik moest maar eens aan Gary vragen of hij dat wel heeft gemeld.' Ze schoof haar handschoen omlaag om op haar horloge te kijken. 'Mooie afronding van de werkdag...' Ze keek Rebus weer aan. 'Daarna ben ik hoogstwaarschijnlijk te vinden in Montpelier's.'

'Die wijnbar in Bruntsfield?' Rebus had maar enkele seconden nodig om hem te plaatsen.

Haar glimlach werd breder. 'U leek me wel het type dat zoiets zou weten,' zei ze.

Hij dronk er uiteindelijk drie glazen – dat kreeg je met zo'n drievoor-de-prijs-van-twee-actie. Al was 'glas' te veel gezegd: drie kleine flesjes importbier; hij bleef op zijn qui-vive. Cath Mills wist er weg mee, haar drie glazen kwamen neer op een hele fles rioja. Ze had haar auto om de hoek gezet want ze woonde in een flat in de buurt en kon hem daar laten staan.

'Dus denk maar niet dat je me op de bon kunt slingeren voor rijden onder invloed,' had ze met een vermanend vingertje gezegd.

'Ik loop ook naar huis,' had hij geantwoord, en hij had uitgelegd dat hij in Marchmont woonde.

Toen hij de bar binnen was gekomen, waar hij werd overvallen door harde muziek en geroezemoes, zat zij aan een tafeltje achterin.

'Hoopte je dat ik je niet zou vinden?' had hij gevraagd.

'Moet niet al te gretig overkomen, hè.'

Het gesprek ging vooral over zijn baan, plus de gebruikelijke Edinburghse klaagzangen: het verkeer, de wegopbrekingen, het gemeentebestuur, de kou. Ze had hem gewaarschuwd dat over haar eigen leven weinig te vertellen viel.

'Op mijn achttiende getrouwd en op m'n twintigste gescheiden. Op mijn vierendertigste nog eens geprobeerd, dat hielden we zes maanden uit. Ik had ondertussen beter moeten weten, nietwaar?'

'Maar je bent toch niet altijd toezichthouder van die parkeergarages geweest?'

Nee, dat was ze niet: verschillende kantoorbaantjes, dan haar eigen adviesbureau dat na tweeënhalf jaar over de kop ging, niet in de laatste plaats omdat Echtgenoot Nummer Twee er met het spaargeld vandoor was.

'Daarna ben ik directiesecretaresse geweest, maar dat hield ik niet lang vol... tijdje een uitkering gehad, wat cursussen gedaan, en toen kwam dit langs.'

'In mijn werk hoor ik continu mensen over zichzelf vertellen,' had Rebus gezegd. 'En het interessantste deel verzwijgen ze altijd.'

'Neem me maar mee voor verhoor,' had ze geantwoord, met haar polsen uitgestoken.

Uiteindelijk had hij haar wat uitspraken over Gary Walsh en Joe Wills kunnen ontlokken. Ook zij verdacht Wills van drinken op het werk, maar ze had hem nog niet kunnen betrappen.

'Dat is jouw stiel, jij kunt dat wel voor me uitvinden.'

'Daar heb je een privédetective voor nodig. Of een paar extra camera's waar hij niet van weet.'

Daar had ze om moeten lachen, en had toen de serveerster geroepen voor haar derde glas.

Na een uur zaten ze op hun horloge te kijken en over tafel naar elkaar te glimlachen. 'En jij?' had ze gevraagd. 'Al iemand gevonden die het met jou uithoudt?'

'Al een tijdje niet. Ik ben getrouwd geweest, één dochter – is al in de dertig.'

'Geen affaires op het werk? Werken onder druk, hechte samenwerking... ik ken dat.'

'Nooit gebeurd,' had hij bevestigd.

'Bravo.' Ze snoof en vertrok haar mond even. 'Onenightstands en zulke dingen doe ik niet meer aan... over het algemeen.' Haar mondhoeken krulden weer tot een glimlach.

'Ik vond het gezellig,' had hij gezegd, zich ervan bewust hoe onhandig het klonk.

'Krijg je geen moeilijkheden wegens aanpappen met een verdachte?'

'Wie gaat het ze vertellen?'

'Hoeft niet eens.' En ze had naar de bewakingscamera van de bar gewezen, die in een hoek hing en op hen gericht was. Daar hadden ze allebei om gelachen, en toen ze haar parka weer aantrok had hij nog eens gevraagd: 'Was je er die avond nou of niet? Eerlijk zeggen...' En ze had haar hoofd geschud, meer zou hij er niet uit krijgen.

Buiten had hij een visitekaartje met zijn mobiele nummer gegeven. Geen zoen op de wang of handdruk: twee veteranen, getekend door de strijd, die respectvol afscheid namen. Onderweg naar huis had hij fish-and-chips gehaald, die hij zo uit het kartonnen doosje at. Het werd tegenwoordig niet meer in een krant gewikkeld, vanwege de volksgezondheid of zo. Smaakte ook niet meer als vroeger, en de brokken schelvis werden steeds kleiner. Overbevissing van de Noordzee. Binnenkort werd schelvis een delicatesse – als de vis niet compleet uitstierf. Hij had alles op toen hij bij zijn flat kwam, waar hij zich de twee trappen op hees. Er lag geen post te wachten, nog geen gas- en lichtrekening. Hij knipte het licht in de woonkamer aan, zette muziek op en belde Siobhan.

'Wat is er?' vroeg ze.

'Ik vroeg me gewoon af wat we nu gaan doen.'

'Ik was van plan om een blikje uit de koelkast te halen.'

'Er is een tijd geweest dat ik die grap gemaakt zou hebben.'

'De times they are a-changing.'

'En die óók!'

Hij hoorde haar lachen. Toen vroeg ze hoe het gesprek met Cath Mills was gegaan.

'Weer een doodlopend spoor.'

'Heeft je anders lang gekost om dat uit te vinden.'

'Leek me niet de moeite waard om nog terug te keren naar het bureau.' Hij zweeg even. 'Wou je me rapporteren wegens lanterfanten?'

'Ik geef je het voordeel van de twijfel. Wat heb je op staan?'

'*Little Criminals* heet het album. Staat een nummer op dat "Jolly Coppers on Parade" heet.'

'Die man kent zeker geen politiemensen...'

'Het is Randy Newman. Nog een leuke titel van hem: "You Can't Fool the Fat Man".'

'En die dikke man ben jij?'

'Dat mag je zelf uitvogelen.' Hij liet een stilte vallen. 'Je begint het eens te worden met Macrae, hè? Je vindt dat we de notoire overvallers eens moeten nalopen?'

'Daar heb ik Phyl en Colin op gezet,' gaf Clarke toe.

'Begin je 'm te knijpen?'

'Hoe kom je erbij?'

'Oké, dat ging te ver... Je hebt gelijk, Shiv, je kunt beter voorzichtig zijn. Ik neem het je niet kwalijk.'

'Zeg nou zelf, John. Werd Todorov gevolgd vanaf het Caledonian Hotel? Volgens je cameramannetje niet. Werd hij benaderd door een prostituee? Misschien, en misschien kreeg-ie toen haar pooier op zijn nek, gewapend met een loden pijp. Wat er ook gebeurd is, die dichter was op het verkeerde moment op de verkeerde plaats.'

'Daar zijn we het over eens.'

'En we schieten er niks mee op als we parlementsleden, Russische tycoons en de First Albannach Bank tegen ons in het harnas jagen.'

'Maar het is toch leuk? Wat heb je aan je werk als je geen lol mag trappen?'

'Jíj vindt het leuk, John... voor jou is het altijd een lolletje geweest.'

'Gun me dit pleziertje dan, in mijn laatste week op het werk.'

'Ik dacht dat ik dat al deed.'

'Nee Shiv, wat jij doet is mij afschrijven. Dat hele gedoe met Todd Goodyear ook: die is jouw rechterhand zoals jij altijd de mijne bent geweest. Je begint hem al helemaal klaar te stomen, en volgens mij geniet je er nog van ook.'

'Ho eens even...'

'En je gebruikt hem nog ergens anders voor. Zolang je met hem op pad gaat, hoef je niet te kiezen tussen Phyl en Col.'

'Wat een inzicht. Geen wonder dat je nooit hoger op de ladder bent geklommen.'

'Weet je wat het met die ladder is, Shiv? Voor elke sport die je hogerop wil is er een reet die je moet likken.'

'Wat een fraai beeld.'

'Iedereen heeft wat poëzie in zijn leven nodig.' Hij zei dat hij haar morgen wel zou zien – 'als ik nog nodig ben, natuurlijk' – en hing op. Bleef nog vijf minuten wachten of ze terug zou bellen, maar dat gebeurde niet. Randy Newman klonk een beetje te opgewekt, dus zette Rebus de plaat af. Genoeg somberder werk dat hij kon opzetten – vroege King Crimson of Peter Hammill bijvoorbeeld – maar in plaats daarvan liep hij door zijn stille flat, van kamer naar kamer, en stond uiteindelijk in de hal met de sleutels van de Saab in zijn hand.

'Waarom ook niet?' zei hij bij zichzelf. Het zou niet de eerste keer zijn en vast ook niet de laatste. Hij was niet zo dronken dat het een probleem was. Hij sloot de voordeur achter zich en liep de trap af, de nacht in. Opende de Saab en stapte in. Het was maar vijf minuten rijden, hij kwam weer langs Montpelier's. Rechtsaf bij Bruntsfield Place, dan nog eens rechts en hij kon zijn auto parkeren in een stil straatje met vrijstaande victoriaanse huizen. Hij was hier zo vaak geweest dat het hem opviel als er iets was veranderd: nieuwe straatlantaarns of nieuwe bestrating. Op borden werd gewaarschuwd dat het vanaf maart betaald parkeren was. In Marchmont was dat al doorgevoerd, maar vrije parkeerplaatsen waren er nog altijd even schaars. Hier stond af en toe een bouwcontainer. Hij hoorde soms arbeiders met een Pools accent. Sommige huizen hadden een uitbouw gekregen en in twee tuinen was een garage ontmanteld. Veel komen en gaan overdag, maar 's avonds was het rustig. Praktisch elk huis had een eigen oprit, maar bewoners uit omliggende straten parkeerden hier 's avonds ook. Niemand sloeg ooit acht op Rebus. Eén man die er zijn hond uitliet geloofde onderhand zelfs dat hij hier woonde en begroette hem met een glimlach of een 'hallo'. Een schril contrast met zijn kleine, tengere hond, die Rebus wantrouwde en was weggekropen toen hij een keer was gehurkt om hem te aaien.

Dat was een zeldzaamheid: meestal bleef hij in de auto zitten, handen aan het stuur, raampje open en een sigaret tussen zijn lippen. Soms met de radio aan. Hij zat niet eens altijd naar het huis te kijken, maar hij wist van wie het was. Wist ook dat in de achtertuin een koetshuis stond waar de lijfwacht woonde. Op een keer was een auto halverwege het toegangshek blijven staan. De lijfwacht zat achter het stuur, maar het was het raampje achterin dat omlaag gleed, zodat de passagier oogcontact kon krijgen met de toekijkende Rebus. Uit de blik sprak een mengeling van minachting, ergernis en misschien zelfs medelijden – al zou dat laatste geveinsd zijn.

Want Rebus betwijfelde of Big Ger Cafferty in zijn leven ooit een greintje medelijden had gevoeld met wie dan ook.

Dag vijf

Dinsdag 21 november 2006

16

De lucht was nog schroeiend heet, de brandgeur bijna niet te harden. Siobhan Clarke hield een zakdoek voor haar mond en neus. Rebus drukte met zijn voet zijn ontbijt uit.

'Godsamme,' was het enige wat in hem opkwam.

Todd Goodyear had het nieuws het eerst gehoord en had Clarke gebeld, die al halverwege was voor ze eraan dacht Rebus te bellen. Nu stonden ze op straat in Joppa, waar brandweermannen slangen oprolden. Van het huis van Charles Riordan was alleen het geraamte over, de ramen waren verdwenen en het dak was ingestort.

'Kunnen we er al in?' vroeg Clarke aan een van de brandweermannen.

'Waarom zo'n haast?'

'Ik vraag het maar.'

'Vraag maar aan de chef...'

Een paar brandweermannen stonden uit te puffen, hun voorhoofd werd zwart van het roet als ze het zweet afveegden. Ze hadden hun zuurstofflessen en -maskers afgedaan en stonden met elkaar te praten als een straatbende waarvan de leden na een knokpartij hun rol in de veldslag doornamen. Een buurvrouw had water en frisdrank gebracht. Andere buren stonden te kijken in de deuropening of in hun tuin en verderop stond ook een groepje fluisterende kijkers. De melding viel onder de D-Divisie en twee rechercheurs van bureau Leith hadden Clarke al gevraagd waarom Gayfield Square er belang in stelde.

'Getuige in een onderzoek,' was het enige wat ze had gezegd; meer loslaten was niet nodig. Dat zinde de rechercheurs niet, ze stonden nu op enige afstand met een telefoon aan het oor.

'Denk je dat hij thuis was?' vroeg Rebus aan Clarke.

Ze haalde haar schouders op. 'Weet je nog waar we het gisteravond over hadden?'

'Onze onenigheid? Dat ik te veel achter Todorovs dood zocht?'

'Wrijf het er maar in.'

Rebus besloot advocaat van de duivel te spelen. 'Kan natuurlijk een ongeluk geweest zijn. En wie weet zit hij ongedeerd en wel in zijn studio.'

'Heb ik al gebeld. Neemt nog niemand op.' Ze knikte in de richting van een geparkeerde TVR. 'Volgens de buurvrouw twee huizen verderop is dat zijn auto. Heeft hij gisteren geparkeerd – dat wist ze omdat het ding zoveel lawaai maakt.' De voorruit van de sportwagen was bedekt met een laag as. Rebus keek hoe twee brandweerlieden voorzichtig over een paar houten balken stapten terwijl ze binnengingen in wat er van het huis over was. In de hal was nog iets van de kasten te zien, maar veel was er niet van over.

'Is de brandveiligheidsinspecteur al onderweg?' vroeg Rebus.

'Inspectrice,' corrigeerde Clarke.

'De vooruitgang staat voor niets...' Er was ook een ambulance gekomen maar de broeders stonden op hun horloge te kijken, vonden dat ze al genoeg tijd hadden verdaan. Todd Goodyear kwam aangesneld, niet in uniform maar in pak. Hij knikte naar Rebus en begon terug te bladeren in zijn notitieboek.

'Hoeveel van die boekjes verslijt je per maand?' kon Rebus niet nalaten te vragen. Siobhan wierp hem een waarschuwende blik toe.

'Ik heb de buren aan weerszijden gesproken,' zei Goodyear tegen Clarke. 'Die zijn zich natuurlijk kapot geschrokken – doodsbang dat hun eigen huis op ontploffen stond. Nu willen ze naar binnen om wat spullen te pakken, maar dat mag niet van de brandweer. Riordan moet om halftwaalf thuisgekomen zijn. Daarna hebben ze niets van hem gehoord.'

'Hij had zijn huis ook zo geluiddicht gemaakt...'

Goodyear knikte gretig. 'Daar komt niks doorheen. Een van de brandweermannen zei dat die geluidsisolatie waarschijnlijk een deel van het probleem was – dat spul vat heel makkelijk vlam.'

'Had Riordan geen nachtelijk bezoek gekregen?' vroeg Clarke.

Goodyear schudde zijn hoofd. Hij wierp onwillekeurig een blik op Rebus, alsof hij een reactie of een compliment verwachtte.

'Je bent incognito,' was het enige wat Rebus zei.

De agent keek van de een naar de ander. Clarke kuchte even voor ze het woord nam.

'Ik dacht, als hij voor ons werkt loopt hij in burger minder in het oog...'

Rebus staarde haar aan en knikte toen langzaam, al wist hij dat ze loog. Dat pak was Goodyears eigen idee geweest, en nu nam zij het voor hem op. Voordat hij iets kon zeggen kwam er een rode auto met zwaailicht aangestormd, die hortend tot stilstand kwam.

'De inspectrice,' zei Clarke. De vrouw die uit de auto stapte, maakte een elegante en zakelijke indruk en leek meteen de volle aandacht van de brandweerlui te hebben. Ze wezen naar de smeulende puinhopen en deden hun verhaal terwijl de twee rechercheurs van bureau Leith erbij stonden.

'Moeten we ons voorstellen?' vroeg Clarke aan Rebus.

'Vroeg of laat,' zei hij. Maar ze had de knoop al doorgehakt en liep op het groepje af. Rebus liep achter haar aan en gebaarde dat Goodyear moest blijven staan. Dat zinde hem blijkbaar niet, hij hopte heen en weer van het wegdek op de stoep en terug. Rebus had genoeg branden meegemaakt, ooit was hij er zelfs van beticht de brandstichter te zijn geweest. Toen was er ook een dodelijk slachtoffer gevallen... Geen lolletje voor de lijkschouwers, zulke slachtoffers, die ook nog moesten worden geïdentificeerd. Ook had hij een keer bijna zijn eigen woning in brand gestoken, toen hij op de bank stomdronken in slaap was gevallen met een sigaret tussen zijn lippen. Hij was wakker geworden van een rookpluim die opsteeg van de smeulende bankbekleding.

Het was gebeurd voor je er erg in had...

Clarke gaf de inspectrice een hand. Niet iedereen keek vriendelijk: de brandweermannen wilden hun verhaal afmaken. Begrijpelijke reactie, Rebus kon er wel inkomen. Toch stak hij een sigaret op, in de hoop daarmee aandacht te trekken.

'De brutaliteit,' mompelde een van de brandweermannen dan ook meteen. Missie geslaagd. De inspectrice heette Katie Glass en ze stond Clarke uit te leggen wat er nu ging gebeuren: mogelijke slachtoffers zoeken; gaslekken opsporen; waarschijnlijke oorzaken nalopen.

'Dus oververhitte frituurpannen en kortsluiting en zo.'

Clarke knikte terwijl Glass haar verhaal deed en legde toen uit dat de bewoner een rol speelde in een lopend onderzoek. Ze wist dat de rechercheurs van Leith de oren spitsten.

'U denkt dus aan opzet?' raadde Glass. 'Dat kan, maar ik begin het liefst onbevangen aan een onderzoek. Als je te vroeg conclusies trekt, zie je soms zaken over het hoofd.' Geflankeerd door brandweerlui liep ze naar het tuinhek en Rebus en Clarke keken haar na.

'In Portobello zit een lunchroom,' zei Rebus, terwijl hij een laatste blik op het uitgebrande huis wierp. 'Trek in iets warms?'

Daarna gingen ze naar het bureau, waar Hawes en Tibbet zich duidelijk in de steek gelaten voelden en hen met fronsende blik begroetten. Het nieuws van de brand haalde ze wel direct bij de les en ze vroegen of ze de LBO nu konden laten zitten. Goodyear vroeg wat dat was.

'Lijst van Bekende Overvallers,' legde Hawes uit.

'Geen officiële naam,' vulde Tibbet aan, met een klopje op de stapel archiefdozen.

'Ik dacht dat dat allemaal in de computer zou zitten,' zei Goodyear.

'Bied jij je aan?'

Maar Goodyear wuifde de suggestie weg. Clarke zat met een pen op haar bureau te tikken.

'En nu, chef?' vroeg Rebus. Het leverde hem een kwade blik op.

'Ik moet weer naar Macrae,' zei ze uiteindelijk, al kon ze zien dat die er niet was. 'Is hij hier al gesignaleerd?'

Hawes haalde haar schouders op. 'Niet sinds wij hier zijn.'

'Samen hierheen gekomen?' vroeg Rebus met gemaakte verbazing. Nu was het Colin Tibbet die hem kwaad aankeek.

'Dit verandert de hele zaak,' zei Clarke kalm.

'Tenzij het een ongeluk was,' hield Rebus haar voor.

'Eerst Todorov, en nu de man met wie hij zijn laatste avond heeft doorgebracht...' Het was Goodyear die het zei, maar Clarke zat te knikken.

'Het kan allemaal één groot toeval zijn,' bleef Rebus volhouden. Clarke staarde hem aan.

'Jezus, John. Jíj was degene die overal samenzweringen zag. Nu lijken we eindelijk een link te hebben en dan kom jij weer met een emmer koud water.'

'Bluswater?' Toen hij Clarke rood zag aanlopen, wist hij dat hij te ver was gegaan. 'Oké, stel dat je gelijk hebt. Moet je het toch eerst aan Macrae voorleggen. En afwachten of ze een lijk vinden. En als ze dat al doen, moeten we afwachten wat Gates en Curt ervan zeggen.' Hij zweeg even. ' "Procedure" heet dat, dat weet je net zo goed als ik.' Clarke wist dat hij gelijk had en hij zag dat haar schouders zich ontspanden. Ze liet de pen op haar bureau vallen, waar hij even doorrolde.

'John heeft voor de verandering eens géén ongelijk,' sprak ze de kamer toe, 'hoe vervelend het ook is om het toe te geven.' Ze glimlachte, en hij glimlachte terug en maakte een kleine buiging.

'Het moest in mijn lange loopbaan toch ooit een keer gebeuren,' zei hij. 'Beter laat dan nooit, zullen we maar zeggen.' Toen lachte iedereen en Rebus voelde het: het onderzoek was al een paar dagen aan de gang, maar nu was alles veranderd.

Ondanks al het gekibbel en de steken onder water vormden ze echt een team.

En zo trof Macrae ze aan toen hij het recherchekantoor binnenliep. Ook hij leek de veranderde sfeer te voelen. Clarke bracht verslag uit, ze hield het heel sec. De telefoon op Hawes' bureau ging en Rebus vroeg zich af of het weer een tipgever was. Hij moest denken aan de prostituee die klanten ronselde in een stille straat, en Cath Mills die zich volgoot met rioja. Todorov oefende een aantrekkingskracht uit op vrouwen – en omgekeerd gold ongetwijfeld hetzelfde. Kon een vreemde hem naar zijn dood hebben gelokt met de belofte van seks? Het leek Le Carré wel...

Hawes had opgehangen en liep naar Rebus' bureau. 'Ze hebben een lijk gevonden.' Meer hoefde ze niet te zeggen.

Rebus klopte op Macrae's deur en gaf met een blik en een hoofdknik de boodschap door. Clarke excuseerde zich bij haar chef. Terug bij haar kudde vroeg ze Hawes om nadere details.

'Een man, denken ze. Onder het ingestorte plafond in de woonkamer.'

'De opnamestudio dus,' onderbrak Goodyear haar, waarmee hij iedereen eraan herinnerde dat hij bij de producer over de vloer was geweest.

'Ze hebben hun eigen team dat foto's neemt en zo,' ging Hawes verder. 'De stoffelijke resten gaan naar het mortuarium.'

Regelrecht de koelkast in, dacht Rebus. Hij vroeg zich af hoe Todd Goodyear zou reageren op een verkoold lijk.

'Daar moeten we heen,' zei Clarke tegen hem. Maar Rebus schudde zijn hoofd.

'Neem Todd maar mee,' opperde hij. 'Kan hij wat van leren...'

Hawes belde met CR Studios om het nieuws door te geven en bevestigd te krijgen dat Riordan die dag niet op het werk was verschenen. Colin Tibbet moest Richard Browning in het Caledonian te pakken krijgen. Hoeveel werk was het nou om de rekeningen van één avond door te nemen? Als Rebus niet beter wist, zou hij denken dat Browning het had laten zitten in de hoop dat de politie het zou vergeten. Toen er een gezicht om de hoek verscheen was Rebus de enige die niets zat te doen.

'Er is beneden iemand voor u,' zei de balieagent. 'Met een lijst Russen... niet toevallig de opstelling van Hearts voor zaterdag?'

Maar Rebus wist wie het was: Nikolaj Stahov van het consulaat. Een lijst van alle Russen in Edinburgh. Ook Stahov had de tijd genomen en Rebus betwijfelde of ze veel aan die lijst zouden hebben – het hele onderzoek was ondertussen in ander vaarwater gekomen. Omdat hij toch niets beters te doen had, knikte hij en zei dat hij eraan kwam.

Maar toen hij de deur naar de ontvangstruimte opende, was het niet Stahov die daar de posters aan de muur stond te bestuderen.

Het was Stuart Janney.

'Meneer Janney,' zei Rebus met uitgestoken hand, terwijl hij zijn verbazing probeerde te verbergen.

'Inspecteur...?'

'Rebus,' hielp hij de bankier.

Janney knikte, als om zich te verontschuldigen dat hij het niet onthouden had. 'Ik kom alleen iets afgeven.' Hij had een envelop uit zijn zak gehaald. 'Ik had niet gedacht dat ik het zou moeten geven aan iemand van uw kaliber.'

'En ik wist niet dat u boodschappenjongen speelt voor het Russische consulaat.'

Janney wist er een glimlach uit te persen. 'Ik kwam Nikolaj tegen op Gleneagles. Hij voelde die envelop in zijn zak zitten... en liet zich ontvallen dat hij die hier moest afgeven.'

'En toen zei u dat u hem de moeite kon besparen?'

Janney haalde zijn schouders op. 'Kleine moeite.'

'Lekker balletje geslagen?'

'Ik niet. Onze bank gaf daar een presentatie, toevallig net op de dag dat onze Russische vrienden er waren.'

'Dat is inderdaad toevallig. Je zou haast denken dat jullie ze stalken.'

Nu lachte Janney, hij wierp zijn hoofd achterover. 'Zaken zijn zaken, inspecteur. En goed voor Schotland, niet te vergeten.'

'Dat is waar. Is dat de reden dat u ook contacten onderhoudt met de SNP? Omdat u denkt dat die vanaf mei aan de touwtjes trekt?'

'Zoals ik in ons eerste gesprek al zei, onze bank moet neutraal blijven. Maar de nationalisten staan sterk. De onafhankelijkheid staat nog niet voor de deur, maar lijkt wel onafwendbaar.'

'En goed voor de zaken?'

Janney haalde zijn schouders op. 'Ze beloven de winstbelasting te verlagen.'

Rebus bekeek de dichtgeplakte envelop. 'Heeft kameraad Stahov nog gezegd wat erin zit?'

'Russen die hier wonen. Hij zei dat het te maken heeft met het Todorov-onderzoek. Zelf zie ik het verband niet zo...' Janney liet een veelbetekenende stilte vallen, alsof hij uitleg van Rebus verwachtte. Maar die stopte slechts de envelop in zijn binnenzak.

'En de bankafschriften van Todorov?' vroeg hij. 'Schiet dat al een beetje op?'

'Zoals ik al zei, inspecteur, daar zijn procedures voor. En zonder executeur-testamentair gaat dat soms langzaam...'

'Dus u hebt nog geen deals gesloten?'

'Deals?' Janney leek hem niet te begrijpen.

'Met die Russen waar ik met een grote boog omheen moet lopen.'

'Dat hoeft voor ons niet – we willen ze alleen niet de verkeerde indruk geven.'

'Van Schotland, bedoelt u? Er is een man dood, meneer Janney. Daar valt weinig aan te veranderen.'

De deur naast de balie ging open en hoofdinspecteur Macrae kwam binnen. Hij had een jas aan en een sjaal om, klaar om te vertrekken.

'Nog nieuws over de brand?' vroeg hij Rebus.

'Nee, inspecteur,' zei Rebus.

'En van de sectie?'

'Nog niet.'

'Maar je denkt nog steeds dat het verband houdt met die dichter?'

'Dit is meneer Janney, chef. Hij werkt voor de First Albannach Bank.'

De twee gaven elkaar een hand. Rebus hoopte dat zijn chef de hint begreep, maar voor alle zekerheid vertelde hij ook dat Janney inzage zou geven in Todorovs bankrekening.

'Begrijp ik dat er nog iemand is omgekomen?' zei Janney.

'In een brand,' blafte Macrae. 'Vriend van Todorov.'

'Lieve hemel.'

Rebus had zijn hand weer uitgestoken naar de bankier. 'Nou,' zei hij snel, 'in ieder geval bedankt.'

'Ja,' zei Janney begrijpend, 'u hebt natuurlijk al genoeg op uw bord.'

'Compleet zesgangendiner,' erkende Rebus glimlachend.

Ze schudden elkaar de hand. Even leek het erop alsof Macrae en de bankier samen naar buiten zouden lopen. Rebus wilde niet dat Macrae nog meer informatie zou lekken, dus zei hij dat hij hem wilde spreken. Janney ging alleen naar buiten en Rebus wachtte tot de deur was dichtgevallen. Maar het was Macrae die eerst het woord nam.

'Wat vind jij van Goodyear?' vroeg hij.

'Lijkt heel bekwaam.' Macrae leek een 'maar' te verwachten, maar Rebus haalde zijn schouders op en liet het daarbij.

'Dat lijkt Siobhan ook te vinden.' Macrae zweeg even. 'Als jij weg bent, verandert er het een en ander in het team.'

'Natuurlijk.'

'Ik denk dat Siobhan langzamerhand toe is aan de rang van inspecteur.'

'Dat is ze al jaren.'

Macrae knikte bedachtzaam. 'Waar wou je me over spreken?' vroeg hij uiteindelijk.

'Dat kan wel wachten,' zei Rebus. Hij keek hem na terwijl hij naar buiten liep en overwoog hem achterna te gaan om een sigaret te roken. Maar hij liep terug naar boven, scheurde onderweg de envelop open en bekeek de namen. Tientallen namen, en verder niets – geen adressen of beroepen, niets. Stahov had het zo grondig gedaan dat hij onderaan zelfs zijn eigen naam had gezet – misschien uit sarcasme, omdat hij al wist dat deze lijst van geen enkel nut kon zijn. Maar toen Rebus de deur van het recherchekantoor opende, zag hij dat Hawes en Tibbet stonden te popelen om hem iets te vertellen.

'Zeg het maar,' zei hij.

Tibbet hield een vel papier op. 'Fax van het Caledonian. Een aantal hotelgasten heeft die avond cognac gedronken in de bar.'

'Zitten er Russen bij?' vroeg Rebus.

'Kijkt u maar.'

Rebus nam de fax aan, en drie namen staarden hem aan. Twee waren hem volslagen onbekend, maar klonken niet buitenlands. De derde klonk ook niet buitenlands, maar deed het bloed suizen in zijn oren.

De heer M. Cafferty.

De M van Morris. Morris Gerald Cafferty.

'Big Ger,' zei Hawes er nog bij, totaal overbodig.

17

Rebus had maar één vraag: haalden ze hem naar het bureau of gingen ze hem thuis horen?

'Dat bepaal ik, niet jij,' wreef Siobhan Clarke hem onder de neus. Ze was net een halfuur terug uit het mortuarium en leek hoofdpijn te hebben. Tibbet had koffie voor haar gezet en Rebus had haar twee pillen uit een strip zien drukken. Todd Goodyear had maar één keer overgegeven, op de parkeerplaats van het mortuarium, al kreeg hij het daarna nog een keer te kwaad toen ze op de terugweg een paar wegwerkers passeerden die een baanvak asfalteerden.

'De geur,' had hij uitgelegd.

Hij zag er bleek en geschokt uit, maar zei tegen iedereen dat het wel ging – of ze het wilden horen of niet. Clarke had de anderen bij zich geroepen om door te geven wat Gates en Curt hadden gezegd: man, een meter achtenzestig, ringen aan twee vingers van de rechterhand, gouden horloge aan een pols en een gebroken kaak.

'Misschien is er een dakbalk op hem gevallen,' speculeerde ze. Het slachtoffer was niet vastgebonden aan het meubilair en was ook niet gekneveld aan handen of voeten. 'Hij lag gewoon op de vloer van de woonkamer. Doodsoorzaak waarschijnlijk rookvergiftiging. Gates benadrukte wel dat dit nog maar een voorlopige uitslag was...'

Rebus: 'Toch een verdacht sterfgeval.'

Hawes: 'Dus is hij van ons.'

'Identificatie?' vroeg Tibbet.

'Aan het gebit, als we geluk hebben.'

'Of de ringen?' opperde Goodyear.

'Zelfs al zijn die van Riordan,' legde Rebus uit, 'dan weten we nog niet of hij ook de overledene is. Tien of twaalf jaar geleden had ik een geval van iemand die vervolgd werd wegens fraude en zijn eigen dood wilde ensceneren...'

Goodyear knikte langzaam, hij snapte het.

Waarna Rebus zijn eigen nieuws vertelde, en zijn vraag stelde. Clarke zat met de fax in één hand en steunde met haar hoofd op de andere. 'Het wordt steeds mooier,' zei ze. Toen keek ze Rebus aan: 'Verhoorkamer 3?'

'Prima,' zei hij. 'En trek iets warms aan.'

Maar Cafferty zat er zo ontspannen bij alsof hij in zijn eigen woonkamer zat, met zijn stoel op enige afstand van de tafel, een been over het andere geslagen en zijn handen achter zijn hoofd.

'Siobhan,' zei hij toen ze de kamer binnenkwam, 'altijd een bijzonder genoegen. Wat ziet ze er zakelijk uit, hè Rebus? Je hebt haar goed opgeleid.'

Rebus sloot de deur en ging tegen de muur staan, Clarke nam plaats op de stoel tegenover Cafferty. Hij maakte een kleine buiging, zijn hoofd ging iets naar voren maar zijn handen bleven op hun plaats.

'Ik vroeg me al af wanneer ik opgeroepen zou worden,' zei hij.

'Dus je wist dat dit eraan zat te komen?' Clarke had een leeg notitieblok op tafel gelegd en haalde de dop van haar pen.

'Nu inspecteur Rebus over een paar dagen wordt afgedankt?' De gangster wierp een blik op Rebus. 'Ik wist dat je nog wel een of andere smoes zou verzinnen om mij het leven zuur te maken.'

'Toevallig hebben we íets meer dan een smoes –'

'Wist je dat John hier 's avonds naar mijn huis zit te koekeloeren, Siobhan?' viel Cafferty haar in de rede. 'Om te controleren of ik wel braaf in bed lig. Persoonsbeveiliging, wat een uitslover.'

Clarke probeerde zich niet van de wijs te laten brengen. Ze legde haar pen op tafel, maar moest hem snel tegenhouden omdat hij eraf dreigde te rollen. 'Vertel eens over Alexander Todorov,' begon ze.

'Pardon?'

'De man die u woensdagavond op een cognacje van tien pond hebt getrakteerd.'

'In de bar van het Caledonian Hotel,' vulde Rebus aan.

'Wat? Die Pool?'

'Een Rus,' verbeterde Clarke.

'Je woont twee kilometer verderop,' ging Rebus verder. 'Vraag ik me toch af waarom je daar een kamer neemt.'

'Om jou af te schudden misschien?' Cafferty dacht na alsof het een quizvraag was. 'Of gewoon omdat ik het kan betalen?'

'En dan gaat u in de bar vreemden trakteren,' zei Clarke.

Cafferty haalde zijn handen uit elkaar om een vinger op te steken, alsof hij iets wilde benadrukken. 'Dat is het verschil tussen Rebus en mij – hij kan de hele avond in een bar zitten zonder ook maar iemand op een drankje te trakteren.' Hij grinnikte humorloos. 'Is dat de enige reden dat je me hiernaartoe hebt gesleept – omdat ik een arme immigrant een borrel heb gegeven?'

'Hoeveel "arme immigranten" denk je dat je in die bar tegenkomt?' vroeg Rebus.

Cafferty deed alsof hij nadacht, sloot zijn diepliggende ogen en opende ze weer. Donkere kiezels in zijn grote, bleke gezicht. 'Zit wat in,' gaf hij toe. 'Maar ik kende die man niet. Wat heeft hij op zijn kerfstok?'

'Hij is koud gemaakt, dat heeft-ie op zijn kerfstok,' zei Rebus, zo beheerst mogelijk. 'En op dit moment ben jij de laatste die hem in leven heeft gezien.'

'Ho ho.' Cafferty keek van de een naar de ander. 'Die dichter die in de krant stond?'

'Doodgeslagen in King's Stables Road, een kwartier, twintig minuten nadat jij wat met hem had gedronken. Waar had je ruzie over gekregen?'

Cafferty sloeg geen acht op Rebus en richtte zich tot Clarke. 'Moet ik mijn advocaat bellen?'

'Nog niet,' zei ze afgemeten. Cafferty glimlachte weer.

'Vraag je je niet af waarom ik dat aan jou vraag en niet aan Rebus, Siobhan? Hij is tenslotte je meerdere.' Nu draaide hij zich weer om naar Rebus. 'Maar zoals ik al zei, jij wordt over een paar dagen afgedankt en Siobhan is nog onderweg naar de top. Als jullie samen dit onderzoek doen, gok ik dat de ouwe Macrae zo verstandig is geweest om Shiv de leiding te geven.'

'Alleen vrienden noemen me Shiv.'

'Mijn excuses, Siobhan.'

'U mag me brigadier Clarke noemen.'

Cafferty floot tussen zijn tanden en sloeg op zijn vlezige dij. 'Goed getraind,' herhaalde hij. 'Kostelijk.'

'Waarom was u in het Caledonian?' vroeg Clarke, alsof hij niets had gezegd.

'Om een borrel te drinken.'

'En u had daar een kamer?'

'Soms moet je een moord doen om een taxi naar huis te krijgen.'

'Hoe hebt u Alexander Todorov ontmoet?'

'Ik zat in de bar...'

'Alleen?'

'Dat was mijn eigen keuze. In tegenstelling tot inspecteur Rebus heb ik genoeg vrienden om gezellig iets mee te gaan drinken. Ik wed dat het met u ook gezellig drinken is, brigadier Clarke, zolang die zuurpruim er niet bij is.'

'En Todorov zat toevallig naast u?' raadde Clarke.

'Ik zat aan de bar. Hij stond te wachten op zijn bestelling. De barkeeper was een cocktail aan het maken, dus hij stond daar een poosje en we raakten aan de praat. Ik mocht hem wel en liet zijn cognac op mijn rekening zetten.' Cafferty haalde theatraal zijn schouders op. 'Hij sloeg hem achterover, zei dank je wel en peerde hem weer.'

'Bood hij jou niks aan?' vroeg Rebus. De dichter leek hem een drinker van de oude stempel – de etiquette vereiste dat hij een rondje teruggaf.

'Jawel,' gaf Cafferty toe. 'Ik zei dat ik niks hoefde.'

'Laten we hopen dat de camerabeelden je gelijk geven,' zei Rebus.

Voor het eerst verscheen er een barst in Cafferty's masker, al was het maar even. 'Zonder twijfel,' zei hij.

Rebus knikte langzaam en Clarke onderdrukte een glimlach. Fijn om te weten dat ze Cafferty nog konden stangen.

'Het slachtoffer is genadeloos afgeranseld,' ging Rebus verder. 'Ik had meteen aan jou moeten denken.'

'Denk je nog wel eens ergens anders aan?' Cafferty keek naar Clarke. Het enige wat zij tot nu toe op het bovenste vel papier had gekalkt waren kringetjes. 'Drie of vier keer per week zit-ie in dat ouwe barrel van hem tegenover mijn huis. Sommige mensen zouden het stalking noemen. Wat vindt u, brigadier Clarke? Moet ik een straatverbod proberen te krijgen?'

'Waar hebt u met hem over gesproken?'

'Hebben we het nu weer over die Rus?' Cafferty klonk teleurgesteld. 'Het enige wat ik me herinner is dat hij Edinburgh maar een kille stad vond. Ik zal wel gezegd hebben dat hij groot gelijk had.'

'Misschien doelde hij niet op het weer maar op de mensen.'

'Had-ie nog steeds gelijk. Dan denk ik natuurlijk niet aan u, brigadier Clarke – u bent een zonnestraal in de winter. Maar diegenen onder ons die hier al ons hele leven wonen zijn wel aan de sombere kant. Vindt u ook niet, inspecteur Rebus? Een makker vertelde me ooit dat het komt omdat we kampen met een constante invasie. Een stille invasie, dat wel, een aangename invasie zelfs, en soms is het meer een druppelende kraan dan een vloedgolf, maar toch, het maakt ons... prikkelbaar. En sommigen meer dan anderen.' Met een betekenisvolle blik op Rebus.

'Je hebt nog steeds niet uitgelegd waarom je een kamer in het hotel had,' zei Rebus.

'Ik dacht van wel,' wierp Cafferty tegen.

'Alleen als je denkt dat we achterlijk zijn.'

'Nee, "achterlijk" is te veel gezegd.' Cafferty grinnikte weer. Rebus had zijn handen in zijn zak gestoken, zodat hij ongezien zijn vuisten kon ballen. 'Luister,' vervolgde Cafferty, die het nu welletjes leek te vinden. 'Ik heb met een vreemde een drankje gedronken, daarna is hij overvallen, einde verhaal.'

'Niet voordat wij precies weten hoe en waarom,' zei Rebus.

'Waar hebt u nog meer over gepraat?' ging Clarke verder.

Cafferty rolde met zijn ogen. 'Hij zei dat Edinburgh een kille stad was, ik zei ja. Hij zei dat het in Glasgow warmer was, ik zei misschien. Zijn cognac kwam, we zeiden allebei proost... Nu ik erover nadenk had hij ook nog iets bij zich. Wat was het? Een cd, geloof ik.'

Ja, die hij van Charles Riordan had gekregen. Twee doden die samen uit eten waren geweest. Rebus balde zijn vuisten en opende ze weer, steeds opnieuw. Cafferty, zo besefte hij, stond voor alles wat was misgegaan – elke gemiste kans en elk mislukt onderzoek, elke verdwenen verdachte en onopgeloste misdaad. De man was niet alleen het zand in de oester, hij was de vervuiler die alles vergiftigde waarmee hij in aanraking kwam.

En er is geen enkele manier om hem te grazen te nemen, wel?

Tenzij er toch een God bestond, die Rebus een laatste kleine kans gaf.

'Die cd hebben we niet aangetroffen,' zei Clarke.

'Hij heeft hem wel meegenomen,' meldde Cafferty. 'Hij stopte hem in zijn zak.' Hij klopte op zijn rechterzij.

'Heb je die avond in de bar nog andere Russen gesproken?' vroeg Rebus.

'Nu je het zegt, er waren wat lui met een vet accent. Ik dacht dat het Kelten waren of zo. Ik dacht nog: zodra ze volksliedjes gaan zingen, ga ik naar bed.'

'Heeft Todorov hen gesproken?'

'Hoe moet ik dat weten?'

'Je was bij hem.'

Cafferty sloeg met beide handen op het vuile tafelblad. 'Ik heb één drankje met hem gedronken!'

'Dat zeg jij.' *Je laat je weer kennen, rotzak!*

'En daarmee bent u de laatste die hem voor zijn dood heeft gesproken,' benadrukte Clarke.

'Wil je zeggen dat ik hem achterna ben gegaan? Hem naar de andere wereld heb geholpen? Prima, haal die camerabeelden er maar bij... Vraag de barkeeper tot hoe laat ik in de bar heb gezeten. Mijn rekening heb je blijkbaar al gezien – hoe laat is die getekend? Ik ben daar pas na middernacht vertrokken. Een bar vol getuigen... handtekening op de rekening... camerabeelden.' Hij telde het triomfantelijk af op zijn vingers. Er viel een stilte in verhoorkamer 3. Rebus maakte zich los van de wand en zette een paar stappen tot bij Cafferty's stoel.

'Er is iets voorgevallen in de bar, hè?' zei hij, bijna fluisterend.

'Soms wou ik dat ik net zoveel fantasie had als jij, Rebus. Echt.'

Er werd op de deur geklopt. Clarke had met ingehouden adem zitten kijken en riep nu 'Binnen'. Todd Goodyear schuifelde nerveus naar binnen.

'Wat wil je?' snauwde Rebus. Goodyears ogen waren op de gangster gericht, maar hij had een bericht voor Clarke.

'De brandweerinspectrice heeft nieuws.'

'Is ze hier?' vroeg Clarke.

'Op kantoor,' zei hij.

'Vers bloed,' zei Cafferty, terwijl hij de jongeman van top tot teen opnam. 'Hoe heet je, knul?'

'Agent Goodyear.'

'Zo uit de uniformdienst zeker?' zei Cafferty glimlachend. 'Ze zullen hier wel omhoogzitten. Gaat hij jou vervangen, Rebus?'

'Bedankt, Goodyear,' zei Rebus, met een knikje naar de jongeman om hem weg te sturen. Maar Cafferty dacht er anders over.

'Ik heb een bajesklant gekend die Goodyear heette...'

'Welke?' besloot Todd Goodyear te vragen. Cafferty begon te lachen.

'Dat is waar, je had ook nog ouwe Harry, met zijn pub in Rose Street. Maar ik dacht meer aan de laatste tijd.'

'Solomon Goodyear,' zei Todd.

'Die, ja.' Cafferty's ogen glommen. 'Iedereen noemt hem Sol.'

'Mijn broer.'

Cafferty knikte langzaam. Rebus gebaarde naar Goodyear dat hij moest opkrassen, maar Cafferty's blik hield de jongeman gevangen. 'Nu je het zegt, Sol scheen inderdaad een broer te hebben... maar daar wou-ie nooit over praten. Dan ben jij zeker het zwarte schaap van de familie, agent Goodyear?' Hij lachte weer.

'Zeg maar dat we eraan komen,' kwam Clarke tussenbeide. Maar Goodyear verroerde zich nog steeds niet.

'Todd?' Met het gebruik van zijn voornaam leek Rebus de ban te breken. Goodyear knikte en verdween naar buiten.

'Aardige knul,' zei Cafferty peinzend. 'Dat wordt zeker uw project, brigadier Clarke, als Rebus straks over de einder verdwijnt? Net zoals u zijn project was.' Toen geen van beide rechercheurs antwoord gaf, besloot Cafferty dat hij beter op zijn hoogtepunt kon stoppen. Hij rekte zich uit, armen wijd gespreid, en begon overeind te komen. 'Zijn we klaar?'

'Voorlopig,' gaf Clarke toe.

'Moet ik geen verklaring afleggen of zo?'

'Dat is het papier niet waard,' gromde Rebus.

'Mopper er maar lekker op los, hoor,' zei Cafferty. Hij keek zijn oude tegenstander in de ogen. 'Tot vanavond misschien – zelfde tijd, zelfde plaats. Ik zal aan je denken terwijl jij in je auto zit te vernikkelen. Over kou gesproken – goeie zet om hier de verwarming uit te zetten. Ik zal me des te behaaglijker voelen in mijn hotelkamer.'

'Over het Caledonian gesproken,' zei Clarke, 'u hebt die avond veel drankjes gekocht. Er staan er elf op de rekening.'

'Misschien had ik dorst. Of was ik gewoon in een gulle bui.' Hij keek haar aan. 'Ik kan heel gul zijn, Siobhan, als de omstandigheden ernaar zijn. Maar dat weet je al, nietwaar?'

'Ik weet een hoop, Cafferty.'

'O, daar twijfel ik niet aan. Misschien kunnen we het daarover hebben als je me terug naar huis brengt.'

'Aan de overkant is een bushalte,' zei Rebus.

18

'Er is iets voorgevallen in de bar,' herhaalde Rebus toen hij met Clarke terugliep naar het recherchekantoor.

'Dat zei je al.'

'Cafferty was daar niet zomaar. Hij heeft zijn hele leven nog nooit een cent voor niks uitgegeven, dus waarom boekt hij ineens een hotelkamer in een van de duurste hotels van de stad?'

'Ik denk niet dat hij het ons gaat vertellen.'

'Maar het valt toevallig wel samen met het bezoek van die oligarchen.' Ze keek hem vragend aan en hij haalde zijn schouders op. 'Heb ik opgezocht in het woordenboek. Ik dacht eerst dat het iets te maken had met olie.'

'Het is toch een kleine groep mensen met veel macht?' zei Clarke voor de zekerheid.

'Inderdaad,' bevestigde Rebus.

'Weet je wat het is, John? We zitten ook nog met die vrouw bij de parkeergarage...'

'Die kan Cafferty daar neergezet hebben. Hij heeft in zijn tijd genoeg bordelen gehad.'

'Of misschien heeft ze er niks mee te maken. Ik stuur Hawes en Tibbet nog eens naar de getuigen, kijken of de compositietekening hun iets zegt. Maar ondertussen heb ik een dringender vraag: waarom ben jij in godsnaam bezig met een eenmansobservatie van Big Ger Cafferty?'

'Ik noem het liever een vendetta.' Ze wilde iets zeggen maar hij stak een hand op. 'Ik zat er gisteravond toevallig nog en hij was thuis.'

'Nou en?'

'Nou, hij heeft een kamer in het Caledonian, maar daar maakt hij dus geen gebruik van.' Ze waren bij de deur van het recherchekantoor. 'Dat betekent dat hij iets in zijn schild voert.' Rebus deed de deur open en liep naar binnen.

Katie Glass had thee gekregen die er nogal sterk uitzag en waar ze wantrouwend naar stond te kijken.

'Altijd hetzelfde met Tibbet,' waarschuwde Rebus. 'Als u zin hebt in een tanninevergiftiging, moet u die vooral opdrinken.'

'Misschien maar niet,' zei ze en zette de mok op een hoek van het bureau. Rebus stelde zich voor en gaf haar een hand. Clarke bedankte haar dat ze was gekomen en vroeg of ze iets had gevonden.

'Beetje vroeg,' dekte Glass zich in.

'Maar...?' probeerde Rebus. Hij wist dat er meer kwam.

'Misschien hebben we de brandhaard. Kleine flesjes met een chemische stof.'

'Wat precies?' vroeg Clarke, en ze sloeg haar armen over elkaar. Ze stonden alle drie rechtop, terwijl Hawes en Tibbet achter hun bureau zaten mee te luisteren. Todd Goodyear stond bij een raam naar buiten te kijken. Rebus vroeg zich af of hij keek hoe Cafferty vertrok.

'Ze zijn naar het lab,' zei de inspectrice. 'Als ik moet gokken, zou ik denken aan een soort reinigingsmiddel.'

'Huishoudelijk?'

Glass schudde haar hoofd. 'Daarvoor waren de flesjes te klein. Maar deze man had veel cassettes in huis...'

'Cassettereiniger,' zei Rebus. 'Om geoxideerde koppen van cassettespelers schoon te maken.'

'Heel knap,' zei Glass.

'Ik was vroeger een hifi-gek.'

'Bij minstens een van de flesjes lijkt het alsof iemand er wat tissue in heeft geprop. Het was bedolven onder een stapel gesmolten cassettehoesjes.'

'In de woonkamer?'

Glass knikte.

'Dus u denkt aan opzet?'

Nu haalde ze haar schouders op. 'Als je een huis met bewoner en al in de as wil leggen, pak je groots uit. Dan giet je overal benzine en zo. Hier hebben we alleen een paar vellen wc-papier en een klein flesje brandbaar materiaal.'

'Ik begrijp wat u bedoelt,' zei Rebus. 'Misschien was het de dader niet te doen om Riordan.' Hij wachtte even om te zien of iemand hem te snel af zou zijn. 'Maar om de tapes,' legde hij uiteindelijk uit.

'De tapes?' vroeg Hawes fronsend.

'Waar een minibrandstapel van was gemaakt.'

'Wat houdt dat in?'

'Dat Riordan iets had wat iemand anders wilde hebben.'

'Of wat op zijn minst niet in handen van derden mocht komen,' vulde Clarke aan, en ze wreef met een vinger over haar kin. 'Is er nog iets van die tapes over, Katie?'

Glass haalde weer haar schouders op. 'De tapes zelf zijn grondig geroosterd. Van een paar cassettehoesjes is nog wel iets over.'

'Dan valt dus nog te ontcijferen wat erop geschreven stond?'

'Zou kunnen,' erkende Glass. 'Een massa spullen is niet echt in brand geraakt – maar ik weet niet hoe goed dat materiaal nog af te spelen is. Het kan ook naar de filistijnen zijn door de hitte, de rook en het water. En we hebben wat opnameapparatuur van de overledene. Wat op de harde schijven staat, zou nog te redden kunnen zijn.' Ze klonk niet optimistisch.

Rebus wisselde een blik met Siobhan Clarke. 'Echt iets voor Ray Duff,' zei hij.

Goodyear had zich afgewend van het raam en probeerde zijn achterstand in te halen. 'Wie is Ray Duff?'

'Forensisch onderzoeker,' legde Clarke uit. Maar ze keek Rebus aan. 'En de technicus in Riordans studio? Die kan misschien ook helpen.'

'Misschien heeft hij back-ups,' opperde Tibbet.

'Wat doe ik?' vroeg Glass, en ze sloeg haar armen over elkaar. 'Stuur ik het spul hierheen, of naar het forensisch lab, of naar de studio van de overledene? Wat het ook wordt, uw collega's van de D-Divisie willen ook op de hoogte gehouden worden.'

Rebus dacht even na, blies zijn wangen bol, ademde luidruchtig uit en zei toen: 'Brigadier Clarke heeft de leiding.'

Barkeeper Freddie stond weer achter de bar. Rebus was even buiten het Caledonian Hotel blijven staan om een sigaret te roken en naar de choreografie van het passerende verkeer te kijken. Twee taxi's bij de standplaats, de chauffeurs stonden met elkaar te kletsen. De geüniformeerde portier van het hotel wees een stel toeristen de weg. Iemand fotografeerde de barokke klok aan de gevel van House of Frasers, waarschijnlijk ook een toerist. Edinburgh leek nooit genoeg kamers te hebben voor al die bezoekers. Voortdurend werden er nieuwe hotels overwogen, gepland en gebouwd. Hij kon er zo vijf of zes bedenken die de afgelopen tien jaar hun deuren hadden geopend, en er waren er nog meer op komst. Zo bezien leek Edinburgh explosief te groeien en te bloeien. Meer mensen dan ooit wilden hier komen werken, vakantie vieren of zakendoen. Het parlement schiep volop werkgelegenheid. Sommigen meenden dat de onafhankelijkheid een spaak in de wielen zou steken, anderen dachten dat die de bloei juist zou stimuleren en de nadelen van een federale structuur zou ondervangen. Rebus vond het interessant dat een nuchtere zakenman als Stuart Janney zo dik was met een nationalist als Megan Macfarlane. Maar wat hij vooral interessant vond, waren die Russische gasten. Groot land, Rusland. Rijk aan natuurlijke hulpbronnen. Je kon er Schotland tientallen keren in kwijt. Wat kwamen die mannen hier dan doen? Het maakte Rebus razend nieuwsgierig.

Hij nam een laatste trek van zijn sigaret en liep naar binnen, nam plaats op een barkruk en wenste Freddie redelijk hartelijk goedemiddag. Heel even hield Freddie hem voor een hotelgast – het gezicht kwam hem immers bekend voor. Hij schoof een onderzetter naar hem toe en vroeg wat hij wilde drinken.

'Zelfde als altijd,' plaagde Rebus, en hij genoot van Freddies bevreemde blik. Toen schudde hij zijn hoofd. 'Ik ben de rechercheur van vrijdag. Maar ik wil wel een slokje whisky met een scheut water, als het van het huis is.'

De jongeman aarzelde en draaide zich toen om naar de batterij flessen.

'Een malt, hoor,' waarschuwde Rebus. Er was verder toch niemand in de bar aanwezig. 'Dooie boel hier op dit uur.'

'Ik draai een dubbele dienst, van mij mag het zo rustig blijven.'

'Van mij ook. Kunnen wij tenminste even vrijuit praten.'

'Praten?'

'We hebben de rekeningen van de avond dat die Rus hier was. Weet je nog? Hij heeft hier gezeten en kreeg een cognac van een hotelgast. Die hotelgast heet Morris Gerald Cafferty.'

Freddie zette de whisky voor Rebus en vulde een klein kannetje met kraanwater. Rebus schonk wat water bij de malt en bedankte de barkeeper.

'Meneer Cafferty ken je toch wel?' ging hij door. 'De vorige keer dat we elkaar spraken pretendeerde je van niet. Misschien dat je me daarom voor het lapje hield en zei dat Todorov misschien Russisch sprak met de man die hem trakteerde. Ik kan het je niet kwalijk nemen, Freddie. Met Cafferty kun je beter geen gedonder krijgen.' Hij zweeg even. 'Maar met mij ook niet.'

'Ik wist het niet zo precies meer, dat is alles. Het was een drukke avond. Joseph Bonner met een tafel van vijf... Lady Helen Wood aan een andere tafel met een stuk of zes vrienden...'

'Nu schieten je ineens allerlei namen te binnen, hè Freddie?' Rebus glimlachte. 'Maar mij is het om Cafferty te doen.'

'Die meneer ken ik,' gaf de barkeeper uiteindelijk toe.

Rebus lachte breeduit. 'Misschien is dat de reden dat hij hier logeert: dat ze hem hier "meneer" noemen. Dat is niet overal in de stad het geval, neem dat van mij aan.'

'Ik weet dat hij wel eens aanvaringen met justitie heeft gehad.'

'Dat is geen geheim,' beaamde Rebus. 'Misschien heeft hij je dat zelf wel verteld en gezegd dat je dat boek van hem eens moest lezen, dat vorig jaar is uitgekomen?'

Nu kon Freddie zelf een glimlach niet onderdrukken. 'Hij heeft het me gegeven. Gesigneerd en al.'

'Ja, daar is-ie gul mee. Komt hij hier zo'n beetje elke dag?'

'Hij is een week geleden ingecheckt; over een paar dagen vertrekt hij weer.'

'Grappig,' zei Rebus, en hij deed alsof hij in zijn glas tuurde. 'Dat valt toevallig samen met het bezoek van die Russen.'

'O ja?' Aan zijn toon was te horen dat hij donders goed wist wat Rebus bedoelde.

'Mag ik je eraan herinneren,' zei Rebus op strenge toon, 'dat ik een moord onderzoek? Twee moorden zelfs. De avond dat die dichter hier kwam had hij net wat gegeten en gedronken met een man die nu ook dood gevonden is. Het begint ernstig te worden, Freddie – dat moet je goed bedenken. Als jij niks wil zeggen, mij best: dan laat ik een surveillancewagen komen om je op te halen. Dan slaan we je in de boeien en mag je even uitrusten in een van onze chique cellen terwijl wij de verhoorkamer in gereedheid brengen...' Hij zweeg om het goed tot Freddie te laten doordringen. 'Ik probeer vriendelijk te blijven, Freddie, ik doe mijn best om "terughoudend" en "mensvriendelijk" te werk te gaan. Dat kan ook anders.' Hij sloeg het laatste beetje whisky achterover.

'Nog een?' vroeg de barkeeper. Zijn manier om aan te geven dat hij wilde meewerken. Rebus schudde zijn hoofd.

'Vertel eens over Cafferty,' zei hij.

'Komt praktisch elke avond. U hebt gelijk wat die Russen betreft. Als het ernaar uitziet dat die niet komen, zit hij hier niet lang. Ik weet dat hij het ook in het restaurant probeert. Gaat daar even kijken, en als zij er niet zijn vertrekt hij weer.'

'En als ze er wel zitten?'

'Neemt hij een tafel vlakbij. Hier ook. Ik krijg de indruk dat hij ze eerst niet kende, maar dat hij er ondertussen wel een paar kent.'

'Dus dan zitten ze gezellig te babbelen?'

'Dat nou ook weer niet – hun Engels is niet zo goed. Maar ze hebben allemaal een tolk bij zich – meestal een mooie blondine...'

Rebus dacht terug aan de dag dat hij Andropov had gezien bij het hotel en het stadhuis: geen oogstrelende assistente. 'Ze hebben niet allemaal een tolk nodig,' zei hij.

Freddie knikte. 'Meneer Andropov spreekt redelijk goed Engels.'

'Waarschijnlijk beter dan Cafferty dan.'

'U zegt het. En ik had ook de indruk dat díé twee misschien geen vreemden voor elkaar waren...'

'Hoe bedoel je?'

'De eerste keer dat ze elkaar hier troffen, hoefden ze zich niet aan elkaar voor te stellen. Toen meneer Andropov meneer Cafferty de hand schudde, pakte hij hem zo bij zijn arm... ik weet niet.' Freddie haalde zijn schouders op. 'Ze leken elkaar gewoon al te kennen.'

'Wat weet je over Andropov?' vroeg Rebus. Freddie haalde zijn schouders weer op.

'Hij geeft goede fooien, lijkt nooit veel te drinken – meestal een fles water, moet per se Schots water zijn.'

'Wat weet je over zijn achtergrond, bedoel ik?'

'Helemaal niks.'

'Ik ook niet,' gaf Rebus toe. 'Hoe vaak hebben Cafferty en Andropov elkaar gesproken?'

'Ik heb ze hier een paar keer gezien... mijn collega Jimmy zegt dat hij ze ook een keer met elkaar heeft zien praten.'

'Waar hebben ze het dan over?'

'Geen flauw idee.'

'Je kunt beter niks voor me achterhouden, Freddie.'

'Ik hou niks achter.'

'Je zei dat Andropov beter Engels spreekt dan Cafferty.'

'Daarom heb ik ze nog niet met elkaar horen praten.'

Rebus beet op zijn lip. 'Waar heeft Cafferty het met jou dan over?'

'Vooral over Edinburgh – hoe het vroeger was... hoe het veranderd is..'

'Klinkt boeiend. Nooit over de Russen?'

Freddie schudde zijn hoofd. 'Hij zei dat de mooiste dag in zijn leven de dag was dat hij bonafide werd.'

'Hij is net zo bonafide als een Rolex van twintig pond.'

'Daar heb ik in de loop der tijd heel wat van aangeboden gekregen,' zei de barkeeper peinzend. 'Ook zoiets wat me opviel aan die Russische heren: mooie horloges. Maatpakken ook. Maar goedkope schoenen. Dat begrijp ik nooit. Mensen moeten meer aandacht aan hun voeten besteden.' Hij begreep dat Rebus nadere uitleg nodig had: 'Mijn vriendin is chiropodiste.'

'Wat zullen jullie een boeiende gesprekken hebben,' mompelde Rebus. Hij keek de lege caféruimte rond en stelde zich voor dat hij vol zat met Russische tycoons en hun tolken.

En Big Ger Cafferty.

'De avond dat die dichter hier was,' zei hij, 'toen heeft hij alleen één glas gedronken met Cafferty en is daarna vertrokken...'

'Inderdaad.'

'Maar wat heeft Cafferty verder gedaan?' Rebus herinnerde zich zijn rekening: elf drankjes in totaal.

Freddie dacht even na. 'Ik geloof dat hij nog even gebleven is... ja, hij heeft hier gezeten tot ik de tent sloot, min of meer.'

'Min of meer?'

'Hij is misschien wel een keer naar de wc gegaan. En hij is naar de tafel van meneer Andropov gelopen, in het hoekje. Daar zat nog een man, een politicus geloof ik.'

'Geloof je?'

'Als er zo iemand op tv is, zet ik het geluid uit.'

'Maar je herkende die man wel?'

'Wat ik zeg, volgens mij zit hij in het parlement of zo.'

'Welke tafel was dat?' De barkeeper wees en Rebus kwam van zijn kruk en liep erheen. 'Waar zat Andropov?' riep hij.

'Iets verder... daar ja.'

Vanaf het tafeltje in de hoek kon Rebus alleen het dichtstbijzijnde stuk van de bar zien. De kruk waar hij vandaan kwam, waar Todorov op had gezeten, was aan het oog onttrokken. Rebus stond op en liep terug naar Freddie.

'Weet je zeker dat hier geen camera's hangen?'

'Hebben we niet nodig.'

Rebus dacht even na. 'Wil je iets voor me doen?' zei hij. 'Als je pauze hebt, zoek dan eens een computer op.'

'Er staat er een in het Business Center.'

'Ga naar de website van het parlement. Daar vind je 129 foto's... kijk eens of je een naam op dat gezicht kunt plakken.'

'Mijn pauzes duren maar een kwartier.'

Rebus negeerde die opmerking. Hij gaf Freddie zijn kaartje. 'Bel me zodra je een naam hebt.' Perfect getimed: de deur zwaaide open en er kwam een stel zakenlui binnen. Zo te zien hadden ze een goede deal gesloten.

'Fles Krug,' blafte er een, onverschillig voor het feit dat Freddie met een andere klant bezig was. De barkeeper keek Rebus aan en die knikte ten teken dat hij verder kon met zijn werk.

'Ik wed dat ze niet eens een goeie fooi geven,' fluisterde Rebus.

'Misschien niet,' gaf Freddie toe. 'Maar ze betalen wel voor hun drank...'

19

Clarke liep naar buiten met haar telefoon, zodat Goodyear haar niet aan Rebus hoorde vragen of hij seniel geworden was.

'We zijn gewaarschuwd om ze met rust te laten,' zei ze in de hoorn, bijna fluisterend. 'Op welke gronden wou je hem naar het bureau halen?'

'Niemand die iets met Cafferty drinkt is zuiver op de graat,' hoorde ze Rebus uitleggen.

Ze zuchtte, extra hard in de hoop dat hij het kon horen. 'Ik wil dat je die Russische delegatie met rust laat tot we iets concreets hebben.'

'Jij gunt me nooit eens een lolletje.'

'Als je later groot bent, zul je begrijpen dat het allemaal voor je eigen bestwil was.' Ze hing op en liep terug naar het recherchekantoor, waar Todd Goodyear een cassettedeck had aangezet dat hij uit een verhoorkamer had gehaald. Katie Glass had blijkbaar een paar zakken met bewijsmateriaal uit het huis van Riordan meegebracht. Goodyear was meegegaan om ze uit haar kofferbak te halen.

'Ze rijdt in een Prius,' zei hij.

Toen ze de zakken openden, verspreidde zich een geur van verbrand plastic in de kamer. Maar sommige tapes waren ongeschonden, evenals een paar digitale recorders. Goodyear had een cassette in het apparaat gestopt, en net toen Clarke binnenkwam drukte hij op *play*. Het apparaat kon niet erg hard en ze hurkten ernaast om het beter te horen. Clarke hoorde gerinkel en gerammel en stemmen in de verte, onverstaanbaar.

'Een pub of een koffiebar of zoiets,' zei Goodyear. Het geroezemoes ging een paar minuten door, slechts onderbroken door gekuch dat van veel dichter bij de microfoon kwam.

'Dat zal Riordan zijn,' opperde Clarke.

Het ging vervelen en ze liet Goodyear een stuk doorspoelen. Zelfde locatie, zelfde alledaags geroezemoes.

'Niet echt dansbaar,' gaf Goodyear toe. Clarke liet hem het bandje omdraaien. Nu leken ze in een treinstation te zijn. De schelle fluit van een conducteur, gevolgd door een wegrijdende trein. Toen ging de microfoon terug de stationshal in, waar mensen door elkaar liepen of stonden te wachten, waarschijnlijk kijkend naar het bord met aankomst- en vertrektijden. Iemand nieste en Riordan zelf zei 'gezondheid'. De microfoon ving twee vrouwen op die in een gesprek over hun partners waren verwikkeld en leek hen te volgen naar een broodjeszaak waar ze zich hardop afvroegen welk stokbroodje ze zouden nemen. Toen ze dat hadden, gingen ze weer door over hun partners terwijl ze in de rij stonden voor de koffie bij een andere kiosk. Clarke hoorde de espressomachine en toen de stationsomroeper, die het gesprek overstemde. Ze hoorde de plaatsnamen Inverkeithing en Dunfermline.

'Moet Waverley Station zijn,' zei ze.

'Of Haymarket,' opperde Goodyear.

'In Haymarket is geen broodjeskiosk.'

'Ik buig voor uw superieure kennis.'

'Al had ik ongelijk, buigen moet je toch.'

Dat deed hij, met een hoffelijke zwaai van zijn hand, en ze glimlachte.

'Hij was geobsedeerd,' zei Clarke, en Goodyear knikte instemmend.

'Denkt u echt dat zijn dood verband houdt met die van Todorov?' vroeg hij.

'Op dit moment is het nog gewoon toeval... maar in Edinburgh worden verrekt weinig moorden gepleegd. En nu hebben we er ineens twee binnen een paar dagen, en toevallig kenden de slachtoffers elkaar.'

'U denkt dus helemaal niet dat het toeval is.'

'Het probleem is dat Joppa onder de D-Divisie valt, en wij zijn B-Divisie. Als we geen goede argumenten hebben, trekt Leith het naar zich toe.'

'Dan moeten wij het claimen.'

'En daarvoor moeten we Macrae overtuigen dat er een verband

is.' Ze zette het bandje stil en haalde het eruit. 'Denk je dat het allemaal dit soort gedoe is?'

'Maar één manier om daarachter te komen.'

'We hebben vast honderden uren geluidsmateriaal.'

'Dat weten we niet. Misschien is een groot deel onbruikbaar geworden door de brand. We kunnen beter eerst alles nakijken, en dan de moeilijke dingen doorschuiven naar het forensisch lab of de technicus in Riordans studio.'

'Dat is waar.' Maar ze deelde Goodyears enthousiasme niet. Ze dacht terug aan haar eigen periode bij de uniformdienst... nog niet zo lang geleden, welbeschouwd. Toen was ze net zo gretig geweest als Goodyear, overtuigd dat ze aan elk onderzoek een nuttige bijdrage zou leveren – af en toe misschien zelfs een beslissende bijdrage. Dat was wel eens gebeurd, maar dan was een meerdere altijd met de eer gaan strijken. Niet Rebus trouwens, ze dacht nu aan de periode voordat ze met hem samenwerkte. Op bureau St. Leonard, waar ze te horen had gekregen dat alles om teamwerk draaide, dat er geen ruimte was voor ego's en prima donna's. Toen was Rebus gekomen, omdat zijn oude bureau tot de grond toe was afgebrand. Kortsluiting. Ze moest onwillekeurig glimlachen.

Kortsluiting: geen slechte omschrijving voor Rebus' werkwijze. Hij kwam op bureau St. Leonard met een diep wantrouwen jegens 'teamwerk', en meer dan twintig jaar aan schimmige deals, overschreden grenzen en overtreden regels.

En minstens één heel persoonlijke vendetta.

Goodyear stelde voor naar een van de digitale opnameapparaatjes te luisteren. Er zat geen luidspreker in, maar de oordopjes van Goodyears iPod pasten erop. Clarke had geen zin zo'n dopje in haar oor te duwen dus zei ze dat hij maar moest luisteren. Maar na een halve minuut gepruts met de knopjes gaf hij het op.

'Dat is er een voor onze bevriende deskundige,' zei hij, en pakte de volgende recorder.

'Ik wou je nog vragen,' zei Clarke, 'hoe het voelde om Cafferty te ontmoeten.'

Goodyear dacht na. 'Je hoeft hem maar te zien,' zei hij uiteindelijk, 'om te weten dat hij een zondig mens is. Je ziet het in zijn ogen, de manier waarop hij naar je kijkt, zijn hele houding...'

'Beoordeel je mensen op hun uiterlijk?'

'Niet altijd.' Hij drukte weer op wat knoppen, de oordopjes nog in, en stak toen een vinger op om te laten merken dat hij iets hoorde. Na even geluisterd te hebben keek hij haar in de ogen. 'Dit is niet te geloven.' Hij deed de oordopjes uit en reikte ze aan. Ze hield ze onwillig bij haar oren, zonder ze erin te doen. Hij spoelde een eindje terug en nu hoorde ze stemmen. Blikkerig en ver weg, maar ze herkende de tekst:

'Toen u afscheid had genomen, is de heer Todorov meteen naar de bar van het Caledonian gegaan. Daar raakte hij met iemand aan de praat...'

'Dat ben ik,' zei ze. 'Hij zei dat hij ons niet meer opnam!'

'Was dus gelogen. Dat doen mensen wel eens.'

Clarke keek hem kwaad aan en luisterde nog een stukje, vroeg hem toen om vooruit te spoelen. Dat deed hij, maar het leverde slechts stilte op.

'Spoel eens terug,' beval ze.

Waar hoopte ze op? De laatste momenten van Charles Riordan, vastgelegd voor het nageslacht? De stem van zijn belager? Riordan die gerechtigheid kreeg na zijn dood?

Alleen stilte.

'Verder terug.'

Clarke en Goodyear zelf die een eind maakten aan hun gesprek met Riordan in zijn woonkamer.

'Wij zijn de laatste opname op dit apparaat,' zei ze.

'Zijn we daarmee verdachten?'

'Nog één grap en je mag je huzarenpak weer aantrekken,' waarschuwde ze.

Goodyear sloeg berouwvol de ogen neer. 'Huzarenpak?' herhaalde hij. 'Die ken ik nog niet.'

'Heb ik van Rebus,' gaf Clarke toe.

Zoveel dingen die ze van hem had geleerd... lang niet allemaal even nuttig.

'Volgens mij mag hij me niet,' zei Goodyear.

'Hij mag niemand.'

'U wel,' wierp Goodyear tegen.

'Mij tolereert hij,' corrigeerde Clarke. 'Dat is heel wat anders.' Ze staarde naar het apparaatje. 'Niet te geloven dat hij ons opnam.'

'Als je het mij vraagt, zouden we tot een minieme minderheid behoren als Riordan ons níét had opgenomen.'

'Dat is waar.'

Goodyear pakte weer een van de doorzichtige plastic zakken en schudde ermee. 'Nog genoeg om ons een tijdje bezig te houden.'

Ze knikte, leunde naar voren en gaf hem een schouderklopje. 'Genoeg om jóú nog een tijdje bezig te houden, Todd,' verbeterde ze.

'Kan ik nog wat van leren?' raadde hij.

'Kun je nog wat van leren,' zei ze.

'Zullen we vanavond iets doen?' vroeg Phyllida Hawes. Zij zat achter het stuur, Colin Tibbet reed met haar mee. Het ergerde haar dat hij de deurhendel vasthield alsof hij klaar zat om eruit te springen, mocht haar stuurmanskunst het ineens laten afweten. Soms joeg ze hem op stang, reed ze ineens keihard naar de auto vóór hen, of sloeg op het laatste moment af zonder richting aan te geven. Eigen schuld, moest hij maar niet aan haar twijfelen. Eén keer had hij tegen haar gezegd dat ze reed alsof ze de auto net gejat hadden.

'We kunnen wat gaan drinken,' zei hij.

'Voor de verandering.'

'Of we kunnen níét iets gaan drinken.' Hij dacht even na. 'Chinees? Indiaas?'

'Waanzinnig originele ideeën, Colin. Je moet een denktank beginnen.'

'Wat ben jij chagrijnig,' zei hij.

'O ja?' zei ze ijzig.

'Sorry,' zei hij.

Nog iets wat haar begon te irriteren: in plaats van voor zichzelf op te komen, gaf hij op ieder punt meteen toe.

Tot acht weken terug had Hawes een minnaar gehad – eentje met wie ze samenwoonde nog wel. Colin had een paar keer een onenightstand gehad en één meisje dat bijna een maand bij hem was gebleven. Drie weken geleden waren ze op een of andere manier samen in bed beland na een avondje zuipen. Ze waren nog steeds niet helemaal bijgekomen van het akelige, langzaam dagende besef na het ontwaken, gezichten vlak bij elkaar...

Het was een ongelukje.

Iets om achter je te laten.

Nooit meer over praten.

Vergeten dat het ooit is gebeurd...

Maar hoe konden ze dat doen? Het wás gebeurd, en ondanks alles zou ze best willen dat het nog eens gebeurde. Haar ergernis over zichzelf projecteerde ze op Colin, in de hoop dat hij er iets aan kon doen. Maar hij was een soort spons die alles opzoog.

'Zou me niks verbazen als Shiv ons vanavond allemaal mee naar de kroeg neemt,' zei hij nu. 'Voor de teambuilding. Goeie managers doen dat.'

'Beter dan alleen in de kroeg zitten met John Rebus, bedoel je.'

'Daar zit wat in.'

'Aan de andere kant...' zei Hawes. 'Kan ook dat ze liever alleen is met jongeheer Todd...'

Hij draaide zich naar haar om. 'Dat denk je toch niet echt?'

'Vrouwen zijn ondoorgrondelijk, Colin.'

'Vertel mij wat. Waarom denk je dat ze hem bij het team heeft gehaald?'

'Misschien is ze gevallen voor zijn charmes.'

'Serieus.'

'De hoofdinspecteur heeft haar de leiding gegeven. Zij kan rekruteren wie ze wil en Todd was er als de kippen bij om zich te melden.'

'Ze was makkelijk over te halen?' Tibbet had een denkrimpel in zijn voorhoofd.

'Wil nog niet zeggen dat je haar kunt overhalen om jou voor te dragen voor promotie.'

'Daar dacht ik niet aan,' verzekerde Tibbet haar. Hij keek door de voorruit. 'De volgende rechts toch?'

Hawes vertikte het om richting aan te geven en sloeg pas af toen er een bus aankwam.

'Ik wou dat je daar eens mee ophield,' zei Tibbet.

'Weet ik,' antwoordde Phyllida met een verbeten glimlach. 'Maar als je in een net gestolen auto rijdt...'

Ze reden – in opdracht van Shiv – naar de woning van Nancy Sievewright. Ze moesten haar vragen naar de vrouw met de kap. Dat woord had Shiv gebruikt – kap. Hawes had nog gevraagd of ze niet capuchon bedoelde.

'Kap of capuchon, Phyl, wat maakt het uit?' Shiv was prikkelbaar, de laatste weken.

'Hier links,' zei Colin Tibbet. 'Verderop is een plek vrij.'

'Dat zou ik zonder jou nooit hebben gezien, rechercheur Tibbet.'

Hij deed of hij het niet hoorde.

De deur naar het trappenhuis stond open dus belden ze niet aan. Eenmaal over de drempel betraden ze een kille, donkere ruimte. De witte wandtegels waren veelal gebroken en gingen schuil onder graffiti. Er klonken echoënde stemmen van boven. De vrouw van het stel klonk het hardst. De lagere bas van de man klonk zachter, vragend.

'Pleur godverdomme een eind op! Waarom luister je niet?'

'Dat weet je volgens mij best.'

'Maar het kan me geen reet schelen.'

Het stel leek de twee nieuwkomers die de trap beklommen niet op te merken.

De man: 'Luister, ik wil alleen even met je praten.'

Onderbroken door Colin Tibbet: 'Is er een probleem?' Legitimatie in de hand om te laten weten wie – en vooral wát – hij was.

'Jezus, wat nu weer?' mompelde de man geërgerd.

'Dat vroeg ik mezelf zojuist ook af, meneer,' zei Hawes. 'Anderson, nietwaar? Mijn collega en ik hebben u en uw vrouw een verklaring afgenomen.'

'O ja.' Anderson had het fatsoen gegeneerd te kijken. Hawes zag dat één verdieping hoger een deur wijd openstond. Dat moest de flat van Nancy Sievewright zijn. Hawes keek het ondervoede, schaars geklede meisje in de ogen.

'Jou hebben we ook gesproken, Nancy,' zei ze.

Sievewright knikte. 'Twee vliegen in één klap,' zei Colin Tibbet.

'Ik wist niet dat jullie elkaar kennen,' zei Hawes.

'Dat dóén we ook niet,' ontplofte Nancy Sievewright. 'Maar hij blijft hier steeds langskomen.'

'Zo zit het niet,' snauwde Anderson. Hawes wisselde een blik met Tibbet. Ze wisten wat hun te doen stond.

'Ga mee naar binnen,' zei Hawes tegen Sievewright.

'En als u met mij wil meekomen,' zei Tibbet tegen Anderson. 'We wilden u nog iets vragen...'

Sievewright stampte terug naar haar flat en liep meteen door naar de kleine keuken, waar ze de waterkoker pakte en vulde met water. 'Ik dacht dat die andere twee er wat aan zouden doen.'

Ze doelde op Rebus en Clarke, vermoedde Hawes. 'Waarom komt hij hier steeds?' vroeg ze.

Sievewright duwde een haarlok achter haar oor. 'Geen idee. Hij zegt dat hij wil weten of het goed met me gaat. En ik zeg ja, maar hij blijft maar komen. Volgens mij ligt hij op de loer tot-ie weet dat ik alleen thuis ben...' Ze draaide de haarlok strak. 'Klootzak,' vloekte ze hartgrondig, en ze ging tussen het serviesgoed op zoek naar de mok die de minste kans op voedselvergiftiging gaf.

'Je kunt een klacht indienen,' zei Hawes. 'Dat hij je lastigvalt...'

'Zou dat hem tegenhouden?'

'Misschien,' zei Hawes, maar ze geloofde het net zomin als het meisje. Sievewright had een mok omgespoeld en plempte er een theezakje in. Ze gaf een klopje op de waterkoker, als om hem aan te sporen.

'Kwam u alleen een praatje maken?' vroeg ze na een poosje.

Hawes trakteerde haar op een minzame glimlach. 'Niet echt. Er is nieuwe informatie aan het licht gekomen.'

'U hebt dus nog niemand opgepakt.'

'Nee,' gaf Hawes toe.

'Wat voor nieuwe informatie dan?'

'Een vrouw met een capuchon die rondhing bij de uitgang van de parkeergarage.' Hawes toonde haar de compositietekening. 'Als ze daar nog stond, zou je haar gepasseerd moeten zijn.'

'Ik heb niemand gezien... dat héb ik al gezegd!'

'Rustig maar, Nancy,' zei Hawes kalm. 'Rustig maar.'

'Ik bén rustig.'

'Een kop thee is een goed idee.'

'Volgens mij is die koker kapot.' Sievewright legde haar hand ertegen.

'Nee hoor,' stelde Hawes haar gerust. 'Ik hoor hem.'

Sievewright staarde naar het weerspiegelende oppervlak van de waterkoker. 'Soms doen we een wedstrijdje wie hem het langst kan vasthouden als hij kookt.'

'Wie?'

'Eddie en ik.' Ze glimlachte treurig. 'Ik win altijd.'

'En Eddie is...'

'Mijn huisgenoot.' Ze keek de rechercheur aan. 'We hebben niks met elkaar.'

De voordeur kraakte en ze draaiden hun hoofd naar de hal. Het was Colin Tibbet.

'Hij is weg,' zei hij.

'Opgeruimd staat netjes,' mompelde Sievewright.

'Kon hij je iets vertellen?' vroeg Hawes hem.

'Hij was heel stellig dat hij noch zijn echtgenote een vrouw met een capuchon had gezien. Hij vroeg of het misschien een spook was.'

'Ik bedoel,' zei Hawes afgemeten, 'zei hij nog waarom hij Nancy zo lastigvalt?'

Tibbet haalde zijn schouders op. 'Hij zei dat ze een enorme schok te verwerken had gekregen en hij wilde zeker weten dat ze het niet oppot. "Daar krijg je later problemen mee" was zijn formulering, geloof ik.'

Sievewright, die haar hand nog steeds tegen de waterkoker hield, lachte schamper.

'Heel nobel van hem,' zei Hawes. 'En het feit dat Nancy geen behoefte heeft aan al die goede zorgen...?'

'Hij heeft beloofd dat hij niet terugkomt.'

'Het zal wel,' schamperde Sievewright.

'Hij kookt bijna,' waarschuwde Tibbet, die ineens zag wat ze met haar hand deed. Hij werd beloond met iets wat het midden hield tussen een grimas en een glimlach.

'Jullie ook?' vroeg Nancy Sievewright.

20

De kop op pagina vijf van de *Evening News* luidde DAS KAPITA-LISTS. Het bijbehorende verhaal ging over een diner in een Edin-burghs restaurant met Michelinsterren. De Russische handelsdele-gatie had de hele tent afgehuurd. Met veertien man aten ze foie gras, sint-jakobsschelpen, kreeft, kalfskoteletten, runderlende, kaas en dessert, weggespoeld met voor duizenden ponden aan cham-pagne, witte bourgogne en oude rode bordeaux, en tot besluit port uit een jaar van voor de Koude Oorlog. Zes mille bij elkaar. De verslaggever vond het vooral amusant dat de champagne – Roede-rer Cristal – de favoriet was geweest van de Russische tsaren. Geen van de eters werd bij naam genoemd. Rebus vroeg zich af of Caffer-ty zichzelf ook naar binnen had weten te slijmen. Een artikel op de tegenoverliggende pagina vermeldde dat de moordcijfers van de stad daalden: het afgelopen jaar waren er maar tien moorden ge-pleegd, tegen twaalf het jaar daarvoor.

Ze zaten om een grote hoektafel in een pub in Rose Street. Nog even en het zou er heel lawaaiig worden: Celtic stond op het punt om af te trappen tegen Manchester United in de Champions League, en de meeste drinkers zaten naar het grote tv-scherm te staren. Re-bus vouwde de krant dicht en gooide hem naar Goodyear, die te-genover hem zat. Hij had het slot van Phyllida Hawes' verhaal ge-mist, dus vroeg hij haar om Andersons woorden nog eens te herhalen: *daar krijg je later problemen mee.*

'Ik zal hem eens problemen geven,' mompelde hij. 'En hij kan niet zeggen dat ik hem niet gewaarschuwd heb...'

'Tot nu toe is er maar één getuige die die mysterieuze vrouw heeft gezien,' zei Colin Tibbet. Het was hem opgevallen dat Todd Good-year zijn stropdas had afgedaan en hij maakte de zijne nu ook los.

'Wil niet zeggen dat ze daar niet was,' hield Clarke hem voor. 'En zelfs al had ze er niets mee te maken, ze kan wel iets hebben gezien. In een van Todorovs gedichten staat een regel over je ogen afwenden zodat je niet hoeft te getuigen.'

'Wat moet dat nou weer betekenen?' vroeg Rebus.

'Misschien heeft ze zo haar redenen om zich niet te melden. Er kunnen dingen zijn waar mensen liever niet bij betrokken raken.'

'Soms hebben ze daar zelfs alle reden toe,' beaamde Hawes.

'Denken we nog steeds dat Nancy Sievewright iets verzwijgt?' vroeg Clarke.

'Die vriendin van haar heeft ons in ieder geval iets op de mouw gespeld,' zei Tibbet.

'Misschien moeten we daar dan nog eens naar kijken.'

'Al iets gevonden op de geluidsbanden?' vroeg Hawes. Clarke schudde haar hoofd en gebaarde naar Goodyear.

'Alleen dat de overledene graag andermans gesprekken afluisterde,' zei hij. 'Dat ging zover dat hij soms achter mensen aan liep.'

'Beetje een mafkees dus?'

'Zo kun je het ook zien,' gaf Clarke toe.

'Godallemachtig,' kwam Rebus ertussen. 'Jullie zien iets veel belangrijkers over het hoofd. Todorovs laatste halte voor hij werd doodgeslagen... een borrel met Big Ger Cafferty, binnen een straal van tien meter van de Russen!' Hij wreef met zijn hand over zijn voorhoofd.

'Mag ik u één ding vragen?'

Rebus staarde Goodyear aan. 'Wat wil je vragen, jongeman?'

'Dat u de naam van de Heer niet ijdel gebruikt.'

'Zit je me nou in de zeik te nemen?'

Maar Goodyear schudde zijn hoofd. 'Daar zou u me een enorm plezier mee doen...'

'Waar ga jij naar de kerk, Todd?' vroeg Tibbet.

'St. Fothad in Saughtonhall.'

'Woon je daar?'

'Ik ben er opgegroeid,' legde Goodyear uit.

'Ik ging vroeger ook naar de kerk,' ging Tibbet verder. 'Tot mijn veertiende. Toen is mijn moeder aan kanker overleden en zag ik er het nut niet meer van in.'

'God is de wond die altijd geneest,' reciteerde Goodyear, 'hoe vaak we hem ook openrijten.' Hij glimlachte. 'Komt uit een gedicht, niet van Todorov. Die regel vat het goed samen. Voor mij tenminste.'

'Goeie genade,' zei Rebus. 'Poëzie en Bijbelcitaten en de Church of Scotland. Ik kom niet naar de kroeg om een preek te krijgen.'

'Daar staat u niet alleen in,' zei Goodyear. 'Schotten doen vaak hun best om dommer over te komen dan ze zijn. Slimme mensen wantrouwen we.'

Tibbet zat te knikken. 'We moeten allemaal "kinderen van Jock Tamson" zijn – allemaal hetzelfde dus.'

'Je kop niet boven het maaiveld uitsteken.' Goodyear knikte terug.

'Zie je nou wat je misloopt als je met pensioen gaat?' zei Clarke, met een blik op Rebus. 'Intellectuele debatten.'

'Dan stop ik net op tijd.' Hij kwam overeind. 'Als de heren bollebozen me willen excuseren, ik heb een werkcollege met professor Nicotine...'

Het was druk in Rose Street: een vrijgezellenavondje, allemaal vrouwen in hetzelfde T-shirt, met de tekst FOUR WEDDINGS AND A HANGOVER. Ze bliezen Rebus handkusjes toe in het voorbijgaan en stuitten toen op een groep jonge mannen die de andere kant op gingen. Ook een vrijgezellenfeestje zo te zien, de aanstaande bruidegom was bekliederd met scheerschuim, eieren en bloem. Kantoormensen, onderweg naar huis na een paar borrels, liepen er met een boogje omheen.

Er waren ook toeristen die niet goed wisten wat ze van de twee feestende groepjes moesten denken en mannen die haast hadden om de voetbalwedstrijd te zien.

Achter Rebus ging de deur open en Todd Goodyear kwam naar buiten. 'Ik had achter jou geen roker gezocht,' zei Rebus.

'Ik ga naar huis.' Goodyear trok zijn colbert aan. 'Ik heb geld op tafel achtergelaten voor het volgende rondje.'

'Nog een afspraak?'

'Vriendin.'

'Hoe heet ze?'

Goodyear aarzelde, maar kon geen goede reden bedenken om het niet te vertellen. 'Sonia,' zei hij. 'Ze werkt bij de TR.'

'Was ze er woensdag ook bij?'

Goodyear knikte. 'Kort blond haar, halverwege de twintig...'

'Zegt me niet zo gauw iets,' gaf Rebus toe. Goodyear leek ertoe te neigen om dit op te vatten als een belediging, maar veranderde van gedachten.

'U ging vroeger ook naar de kerk, toch?' vroeg hij in plaats daarvan.

'Wie heeft je dat verteld?'

'Gewoon, van horen zeggen.'

'Je moet niet alle praatjes geloven.'

'Toch heb ik de indruk dat het wel zo is.'

'Misschien,' gaf Rebus toe, en hij blies een rookwolk uit. 'Jaren terug heb ik verschillende kerken geprobeerd. Nergens antwoord op mijn vragen gevonden.'

Goodyear knikte langzaam. 'Wat Colin vertelde, dat is de ervaring van veel mensen, hè? Iemand van wie je houdt gaat dood en dan geven we God de schuld. Is dat u ook overkomen?'

'Mij is niks overkomen,' zei Rebus koeltjes, en hij keek toe hoe het groepje meiden doorliep naar een volgende waterplaats. De jongens keken ook en stonden te overwegen of ze erachteraan zouden gaan.

'Het spijt me,' zei Goodyear. 'Ik was gewoon nieuwsgierig...'

'Niet doen.'

'Zult u het werk missen?'

Rebus hief zijn ogen ten hemel. 'Daar gaat-ie weer,' klaagde hij. 'Ik wil alleen even rustig een sigaret roken en ineens is het *Question Time*.'

Goodyear glimlachte verontschuldigend. 'Ik kan maar beter gaan nu ik nog kan.'

'Eén ding nog...'

'Ja?'

Rebus tuurde naar het puntje van zijn sigaret. 'Cafferty in de verhoorkamer... was dat de eerste keer dat je hem zag?' Goodyear knikte. 'Hij kende je broer, en je opa ook, trouwens.' Rebus keek links en rechts de straat in. 'De kroeg van je opa was hier vlakbij, toch? Ik weet de naam niet meer...'

'Breezer's.'

Rebus knikte langzaam. 'Toen hij berecht werd, zat ik in het getuigenbankje.'

'Dat wist ik niet.'

'We hadden hem met ons drieën opgepakt, maar ik was degene die de verklaringen aflegde.'

'Hebt u dat met Cafferty ook al eens moeten doen?'

'Tweemaal, en tweemaal veroordeeld.' Rebus spuwde op het trottoir. 'Shiv zei dat je broer had gevochten. Gaat het goed met hem?'

'Ik geloof het wel.' Goodyear voelde zich zichtbaar niet op zijn gemak. 'Ik moet nu echt gaan.'

'Doe dat. Tot morgen.'

'Tot ziens dan.'

'Tot ziens,' zei Rebus, en keek hem na. Leek hem geen slechte knul. Geschikt voor het politiewerk. Misschien kon Shiv er nog iets van maken. Harry Goodyear stond Rebus nog goed bij. Zijn kroeg was berucht geweest – speed, coke en een beetje wiet, alles werd er verhandeld. Harry zelf had ook steeds akkefietjes wegens kleine vergrijpen. Rebus had zich destijds wel afgevraagd hoe hij een drankvergunning had bemachtigd. Daar was vast geld aan te pas gekomen, iemand die een goed woordje voor hem had gedaan bij de gemeente. Vrienden kon je kopen. Ooit had Cafferty zelf een aantal gemeenteraadsleden in zijn zak gehad. Zodat hij de politie steeds te slim af was. Een investering die zich altijd dubbel en dwars terugbetaalde. Rebus had hij ook geprobeerd om te kopen, maar dat was tot mislukken gedoemd – Rebus had zijn les allang geleerd.

'Niet mijn schuld dat opa Goodyear in de bak is overleden...'

Hij drukte zijn sigaret uit en draaide zich om naar de deur, maar aarzelde toen. Wat wachtte hem binnen? Nog een glas, plus een tafel vol jongelui – Shiv en Phyl en Col die over het onderzoek zaten te praten, ideeën op tafel gooiden. En wat kon Rebus daar nog aan toevoegen? Hij stak weer een sigaret op en begon te lopen.

Linksaf Frederick Street in en dan rechtsaf naar Princes Street. Het kasteel werd van onderaf verlicht, het silhouet tekende zich af tegen de nachthemel. In Princes Street Gardens werd de kerstmarkt opgebouwd, met kramen en stalletjes onder aan The Mound. In de dagen voor kerst zou het hier stikken van de mensen. Hij dacht dat hij muziek hoorde. Misschien de schaatsbaan die werd getest. Groepen kinderen dromden langs de etalages en sloegen volstrekt geen acht op hem. Sinds wanneer ben ik de onzichtbare man, vroeg Rebus zich af. Als hij zijn spiegelbeeld in een etalageruit opving, zag hij een stevige kerel. Maar deze jongeren zweefden langs hem alsof hij geen plaats had in hun versie van de wereld.

Is dit hoe geesten zich voelen? vroeg hij zich af.

Hij stak over bij het stoplicht en duwde de deur van de bar van het Caledonian Hotel open. Het was er druk. Jazz uit de speakers, en Freddie was in de weer met een cocktailshaker. Een serveerster stond te wachten op een bestelling voor een tafel waar uitbundig werd gelachen. Iedereen zag er welvarend en zelfverzekerd uit. Sommigen hadden een mobieltje aan hun oor, midden in een gesprek met een tafelgenoot. Rebus was even geïrriteerd dat zijn barkruk was ingenomen. Alle krukken waren bezet. Hij wachtte tot de barkeeper alle glazen had gevuld. De serveerster liep weg met haar volle dienblad op één hand en toen zag Freddie Rebus staan. Zijn frons vertelde Rebus dat de situatie nu anders lag. Het was druk en Freddie had geen zin in een gesprek.

'Hetzelfde,' zei Rebus. En voegde eraan toe: 'Je had niks te veel gezegd, over die dubbele dienst...'

Ditmaal werd de whisky vergezeld door een bonnetje. Rebus glimlachte om Freddie te laten weten dat hij dat niet erg vond. Hij druppelde wat water in zijn glas en liet de whisky rondwalsen, snoof de geur op en liet ondertussen zijn ogen door de zaal dwalen.

'Ze zijn weg, als u dat wou weten,' zei Freddie.

'Wie?'

'De Russen. Vanmiddag uitgecheckt, schijnt het. Zitten in het vliegtuig terug naar Moskou.'

Rebus probeerde niet teleurgesteld te kijken. 'Wat ik me afvroeg,' zei hij, 'heb je die naam voor me gevonden?'

De barkeeper knikte langzaam. 'Ik wou u morgen bellen.' De serveerster was terug met een bestelling en hij schonk weer glazen in. Twee grote glazen rode wijn en een glas huischampagne. Rebus begon te luisteren naar het gesprek dat naast hem werd gevoerd. Twee zakenmannen met een Iers accent, hun ogen strak gericht op de voetbalwedstrijd op het geluidloze tv-scherm. Een of andere onroerend-goeddeal was mislukt en nu verdronken ze hun verdriet.

'Moge God ze een lange, pijnlijke dood schenken,' leek hun favoriete toost te zijn. Een van de dingen die Rebus het leukst vond aan cafés was de kans de levens van anderen af te luisteren. Was hij daarmee een voyeur, iemand die niet zoveel verschilde van Charles Riordan?

'Zodra ik de kans krijg om hun een loer te draaien...' zei een van de Ieren. Freddie had de champagnefles weer in de ijsemmer gezet en was teruggekomen naar waar Rebus stond.

'Hij is minister van Economische Ontwikkeling,' legde de bar-keeper uit. 'De ministers staan op de website bovenaan. Anders had het nog wel even kunnen duren...'

'Hoe heet hij?'

'James Bakewell.'

Rebus vroeg zich af waar hij die naam van kende.

'Paar weken geleden nog op tv gezien,' zei Freddie.

'In *Question Time*?' raadde Rebus. De barkeeper knikte. Ja, want daar had Rebus hem ook gezien, bakkeleiend met Megan Macfar-lane, en Todorov tussen hen in. Iedereen leek hem Jim te noemen... 'Zat hij hier met Sergej Andropov, de avond dat de dichter hier was?' Freddie bleef knikken.

En ook de avond dat Morris Gerald Cafferty hier was. Rebus legde zijn handen op de bar en leunde er met zijn volle gewicht op. Het duizelde hem. Freddie was weg om een bestelling aan te ne-men. Rebus dacht terug aan de opname van *Question Time*. Jim Bakewell was een representant van het nieuwe Labour, maar van het ongepolijste soort. Ofwel hij weigerde adviezen van imagodes-kundigen aan te nemen, of dat ongepolijste wás zijn imago. Eind veertig, donkerbruin haar, stalen bril. Stevige kaaklijn, blauwe ogen, bescheiden van toon. Hij genoot in Schotland veel respect omdat hij een veilige carrière in de Britse politiek had opgegeven voor een onzekere toekomst in het Schotse parlement. Dat maak-te hem tot een zeldzaamheid. Rebus had de indruk dat groot poli-tiek talent nog steeds naar Londen werd getrokken. Freddie had het ook niet over een groter gezelschap gehad, wat Rebus ook in-teressant vond. Naar een officieel gesprek met de Russen zou Ba-kewell vast gewapend komen met assistenten en adviseurs. De mi-nister van Economische Ontwikkeling... die laat op de avond een glaasje drinkt met een buitenlandse zakenman... Big Ger Cafferty die zich onaangekondigd aandient... Te veel vragen gonsden rond in Rebus' schedelpan. Het was alsof zijn hersenen een hartslag had-den ontwikkeld. Hij dronk zijn glas leeg, liet wat geld op de bar achter en besloot naar huis te gaan. Hoorde dat hij een sms'je kreeg: Siobhan die zich afvroeg waar hij zat.

'Heeft ook even geduurd,' mompelde hij. Toen hij de Ieren pas-seerde, boog een daarvan zich naar de ander toe.

'Als-ie op kerstavond nou eens de pijp uit gaat,' zei hij met lui-de stem, 'dát zou een mooi kerstcadeautje zijn...'

Twee manieren om het pand te verlaten: door de deur van de bar of via de receptie. Rebus wist niet goed waarom hij de laatste route koos. Toen hij door de lobby liep, kwamen er twee mannen uit de draaideur. De voorste herkende hij: de chauffeur van Andropov.

De ander was Andropov zelf. Hij had Rebus gezien en tuurde naar hem, zich afvragend waar hij hem van kende. Rebus knikte toen ze elkaar naderden.

'Ik dacht dat jullie al naar huis waren,' zei hij, zo nonchalant mogelijk.

'Ik blijf nog een paar dagen.' Haast geen spoor van een accent. Rebus zag dat Andropov hem nog steeds probeerde te plaatsen.

'Vriend van Cafferty,' loog hij.

'O ja.' De chauffeur stond aan Rebus' andere zijde, handen voor zich gevouwen, benen iets uit elkaar. Chauffeur én lijfwacht.

'Paar daagjes aan vastgeknoopt?' vroeg Rebus aan Andropov. 'Voor zaken of voor de lol?'

'Ik ken geen grotere lol dan zakendoen.' Het klonk als iets wat hij al tientallen malen had gezegd, iets waarmee hij altijd een lach oogstte. Rebus deed zijn best om hem tevreden te stellen.

'Meneer Cafferty vandaag nog gesproken?' vroeg hij uiteindelijk.

'Sorry, maar uw naam is me even ontschoten...'

'Ik ben John,' zei Rebus.

'En uw relatie met Cafferty...?'

'Dat vraag ik me van u nou ook af, meneer Andropov.' Andropov had hem nu toch door, bedacht Rebus. 'Het is allemaal leuk en aardig, omgaan met de groten der aarde, gefêteerd worden door politici van alle kleuren van de regenboog... maar als je gemene zaak maakt met een beroepscrimineel als Cafferty, gaan er onvermijdelijk ergens alarmbellen rinkelen.'

'U was in het stadhuis,' zei Andropov, en hij stak een vinger op. 'En toen hier in het hotel.'

'Recherche, meneer Andropov.' Rebus hield zijn identiteitsbewijs op en Andropov bekeek het.

'Heb ik iets misdaan, inspecteur?'

'Een week geleden zat u hier te praten met Jim Bakewell en Morris Gerald Cafferty.'

'En wat dan nog?'

'Er was nog iemand in de bar. Een dichter, Alexander Todorov. Nog geen twintig minuten nadat hij hier vertrok, is hij vermoord.'

Andropov knikte. 'Een grote tragedie. De wereld schijnt behoefte te hebben aan dichters, inspecteur. Men noemt ze wel onze "miskende wetgevers".'

'Op dat terrein hebben ze anders heel wat concurrentie.'

Daar ging Andropov niet op in. 'Ik hoor van diverse kanten,' zei hij, 'dat uw korps de dood van Alexander niet beschouwt als een uit de hand gelopen roofoverval. Vertel eens, inspecteur, wat denkt u dat er gebeurd is?'

'Dat kan ik beter op het bureau vertellen. Zou u eens langs willen komen om een verklaring af te leggen, meneer?'

'Ik zie niet in wat daarbij te winnen valt.'

'Ik neem aan dat dat nee betekent.'

'Laat ik u mijn eigen theorie geven.' Andropov zette een stap dichterbij, gevolgd door zijn chauffeur. '*Cherchez la femme*, inspecteur.'

'Wat houdt dat precies in?'

'Spreekt u geen Frans?'

'Ik weet wel wat het betekent. Maar ik begrijp niet goed wat u bedoelt.'

'In Moskou genoot Alexander Todorov een zekere reputatie. Hij werd door de universiteit ontslagen na beschuldigingen van ongepast gedrag. Met studentes, weet u – en hoe jonger hoe liever. Als u me nu wilt excuseren...' Andropov was duidelijk op weg naar de bar.

'Weer een afspraak met uw gangstervriend?' raadde Rebus. Andropov antwoordde niet en liep door. De chauffeur vond echter dat Rebus nog een laatste dreigende blik verdiende, een blik die zei: *als ik jou tegenkom in een donker steegje...*

De blik die Rebus terugzond had ook een boodschap, al even dreigend: *Je staat op mijn lijst, makker. Jij én je baas.*

In de frisse buitenlucht dacht hij dat hij wel naar huis kon lopen. Bonzend hart, droge mond, bloed dat door zijn aderen joeg. Hij liep een paar honderd meter en hield toen de eerste de beste taxi aan.

Dag zes

Woensdag 22 november 2006

21

De geluidstechnicus heette Terry Grimm en de secretaresse Hazel Harmison. Ze leken in shock te verkeren, en met reden.

'We zitten met de handen in het haar,' legde Grimm uit. 'Ik bedoel... krijgen we ons salaris deze maand? En wat doen we met alle klussen die geboekt staan?'

Siobhan Clarke knikte langzaam. Grimm zat aan de mengtafel nerveus heen en weer te draaien met zijn stoel. Harmison stond ernaast, de armen over elkaar. 'Meneer Riordan heeft daar vast wel iets voor geregeld...' Maar Clarke was er helemaal niet zo zeker van. Todd Goodyear stond naar de apparatuur te kijken, de massa knopjes en schakels, draaiknoppen en schuifregelaars. De avond tevoren had Hawes in de pub laten doorschemeren dat Clarke vandaag beter met haar of Tibbet op pad kon gaan. Het had Siobhan weer met de vraag geconfronteerd of ze Goodyear bij het team had gehaald om niet tussen die twee te hoeven kiezen.

'Is een van u gemachtigd geldboekingen te doen?' vroeg Clarke.

'Zo goed van vertrouwen was Charles niet,' zei Hazel Harmison.

'Dan moet u contact opnemen met zijn boekhouder.'

'Die is op vakantie.'

'Iemand anders van zijn kantoor dan?'

'Eenmansbedrijf,' zei Grimm.

'Het komt allemaal vast wel goed,' zei Clarke monter. Ze had genoeg van hun geklaag. 'We zijn hier omdat we in het huis een aantal opnames van de heer Riordan hebben gevonden. Maar de meeste zijn in rook opgegaan. Ik vraag me af of hij hier kopieën bewaarde.'

'Misschien een paar in de opslag,' zei Grimm. 'Ik waarschuwde hem altijd dat hij niet genoeg back-ups maakte...' Hij keek haar aan. 'Hebben de harde schijven het niet overleefd?'

'De meeste niet. We hebben wat spullen meegenomen, misschien dat jullie er meer mee kunnen dan wij.'

Grimm haalde zijn schouders op. 'Ik kan eens kijken.' Clarke gaf haar autosleutels aan Goodyear.

'Haal de zakken maar,' zei ze. De telefoon ging en Harmison nam op.

'CR Studios, wat kan ik voor u doen?' Ze luisterde even. 'Nee, het spijt me,' begon ze. 'Momenteel kunnen we wegens omstandigheden geen werk aannemen.'

Clarke had de aandacht van de technicus nog. 'Jullie kunnen het ook zelf doen,' zei ze kalm. 'Jullie tweeën bedoel ik...' Met een blik naar Harmison. Hij knikte en stond op, liep naar de balie en gebaarde dat hij de telefoon wilde. 'Momentje,' zei Harmison in de hoorn. 'Ik geef u de heer Grimm.'

'Wat kan ik voor u doen?' vroeg Terry Grimm. Harmison liep naar Clarke, de armen weer over elkaar alsof ze klappen wilde afweren.

'De vorige keer dat ik hier was,' zei Clarke, 'hintte Terry dat meneer Riordan álles opnam.'

De secretaresse knikte. 'Toen we een keer met ons drieën uit eten waren, werd er iets gebracht wat we niet hadden besteld. Toen trok Charlie een kleine recorder uit zijn zak en speelde de bestelling af om te bewijzen dat ze het echt verkeerd hadden gedaan.' De herinnering bracht een glimlach tevoorschijn.

'Er zijn momenten dat ik dat ook zou willen,' gaf Clarke toe.

'Anders ik wel. Loodgieters die beloven dat ze om elf uur komen... mensen aan de telefoon die zeggen dat het geld onderweg is...'

Nu glimlachte Clarke ook. Maar Harmisons gezicht betrok weer.

'Ik vind het zo erg voor Terry. Hij werkt minstens zo hard als Charlie, maakt langere dagen, eerlijk gezegd.'

'Wat voor klussen hebben jullie nu staan?'

'Radiospotjes... paar audioboeken... en de montage van het parlementsproject.'

'Welk parlementsproject?'

'U weet dat er elk jaar een Festival van de Politiek is?'

'Eerlijk gezegd niet.'

'Moest er een keer van komen – er is tegenwoordig overál een festival van. Dit jaar hebben ze een kunstenaar opdracht gegeven om iets te maken. Hij werkt met video en zo, en hij wilde een geluidscollage voor bij het kunstwerk dat hij maakt.'

'Dus jullie hebben opnames gemaakt in het parlement?'

'Honderden uren.' Harmison knikte naar de apparatuur. Grimm stond met zijn vingers te knippen om haar aandacht te krijgen.

'Ik geef u mijn assistente weer,' zei hij tegen de beller. 'Dan maakt zij een afspraak.'

Harmison liep op een drafje naar de balie waar het afsprakenboek lag. Dat 'assistente' deed het hem, dacht Clarke. Niet langer gewoon secretaresse of receptioniste...

Grimm kwam terug naar Clarke en knikte dankbaar. 'Bedankt voor de tip,' zei hij.

'Hazel zat me net te vertellen over het Festival van de Politiek.'

Grimm sloeg zijn ogen ten hemel. 'Wat een nachtmerrie. Die kunstenaar had geen idee wat hij wilde. Huppelt heen en weer tussen Genève en New York en Madrid... Af en toe krijgen we een e-mail of een fax. Wil-ie een paar fragmenten uit een debat, maar wel een verhit debat. Alle bijeenkomsten van één bepaalde commissie... een paar rondleidingen... interviews met bezoekers... De ene opdracht nog vager dan de andere, en vervolgens kregen we te horen dat we niet leverden waar hij om had gevraagd. Gelukkig hadden we al zijn e-mails bewaard.'

'En natuurlijk had Charles ook alle gesprekken opgenomen?'

'Hoe raadt u dat?'

'Dat vertelde Hazel.'

'Ja, dat vond onze kunstenaar geweldig. Ik bedoel, niet iedereen is blij om te merken dat ze stiekem zijn opgenomen...'

'Kan ik me voorstellen,' zei Clarke droog.

'Maar hij vond het kostelijk.'

'Klinkt wel als een groot project.'

'Bijna klaar. Ik heb nu een collage van twee uur, en tot nu toe lijkt hij wel tevreden. Hij wil het materiaal gebruiken in een video-installatie in het parlementsgebouw.' Grimm haalde zijn schouders op, een gebaar dat zijn mening over 'kunstenaars' leek samen te vatten.

'Hoe heet hij?'

'Roddy Denholm.'

'En hij woont niet in Schotland?'

'Hij heeft een flat in de New Town, maar daar is-ie schijnbaar nooit.'

De intercom zoemde – Goodyear die terug was met de banden en de digitale recorders.

'Wat denkt u dat we eruit kunnen halen?' vroeg Grimm, starend naar de plastic zakken die Goodyear op de vloer zette.

'Dat weet ik eerlijk gezegd ook niet goed,' gaf Clarke toe. Hazel Harmison had de afspraak geboekt en stond nu met morbide fascinatie naar de zakken te kijken. Ze sloeg haar armen weer over elkaar, maar dat bood niet voldoende afweer.

'Heb je een afspraak gemaakt voor vandaag of voor morgen?' vroeg Grimm om haar aandacht af te leiden.

'Morgenmiddag.'

'Die opnames die u in het parlement hebt gemaakt...' vroeg Clarke aan Grimm. 'U zei dat u de zittingen van een commissie had opgenomen. Mag ik vragen welke dat was?'

'Stedelijke Vernieuwing,' zei hij. 'Bepaald geen broedplaats voor meeslepend drama, neem dat van mij aan.'

'Doe ik grif,' zei Clarke. Maar toch interessant. 'En maakte u die opnames, of meneer Riordan?'

'Wij allebei.'

'Die commissie wordt toch voorgezeten door Megan Macfarlane?'

'Hoe weet u dat?'

'Laten we zeggen dat ik belangstelling heb voor politiek. Mag ik er eens naar luisteren?'

'Naar de Commissie Stedelijke Vernieuwing?' Hij klonk verbaasd. 'Dat is meer dan gewoon "belangstelling voor politiek", brigadier...'

Ze hapte: 'Wat dan?'

'Masochisme,' zei hij, en draaide zich om naar het mengpaneel.

'Gill Morgan?' vroeg Rebus aan de intercom. Hij stond bij een deur in Great Stuart Street. Auto's rammelden over de kasseien, onderweg naar Queen Street en George Street. De ochtendspits was nog niet helemaal voorbij en Rebus moest vooroverbuigen en zijn oor tegen de intercom houden om het uiteindelijke antwoord te verstaan.

'Wat is er?' De stem klonk slaperig.

'Sorry als ik u wakker gebeld heb.' Rebus probeerde berouwvol te klinken. 'Ik ben van de politie, ik heb nog een paar vragen over juffrouw Sievewright.'

'Ach, ga ergens anders grappen maken.' Slaperig én geërgerd.

'Wacht maar tot je mijn punchline hoort.'

Maar dat had ze gemist. Overstemd door een denderende vrachtwagen. Rebus herhaalde het niet maar vroeg alleen of ze hem binnen wilde laten.

'Ik moet me nog aankleden.'

Hij herhaalde zijn verzoek en hoorde de zoemer. Hij duwde de deur van het trappenhuis open en liep twee trappen op. Ze had de deur op een kier gezet maar hij klopte toch.

'Wacht in de woonkamer!' riep ze, waarschijnlijk vanuit haar slaapkamer. Rebus kon de woonkamer zien, aan het eind van een ruime hal – het soort dat makelaars 'salonhal' noemden. Het idee was dat je er een zithoek kon inrichten om bezoek te ontvangen, zodat je echte woonkamer gevrijwaard bleef van gasten. Het leek hem kenmerkend voor Edinburgh. Gastvrij – maar niet té. In de woonkamer zelf stond hagelwit meubilair tussen hagelwitte muren. Alsof je een iglo binnenstapte. De vloerplanken waren geschuurd en gelakt en hij concentreerde zich daar een tijdje op om niet sneeuwblind te raken. Het was een ruime kamer met een hoog plafond en twee enorme ramen. Hij kon zich niet voorstellen dat Gill Morgan hier met iemand samenwoonde, daarvoor was het te netjes. Aan de wand boven de haard hing een flatscreentelevisie, en nergens decoratie. Het was als een kamer in de zondagbijlage van een krant, een kamer die is ontworpen om te worden gefotografeerd, niet om in te leven.

'Sorry, hoor,' zei de jonge vrouw die de kamer in kwam. 'Nadat ik u had binnengelaten besefte ik ineens dat ik helemaal niet weet wie u bent. Die andere agenten hebben me hun legitimatie laten zien. Mag ik die van u ook zien?'

Rebus toonde zijn legitimatie en terwijl ze die stond te bekijken bekeek hij haar. Ze was ontzettend klein – een soort elfje. Krap een meter vijftig, met een spits gezichtje en amandelvormige ogen. Bruin haar in een paardenstaart, armen zo dun als pijpenragers. Hawes en Tibbet hadden gezegd dat ze modellenwerk deed... Dat vond Rebus moeilijk te geloven. Modellen waren toch lang? Morgan was intussen klaar met lezen en had zich neergevlijd in een witleren leunstoel, de benen onder zich gevouwen.

'Wat kan ik voor u doen, inspecteur?' vroeg ze, haar handen om haar knieën geslagen.

'Mijn collega's zeiden dat u modellenwerk doet. Dat loopt zeker goed?' Hij liet zijn blik demonstratief door de ruime woonkamer gaan.

'Ik ga me meer toeleggen op acteren.'

'O ja?' Rebus probeerde geïnteresseerd te klinken. De meeste mensen zouden op zijn eerste vraag hebben gezegd dat hij daar niets mee te maken had, maar Gill Morgan niet. Voor haar was praten over zichzelf de gewoonste zaak van de wereld.

'Ik heb lessen genomen.'

'Heb ik u al eens ergens in gezien?'

'Dat denk ik niet,' zei ze vol ingehouden trots, 'maar er zit tv-werk aan te komen.'

'Zo. Dat is niet niks...' Rebus nam plaats in de stoel tegenover haar.

'Klein rolletje in een dramaserie...' Morgan leek te vinden dat ze het belang wat moest afzwakken, ongetwijfeld om zo een bescheiden indruk te maken.

'Toch spannend,' speelde Rebus het spelletje mee. 'En dat is waarschijnlijk ook de verklaring voor iets wat ik me zat af te vragen.'

Nu keek ze verbaasd. 'O?'

'Toen mijn collega's u spraken, merkten ze dat u hun iets op de mouw probeerde te spelden. Nu ik hoor dat u actrice bent, verklaart dat waarom u dacht dat ze erin zouden trappen.' Hij leunde naar voren, alsof hij haar in vertrouwen nam. 'Maar het zit zo, juffrouw Morgan. We onderzoeken momenteel twéé moorden, en dat betekent dat we geen tijd kunnen verdoen met dwaalsporen. Dus voordat u serieus in de problemen komt, kunt u beter open kaart spelen.'

Morgans lippen waren even bleek als haar wangen. Haar oogleden gingen op en neer en even dacht hij dat ze zou flauwvallen.

'Ik weet niet wat u bedoelt,' zei ze.

'Ik zou niet meteen stoppen met acteerles – een tekst overtuigend brengen, daar hebt u volgens mij nog wel wat te leren. Al het bloed is uit uw gezicht weggetrokken, uw stem trilt en u knippert met uw ogen alsof u in de koplampen van een auto staart.' Rebus leunde weer achterover in zijn stoel. Hij was hier net vijf minuten, maar uit wat hij had gezien meende hij al heel het leven van Gill Morgan te kunnen afleiden: opgebracht in weelde, ouders die haar hadden overladen met geld en liefde, bulkend van het zelfvertrouwen, en nog nooit problemen gehad waaruit ze zich niet met een vlotte babbel kon redden.

Tot nu toe.

'Laten we het langzaamaan doen,' zei hij, op mildere toon. 'Stapje voor stapje. Hoe heb je Nancy leren kennen?'

'Op een feestje, geloof ik.'

'Geloof je?'

'Ik was met een paar vrienden wat kroegen af geweest... en toen belandden we op een feestje en ik weet niet meer of Nancy daar al was of dat ze zich onderweg bij ons had aangesloten.'

Rebus knikte begrijpend. 'Hoe lang geleden is dat?'

'Drie of vier maanden. Rond de tijd van het zomerfestival.'

'Jullie komen volgens mij uit heel verschillende milieus.'

'Absoluut.'

'Wat hadden jullie dan gemeen?' Daar leek ze niet meteen een antwoord op te hebben. 'Er moet toch iets geweest zijn wat jullie bond?'

'Ik kan gewoon lachen met haar.'

'Waarom krijg ik nou het gevoel dat je weer zit te liegen? Komt het doordat je stem beeft of omdat je zo met je ogen zit te knipperen?'

Morgan sprong op. 'Ik hoef uw vragen niet te beantwoorden! Weet u wie mijn moeder is?'

'Ik vroeg me al af hoe lang het zou duren,' zei Rebus met een tevreden glimlach. 'Vooruit, doe me eens versteld staan.' Hij vouwde zijn handen achter zijn hoofd.

'Ze is de vrouw van Sir Michael Addison.'

'Dat is niet je echte vader?'

'Mijn vader is overleden toen ik twaalf was.'

'En je hebt zijn achternaam gehouden?' De kleur was teruggekomen in de wangen van het meisje. Ze besloot weer te gaan zitten maar ditmaal hield ze haar voeten op de vloer. Rebus haalde zijn handen van achter zijn hoofd en legde ze op de leuning van de stoel. 'En wie is Sir Michael Addison?' vroeg hij.

'Directeur van de First Albannach Bank.'

'Invloedrijk man, ongetwijfeld.'

'Hij heeft mijn moeder van de drank gered,' zei Morgan, en haar blik boorde zich in Rebus' ogen. 'En hij houdt zielsveel van ons allebei.'

'Leuk voor jou, maar een schrale troost voor die arme donder die dood is aangetroffen in King's Stables Road. Je vriendin Nancy heeft het lijk gevonden en vervolgens tegen ons gelogen over waar ze vandaan kwam. Ze gaf jóúw naam, Gill, en jóúw adres. Dus ze moet jou een enorm goeie vriendin vinden, het soort dat liever achter de tralies verdwijnt dan de waarheid te vertellen...'

Hij had zelf niet door dat hij met stemverheffing was gaan spreken, maar toen hij zweeg kaatste er even een echo van de muren.

'Denk je dat je stiefvader dat zou willen, Gill?' ging hij door, weer op mildere toon. 'Denk je dat je arme moeder dat zou willen?'

Gill Morgan liet haar hoofd hangen en leek de rug van haar handen te bestuderen. 'Nee,' zei ze zacht.

'Nee,' beaamde Rebus. 'Vertel nu eens: als ik je vraag waar Nancy woont, kun jij me dat dan vertellen?'

Eén enkele traan viel op de schoot van de jonge vrouw. Ze wreef met duim en wijsvinger in haar ogen en knipperde om de tranen een halt toe te roepen. 'Ergens bij de Cowgate.'

'Klinkt voor mij niet alsof je haar heel goed kent,' zei Rebus. 'Dus als jullie helemaal geen boezemvriendinnen zijn, waarom neem je haar dan in bescherming?'

Morgan zei iets wat hij niet verstond. Hij vroeg haar het te herhalen. Ze keek hem kwaad aan en ditmaal klonk het luid en duidelijk.

'Ze kocht drugs voor me.' Ze zweeg even om het te laten doordringen. 'Voor ons, moet ik zeggen – we gebruikten het allebei. Gewoon wat marihuana, niks wereldschokkends.'

'Ben je daardoor vriendinnen geworden?'

'Dat is wel één reden.' Maar het leek Morgan niet zinvol om hierover te liegen. 'Misschien zo'n beetje de enige.'

'En op dat feestje waar je haar leerde kennen had ze spul bij zich?'

'Ja.'

'Om uit te delen of om te verkopen?'

'We hebben het hier niet over het Medellín-kartel, inspecteur...'

'Dus ook cocaïne?' maakte Rebus daaruit op. Morgan besefte dat ze zich had versproken. 'En jij moest haar beschermen omdat ze je anders in de shit zou helpen? Sorry.'

'Was dat de punchline waar u het over had?'

'Ik dacht dat je dat niet had gehoord.'

'Toch wel.'

'Dus Nancy Sievewright is hier die avond niet geweest?'

'Ze zou tegen middernacht komen met mijn deel. Ik was kwaad dat ze niet kwam opdagen, want ik had me naar huis moeten haasten.'

'Waarvandaan?'

'Ik had een van mijn toneeldocenten geholpen. Hij klust bij met zo'n spooktour door de stad.'

'Van die griezelrondleidingen bedoel je?'

'Ja, belachelijk, maar de toeristen vinden het geweldig en het is ook wel grappig.'

'Dus jij speelt daarin mee? Uit een donkere hoek tevoorschijn springen en "boe" roepen?'

'Ik heb verschillende rollen, hoor.' Ze leek gekwetst door zijn schampere toon. 'En tussendoor hol ik als een gek van de ene naar de andere plek en kleed me onderweg om.'

Rebus herinnerde zich dat Gary Walsh iets over die rondleidingen had gezegd. 'Waar speelt zich dat af?' vroeg hij.

'Tussen St. Giles en de Canongate, elke avond dezelfde route.'

'Weet je of er ook groepen door King's Stables Road gaan?'

'Nee.'

Rebus knikte peinzend. 'En wie speel jij precies?'

Ze lachte verbaasd. 'Vanwaar die belangstelling?'

'Vertel eens.'

Ze tuitte haar lippen. 'Nou,' zei ze uiteindelijk, 'ik ben de builenpestdokter... dan heb ik een masker op, een soort snavel. Die artsen vulden dat met een kruidenmengsel, tegen de stank van de patiënten.'

'Leuk.'

'En ik speel een spook... en soms de Bezeten Monnik.'

'De Bezeten Monnik? Niet echt een vrouwenrol, toch?'

'Ik moet alleen wat jammeren en kreunen.'

'Maar ze zien toch dat je geen man bent?'

'In die monnikspij kun je mijn gezicht nauwelijks zien,' legde ze glimlachend uit.

'Een pij?' zei Rebus. 'Die wil ik wel eens zien.'

'De kostuums zijn van het bedrijf, inspecteur. Dat is handig als iemand moet invallen bij ziekte.'

Rebus knikte alsof die uitleg volstond. 'Vertel eens,' vroeg hij, 'heeft Nancy je dat wel eens zien doen?'

'Een paar weken terug.'

'Vond ze het leuk?'

'Volgens mij wel.' Ze stootte weer een zenuwachtig lachje uit. 'Zijn dit strikvragen of zo? Ik zie het verband met uw onderzoek niet.'

'Er is waarschijnlijk ook geen verband,' stelde Rebus haar gerust.

Morgan dacht even na. 'Nu gaat u met Nancy praten, hè? Dan weet ze dat ik het u heb verteld.'

'Ik ben bang dat u op zoek moet naar een andere leverancier, mevrouw Morgan. Maar maak u geen zorgen – daar is geen gebrek aan.' Rebus kwam overeind. Ze volgde zijn voorbeeld. Op haar tenen staand kwam ze nog niet tot aan zijn kin.

'Is het...' Ze slikte de vraag weer in, maar besloot toen dat ze het toch moest weten. 'Is het nodig dat mijn moeder dit te horen krijgt?'

'Hangt ervan af, eigenlijk,' zei Rebus, na even te hebben gedaan alsof hij erover nadacht. 'Als we de moordenaar te pakken krijgen... en hij berecht wordt... wordt het tijdsverloop van de hele avond minutieus in kaart gebracht. Dan wil de advocaat van de verdachte twijfel zaaien bij de jury, onder meer door te suggereren dat getuigen niet helemaal betrouwbaar zijn. Dan willen ze aantonen dat Nancy's eerste verklaring voor geen meter deugde, zodat aan alles een luchtje komt te zitten...' Hij keek omlaag naar haar. 'Dat is in het ergste geval,' zei hij geruststellend. 'Misschien komt het zover helemaal niet.'

'Met andere woorden: misschien komt het juist wél zover.'

'Je had meteen de waarheid moeten spreken, Gill. Liegen is leuk en aardig voor acteurs, maar in de echte wereld noemen we dat meineed.'

22

'Ik weet niet of ik het helemaal kan volgen,' gaf Siobhan Clarke toe. Ze zaten met zijn allen in het recherchekantoor. Clarke ijsbeerde langs de projectwand. Daar passeerde ze opgehangen foto's van Alexander Todorov voor en na zijn dood, een fotokopie van het sectierapport, namen en telefoonnummers. Rebus spoelde een broodje hamsalade weg met slokken plastic thee. Hawes en Tibbet zaten achter hun bureau zacht heen en weer te wiegen in hun stoel, op het ritme van muziek die alleen zij leken te horen. Todd Goodyear nipte aan een pak melk van een halve liter.

'Moet ik het even samenvatten?' bood Rebus aan. 'Gill Morgans stiefvader is de chef van First Albannach. Ze koopt drugs van Nancy Sievewright en ze kan makkelijk aan een monnikspij komen.' Hij haalde zijn schouders op alsof het allemaal niet veel voorstelde. 'O, en Sievewright wist ook van die monnikspij af.'

'We moeten haar verhoren,' besloot Clarke. 'Phyl, Col, ga haar halen.'

Ze knikten volmaakt synchroon en stonden op. 'En als ze niet thuis is?' vroeg Tibbet.

'Ga je haar zoeken,' beval Clarke.

'Ja, baas,' zei hij en trok zijn colbert aan. Clarke wierp hem een boze blik toe, maar Rebus wist dat Tibbet het niet sarcastisch had bedoeld. Hij had Clarke 'baas' genoemd omdat ze dat was. Dat leek ze zich nu ook te realiseren, en ze keek naar Rebus. Hij verfrommelde het cellofaan van zijn broodje en gooide de prop een meter voorbij de prullenmand.

'Mij leek ze geen dealer,' zei Clarke.

'Is ze misschien ook niet,' zei Rebus. 'Misschien is het gewoon een meisje dat graag spullen met vriendinnen deelt.'

'Maar als ze daar geld voor vraagt,' wierp Goodyear tegen, 'is ze toch een dealer?' Hij was naar de prullenmand gelopen, raapte de prop op en gooide hem erin. Rebus vroeg zich af of hij er ook maar één gedachte aan gewijd had.

'En als ze die avond niet bij Gill Morgan is geweest, waar was ze dan wel?' vroeg Clarke.

'Nu we toch ingrediënten in de soep gooien,' onderbrak Rebus haar. 'Hier heb ik er nog een: de barkeeper in het hotel heeft Andropov en Cafferty op de avond van de moord met iemand anders zien praten. En wel met minister Jim Bakewell.'

'Die zat in *Question Time*,' zei Clarke. Rebus knikte langzaam. Hij had besloten zijn eigen gesprek met Andropov in het hotel te verzwijgen.

'Heeft hij met de dichter gepraat?' vroeg Clarke.

'Dat geloof ik niet. Cafferty zat aan de bar toen hij Todorov op een glas trakteerde, en toen die weg was is hij bij Andropov en Bakewell aangeschoven. Ik heb gezien waar ze zaten. Vanaf die tafel kon Andropov Todorov volgens mij niet zien.'

'Toeval?' opperde Goodyear.

'Daar geloven we in ons werk niet zo in,' zei Rebus.

'Zie je dan niet vaak verbanden die er niet zijn?'

'Alles houdt verband met alles, Todd. Iedereen is maar zes handdrukken verwijderd van de paus. Ik dacht dat een Bijbelsmijter dat wel wist.'

'Ik heb nog nooit van mijn leven met een Bijbel gesmeten.'

'Moet je eens proberen. Goeie manier om je af te reageren.'

'Is het nou uit, kinderen?' maande Clarke. 'Moeten we met Bakewell gaan praten?' vroeg ze Rebus.

'Als het in dit tempo doorgaat kunnen we het hele parlement wel dagen,' zei Goodyear.

'Hoe bedoel je?' vroeg Rebus.

Toen was het hun beurt om verslag uit te brengen: het project van Roddy Denholm en de opnames van de Commissie Stedelijke Vernieuwing. Als om zijn woorden kracht bij te zetten stak Goodyear een doos DAT-tapes omhoog.

'Hadden we daar nu maar een speler voor,' zei hij.

'Howdenhall stuurt er een,' zei Clarke.

'Urenlang luisterplezier,' mompelde hij, en begon de cassettes op een rij op het bureau te zetten, rechtop als dominostenen.

'Volgens mij begint de recherche zijn allure te verliezen,' zei Rebus tegen Clarke.

'Kon wel eens kloppen,' zei ze en gaf een duw tegen het bureau zodat de cassettes omvielen.

'Moeten we ook weer met Megan Macfarlane gaan praten?' was Rebus' volgende vraag.

'Waarom?'

'Omdat ze Riordan waarschijnlijk kende. Opmerkelijk dat ze met beide slachtoffers connecties had...'

Clarke knikte maar leek niet overtuigd. 'Dit onderzoek is een mijnenveld,' kreunde ze uiteindelijk en draaide zich weer om naar de projectwand. Rebus zag nu pas dat er een foto van Charles Riordan aan de verzameling was toegevoegd.

'Eén dader?' vroeg hij.

'Ik zal eens in mijn glazen bol kijken,' repliceerde ze.

'Niet waar de kinderen bij zijn,' plaagde Rebus. Goodyear had een wikkel van een koekje gevonden en gooide die in de prullenmand.

'Daar hebben we schoonmakers voor, Todd,' zei Rebus. En tegen Siobhan Clarke: 'Eén dader of twee?'

'Ik zou het echt niet weten.'

'Bijna goed. Het juiste antwoord is: doet er niet toe. Het enige wat voorlopig van belang is, is dat we ervan uitgaan dat de twee sterfgevallen met elkaar te maken hebben.'

Ze knikte. 'Macrae zal het team wel willen uitbreiden.'

'Hoe meer zielen, hoe meer vreugd.'

Maar toen hij haar borende blik zag, wist hij dat ze zich onzeker voelde. Ze had nog nooit een groot onderzoek geleid. Bij het verdachte sterfgeval op de G8 vorig jaar was het onderzoek klein gehouden om mediaophef te voorkomen. Maar zodra de media te horen kregen dat hier sprake was van een dubbele moord, kwam het op de voorpagina en zouden de kranten schreeuwen om actie en snel resultaat.

'Dan heeft Macrae vast liever een inspecteur aan het hoofd,' zei Clarke. Rebus wilde dat Goodyear er niet bij was – dan hadden ze tenminste vrijuit kunnen spreken. Hij schudde zijn hoofd.

'Leg hem uit hoe jij de zaak ziet,' zei hij. 'En als je weet wie je in je team wilt, geef je hem namen. Dan krijg je de mensen die je wilt.'

'Ik heb al iedereen die ik wil.'

'Agossie, ik pink een traantje weg. Maar wat het publiek wil horen is dat een team van vijfentwintig rechercheurs de onderwereld afkamt, naarstig op zoek naar de snode schurk. Vijf man in een kamer op bureau Gayfield Square, dat klinkt toch niet.'

'Vijf was genoeg voor Enid Blyton,' zei Clarke met een flauwe glimlach.

'En voor Scooby Doo,' vulde Goodyear aan.

'Alleen als je de hond meetelt,' corrigeerde Clarke. En tegen Rebus: 'Wie zal ik eerst het leven zuur gaan maken? Macrae, Macfarlane of Jim Bakewell?'

'Ik zou voor de hattrick gaan,' zei hij. De telefoon op zijn bureau ging over en hij nam op.

'Inspecteur Rebus,' sprak hij in de hoorn. Hij tuitte zijn lippen, gromde een antwoord tegen de beller en liet de hoorn weer op het toestel vallen.

'De opperhoofden willen bloed zien,' legde hij uit, en hij hees zich overeind.

James Corbyn, hoofdcommissaris van het korps Lothian and Borders, zat op Rebus te wachten in zijn kamer op de tweede verdieping van het hoofdbureau van politie aan Fettes Avenue. Corbyn was begin veertig, had een scheiding in zijn zwarte haar en een gezicht dat glom alsof het net onder handen was genomen met scheermes en aftershave. De meeste mensen richtten altijd hun aandacht op het kapsel van de hoofdcommissaris, om niet te hoeven kijken naar de grote moedervlek op zijn rechterwang. Sommige agenten was het opgevallen dat hij bij tv-interviews altijd zorgde dat hij van de linkerkant werd gefilmd. Er waren zelfs discussies over waar de moedervlek het meest op leek: de kustlijn van Fife of een hondenkop. Zijn aanvankelijke bijnaam de Broekpers was al snel vervangen door het logische Pukkelmans. Rebus had Corbyn tot nu toe maar drie of vier keer gezien, en nooit had dat een schouderklopje of felicitatie betroffen. Wat hij aan de telefoon had gehoord wekte niet de indruk dat het ditmaal anders zou zijn.

'Kom maar binnen, hoor,' snauwde Corbyn, die de deur net ver genoeg had opengetrokken om zijn hoofd in de gang te steken. Toen Rebus was opgestaan van de enige stoel in de gang en de deur had opengeduwd, zat Corbyn alweer achter zijn grote en onmenselijk nette bureau. Tegenover hem zat nog een man. Stevig postuur en kaal, met een volgevreten hoofd dat rood aanliep, teken van hoge bloeddruk. Hij kwam net lang genoeg overeind om Rebus een hand te geven en zichzelf voor te stellen als Sir Michael Addison.

'Uw stiefdochter laat er geen gras over groeien,' zei Rebus tegen de bankier. En Addison zelf ook niet. Hooguit anderhalf uur geleden dat Rebus bij Gill Morgan was vertrokken, en hier zaten ze al. 'Prettig om vrienden te hebben, hè?'

'Gill heeft me alles verteld,' zei Addison. 'Ze gaat blijkbaar om met de verkeerde mensen, maar daar zullen haar moeder en ik wel een stokje voor steken.'

'Weet haar moeder ervan?' polste Rebus.

'We hopen dat dat niet nodig is...'

'Ze mocht weer eens naar de fles grijpen,' stemde Rebus in.

Dit leek de bankier uit het veld te slaan. De stilte die viel was het teken voor Corbyn. 'Luister, John, ik zie niet in wat het voor nut heeft om hier verder op door te hameren.' Hij noemde Rebus bij de voornaam om de indruk te wekken dat ze allemaal aan dezelfde kant stonden.

'Waarop dan precies, commissaris?' vroeg Rebus, die het spelletje niet wilde meespelen.

'Je weet best wat ik bedoel. Jonge meisjes zijn beïnvloedbaar... misschien was Gill bang om de waarheid te vertellen.'

'Omdat ze dan een leverancier kwijtraakte?' Rebus deed alsof zijn neus bloedde. Hij draaide zich om naar Addison. 'Haar vriendin heet trouwens Nancy Sievewright. Zegt die naam u iets?'

'Ik heb haar nog nooit gezien.'

'Maar een van uw collega's wel. Ene Roger Anderson. Hij kan haar maar niet met rust laten.'

'Ik ken Roger,' gaf Addison toe. 'Hij was erbij toen die dichter gevonden werd.'

'Door Nancy Sievewright,' benadrukte Rebus.

'Maar wat heeft Gill hier nu verder mee te maken?' kwam Corbyn tussenbeide.

'Ze heeft gelogen in een moordonderzoek.'

'En nu heeft ze de waarheid gezegd,' drong Corbyn aan. 'Dat is toch genoeg?'

'Niet echt, commissaris.' Hij draaide zich weer om naar Addison. 'Ik heb nog een naam voor u: Stuart Janney.'

'Ja?'

'Die werkt ook voor u.'

'Hij werkt voor de bank, niet voor mij persoonlijk.'

'En houdt zich vooral bezig met het aanpappen met parlementariërs en het in bescherming nemen van dubieuze Russen.'

'Wacht eens even.' Addisons vlezige gezicht was van lichtroze verschoten naar diep rood, waardoor een scheerwondje in zijn hals extra opviel.

'Ik heb net met mijn collega's zitten praten,' denderde Rebus verder, 'over hoe alles met alles verband houdt. In een land zo klein als Schotland, een stad zo klein als Edinburgh merk je dat pas echt goed. Uw bank hoopt zaken te doen met de Russen, nietwaar? Misschien hebt u zelfs tijd vrijgemaakt in uw drukke agenda om een balletje met ze te slaan op Gleneagles? Waar dankzij de goede zorgen van Stuart Janney alles rimpelloos is verlopen...?'

'Ik zie echt niet in wat dit allemaal te maken heeft met mijn stiefdochter.'

'Kan wel vervelend worden als blijkt dat zij iets te maken heeft met de moord op Todorov... Dan kunt u nog zo zeggen dat u er zélf niets mee te maken hebt, maar via haar is er toch een directe link met u, en de top van de FAB. Ik denk niet dat Andropov en zijn makkers daar blij van zouden worden.'

Corbyn sloeg met zijn vuist op tafel, zijn ogen schoten vuur. Addison trilde en hees zichzelf overeind. 'Dit was een vergissing,' zei hij. 'Dom van me, ik was ál te bezorgd om haar.'

'Michael,' begon Corbyn, maar hij viel stil want hij had geen idee wat hij verder moest zeggen.

'Het valt me op dat uw stiefdochter uw achternaam niet heeft overgenomen, meneer,' zei Rebus. 'Maar ze vraagt u wel om alle hulp die ze kan krijgen, hè? En dat fraaie appartementje – van de bank zeker?'

Addisons overjas en sjaal hingen aan een haak tegen de muur en daar liep hij naartoe.

'Een beroep op goed fatsoen, meer niet,' zei de bankier, meer tegen zichzelf dan iemand anders. Hij had zijn arm in één mouw maar worstelde met de andere. Zijn drang om de kamer uit te komen was zo sterk dat hij met de jas over één schouder bungelend wegliep. De deur bleef openstaan. Corbyn en Rebus stonden overeind, tegenover elkaar.

'Dat ging wel goed, hè?' zei Rebus.

'Je bent een dwaas, Rebus.'

'Geen "John" meer? Bang dat hij uit wraak uw hypotheekrente verhoogt?'

'Hij is een goed mens – en een goede vriend,' snauwde Corbyn.

'En zijn stiefdochter is een leugenachtige drugsgebruiker.' Rebus haalde zijn schouders op. 'Tja, je familie heb je nou eenmaal niet voor het uitkiezen. Maar je vrienden wel... en FAB lijkt een stel toffe peren te vriend te hebben.'

'First Albannach is verdomme een van de weinige succesverhalen van dit land!' barstte Corbyn weer uit.

'Daarom zijn het nog geen heiligen.'

'Zo zie jij jezelf zeker? Als een heilige?' Corbyn lachte schamper. 'Jezus, wat een lef.'

'Anders nog iets, commissaris? Misschien een buurman die vraagt of de recherche haar schaarse middelen wil inzetten voor de opsporing van een gestolen tuinkabouter?'

'Nog één ding.' Corbyn was weer gaan zitten. De volgende woorden sprak hij met grote tussenpauzes uit. 'Jij... ligt... eruit.'

'Bedankt dat u me eraan herinnert.'

'Ik meen het. Ik weet dat je over drie dagen met pensioen gaat, maar voor die laatste paar dagen ben je geschorst.'

Rebus staarde hem strak aan. 'Is dat niet een ietsiepietsie kleinzielig en bekrompen, commissaris?'

'O, maar dan zul je helemaal blij zijn als je de rest hoort.' Corbyn haalde diep adem. 'Als ik hoor dat jij nog één voet in bureau Gayfield Square zet, degradeer ik elke collega die ook maar bij je in de buurt komt. Wat ik wil, Rebus, is dat jij hier met de staart tussen de benen wegkruipt en de dagen op de kalender afstreept. Jij bent niet langer politieman in actieve dienst, en dat zul je ook nooit meer zijn.' Hij stak zijn hand uit. 'Politiekaart, graag.'

'Wilt u erom vechten?'

'Als je zin hebt om een tijdje in de cel te zitten. Ik denk dat we je zonder veel moeite drie dagen kunnen vastzetten.' Hij maakte een ongeduldig gebaar met zijn hand. 'Ik kan minstens drie voorgangers bedenken die nu wat graag in mijn schoenen hadden gestaan,' kirde Corbyn.

'Ik ook,' beaamde Rebus. 'We zouden een close-harmonykwartet kunnen vormen om een liedje te zingen over de lul-de-behanger voor onze neus.'

'En dát,' zei Corbyn triomfantelijk, 'is nou precies de reden dat je geschorst bent.'

Rebus keek ongelovig naar de hand die hij nog steeds ophield. 'Als u mijn politielegitimatie wilt,' zei hij zacht, 'stuurt u maar wat jongens om hem te halen.' Hij draaide zich om en liep naar de deur. Daar stond een secretaresse met een dossier tegen de borst geklemd, ogen en mond wijd open. Rebus knikte om aan te geven dat haar oren haar niet bedrogen, en vormde met zijn lippen het woord 'lul-de-be-han-ger' om dat nog eens te onderstrepen.

Buiten op de parkeerplaats deed hij zijn Saab van het slot, maar bleef toen, zijn hand op de deurhendel, voor zich uit staren. Hij wist al een tijdje hoe het zat – dat je niet zozeer de onderwereld als de bovenwereld moest vrezen. Misschien verklaarde dat waarom Cafferty in schijn alleen nog bonafide zaken deed. Een paar vrienden op de juiste plaats en je kreeg dingen voor elkaar, zaken werden geregeld. Rebus had zich nooit een insider gevoeld. Van tijd tot tijd had hij het wel geprobeerd – in zijn legertijd, en de eerste paar maanden bij de politie. Maar hoe minder hij het gevoel had dat hij erbij hoorde, des temeer groeide zijn wantrouwen jegens al de anderen om hem heen, met hun potjes golf en ons kent ons, complotten en handjeklap, douceurtjes en wederdiensten. Logisch dat iemand als Addison de top bereikte; dat deed hij omdat hij het kon, omdat dat in zijn wereld niet meer dan terecht en fatsoenlijk leek. Maar Rebus moest toegeven dat hij Corbyn had onderschat, dat hij deze zet niet had verwacht. Buitenspel gezet tot je laatste dag.

'Lul-de-behanger,' zei hij hardop, en ditmaal bedoelde hij zichzelf.

Dat was het dan. Einde oefening, einde verhaal. Hij had de afgelopen weken zo zijn best gedaan om er niet aan te denken – zichzelf op andere klussen gestort, onverschillig wat. Al die oude onopgeloste zaken uit het stof gehaald, geprobeerd Siobhans interesse te wekken voor het verleden, alsof zij niet genoeg op haar bordje had met wat zich in het heden aandiende – iets wat niet snel zou veranderen. Het alternatief was om de hele boel mee naar huis te nemen... als afscheidscadeau, iets om zijn hersenen bezig te houden als hij de kroeg beu was. Al dertig jaar vond hij nu zijn grootste steun in het werk, en het enige wat het hem had gekost was zijn huwelijk en een hele rits vriendschappen en gestrande relaties. Een gewoon burger kon hij zich nooit meer voelen; te laat, te laat om te veranderen. Hij zou onzichtbaar worden voor de hele wereld, niet alleen voor stappende tieners.

'Fu-uck,' zei hij, langgerekt en hartgrondig.

Het was de achteloze arrogantie die hem zijn zelfbeheersing had doen verliezen. Addison die zo zeker was van zijn eigen macht. De arrogantie van die stiefdochter ook, die dacht dat ze met één jank-telefoontje alles kon rechtbreien. Zo werkte het in de bovenwereld, besefte Rebus. Addison was nog nooit bij kennis gekomen na bewusteloos te zijn geslagen in een naar pis ruikend trappenhuis van een woonkazerne. Zijn stiefdochter had nooit hoeven tippelen om geld te verdienen voor een shot, of om haar kinderen te voeden. Ze leefden in een heel andere wereld – dat was ongetwijfeld een van de redenen waarom Gill Morgan een kick kreeg van haar contact met mensen als Nancy Sievewright.

Net zoals Corbyn er een kick van kreeg dat een van de machtigste mannen in Europa hem een gunst kwam vragen.

En zoals Cafferty er een kick van kreeg om zakenlui en politici te fêteren... Cafferty: een open einde, en dat zou hij blijven als Rebus gehoor gaf aan Corbyn. Een ontketende Cafferty, vrij om heen en weer te pendelen tussen boven- en onderwereld. Tenzij Rebus nu direct terug naar binnen liep en zijn excuses aanbood aan de hoofdcommissaris, beloofde om voortaan braaf te zijn.

Ik voel me toch al afgedankt... geef me deze laatste kans nog... alstublieft, commissaris... alstublieft...

'Ja, dag,' zei Rebus, en hij rukte het portier open en stak de sleutel in het contact.

23

'Nancy, we nemen dit op band op, oké?'

Sievewright grimaste. 'Heb ik een advocaat nodig?'

'Wil je er een?'

'Weet niet.'

Clarke knikte dat Goodyear de apparatuur moest aanzetten. Ze had er zelf twee cassettes in geduwd – een voor henzelf en een voor Sievewright. Maar Goodyear aarzelde en Clarke realiseerde zich dat hij dit nog nooit had gedaan. Het was heet en benauwd in verhoorkamer 1, alsof de kamer alle warmte van de omliggende ruimtes naar zich toe trok. De cv-leidingen suisden en rommelden en je kon de verwarming niet uitzetten. Zelfs Goodyear had zijn jasje uitgetrokken en had zweetvlekken onder de oksels. Maar twee deuren verderop in verhoorkamer 3 was het ijskoud, misschien omdat verhoorkamer 1 alle warmte voor zichzelf hield.

'Die en die,' zei ze, wijzend op de knoppen. Hij drukte ze in, het rode lichtje ging branden en de cassettes begonnen te lopen. Clarke noemde haar eigen naam en die van Goodyear, waarbij haar laatste woorden werden overstemd door het geschraap van de stoel die hij dichterbij trok. Hij trok een verontschuldigend gezicht en ze herhaalde wat ze had gezegd, vroeg Sievewright haar naam te noemen, en noemde toen zelf datum en tijd. Toen die formaliteiten waren afgehandeld leunde ze achterover in haar stoel. Het Todorovdossier lag voor haar, de foto van de sectie bovenop. Ze had zelf wat blanco kopieerpapier in het dossier gestopt om te zorgen dat het er indrukwekkend dik en wellicht dreigend uitzag. Goodyear had bewonderend geknikt. Hetzelfde gold voor de foto van de dode Todorov, die ze van de wand had geplukt om Sievewright van de ernst van de zaak te doordringen. De jonge vrouw leek in ieder geval van haar stuk gebracht. Hawes en Tibbet hadden niet gezegd waarom ze haar kwamen halen en hadden de hele rit naar het bureau stug gezwegen. Sievewright had bijna drie kwartier in verhoorkamer 1 zitten wachten zonder dat ze thee of water kreeg aangeboden. En toen Clarke en Goodyear binnenkwamen, hadden die allebei een verse kop thee bij zich. Goodyear had nog tegengesputterd dat hij geen dorst had.

'Voor het effect,' had Clarke gezegd.

Naast het dossier lag de gsm van Clarke en daarnaast een notitieblok en een pen. Goodyear haalde ook een notitieblok tevoorschijn.

'Goed, Nancy,' begon Clarke. 'Ga je ons vertellen wat je echt hebt uitgespookt op de avond dat je het slachtoffer vond?'

'Wat?' Sievewrights mond bleef nog lang openhangen nadat die vraag eruit was gekomen.

'De avond dat je naar je vriendin was geweest...' Clarke deed alsof ze in het dossier keek. 'Gill Morgan.' Haar blik kruiste die van Sievewright. 'Je goede vriendin Gill.'

'Ja?'

'Jouw verhaal was dat je bij haar was geweest en onderweg naar huis was. Maar dat was een leugen, hè?'

'Nee.'

'Toch zit er iemand tegen ons te liegen, Nancy.'

'Wat heeft ze gezegd?' Haar toon klonk scherper.

'We hebben de indruk dat je onderweg naar haar toe was, niet dat je van haar af kwam. Had je de drugs bij je toen je over het lijk struikelde?'

'Wat voor drugs?'

'De drugs die je ging delen met Gill.'

'Die trut liegt!'

'Ze is toch een vriendin? Zo'n goeie vriendin dat ze ons vertelde wat ze van jou moest vertellen.'

'Ze liegt,' herhaalde Sievewright, haar ogen bijna dichtgeknepen.

'Waarom zou ze dat doen, Nancy? Waarom zou een vriendín liegen?'

'Dat vraagt u haar maar.'

'Dat hebben we al gedaan. Maar haar verhaal klopt met andere feiten in de zaak. Er is een vrouw gezien die bij de parkeergarage rondhing...'

'Ik heb al gezegd dat ik die niet heb gezien.'

'Maar misschien wás jij dat?'

'Ik lijk helemaal niet op die tekening die u liet zien.'

'Ze vroeg mannen om seks, en we weten waarom sommige vrouwen dat doen, hè?'

'O ja?'

'Geld voor drugs, Nancy.'

'Wat?'

'Jij had geld nodig om aan de drugs te komen die je wou doorverkopen aan Gill.'

'Ze had me het geld al gegeven, suffe doos!'

Clarke reageerde er niet op. Ze wachtte tot het effect van Nancy's uitbarsting tot haarzelf was doorgedrongen. Het gezicht van de tiener betrok toen ze besefte dat ze zich had versproken.

'Ik bedoel alleen...' stamelde ze, maar ze kon geen leugen bedenken.

'Gill Morgan had je geld gegeven om drugs te kopen,' zei Clarke. 'Heel eerlijk gezegd – daar wil ik duidelijk over zijn: dat kan me niets schelen. Ik krijg niet de indruk dat je een grote dealer bent. Dan had je die avond wel de benen genomen in plaats van op ons te wachten. Maar dan vermoed ik wel dat je op dat moment nog niks bij je had, en dat je dus ofwel stond te wachten op een dealer, of op pad was naar een dealer.'

'Ja?'

'Ik zou graag weten welke van de twee.'

'Tweede optie.'

'Onderweg naar een dealer?'

Sievewright knikte. 'Nancy Sievewright knikt,' zei Clarke ten behoeve van de langzaam draaiende cassettespoelen. 'Dus je hing niet rond voor de parkeergarage?'

'Dat heb ik toch al gezegd?'

'Even zeker weten.' Clarke sloeg ostentatief een andere pagina in het dossier op. 'Juffrouw Morgan wil actrice worden,' zei ze.

'Ja.'

'Heb je haar ooit ergens in gezien?'

'Volgens mij heeft ze nog nergens in gezeten.'

'Je klinkt sceptisch.'

'Eerst ging ze schrijven voor de krant, toen zou ze presentatrice worden, toen werd het modellenwerk...'

'Beetje een ongeleid projectiel dus,' zei Clarke.

'Noem het wat u wil.'

'Maar wel leuk om met haar op te trekken?'

'Ze krijgt leuke uitnodigingen,' gaf Sievewright toe.

'Maar ze neemt jou niet altijd mee?' gokte Clarke.

'Niet vaak.' Sievewright schuifelde heen en weer op haar stoel.

'Hoe hadden jullie elkaar ook weer leren kennen?'

'Op een feestje in de New Town... Ik raakte aan de praat met een van haar vrienden in een kroeg, en die zei dat ik wel met hen mee kon.'

'Weet je wie haar vader is?'

'Ik weet dat hij niet krap zit.'

'Hij is bankdirecteur.'

'Logisch.'

Clarke sloeg een pagina om. Zat Rebus er maar bij, om mee te pingpongen, hem af en toe het woord laten doen zodat ze zelf haar gedachten op een rijtje kon zetten. Todd Goodyear maakte een stijve en onzekere indruk en zat op zijn pen te kauwen als een bever op een bijzonder smakelijke boomstam.

'Ze doet van die griezelrondleidingen, wist je dat?' vroeg Clarke uiteindelijk.

'Kan ik iets te drinken krijgen of zo?'

'We zijn bijna klaar.'

Sievewright fronste als een kind dat wil gaan mokken. Clarke herhaalde haar vraag.

'Ze heeft me een keer meegenomen,' gaf de tiener toe.

'Hoe was dat?'

Sievewright haalde haar schouders op. 'Ging wel. Nogal saai eigenlijk.'

'Was je niet bang?' Het meisje snoof slechts. Clarke sloeg langzaam het dossier dicht, alsof ze er een punt achter wilde zetten. Maar ze had nog een paar vragen. Ze wachtte tot Sievewright aanstalten maakte om op te staan voordat ze de eerste stelde. 'Herinner je je die pij die Gill draagt?'

'Welke pij?'

'Als ze de Bezeten Monnik speelt.'

'Wat is daarmee?'

'Heb je die wel eens bij haar thuis gezien?'

'Nee.'

215

'Is ze wel eens bij jou thuis geweest?'

'Eén keer, op een feestje.'

Clarke deed alsof ze hier even over nadacht. 'Je weet dat ik je niet ga vervolgen wegens dealen, Nancy, maar ik zou toch graag het adres van je dealer hebben.'

'Echt niet.' Ze klonk onvermurwbaar. Ze zat nog steeds in de startblokken om op te staan. In gedachten was ze al weg, ze zou alle volgende vragen zo kort mogelijk willen beantwoorden. Clarke tikte met haar nagels tegen de dichtgeslagen dossiermap.

'Maar je kent hem redelijk goed?'

'Hoezo?'

'Ik denk dat je op dat eerste feestje al wat spul bij je had. Vandaar dat jullie zo makkelijk vrienden werden.'

'Nou en?'

'Krijg ik nog een naam?'

'Vergeet het maar.'

'Hoe heb je hem leren kennen?'

'Via een vriend.'

'Je huisgenoot? Die met de eyeliner?'

'Gaat u niks aan.'

'Toen ik daar was kwam er een flinke walm uit de woonkamer...' Sievewright hield haar kaken op elkaar. 'Heb je nog contact met je ouders?'

Die vraag leek het meisje van haar stuk te brengen. 'Mijn vader is ervandoor gegaan toen ik tien was.'

'En je moeder?'

'Woont in Wardieburn.'

Niet de beste buurt van de stad. 'Zie je haar vaak?'

'Wat is dit? Maatschappelijk Werk?'

Clarke glimlachte toegeeflijk. 'Nog last gehad van meneer Anderson?'

'Nog niet.'

'Denk je dat hij nog terugkomt?'

'Het is hem niet geraden.'

'Het grappige is dat hij voor de bank van Gills vader werkt.'

'Nou en?'

'Heeft Gill je nooit meegenomen naar een van hun feestjes? Kan meneer Anderson je daar niet van kennen?'

'Nee,' zei Sievewright. Clarke liet de stilte duren, leunde achterover in haar stoel en legde haar handen plat op tafel.

'Nog even voor alle duidelijkheid: jij bent geen prostituee en hij is geen klant van je?' Sievewright keek haar woedend aan en probeerde een vinnig antwoord te formuleren. Clarke gaf haar de kans niet. 'Dat was het dan wel, denk ik,' zei ze. 'Heel erg bedankt voor je komst.'

'Ik had weinig keus,' klaagde Sievewright.

'Het verhoor wordt beëindigd om...' Clarke keek op haar horloge, noemde de tijd, zette het apparaat stil en haalde de twee cassettes eruit, die ze verzegelde in plastic zakjes. Ze gaf er een aan Sievewright. 'Nogmaals bedankt.' Het meisje griste hem uit haar handen. 'Agent Goodyear brengt je naar de deur.'

'Word ik nog naar huis gebracht?'

'We zijn geen taxidienst.'

Sievewright trok een zuur gezicht om Clarke te laten weten hoe ze daarover dacht. Goodyear bracht haar naar buiten en Clarke maakte een gebaar met haar hoofd om aan te geven dat ze elkaar boven weer zagen. Zodra de deur dicht was, pakte ze haar mobiel.

'Alles gehoord?'

'Grotendeels,' zei Rebus. Ze hoorde hem een sigaret opsteken. 'Dit gaat ons een fortuin aan belminuten kosten.'

'Hangt ervan af waar je je verhoren afneemt,' zei hij. 'Als je het buiten het bureau doet, kan ik erbij zijn. Alleen Gayfield mocht ik van Corbyn niet meer in.'

Clarke stopte de cassette in het dossier en klemde dat onder haar arm. 'Denk je dat ik er alles uit heb gehaald?' vroeg ze.

'Je hebt het prima gedaan. Goed idee om een paar van de grote vragen voor het laatst te bewaren... ik begon me al af te vragen of je ze vergeten was.'

'Ben ik niks vergeten?'

'Volgens mij niet.'

Ze stond in de gang, opgelucht dat het daar acht graden koeler was.

'Eén ding,' zei Rebus. 'Waarom vroeg je naar haar ouders?'

'Weet ik eigenlijk niet. Misschien omdat we dit soort meisjes zo vaak zien. Alleenstaande moeder die moet werken, dochter die al te makkelijk op het slechte pad komt...'

'Heb je je geitenwollen sokken aan?'

'Opgroeien in Wardieburn... en dan ineens naar feestjes in de New Town.'

'En drugs verkopen,' hield Rebus haar voor. Clarke duwde met haar schouder de deur naar de parkeerplaats open. Daar zat hij in zijn Saab, telefoon aan zijn oor en sigaret in zijn andere hand. Ze klapte haar telefoon dicht terwijl ze het portier opende en naast hem ging zitten. Toen trok ze het portier dicht en stopte Rebus zijn telefoon terug in zijn zak.

'Is dat alles?' vroeg hij, en hij stak zijn hand uit voor het dossier.

'Alles wat ik kon kopiëren zonder argwaan te wekken.'

Hij haalde het drie centimeter dikke pak leeg kopieerpapier eruit. 'Jij kent alle trucs, Kwai Chang Caine.'

'Beschouw jij jezelf als Master Po?'

'Ik dacht dat jij te jong was om *Kung Fu* te kennen.'

'Van de herhalingen.' Ze zag hem het dossier op de achterbank leggen. 'Ik was het hele verhoor bang dat je zou hoesten of niesen.'

'Ik durfde nog geen sigaret op te steken,' antwoordde Rebus. Ze staarde hem aan, maar hij vermeed haar blik.

'Waarom kon je je niet gewoon gedeisd houden,' vroeg ze uiteindelijk, 'voor één keertje?'

'Types als Corbyn halen me het bloed onder de nagels vandaan,' legde hij uit.

'In dat opzicht behoort hij tot een meerderheid,' verweet ze hem.

'Misschien wel,' gaf hij toe. 'Ga je met Bakewell praten in het parlement?' Ze knikte langzaam. 'Ben ik uitgenodigd?'

'Leg me nog even uit: wat betekent "geschorst" ook weer precies?'

'Voor zover ik weet is het parlement een openbaar gebouw, Shiv. Trakteer hem op koffie, kan ik makkelijk aan het tafeltje ernaast zitten.'

'Of je kunt naar huis gaan en mij met Corbyn laten praten om hem op andere gedachten te brengen.'

'Lukt toch niet,' zei hij.

'Wat niet? Naar huis gaan, of hem op andere gedachten brengen?'

'Allebei.'

'God sta me bij,' zuchtte ze.

'Amen... en over de lieve Heer gesproken, ik heb Todd niet gehoord tijdens het verhoor.'

'Hij zat daar alleen om mee te luisteren.'

'Het mag best, hoor. Toegeven dat je mij miste.'

'Je zei toch net dat ik alles heb behandeld?'

Ze zag Rebus zijn schouders ophalen. 'Misschien waren er dingen die ze voor ons verborgen heeft gehouden.'

'Wil je beweren dat jij haar wel de naam van haar dealer had ontfutseld?'

'Twintig pond dat ik die heb voor de dag voorbij is.'

'Als Corbyn hoort dat je nog aan het onderzoek werkt...'

'Maar dat doe ik niet, brigadier Clarke. Ik ben een burger. Kan toch gaan en staan waar ik wil?'

'John...' zei ze waarschuwend. Maar ze maakte de zin niet af, wist dat het tijdverspilling was. 'Hou me op de hoogte,' mompelde ze, en duwde het portier open en stapte uit.

'Merk je niks?' vroeg hij. Ze stak haar hoofd weer in de auto.

'Wat?'

Hij maakte een weids gebaar naar de parkeerplaats. 'De geur is verdwenen... benieuwd of het een voorteken is.' Hij glimlachte toen hij de sleutel in het contact draaide en liet Clarke achter met een onuitgesproken vraag:

Een goed of een slecht voorteken?

24

'Is Nancy thuis?' vroeg Rebus aan Sievewrights huisgenoot toen de jongeman opendeed.

'Nee.'

Natuurlijk niet, want Rebus was haar op Leith Street gepasseerd in zijn Saab. Wat betekende dat hij een voorsprong van een minuut of twintig op haar had, ervan uitgaande dat ze rechtstreeks naar huis liep.

'Eddie heette je toch?' zei Rebus. 'Ik was hier een paar dagen geleden.'

'Weet ik.'

'Maar je achternaam heb ik niet verstaan.'

'Gentry.'

'Zoals Bobby Gentry.'

'Die kennen niet veel mensen meer tegenwoordig.'

'Ik ben al wat ouder dan de meeste mensen; ik heb een paar platen van haar thuis. Vind je het goed als ik binnenkom?' Rebus merkte op dat Gentry zijn bandana had afgedaan maar nog altijd vlekkerige eyeliner droeg. 'Ze zei dat ik er om drie uur moest zijn,' loog hij.

'Er was straks al iemand voor haar aan de deur...' Gentry aarzelde, maar Rebus' strakke blik liet hem weten dat tegenstand nutteloos was. Hij deed de deur wat verder open en met een lichte hoofdknik stapte Rebus over de drempel. In de woonkamer hing een muffe geur van sigaretten en iets wat leek op patchoeli – een tijdje geleden sinds Rebus die geur had geroken. Hij kuierde naar het raam en keek neer op Blair Street.

'Zal ik je eens een komisch verhaal vertellen,' zei hij, met zijn rug nog altijd naar Eddie Gentry. 'Daar aan de overkant was een doolhof van ondergrondse ruimtes waar vroeger bands oefenden. De eigenaar wilde de boel renoveren, dus hij haalde er een aannemer bij. Gingen de bouwvakkers aan het werk in die tunnels – kilometers lang waren die – hoorden ze ineens een onaards soort gekreun...'

'Die massagesalon ernaast,' was Gentry hem voor.

'Je kende hem al.' Rebus draaide zich om van het raam en bestudeerde een paar platenhoezen – echte lp's, geen cd's. 'Caravan,' merkte hij op. 'De trots van Canterbury... ik wist niet dat er mensen waren die daar nog naar luisterden.' Hij herkende nog een paar hoezen: de Fairports, Davey Graham, Pentangle.

'Iemand hier die archeologie studeert?' raadde hij.

'Ik luister graag naar die ouwe dingen,' legde Gentry uit. Hij knikte naar de hoek van de kamer. 'Ik speel gitaar.'

'Ik zie het,' zei Rebus. Er stond een Spaanse gitaar op een standaard en een twaalfsnarige erachter op de grond. 'Kun je er wat van?'

Bij wijze van antwoord pakte Gentry de Spaanse gitaar en ging op de bank zitten met één been onder zich gevouwen. Hij begon te spelen en Rebus zag nu dat hij de nagels aan zijn rechterhand had laten groeien tot stevige vingerplectrums. Rebus kende de melodie, al kon hij die niet goed plaatsen.

'Bert Jansch?' raadde hij bij het slotakkoord.

'Van die plaat met John Renbourn.'

'Jaren niet gehoord.' Rebus knikte goedkeurend. 'Niet slecht, jong. Zonde dat je er niet van kan leven, hè? Had je misschien niet hoeven dealen.'

'Wat?'

'Nancy heeft ons er alles over verteld.'

'Ho, wacht even.' Gentry zette zijn gitaar weg en kwam overeind. 'Wat zegt u daar?'

'Een dove muzikant?' Rebus klonk onder de indruk.

'Ik heb het wel verstaan, ik snap alleen niet hoe ze erbij komt.'

'Die avond dat die dichter werd vermoord ging ze een bestelling ophalen bij een kerel die ze via jou kende.'

'Dat heeft ze niet gezegd.' Gentry probeerde zelfverzekerd te klinken maar zijn ogen vertelden Rebus een ander verhaal. 'Via mij kent ze niemand!'

Rebus haalde zijn schouders op. 'Maakt mij niet uit,' zei hij. 'Zij zegt dat je dealt, jij zegt van niet... We weten alle drie dat hier stuff wordt gerookt.'

'Stuff die zij van d'r vriendje krijgt,' flapte Gentry eruit. Maar toen corrigeerde hij zichzelf. 'Is niet eens haar vriendje... dat dénkt ze alleen.'

'Wie is dat?'

'Ik weet het niet. Ik bedoel, hij is hier een paar keer geweest, maar hij zegt alleen dat-ie Sol heet, zegt dat het "zon" betekent in het Latijn. Zo'n licht lijkt-ie me anders niet.'

Rebus lachte alsof hij in tijden niet zo'n geestige opmerking had gehoord, maar Gentry lachte niet mee.

'Dat ze me zoiets lapt,' mompelde hij in zichzelf.

'Ze heeft een vriendin van haar er ook bij gelapt,' liet Rebus hem weten. 'Liet haar een alibi verzinnen.' Rebus liet de laatste woorden in de lucht hangen.

'Alibi?' echode Gentry. 'Jezus man, u denkt toch niet dat zíj die kerel heeft vermoord?'

Rebus haalde nog eens zijn schouders op. 'Zeg eens,' zei hij, 'heeft Nancy zoiets als een cape of een mantel? Zoiets als wat een monnik draagt?'

'Nee.' Gentry begreep duidelijk niet waar de vraag op sloeg.

'Heb je haar vriendin Gill ooit ontmoet?'

'Die kakmadam uit de New Town?' Gentry trok zijn neus en lippen op.

'Je kent haar dus?'

'Ze is een tijdje geleden op een feestje geweest.'

'Ik heb gehoord dat ze zelf ook een goed feestje kan geven. Je zou er misschien eens kunnen spelen.'

'Ik steek nog liever m'n ogen uit.'

'Kan ik me iets bij voorstellen, net zoals ik liever Dick Gaughan hoor dan James Blunt.' Rebus snoof hardop en haalde een zakdoek uit zijn zak. 'Die Sol... weet je toevallig waar-ie woont?'

'Ben bang van niet.'

'Geen probleem.' Rebus stond weer bij het raam en borg zijn zakdoek op terwijl hij op de straat neerkeek. Nancy Sievewright zou zo wel komen. Eind van Leith Street, dan de North Bridge en Hunter Square... 'Kun je net zo goed zingen als je gitaar speelt?'

'Gaat wel.'

'Maar niet in een band?'

'Nee.'

'Zou je eens naar Fife moeten gaan. Volgens een vriend van me hebben ze daar een hele akoestische scene.'

Gentry knikte. 'Ik heb in Anstruther gespeeld.'

'Stel je voor: de East Neuk als de plek waar het allemaal gebeurt... vroeger was het daar het weekend en de hele winter gesloten.'

Gentry glimlachte. 'Ogenblikje, oké?' Hij bleef nog geen minuut weg uit de woonkamer. Toen hij terugkwam, stak hij iets naar Rebus uit, een cd in een doorzichtig plastic mapje. Er zat een opgevouwen velletje papier in met daarop de titels van drie nummers. 'Mijn demo,' verklaarde Gentry trots.

'Geweldig,' zei Rebus. 'Wil je hem terug als ik ernaar heb geluisterd?'

Gentry schudde zijn hoofd. 'Ik kan er meer branden.'

Rebus tikte met het schijfje tegen de palm van zijn linkerhand. 'Nou, ik ben benieuwd, Eddie. Bedankt. Als je het maar niet als een soort zwijggeld beschouwt.'

Gentry keek hem vol afschuw aan. 'Nee, ik dacht alleen...'

Maar Rebus tikte hem op de schouder en zei dat hij maar een grapje maakte. 'Ik moet ervandoor,' zei hij. 'Nogmaals bedankt.' Hij wuifde even met de cd en begaf zich naar de overloop. De deur ging achter hem dicht en hij begon de trap af te lopen terwijl Nancy Sievewright op hetzelfde moment naar boven kwam, nog altijd met de verzegelde plastic zak met de tape van het verhoor in haar hand. Rebus knikte en glimlachte naar haar, maar zei niets. Niettemin voelde hij dat ze bleef staan en hem nakeek. Onderaan keek hij op, en ze had zich inderdaad niet bewogen.

'Ik heb het hem net verteld,' riep hij omhoog.

'Wie? Wat?' riep ze terug.

'Eddie, je huisgenoot,' antwoordde hij. 'Die waar je ons mee wou afschepen...'

Hij verliet het flatgebouw en deed zijn auto van het slot. Hij stond fout geparkeerd, maar een bon was hem bespaard gebleven.

'Mijn geluksdag,' zei hij tegen zichzelf. Hij had nog niet lang geleden eindelijk een cd-speler in zijn Saab laten installeren. Dus nam hij Gentry's demo uit zijn hoesje en duwde hem erin. Hij bekeek de titels van de nummers.

Meg's Mondays.

Minstrel in Pain.

Reverend Walker Blues.

Hij vond ze nu al goed. Zette het volume laag, pakte zijn mobiel en belde Siobhan Clarke.

Ze nam op met: 'Je zit in de kroeg.'

'Blair Street om precies te zijn, en ik krijg twintig pond van je.'

'Dat meen je niet.'

'Nou, dat meen ik wel degelijk.' Hij zweeg even veelbetekenend. 'Sievewright krijgt haar spul van een zekere Sol. Haar flatgenoot denkt dat-ie zich naar de zon heeft genoemd, maar wij weten wel beter, niet dan?'

'Sol Goodyear?'

'Ik neem aan dat Todd je niet kan horen?'

'Haalt net koffie voor me.'

'Wat lief van hem.'

'Sol Goodyear?' herhaalde ze, alsof ze het nog niet kon bevatten. Uiteindelijk vroeg ze wat hij had op staan.

'Die huisgenoot van Nancy speelt gitaar.'

'Die zit toch niet bij je in de auto?'

'Hij staat op dit moment waarschijnlijk Sievewright de huid vol te schelden. Maar hij heeft me een demo meegegeven die hij heeft gemaakt.'

'Wat lief van hem. Jij weet vast niet meer wanneer je voor het laatst naar iets van na 1975 hebt geluisterd.'

'Ik heb van jou nog die cd van Elbow gekregen...'

'Da's waar.' De omweg liep dood. 'Dus nu moeten we Todds broer aan de lijst toevoegen?'

'Hebben we wat te doen,' troostte Rebus haar. 'Heb je al een afspraak met Jim Bakewell?'

'Ik heb hem nog niet te pakken gekregen.'

'En Macrae?'

'Wil nog een mannetje of twintig aan het team toevoegen.'

'Wie niet?'

'Hij denkt er zelfs over Derek Starr terug te halen van Fettes.'

'Over mannetjes gesproken. En dan word jij gedegradeerd tot hulphoofd?'

'Van een zulthoofd, ja.'

'Had maar naar mij geluisterd, Shiv, ik had je wel een paar tips kunnen geven. Zie ik je straks nog in de kroeg?'

'Ik wou maar eens vroeg naar bed, als je het niet erg vindt.'

'Nee, ik red me wel, maar denk niet dat ik die twintig pond vergeet.' Rebus verbrak de verbinding en zette de muziek wat harder. Gentry neuriede met de melodie mee en Rebus twijfelde of het voor de microfoon bedoeld was geweest. Het was nog het eerste nummer, 'Meg's Mondays'. Hij vroeg zich af of Meg een bestaande vrouw was. Nu hij het papiertje in de hoes bekeek, dacht hij te zien dat er op de achterkant ook iets stond. Hij haalde het lijstje titels eruit en vouwde het open. En inderdaad, achterop stond de naam van de studio waar Gentry zijn demo had opgenomen.

cr Studios.

25

Rebus zat voor zijn hoogstpersoonlijke videomonitor. Hij was door Graeme MacLeod in een hoek van de kamer gezet met een stapel videotapes. De West End van het Edinburghse centrum, op de avond dat Todorov was vermoord.

'Door jou sta ik straks voor het vuurpeloton,' had MacLeod gegromd toen hij de tapes uit de afgesloten archiefkast ging halen.

Rebus zat al een uur bij de Cameratoezichtcentrale en drukte beurtelings op 'zoek' en 'pauze'. Er hingen camera's op Shandwick Place, in Princes Street en op Lothian Road. Rebus zocht naar sporen van Sergej Andropov of zijn chauffeur, of eventueel Cafferty. Of wie er ook maar iets met de zaak te maken had. Tot nu toe hadden zijn inspanningen helemaal niets opgeleverd. Het hotel had natuurlijk zijn eigen beveiligingscamera's, maar hij betwijfelde of de manager die tapes zonder tegenstand zou prijsgeven en zag zichzelf Siobhan niet overreden om daarvoor een verzoek in te dienen.

Het ongehaaste voyeurisme om hem heen had iets rustgevends. Een melding van vandalisme en een bekende winkeldief die op George Street werd gevolgd. De cameraoperators zaten er zo passief bij als tv-kijkers overdag en Rebus vroeg zich af of het gebeuren zich leende voor een soort reality-show. Hij keek bewonderend toe hoe de medewerkers de camera's bedienden met een joystick en inzoomden als iets ze verdacht voorkwam. Het deed in niets denken aan de politiestaat waar de media telkens voor waarschuwden. Toch, als hij elke dag hier werkte, zou hij zich op straat in acht nemen uit angst dat hij betrapt werd als hij in zijn neus peuterde of aan zijn achterste krabde. En zich netjes gedragen in winkels en restaurants.

En thuis waarschijnlijk geen tv meer kijken.

MacLeod stond weer bij Rebus' schouder. 'Iets gezien?' vroeg hij.

'Ja, Graeme, ik weet wel dat jullie dit spul al meerdere keren hebben bekeken, maar er kunnen gezichten opduiken die ik ken en jullie niet.'

'Je hoort mij niet klagen.'

'Zou ik ook niet doen als ik jou was.'

'Wel jammer dat we geen camera op King's Stables Road hebben.'

'Daar komt 's nachts bijna nooit iemand, heb ik gemerkt. Flink wat mensen die afslaan naar Castle Terrace, maar bijna geen hond naar King's Stables Road.'

'En geen vrouw met een capuchon?'

'Nog niet.'

MacLeod troostte Rebus met een klopje op zijn schouder en ging weer aan het werk. Rebus kon er geen wijs uit worden: waarom zou een vrouw daar rondhangen en mensen seks aanbieden? Ze hadden maar het woord van één getuige. Kon het een of andere fantasie zijn die hij koesterde? Rebus voelde zijn wervels terug in het gelid knakken toen hij zich uitrekte. Hij had zin in een pauze, maar wist dat het des te moeilijker zou zijn om verder te gaan als hij nu pauzeerde. Hij kon altijd naar huis gaan, dat was toch wat iedereen wilde. Maar toen ging zijn telefoon over en diepte hij hem uit zijn zak op. Naam op het schermpje: Siobhan.

'Hoe gaat-ie?' vroeg hij, met zijn hand voor zijn gsm om niet gehoord te worden.

'Macrae is net gebeld door Megan Macfarlane. Ze klaagt dat je Sergej Andropov lastig loopt te vallen.' Ze zweeg even. 'Iets wat je erover wil zeggen?'

'Ik ben hem gisteravond tegen het lijf gelopen.'

'Waar?'

'Caledonian Hotel.'

'Ach ja, je stamkroeg.'

'Gaan we katten?'

'En dat hoefde ik niet te weten?'

'Ik kwam hem echt toevallig tegen, Shiv. Stelde niks voor.'

'Vond jij misschien, maar Andropov schijnt er anders over te denken en Megan Macfarlane nu ook.'

'Andropov is een Rus, die is waarschijnlijk gewend dat de politie uit de hand van de politici eet...' dacht Rebus hardop.

'Macrae wil je spreken.'

'Zeg hem maar dat ik niet op Gayfield mag komen.'

'Heb ik gedaan. Daar was-ie ook woedend over.'

'Moet-ie bij Corbyn zijn, die had het moeten doorgeven.'

'Heb ik ook gezegd.'

'Iets gehoord van Jim Bakewells kantoor?'

'Nee.'

'Waar ben je mee bezig?'

'Ruimte proberen te maken voor de nieuwe rekruten. Vier van Torphichen Place en twee uit Leith.'

'Iemand die we kennen?'

'Ray Reynolds.'

'Die kan nog niet eens een rechercheur nádoen,' zei Rebus. Toen vroeg hij wat ze met Sol Goodyear van plan was.

'Ik moet eerst nog bedenken wat ik tegen Todd ga zeggen.'

'Nou, veel succes.'

Een van de cameraoperators riep ineens naar haar collega dat ze de winkeldief op camera 10 had, bij de ingang van het busstation. Clarke kreunde bijna hoorbaar.

'Je zit op het stadhuis,' concludeerde ze.

'Je wordt nog wel eens een rechercheur.'

'Je bent geschorst, John.'

'Vergeet ik steeds.'

'Zit je naar de banden van die avond te kijken?'

'Klopt.'

'Op zoek naar wie, precies?'

'Wie denk je?'

'Waarom zou Cafferty in godsnaam een Russische dichter dood willen?'

'Misschien heeft-ie de pest aan gedichten die niet rijmen. Trouwens, denk hier maar eens over na: die cd die ik van die flatgenoot van Nancy Sievewright heb gekregen is opgenomen in de studio van Riordan.'

'Ook toeval zeker.' Maar ze zweeg een tijdje. 'Denk je dat het zin heeft om zijn geluidstechnicus ernaar te vragen?'

'Je hebt nu een klein legertje tot je beschikking. Je kunt de kleinste details laten natrekken, hoe onbeduidend ook.'

'Ik ben niet erg goed in delegeren.'

'Ik ook niet. Nog steeds rechtstreeks naar huis na het werk?'

'Was ik wel van plan.'

'Dan zal ik aan je denken.'

'John, beloof me één ding: blijf bij het Caledonian Hotel vandaan.'

'Ja baas. Spreek je later.' Hij verbrak de verbinding maar bleef naar de telefoon zitten staren. Macrae, Macfarlane en Andropov, allemaal nijdig op hem.

'Prima,' zei hij zachtjes en pakte de volgende videotape.

'Kan ik je iets vragen over je broer?'

Clarke had Todd Goodyear op de gang apart genomen. De nieuwe rekruten had ze al aan het werk gezet. Sommigen bestudeerden de 'bijbel' – de bundeling van al het materiaal dat betrekking had op het onderzoek – terwijl anderen de tapes van Riordan toegewezen hadden gekregen. Het was niet direct het puikje van de Edinburghse recherche; geen bureau stond zijn sterren graag af aan een concurrerend team. Een agent van Goodyears eigen bureau had hem herkend en gevraagd wat hij hier deed en 'waarom hij zich als een echte rechercheur had vermomd'.

'Sol?' vroeg Goodyear nu met een verbaasde blik. 'Wat is er met hem?'

'Hij had gevochten – welke avond was dat?'

'Afgelopen woensdag.'

Clarke knikte. De avond dat Todorov was aangevallen. 'Heb je z'n adres voor me?'

'Wat is er aan de hand?'

'Hij schijnt een bekende van Nancy Sievewright te zijn.'

'Laat me niet lachen.' Hij lachte inderdaad.

'Is geen grapje,' verzekerde ze hem. 'We denken dat hij haar dealer is. Wist jij dat-ie nog steeds in de handel zat?'

'Nee.' Het bloed steeg Goodyear naar de wangen.

'Daarom heb ik z'n adres nodig.'

'Ik weet het niet. Ik bedoel, het is ergens bij de Grassmarket...'

'Ik dacht dat-ie in Dalkeith woonde.'

'Sol blijft nooit ergens lang.'

'Hoe wist je dat hij gevochten had?'

'Hij belde me.'

'Dus je spreekt hem nog wel?'

'Hij heeft m'n mobiele nummer.'

'Dus jij ook dat van hem?'

Goodyear schudde zijn hoofd. 'Hij heeft steeds een ander nummer.'

'Die vechtpartij waar-ie het over had... enig idee waar dat was?'

'Een pub in de Haymarket.'

Clarke knikte voor zich uit. Tam Banks van de technische recherche had inderdaad een melding van het incident gekregen. Had er iets van gezegd op de plaats delict. Een steekpartij... 'Dus jullie spreken elkaar niet, maar hij belt je als hij gestoken is?'

Goodyear reageerde er niet op. 'Wat doet het ertoe als-ie Nancy Sievewright kent?'

'Gewoon, een stukje van de puzzel.'

'Maar niks om het aan vast te zetten.' Clarke reageerde met een vermoeide glimlach en Goodyear zuchtte; zijn schouders zakten omlaag. 'Als u erachter bent waar Sol woont, wilt u dan dat ik meega?'

'Kan niet,' zei ze. 'Jij bent z'n broer.'

Hij knikte berustend.

'Ik neem aan dat West End wel iets aan die steekpartij heeft gedaan?' vroeg ze. Te weten het politiebureau op Torphichen Place. Goodyear knikte weer.

'Ze hebben hem bij de Eerste Hulp een paar vragen gesteld. Tegen de tijd dat ik er kwam, hadden ze hem op een zaal gelegd. Een nachtje maar, ter observatie.'

'Denk je dat-ie de collega's iets heeft verteld?'

Goodyear haalde zijn schouders op. 'Het enige wat hij zei was dat-ie wat aan het drinken was en een of andere vent vervelend tegen hem begon te doen. Ze waren naar buiten gegaan en Sol had aan het kortste eind getrokken.'

'En die andere vent?'

'Daar zei hij niks over.' Goodyear beet op zijn onderlip. 'Als Sol er iets mee te maken heeft, mag ik me dan niet meer met het onderzoek bemoeien? Terug naar Torphichen en het uniform?'

'Daar moet ik het met Macrae over hebben.'

Hij knikte weer, maar nu droefgeestig. 'Ik wist niet dat hij nog dealde,' zei hij nadrukkelijk. 'Sievewright kan ook liegen...'

Clarke stelde zich voor dat ze troostend een hand op zijn arm legde. In werkelijkheid liep ze langs hem heen het overbevolkte recherchekantoor in. Extra stoelen waren aangevoerd uit de verhoorkamers en ze moest ertussendoor zigzaggen op weg naar haar bureau. Daar zat al een andere politieman. Hij verontschuldigde zich maar maakte geen plaats. Nog drie rechercheurs verdrongen elkaar rond Rebus' bureau. Clarke pakte haar telefoon en belde Torphichen. Ze werd doorgeschakeld naar de recherche, waar ze inspecteur Shug Davidson aan de lijn kreeg.

'Ik wou je nog bedanken,' grinnikte hij, 'dat we even niet op Ray Reynolds hoeven te passen.' Ze keek naar de andere kant van de zaal waar Ray Reynolds stond, al negen jaar agent bij de recherche zonder enige kans op promotie. Hij stond voor de projectwand over zijn buik te wrijven alsof hij een van zijn beruchte boeren voelde aankomen.

'Doen we graag voor je,' antwoordde ze, 'maar misschien wil je iets voor me terugdoen.'

'Wat hoor ik? Heeft John een schop onder z'n kont gehad?'

'Over een lopend vuurtje gesproken.'

'Ouder, maar geen cent wijzer – wie zei dat ook alweer?'

'Luister, Shug, weet je iets van afgelopen woensdag, een vechtpartij bij een pub in de Haymarket?'

'Sol Goodyear bedoel je?'

'Klopt.'

'Z'n broer zit bij jou gedetacheerd, heb ik gehoord. Lijkt me een nette kerel. Die Sol zit hem natuurlijk niet lekker, kan ik me voorstellen. Een broer met zó'n strafblad...'

'Zeg, maar die vechtpartij...?'

'Als je het mij vraagt was het een klant van wie hij geld tegoed had. Die figuur wou niet betalen, dus besloot-ie Sol te grazen te nemen. We denken erover er poging tot moord van te maken.'

'Todd zegt dat-ie maar een nachtje in het ziekenhuis hoefde te blijven.'

'Met acht hechtingen in z'n zij. Meer een snee dan een steekwond, meer geluk dan wijsheid.'

'En die klant, heb je hem te pakken?'

'Die beroept zich natuurlijk op zelfverdediging. Heet Larry Fintry – ze noemen hem Lijpe Larry. Hoort ook in een gekkenhuis, als je het mij vraagt.'

'En de zorgzame samenleving dan, Shug?'

'Ja ja, met Sol Goodyear die voor de medicijnen zorgt.'

'Ik moet Sol spreken,' zei Clarke.

'Waarom?'

'De moord op Todorov. We denken dat de vrouw die het lijk vond onderweg was naar Sol.'

'Zit er dik in,' stemde Davidson in. 'Het laatste adres dat ik van hem heb is in Raeburn Wynd.'

Clarke's hele lijf leek een ogenblik te bevriezen. 'Daar hebben we Todorov gevonden.'

'Weet ik.' Davidson lachte. 'En als Sol niet net op dat moment werd lekgeprikt in de Haymarket, had ik het je misschien eerder gemeld.'

Uiteindelijk nam ze Phyllida Hawes mee. Tibbet had benauwd gekeken, alsof hij vreesde dat Siobhan al had besloten wie haar als brigadier moest opvolgen als ze werd gepromoveerd. Ze had niet de moeite genomen hem eraan te herinneren dat ze daar sowieso weinig of niets over te zeggen zou hebben. In plaats daarvan had ze hem kortweg gezegd dat hij de leiding had tot ze terug was, wat hem weer een beetje had opgekikkerd.

Ze hadden Clarke's auto genomen en het gesprek bleef beperkt tot werkzaken, nu en dan onderbroken door ongemakkelijke stiltes. Hawes wilde eigenlijk vragen naar het leven na Rebus maar durfde niet, terwijl Clarke niet goed wist hoe de relatie tussen Hawes en Tibbet aan te snijden. Het was voor beiden een opluchting toen de auto uiteindelijk onder aan Raeburn Wynd tot stilstand kwam. Het straatje had de vorm van een L. Vanaf de doorgaande weg zag je alleen garages en bergingen, maar de gebouwen om de hoek, die vroeger dienden als stallen voor paarden en hun rijtuigen, waren omgebouwd tot drive-inappartementen.

'Heeft geen van de buren iets gehoord?' vroeg Hawes.

'Misschien moet ik er nog eens een ploeg langssturen met die compositietekening,' overwoog Clarke.

'Stuur je Ray Reynolds dan alsjeblieft mee?'

Clarke glimlachte wrang. 'Dat heeft niet lang geduurd.'

'Ik had al verhalen gehoord,' zei Hawes. 'Maar als je hem in het echt meemaakt...'

Ze waren de hoek van de steeg om. Clarke bleef bij een deur staan, keek nog eens naar het adres dat ze in haar aantekenboekje had opgeschreven en drukte op de bel. Na twintig seconden probeerde ze het opnieuw.

'Ik kom eraan!' riep een stem vanbinnen. Er klonken voetstappen op een kale trap en Sol Goodyear deed de deur open. Moest hem wel zijn: hij had dezelfde wimpers en oren als zijn broer.

'Solomon Goodyear?' informeerde Clarke.

'Jezus, wat moeten jullie hier?'

'Jezus hebben we niet meegebracht. Ik ben brigadier Clarke en dit is agent Hawes.'

'En wat kom je doen?'

'We wilden u een paar vragen stellen over de moord.'

'Welke moord?'

'Die hier bij u om de hoek.'

'Toen zat ik in het ziekenhuis.'

'Hoe gaat het met de wond?'

Hij trok zijn overhemd omhoog en liet ze een groot wit kompres zien, net boven de boord van zijn onderbroek. 'Jeukt als de neten,' klaagde hij. Toen drong het door: 'Hoe weten jullie daarvan?'

'Van inspecteur Davidson op Torphichen. Hij had het ook over Lijpe Larry. Misschien een goeie tip: als je met iemand gaat knokken, zorg dan dat je z'n bijnaam weet.'

Sol Goodyear snoof, maar leek niet van plan om ze binnen te laten. 'Mijn broer zit ook bij de politie,' zei hij alleen.

'O ja?' Clarke probeerde verbaasd te klinken. Ze vermoedde dat Sol tegen elke agent die hij tegenkwam wel zoiets zou zeggen.

'Loopt nog in uniform, maar dat duurt niet lang meer. Todd is altijd een hoogvlieger geweest. Hij was het witte schaap van de familie.' Hij lachte even, volgens Clarke had hij het grapje goed ingestudeerd.

'Dat is een goeie,' kwam Hawes hem tegemoet, al wist ze te suggereren dat ze precies het tegendeel bedoelde. Sols lachje stierf weg.

'Nou ja, hoe dan ook,' sputterde hij, 'ik was er niet, die avond. Ze hebben me pas de avond daarna laten gaan.'

'Is Nancy u in het ziekenhuis komen opzoeken?'

'Welke Nancy?'

'Uw vriendin Nancy. Ze was onderweg naar hier toen ze over het lijk van die dichter struikelde. U ging haar wat spul verkopen voor een vriendin van haar.'

'Ze is m'n vriendin niet,' verklaarde hij. Hij had in een oogwenk geconcludeerd dat het geen zin had te liegen over dingen die ze al wisten.

'Vindt zij kennelijk wel.'

'Dan heeft ze het fout.'

'Dus dan bent u alleen maar haar dealer?'

Hij vertrok zijn gezicht alsof deze wending in het gesprek hem pijn deed. 'Wat ik ben, mevrouw de politie, is slachtoffer van een gek met een mes. Ik zit onder de pijnstillers, dus wat ik ook zeg, daar schiet u in een rechtszaak niks mee op.'

'Slimme vent,' zei Clarke bewonderend, 'u kent uw wetboek.'

'Vallen en opstaan, daar leer je van.'

Ze knikte langzaam. 'Ik hoorde dat Big Ger Cafferty u aan het dealen heeft gebracht – ziet u die nog wel eens?'

'Die naam zegt me niks.'

'Typisch, zullen ook wel de pijnstillers zijn, zeker...' Clarke keek Hawes vragend aan.

'O, jullie houden wel van een grapje? Nou, moet je deze eens horen.'

En daarmee sloeg hij de deur in hun gezicht dicht. De stroom scheldwoorden van erachter stierf weg terwijl hij de trap weer opklom. Hawes trok een wenkbrauw op.

'Kutwijven én lesbo's,' herhaalde ze. 'Altijd fijn om iets nieuws over jezelf te horen.'

'Niet dan?'

'Dus als we nu een broer hebben die er iets mee te maken heeft, moet die andere broer zeker van de zaak af?'

'Daar gaat Macrae over.'

'Waarom zei je niet tegen Sol dat Todd bij ons werkt?'

'Hoeft-ie niet te weten.' Clarke staarde Hawes aan. 'Wou je Goodyear soms graag kwijt?'

'Als-ie maar niet vergeet dat-ie nog altijd maar een gewone agent is. Met al die extra lui op het bureau gaat-ie zich steeds beter voelen in dat pak van hem.'

'Wat wil je daarmee zeggen?'

'Sommigen van ons hebben zich uit het uniform moeten wérken, Siobhan.'

'Ah, de recherche is voor ons soort mensen?' Clarke draaide zich om en begon te lopen, maar bleef op de hoek abrupt staan. Vanwaar ze stond was het nog zo'n twintig meter naar waar Alexander Todorov was vermoord.

'Waar denk je aan?' vroeg Hawes.

'Aan Nancy. Wij nemen aan dat ze op weg was naar Sol toen ze Todorov vond. Maar ze kan ook hierheen gelopen zijn, een paar keer bij hem hebben aangebeld, misschien op zijn deur gebonsd...'

'Want ze wist niet dat hij gewond was geraakt?'

'Precies.'

'En ondertussen komt Todorov uit die parkeergarage stommelen...'

Clarke knikte.

'Denk je dat ze iets heeft gezien?' ging Hawes verder.

'Gezien of gehoord. Misschien om de hoek blijven staan terwijl degene die Todorov had aangevallen achter hem aan kwam om hem de genadeklap te geven.'

'En wat voor reden heeft ze om ons daar niks over te zeggen...?'

'Angst, zou ik zeggen.'

'Angst doet het altijd goed,' beaamde Hawes. 'Hoe ging die regel uit dat gedicht van Todorov ook alweer?'

' "En hij wendde zijn ogen af/om er niet van te hoeven getuigen." '

'Typisch iets wat Nancy Sievewright van Sol Goodyear opgestoken kan hebben.'

'Ja,' stemde Clarke in. 'Zou best kunnen.'

26

Rebus at een zak chips en luisterde op zijn autostereo nog eens naar de cd van Eddie Gentry. Stereo was veel gezegd, nu een van de speakers de geest had gegeven. Maakte ook niet veel uit als het maar om één man met een gitaar ging. Hij had al één zak chips achter de kiezen, plus een samosa met groentecurry die hij in een hoekwinkel in Polwarth had gekocht en weggespoeld met een flesje bronwater, zodat hij zichzelf wijs kon maken dat hij een uitgebalanceerde maaltijd ophad. Hij stond onder aan de straat waar Cafferty woonde, zo ver mogelijk van een lantaarnpaal. Deze ene keer wilde hij niet dat de gangster hem zou opmerken. Aan de andere kant wist hij niet eens of Cafferty thuis was: zijn auto stond op de oprijlaan, maar op zichzelf zei dat weinig. Binnen brandden een paar lampen, maar dat kon ook zijn om indringers te weren. De lijfwacht, die in het koetshuis achter op het terrein woonde, was ook nergens te bekennen. Cafferty maakte maar sporadisch gebruik van hem en Rebus was gaan denken dat hij hem meer uit ijdelheid op de loonlijst hield dan uit noodzaak. Siobhan had hem een paar keer ge-sms't, zogenaamd om te vragen of hij een keer kwam eten. In feite omdat ze wilde weten wat hij uitspookte, wist hij.

Hij stond hier nu twee uur, zonder enig resultaat. In het kwartiertje dat hij in de hoekwinkel had doorgebracht had Cafferty gemakkelijk kunnen zijn vertrokken zonder dat Rebus het had meegekregen. Misschien was dit net de dag dat de gangster zijn kamer in het Caledonian Hotel gebruikte. Als observatieactie sloeg het nergens op, maar was het eigenlijk wel een observatieactie? Of was het gewoon een voorwendsel om niet naar huis te hoeven, waar hem niets wachtte dan de heruitgave van *Live at San Quentin* van Johnny Cash, die hij nog niet had beluisterd. Hij vergat steeds om hem mee te nemen in de auto en vroeg zich af hoe hij zou klinken via één speaker. Van het eerste stereosetje dat hij ooit had gekocht had één speaker het al na een maand begeven. Op een plaat van de Velvet Underground stond een nummer met alle instrumenten op het ene kanaal en de zang op het andere, zodat hij niet naar beide tegelijk had kunnen luisteren. Het had eeuwen geduurd voor hij eindelijk een cd-speler had gekocht, en zelfs nu gaf hij nog de voorkeur aan vinyl. Volgens Siobhan omdat hij 'eigenwijs' was.

'Of ik mis gewoon de kuddegeest,' had hij geantwoord. Zij bezat tegenwoordig een mp3-speler en kocht muziek online. Hij plaagde haar door te vragen of hij de hoes of de songteksten eens mocht zien.

'Je mist het grote geheel,' had hij haar gezegd. 'Een goed album moet meer zijn dan de som der delen.'

'Net als politiewerk?' had ze glimlachend geraden. Hij had er het zwijgen toe gedaan, want dat had hij net willen zeggen...

Hij had de chips op en vouwde de zak tot een dunne strip die hij in een knoop kon strikken. Wist niet waarom hij dat deed, het leek gewoon netter. Een maat in het leger deed dat altijd en Rebus had diens gewoonte overgenomen. Het was weer eens wat anders dan een lucifer onder het lege zakje houden en toekijken hoe het verschrompelde tot een miniatuurversie van zichzelf die in een poppenhuis zou passen. Kleine pleziertjes, zoals 's avonds in een stille straat in de auto zitten, met muziek en een volle maag. Een uurtje nog, beloofde hij zichzelf. Hij had *Endless Wire* van The Who voor als Gentry hem ging vervelen. Hij had geen idee wat de titel betekende maar hij had de cd in de winkel gekocht, dus hij had in elk geval de teksten.

Verderop kwam een auto achteruit een poort uit. Rebus zou zweren dat het Cafferty's poort was, en Cafferty's auto. Met de lijfwacht achter het stuur, want het leeslampje bij de achterbank brandde en bescheen Cafferty's bolle schedel. Hij leek wat papieren te bestuderen. Rebus wachtte. De auto kwam heuvelafwaarts, wat betekende dat hij hem zou passeren. Hij dook omlaag en wachtte tot de lampen hem voorbij waren. Hij gaf richting aan naar rechts en Rebus draaide de sleutel in het contact, keerde zijn auto en volgde. Op de hoek met Granville Terrace schoot Cafferty's auto voor een dubbeldekker langs. Rebus moest wachten tot het verkeer voorbij was, maar hij wist dat Cafferty nu tot Leven Street geen kant op kon. Hij bleef achter de bus tot die uitweek voor een halte en kwam er toen achter vandaan. Een meter of honderd tussen hem en de auto voor hem. Uiteindelijk gloeiden de remlichten daarvan op toen hij de stoplichten bij het King's Theatre naderde. Rebus kroop dichterbij en zag dat er iets fout zat.

Het was Cafferty's auto niet.

Hij stopte erachter. Ook de voorste auto die voor het rode licht stond, was niet die van Cafferty. De lijfwacht kon met geen mogelijkheid beide auto's hebben ingehaald en door de stoplichten zijn gereden toen ze nog op groen stonden. Rebus had hooguit een paar minuten achter de bus gezeten. Ze waren de kruising met Viewforth gepasseerd, maar hij had in beide richtingen gekeken en geen spoor van Cafferty gezien. Hij moest nogal scherp een van de smalle zijstraten zijn ingeslagen, maar welke? Hij keerde weer om en een taxi toeterde boos terwijl hij wachtte tot hij hem terug over Gilmore Place kon volgen. Er waren een paar pensions waarvan de voortuintjes waren geplaveid om te dienen als parkeerplaats, maar geen van de auto's leek op Cafferty's Bentley.

'Je zit twee uur aan één stuk te wachten en dan raak je hem bij het eerste obstakel kwijt,' mompelde Rebus in zichzelf. Er was een klooster, het hek stond open, maar Rebus betwijfelde of hij de gangster daar zou vinden. Zijstraten links en rechts, maar niet één die er veelbelovend uitzag. Bij de stoplichten van Viewforth keerde hij de auto opnieuw. Ditmaal gaf hij richting aan naar links en sloeg de smalle eenrichtingsstraat naar het kanaal in. De straat was slecht verlicht en er kwam op dit uur weinig verkeer. Aandacht trekken was wel het laatste wat hij wilde, dus toen hij een vrije parkeerplaats tegen de stoep vond, draaide hij er achteruit in. Er was een brug over het kanaal, maar die was alleen toegankelijk voor voetgangers en fietsen. Rebus liep erheen en eindelijk zag hij de Bentley, geparkeerd aan de rand van een verwilderd veldje. Een paar binnenschepen lagen aangemeerd voor de nacht, één met een schoorsteen waaruit rook wolkte. Rebus was hier in geen eeuwen in de buurt geweest. Er waren inmiddels nieuwe flatblokken verrezen, maar die zagen er niet erg bewoond uit. Toen zag hij een bord waarop stond dat het serviceflats waren. De Leamington Lift Bridge was een gietijzeren constructie met een houten rijbaan. Hij kon omhoog om binnenvaartschepen en pleziervaartuigen door te laten, maar lag de rest van de tijd gelijk aan de oevers van het kanaal. Midden op de brug stonden twee mannen en het water weerspiegelde hun schaduwen in het bijna (wat een pech) volle maanlicht. Cafferty voerde het woord en zwaaide met zijn armen om elk punt te onderstrepen. Hij leek zijn aandacht gericht te hebben op het terrein aan de overkant van het kanaal. Daar lag een wandelpad dat van Fountainbridge naar de stadsgrens en verder leidde. Het was ooit een onheilspellende plek geweest, maar het voetpad was vernieuwd en het kanaal zag er een stuk schoner uit dan Rebus het zich herinnerde. Langs het voetpad liep een hoge muur met daarachter, wist Rebus, een van de braakliggende industrieterreinen die Edinburgh telde. Tot ongeveer een jaar geleden was er een brouwerij gevestigd, maar de meeste gebouwen werden nu gesloopt en de stalen beslagvaten waren weggehaald. Er was een tijd dat de stad dertig, veertig brouwerijen telde maar voor zover Rebus wist was er nog maar een over, even verderop in Slateford Road.

Toen de man zich half omdraaide om beter te kunnen horen wat Cafferty zei, herkende Rebus het karakteristieke profiel van Sergej Andropov. Het portier van Cafferty's auto ging open, maar het was alleen zijn chauffeur die buiten een sigaret ging roken. Rebus hoorde nog een portier, als was het een echo van het eerste. Hij besloot te doen alsof hij op weg was naar huis, stopte zijn handen in zijn zakken, kromde zijn schouders en begon te lopen. Toen hij één blik over zijn schouder riskeerde, zag hij naast Cafferty's Bentley nog een andere auto staan. Andropovs chauffeur had ook een rookpauze genomen. Cafferty en de Rus waren inmiddels de brug overgestoken, nog altijd verdiept in hun gesprek. Rebus wenste dat hij eraan had gedacht iets van een microfoon mee te nemen – daar had de geluidstechnicus van Riordans studio hem wel aan kunnen helpen. Nu kon hij geen woord verstaan. Wat erger was: hij liep van het tafereel vandaan en kon moeilijk op zijn schreden terugkeren zonder verdenking te wekken. Hij kwam langs een autowerkplaats, stevig afgesloten voor de nacht. Erachter een rijtje portiekflats. Hij dacht erover om er binnen te gaan, een trap op te klimmen en dan terug te kijken door het raam op de overloop. In plaats daarvan bleef hij staan, stak een sigaret op en deed met zijn mobiel tegen zijn oor alsof hij een telefoontje aannam. Hij begon weer te lopen, maar langzaam, alert op de twee mannen aan de overkant. Andropov floot en gebaarde naar de chauffeurs dat ze moesten wachten. Rebus zag dat het kanaal hier uitmondde in een onlangs aan-

gelegd waterbassin, compleet met wat eruitzag als permanent aangemeerde binnenvaartschepen; op het enige raam van een van de
schepen hing een papier met TE KOOP. Ook hier waren nieuwe gebouwen gekomen: kantoren, restaurants en een bar met ramen
rondom en een groot buitenterras, dat vanavond alleen verstokte
rokers telde. Een van de panden stond nog te huur en in de restaurants zag Rebus niet veel actie. Aan de zijmuur van het café hing
een geldautomaat en hij bleef staan om geld te trekken en nog een
blik op de naderende figuren te wagen.

Maar die zag hij niet meer.

Hij keek door de ramen van de bar naar binnen en zag ze bezig
hun jassen uit te trekken. Zelfs van hier kon Rebus de muziek horen bonken. Ook stonden er enkele tv-toestellen aan; het publiek
was grotendeels jong en studentikoos. De enige die aandacht be-
steedde aan de nieuwaangekomenen was de serveerster, die met een
glimlach kwam aangehuppeld om hun bestelling in ontvangst te nemen. Geen denken aan dat Rebus naar binnen kon gaan, het was
er lang niet druk genoeg om zich tussen de mensen te kunnen verschuilen. En als hij er al onopgemerkt kon blijven, zou hij nooit
dicht genoeg in de buurt komen om iets te horen. Goede zet van
Cafferty: zelfs Riordan had er geen schijn van kans gehad. Over
luistervinken hoefden de twee zich geen zorgen te maken. Wat nu?
Donkere hoekjes genoeg hier, dus hij kon blijven rondhangen tot
hij blauw zag van de kou. Of hij kon zijn auto weer opzoeken. De
twee zouden toch ook weer terug moeten naar hun auto. Hij borg
de honderd pond uit de automaat in zijn zak en nam zijn beslissing. Liep langs de andere kant van het kanaal terug, stak de
Leamington Lift Bridge over en liep neuriënd langs het veldje waar
de auto's stonden. Niet dat de twee chauffeurs hem opmerkten, ze
waren te druk in gesprek. Rebus kon zich niet voorstellen dat
Cafferty's man Russisch sprak, dus moest Andropovs chauffeur het
Engels aardig meester zijn.

Terug in de Saab overwoog Rebus de motor te laten lopen zodat hij de verwarming aan kon zetten. Maar het geluid van de motor kon de chauffeurs nieuwsgierig maken, dus wreef hij zich in
zijn handen en trok zijn jas strakker om zich heen. Het duurde nog
zeker twintig minuten voor er iets gebeurde. Hij had Andropov
noch Cafferty in het oog gekregen, maar hun auto's reden. Hij volgde ze terug naar Gilmore Place. Ze gaven richting aan naar rechts

op de hoek met Viewforth en toen opnieuw bij Dundee Street. Twee minuten later stonden ze stil voor de bar, waarvan de voorkant uitkeek op het kanaal en de zijkant op de Fountainbridge. Het verkeer was hier drukker en er stonden veel auto's geparkeerd. Rebus vond een plek voor de oude coöperatieve begrafenisvereniging. Overal rondom werd gebouwd en één gebouw was op zijn façade na afgebroken, terwijl in de leegte erachter een nieuwe constructie verrees. Het leek wel of er alleen nog maar banken en verzekeringsmaatschappijen werden gebouwd, dacht Rebus, wat hem weer deed denken aan Sir Michael Addison, Stuart Janney en Roger Anderson – het puikje van First Albannach. In zijn zijspiegel zag hij de twee auto's staan wachten, maar geen van beide chauffeurs had zijn licht of motor uitgeschakeld. Een paar jaar nog, dan was hij waarschijnlijk bevoegd om ze te arresteren voor een overtreding van de CO_2-wet of zoiets. Maar ja, over een paar jaar zat hij niet hier...

'Bingo,' zei hij tegen zichzelf toen Andropov en Cafferty tevoorschijn kwamen. Ze stapten elk in hun auto en vertrokken, langs Rebus en richting Lothian Road. Weer reed Rebus achter ze aan; nu waren ze moeilijker te verliezen. Toen ze de kruising met King's Stables Road naderden, trok Rebus' buik strak bij het vooruitzicht dat ze bij de parkeergarage zouden eindigen, maar ze bleven op de hoofdbaan en draaiden Princes Street in, toen Charlotte Square en Queen Street. Toen ze Young Street passeerden, keek Rebus richting de Oxford Bar.

'Vanavond niet, liefje,' koerde hij en gaf een kushandje.

Aan het eind van Queen Street namen ze de linkerrijbaan richting Leith Walk. Langs Gayfield Square, Great Junction Street, North Junction Street naar de waterkant ten westen van Leith zelf. Ook daar grote bouwactiviteit: appartementenblokken die de plaats innamen van de vroegere werven en fabrieken.

'Niet direct de toeristische route, Sergej,' mompelde Rebus toen de auto's weer stilstonden. Ze waren gestopt bij een derde auto die er al stond met zijn knipperlichten aan. Rebus reed door; de straat was verlaten, dus hij kon hier onmogelijk stoppen. In plaats daarvan nam hij de eerste links, deed nog eens een oefening keren op de weg waar hij zo goed in was geworden en reed stapvoets terug naar de kruising. Hij gaf rechts aan en passeerde de drie auto's. Zelfde beeld hier: Cafferty en Andropov op het trottoir, Cafferty met zijn armen wijd gestrekt alsof hij heel de wereld wilde omhelzen. Maar nu was zijn gehoor met twee man uitgebreid: Stuart Janney en Nikolaj Stahov. De man van het consulaat had zijn in handschoenen gestoken handen op de rug en een kozakkenmuts op zijn hoofd, Janney keek bedachtzaam en knikte met over elkaar geslagen armen voor zich uit.

'De bende is compleet,' mompelde Rebus.

Bij het benzinestation voor hem brandde nog licht, dus zette hij zijn auto bij een pomp en liet wat loodvrij in zijn tank lopen. Kocht bij het betalen ook een pakje kauwgum en bleef bij de pomp staan om traag een stripje uit te pakken en zogenaamd op zijn telefoon te kijken of hij geen oproepen had gemist. De man aan de kassa bleef hem nastaren en hij begreep dat dit geen act was die hij lang kon volhouden. Hij keek terug de straat in, maar werd er niet veel wijzer van. Cafferty leek nog altijd aan het woord. Een auto was opgetrokken naar de pomp achter hem. Er stapten twee mannen uit. De ene ging met de slang in de weer terwijl de ander zich een paar keer uitrekte en naar de kiosk liep, maar zich toen leek te bedenken en in plaats daarvan naar Rebus kwam.

'Goeienavond,' zei hij. Hij was zwaargebouwd, zwaarder dan Rebus. Zijn riem zat op het laatste gaatje en leek toch nog op springen te staan. Gemillimeterd haar, hier en daar wat grijs. Bol gezicht als van een overvoerde baby die bleef protesteren als mama de borst terugtrok. Rebus knikte alleen en mikte de kauwgumverpakking in de prullenbak.

Zijn nieuwe kennis bestudeerde Rebus' auto. 'Beetje een roestbak,' opende hij, 'zelfs voor een Saab.'

Rebus keek om naar de auto waarmee de man was gekomen. Vauxhall Vectra, zwart overgespoten.

'Deze is tenminste van mij,' zei hij.

De man reageerde met een glimlach en een knikje, als om te erkennen dat, inderdaad, de zijne van de zaak was. 'Hij wil u even spreken,' zei hij, met een rukje van zijn hoofd in de richting van de Vectra.

'O ja?' Rebus had meer belangstelling voor zijn kauwgumpakje.

'Misschien moet u even met hem praten, inspecteur Rebus,' ging de man verder en zijn ogen glinsterden toen hij de uitwerking van zijn woorden zag: Rebus' kauwende kaken die abrupt stilvielen.

'Wie bent u?' vroeg Rebus.

'Dat vertelt hij u wel. Ik moet de benzine gaan betalen.' De man draaide zich om. Rebus gaf hem niet direct zijn zin. De kassier keek geïnteresseerd toe. De man bij de Vectra hield de teller van de pomp in de gaten. Rebus besloot naar hem toe te gaan.

'U wou me spreken,' zei hij.

'Geloof me, Rebus, u bent de láátste die ik wil spreken.' De man was lang noch kort, dik noch dun. Bruin haar, ogen ergens tussen bruin en groen, in een volkomen onpersoonlijk gezicht. Altijd anoniem en gemakkelijk te vergeten – perfect voor observatiewerk.

'Recherche, neem ik aan,' ging Rebus verder. 'Maar ik ken u niet, dus u bent van buiten de stad.'

De man liet de greep van de pomp los toen de teller exact op dertig pond stond. Hij scheen tevreden met dit resultaat en duwde het spuitpistool terug in de houder. Pas toen, terwijl hij de dop op de benzinetank draaide en zijn handen afveegde aan zijn zakdoek, keurde hij de man naast hem zijn aandacht waardig.

'U bent inspecteur John Rebus,' verklaarde hij. 'Gestationeerd op bureau Gayfield Square, B-Divisie, Edinburgh.'

'Laat ik dat even opschrijven voor ik het vergeet.' Rebus reikte omstandig naar zijn notitieboekje in zijn binnenzak.

'U hebt een probleem met gezag,' ging de man verder, 'vandaar dat iedereen zo uitkijkt naar uw aanstaande pensionering. Ze hebben op Fettes nog net geen slingers opgehangen.'

'Schijnt dat u alles weet wat er van me te weten valt,' erkende Rebus. 'En het enige wat ik tot nu toe van u weet is dat u in het soort opgevoerde erectiemobiel rijdt waar bepaalde types agenten dol op zijn... meestal het type dat het liefst andere agenten bespioneert.'

'U denkt dat we van Klachten zijn?'

'Misschien niet, maar u kent ze wel.'

'Ik heb het wel eens met ze aan de stok gehad,' gaf de man toe. 'Welke goeie diender niet?'

'Dan zal ik wel een goeie diender zijn,' concludeerde Rebus.

'Weet ik,' zei de man zacht. 'Nou, stap in, we moeten eens serieus praten.'

'Mijn auto...' Maar toen Rebus over zijn schouder omkeek, zag hij dat de reus met het babygezicht zich achter het stuur van zijn Saab had gewurmd en de motor startte.

'Maakt u zich geen zorgen,' stelde zijn nieuwe kennis hem gerust, 'Andy weet wel iets van auto's.' Hij ging achter het stuur van de Vectra zitten. Rebus liep om naar de passagierskant en stapte in. De grote man, Andy, had een deuk in de zitting achtergelaten. Rebus keek om zich heen naar aanwijzingen wie de mannen konden zijn.

'Ik snap wat u zoekt,' zei de man goedkeurend. 'Maar als je anoniem wil zijn, moet je niet te veel weggeven.'

'Dat is mij dus blijkbaar niet gelukt, want jullie hadden me direct in de gaten.'

'Nee, dat is u niet gelukt.'

'Terwijl die Andy van u zó duidelijk een politieman is dat-ie net zo goed een pet zou kunnen dragen.'

'Sommige mensen vinden dat-ie eruitziet als een uitsmijter.'

'Uitsmijters hebben net dat beetje raffinement.'

De man hield een mobieltje voor Rebus op. 'Zal ik hem dat even melden terwijl hij op uw auto past?'

'Kan wel wachten,' zei Rebus. 'Goed, en wie bent u dan?'

'We zijn van de DGM,' zei de vreemdeling. Voluit de Schotse Dienst Drugs en Georganiseerde Misdaad. 'Ik ben inspecteur Stone.'

'En Andy?'

'Brigadier Prosser.'

'En wat kan ik voor u doen, inspecteur Stone?'

'Om te beginnen kunt u me Calum noemen en hoop ik dat u het goedvindt als ik John zeg.'

'Vrienden, hè, Calum?'

'Laten we maar beginnen met goeie collega's en kijken hoe het gaat.'

De Saab gaf al richting aan om de hoofdweg te verlaten. Ze reden de parkeerplaats van een casino op, niet ver van de Ocean Terminal, en de Saab kwam tot stilstand. Stone zette zijn auto ernaast.

'Andy schijnt de weg te weten,' merkte Rebus op.

'Alleen van en naar het stadion en de pubs. Andy is een fan van Dunfermline, komt mee hiernaartoe als ze tegen Hibs of Hearts moeten spelen.'

'Zal niet lang meer duren, zoals de Pars aan het modderen zijn.'

'Een teer punt.'

'Zal ik aan denken...'

Stone had zich naar Rebus toe gedraaid. 'Ik zal open kaart met je spelen, want ik vrees dat je anders je stekels overeind zet. En ik hoop dat ik hetzelfde van jou mag verwachten.' Hij zweeg even. 'Waarom ben je trouwens zo geïnteresseerd in Cafferty en die Rus?'

'Een zaak waar ik mee bezig ben.'

'De moord op Todorov?'

Rebus knikte. 'Laatste borrel die hij dronk voor hij stierf was toevallig met Cafferty. Andropov was op dat moment ook in die bar.'

'Je denkt dat die twee samenspannen?'

'Ik wist niet goed hoe of waarom.'

'En nu...?'

'Andropov wil een groot stuk van Edinburgh opkopen,' zei Rebus, 'met Cafferty als tussenpersoon.'

'Kan zijn,' gaf Stone toe. Rebus keek uit het zijraampje naar zijn eigen auto. Prosser probeerde schijnbaar met zijn voet de kapotte speaker tot leven te schoppen.

'Ik weet niet of Andy mijn muzieksmaak deelt,' overwoog hij.

'Dat hangt ervan af of je alleen van doedelzakmarsen houdt...'

'Dan hebben we misschien een probleem.'

Stone deed alsof hij lachte. 'Beetje ongebruikelijk, niet?' vroeg hij. 'Observatieactie in je eentje? Zit de recherche hier werkelijk zo krap in de mensen?'

'Niet iedereen wil 's avonds werken.'

'Vertel mij wat; de vrouw kijkt soms zo verrast als ze me ziet dat ik me afvraag of ze de melkboer in de kast heeft verstopt.'

'Je draagt geen trouwring.'

'Nee, klopt. En jij, John, jij bent gescheiden en je hebt een volwassen dochter.'

'Je zou haast gaan denken dat jullie meer in mij geïnteresseerd zijn dan in Andropov.'

'Andropov interesseert me geen moer. Het scheelt geen schaamhaar of justitie in Moskou klaagt hem aan wegens God weet wat – fraude en oplichting en omkoperij...'

'Hij maakt niet de indruk dat-ie zich daar zorgen over maakt. Misschien omdat hij van plan is te emigreren?'

'Zullen we wel zien. Maar wat er ook gebeurt, en waarom hij hier ook is, het lijkt allemaal legaal.'

'Zelfs z'n zaken met Cafferty?'

'Je weet hoe het is met boeven, John, negentig procent van alles wat ze doen is volkomen koosjer.'

Rebus overwoog dat even, en het woord 'bovenwereld' schoot weer door zijn hoofd. 'Dus jullie zitten niet achter Andropov aan...'

'Maar achter jouw vriend Cafferty. Juist, en dit keer gaat hij eraan. Vandaar dat we jou kennen, John, al die aanvaringen door de jaren heen. Maar nu is hij van óns. We zitten met zes man nu al dik zeven maanden op hem te ploeteren. We hebben telefoontaps en forensische accountants en heel wat meer en als het aan ons ligt, zit hij binnenkort achter de tralies en verdwijnen zijn illegale inkomsten in de schatkist.' Stone keek voldaan, maar zijn ogen bleven dezelfde koude, glanzende knikkers. 'Het enige wat daartussen kan komen is een of andere halvegare die ons voor de voeten gaat lopen met halfbakken theorieën en oudbakken rancune.' Stone schudde langzaam zijn hoofd. 'Kunnen we niet hebben, John.'

'Met andere woorden: hoepel op.'

'Als ik dat tegen je zei,' ging Stone zacht verder, 'vermoed ik dat je precies het omgekeerde zou doen, al was het maar voor de lol.' In de Saab verdween Prossers hoofd uit het zicht nu hij worstelde met het deurpaneel.

'Waar ga je Cafferty op aanklagen?'

'Drugs misschien, en witwassen... belastingontduiking doet het ook altijd goed. Hij denkt dat we niks weten van zijn buitenlandse bankrekeningen...'

'Die forensische accountants waar je het over had?'

'Die zijn zo goed, die moeten anoniem blijven, anders kwam er een prijs op hun hoofd.'

'Kan ik me voorstellen.' Rebus dacht een ogenblik na. 'Enig verband tussen Cafferty en Andropov en Alexander Todorov?'

'Alleen dat Andropov hem uit Moskou kende.'

'Todorov?'

'Van jaren geleden... zelfde school of studiegenoten, zoiets.'

'Dus je weet het een en ander van Andropov... maar zeg me dan eens, wat moet hij met Cafferty? Ik bedoel, is-ie niet zeven maten groter dan Cafferty?'

'Je moest jezelf eens horen, John. Tegen de zestig en nog zo gretig als een hondje.' Stone lachte weer, maar ditmaal klonk het gemeend. 'Je wil Cafferty opgeborgen zien, zoveel is duidelijk. Maar als we jou dat afscheidscadeautje willen geven, moet je het aan ons overlaten. Cafferty gaat niet voor schut omdat jij hem zo druk volgt. Hij gaat voor schut door papieren bewijsmateriaal: lege vennootschappen, btw-fraude, banken in Bermuda en Litouwen, cadeautjes en smeergeld en geknoei met de boekhouding.'

'Is dat waarom jullie hem zo druk volgen?'

'We hoorden Cafferty aan de telefoon tegen zijn advocaat zeggen dat jij hem naar het bureau had gehaald. Die advocaat wou een officiële klacht indienen, hij had het over "intimidatie". Cafferty wou het niet hebben, hij zei dat het eigenlijk een "compliment" was. Dat vonden wij zorgelijk, John: we moeten geen ongeleid projectiel hebben dat ons in de weg zit als wij de aanval inzetten. We weten dat je Cafferty's huis in de gaten houdt, we hebben het je zien doen. Maar ik wed dat je óns nooit hebt gezien.'

'Omdat jullie er zoveel beter in zijn dan ik, natuurlijk,' zei Rebus.

'Het is maar dat je het weet.' Stone leunde achterover in zijn stoel en blijkbaar zag Prosser er een teken in. De deur van de Saab ging open en de dikke man stapte uit en trok aan de deurkruk aan de passagierskant van de Vectra.

'Hoe is het met mijn stereo?' vroeg Rebus hem.

'Zo goed als nieuw.'

Rebus richtte zijn aandacht weer op Stone. De rechercheur gaf hem zijn visitekaartje.

'Gedraag je een beetje,' zei Stone. 'Laat het volgen maar aan de professionals over.'

'Ik zal erover nadenken,' was Rebus' enige reactie. Hij stapte in zijn Saab en probeerde de stereo. De uitgevallen speaker deed het weer en het frontje noch het deurpaneel vertoonde enige schade. Hij was zeker onder de indruk, maar wist er niets van te laten merken. Draaide uit zijn parkeerplaats en keerde terug naar de hoofdweg. Zijn opties: linksaf naar het centrum of rechtsaf naar waar hij Cafferty en Andropov voor het laatst had gezien. Hij gaf richting aan naar links en wachtte tot het verkeer voorbij was.

Sloeg toen rechts af.

Maar alle drie de auto's waren weg. Rebus vloekte binnensmonds. Hij kon rond blijven rijden, hij kon het zelfs bij het Caledonian Hotel proberen. Hij kon bij Cafferty langsrijden om te zien of hij terug was.

'Ga nou maar naar huis, John,' zei hij tegen zichzelf.

Dus zocht hij zijn weg door de Canonmills en de New Town en de Old Town, langs de Meadows en toen linksaf naar Marchmont en Arden Street. Waar hem een vrije parkeerplek wachtte, een kleine beloning voor zijn inspanningen. Maar ook twee trappen, hoewel het hijgen toen hij boven aankwam meeviel. Hij haalde in de keuken een glas water en sloeg het naar binnen, goot er nog een bodempje in en liep daarmee naar de kamer. Schonk er een gelijke hoeveelheid whisky bij en duwde Johnny Cash in de stereo alvorens hij neerplofte in zijn stoel. Maar het moment was niet geschikt voor de Man in Black. Ietwat schuldbewust drukte hij op de *eject*-knop. Cash had wortels in Fife, meende hij zich te herinneren. Een oude krantenfoto van een bezoek aan het huis van zijn voorouders in Falkland. Rebus verwisselde hem voor John Martyn, *Grace and Danger*, een van de grote scheidingsalbums. Donker en tobberig, precies wat hij nodig had.

'Fuck,' zuchtte hij, het enige woord dat hij nodig had om zijn avonturen van die dag samen te vatten. Hij wist niet goed wat hij van die DGM-mannen moest denken. Natuurlijk wilde hij dat Cafferty uit het veld werd geschopt. Maar ineens leek het heel belangrijk dat híj degene was die de laatste vernietigende tackle plaatste. Cafferty zelf was dus niet het enige punt; het ging ook om de manier waarop. Jaren had hij tegen die klootzak gevochten, en nu zou een of andere brillemans met de nieuwste technologie het karwei afmaken? Geen rommel, geen poeha, geen bloed?

Er moest rommel zijn.

Er moest poeha zijn.

John Martyn zong over mensen die gek zijn. Zo meteen zou hij verdergaan met 'Grace and Danger' zelf, gevolgd door 'Johnny Too Bad'.

'Mijn levensverhaal zingt-ie,' zei John Rebus tegen zijn whiskyglas. Wat had hij in hemelsnaam nog te doen als Cafferty was opgeruimd? Als Stone en zijn mannen er inderdaad in slaagden om hem koel en zakelijk op te ruimen?

Er moest rommel zijn.

Er moest poeha zijn.

Er moest bloed vloeien...

DAG ZEVEN

Donderdag 23 november 2006

27

Rebus stond geparkeerd aan de overkant van Gayfield Square. Hij had een vrij goed zicht op de nieuwsploegen bij het bureau. Er werden tv-camera's opgesteld of ingepakt, afhankelijk van wanneer het betreffende team was gearriveerd. Journalisten liepen op het trottoir heen en weer met hun mobiel aan het oor en bewaarden een gepaste afstand tot elkaar om niet in de verleiding te komen elkaar af te luisteren. Fotografen vroegen zich af hoe ze iets bruikbaars konden peuren uit de naargeestige voorgevel van het politiebureau. Rebus had een processie van mannen in pak de trap op het gebouw in zien gaan. Enkelen herkende hij, Ray Reynolds bijvoorbeeld. Anderen waren nieuw voor hem maar zagen er allemaal als politiemensen uit, dus die waren hier tijdelijk gedetacheerd. Rebus beet in wat er over was van zijn broodje en kauwde langzaam. Toen hij het broodje die ochtend had gekocht, had hij ook een koffie, een krant en een jus d'orange bij zijn bestelling gevoegd. In de krant had hij meer nieuws aangetroffen over de zieke Litvinenko – nog altijd een mysterie wie hem had vergiftigd – maar geen vermelding van Todorov en slechts een alinea over Charles Riordan, afgesloten met een verwijzing naar de overlijdensberichten achterin. Daar las hij dat Riordan in de jaren tachtig verschillende rockbands op tournee had gemixt, waaronder Big Country en Deacon Blue. Een muzikant werd geciteerd die zei dat 'Charlie in een vliegtuighangar nog een mooi geluid kon maken'. Nog verder terug in de tijd was hij sessiemuzikant geweest en had hij gespeeld op albums van Nazareth, Frankie Miller en de Sutherland Brothers, wat betekende dat Rebus waarschijnlijk platen bezat waarop hij te horen was.

'Ik wou dat ik dat had geweten,' zei hij tegen zichzelf.

Starend naar de mediamenigte vroeg hij zich af wie het nieuws had gelekt dat de dood van Riordan met die van Todorov in verband werd gebracht. Deed er eigenlijk niet toe, want het was vroeg of laat toch uitgekomen. Het betekende alleen dat hij een ruilmiddel kwijt was waarmee hij iemand een gunst had willen vragen...

Maar zijn doelwit had zich nog niet vertoond. Wel een officieel uitziende auto waaruit Corbyn was gestapt. Hij poseerde voor de fotografen in zijn maatwerkuniform, met zijn glimmende pet en zwarte leren handschoenen. Goed voor het moreel van de troepen, zou het excuus zijn, maar Rebus wist dat Corbyn was ingelicht over de mediabelangstelling. Niets beters voor het moreel van een korpschef dan hongerige journalisten. Ze zouden uit zijn hand eten. Rebus toetste Siobhans nummer op zijn mobiel.

'Hoge ome in aantocht,' waarschuwde hij haar.

'Wie en waar?'

'Corbyn in eigen persoon. Poseert nu voor de fotografen. Nog even en hij staat voor je neus.'

'Oftewel je bent in de buurt...'

'Maak je geen zorgen, hij kan me niet zien. Hoe is het daar?'

'We moeten nog eens met Nancy Sievewright gaan praten.'

'Heeft ze nog last gehad van die bankier?'

'Niet dat ik weet.' Clarke zweeg. 'En wat ben je verder van plan, behalve je collega's bespioneren?'

'Eerlijk gezegd ben ik gewoon blij dat ik niet naar binnen hoef... zeker als je daar zulke lui als Reet Reynolds om je heen moet dulden.'

'Hou op.'

'Volgens mij heb ik de jonge Todd ook naar binnen zien gaan, schoon pak en alles...'

'Klopt.'

'Ik dacht dat je hem misschien zou afdanken, nu z'n broer in beeld is gekomen.'

'Phyl denkt er net zo over, maar Todd is bezig met zo'n tweehonderd uur opnames van commissievergaderingen die Charles Riordan heeft gemaakt. Daar kan-ie geen kwaad.'

'En je houdt de chef op de hoogte?'

'Dat maak ik zelf wel uit.'

Rebus klikte met zijn tong tegen zijn tanden terwijl Corbyn nog even naar de reporters zwaaide voor hij de receptie van het bureau binnenging. 'Hij is binnen,' zei hij in de telefoon.

'Kan ik beter even mijn verraste blik gaan oefenen.'

'Préttig verrast, Shiv. Kan je een extra bonuspunt opleveren.'

'Ik ga het met hem over je schorsing hebben.'

'Krijg je alleen maar gedonder mee.'

'Jammer dan...' Ze haalde diep adem. 'En over de duivel gesproken...' De lijn werd abrupt verbroken. Hij klapte de gsm dicht en trommelde met zijn vingers op het stuur.

'Waar blijf je, Mairie?' mompelde hij. Maar hij had het nog niet gezegd of Mairie Henderson verscheen om de hoek van East London Street en begon kordaat aan de beklimming van de helling naar het politiebureau. Ze had een blocnote in haar ene hand, een pen en dictafoon in de andere en een grote zwarte schooltas aan een riem over haar schouder. Rebus claxonneerde maar ze reageerde niet. Hij probeerde het nog eens, weer zonder resultaat, maar wilde geen aandacht van anderen trekken. Dus gaf hij het op, stapte de auto uit en koos ernaast positie, met zijn handen in zijn zakken. Henderson was in gesprek met een collega. Toen greep ze een fotograaf bij de kraag en vroeg hem wat voor shots hij had genomen. Rebus herkende hem, hij dacht dat hij Mungo heette of iets dergelijks en wist dat hij in het verleden vaker met Mairie had samengewerkt. Ze kreeg een sms binnen op haar mobiel, las het bericht terwijl ze doorpraatte met de fotograaf alvorens een nummer in te toetsen. Met de telefoon aan haar oor verwijderde ze zich uit het gedrang en liep naar het grasveldje in het midden van Gayfield Square. Daar lag wat afval, lege wijnflessen en fastfoodverpakkingen, waar ze naar fronste terwijl ze aan het bellen was. Toen sloeg ze haar ogen op en zag Rebus. Hij glimlachte. Ze hield haar blik op hem gevestigd en praatte door. Toen het gesprek was beëindigd stak ze het grasveldje over. Rebus was weer ingestapt; anderen hoefden hem niet te zien. Mairie Henderson stapte aan de passagierskant in en ging zitten met haar tas op schoot.

'Hoestie?' vroeg ze.

'Jij ook goeiemorgen, Mairie. Hoe staan de zaken in de krantenwereld?'

'Bergafwaarts,' erkende ze. 'Gratis ochtendbladen, internet, we houden straks geen lezers meer over die voor nieuws willen betalen.'

'En dus geen adverteerders?' veronderstelde Rebus.

'En dus bezuinigingen,' zuchtte ze.

'Dus minder werk voor freelancers als jij?'

'Goeie verhalen genoeg te maken, John, maar raak ze maar eens kwijt. De tabloids, heb je het niet gezien? Die vragen nu de lézers om nieuws en foto's in te sturen...' Ze liet haar hoofd tegen de rugleuning rusten en sloot even haar ogen. Rebus voelde een onverwachte steek van medelijden. Hij kende Mairie al jaren, en altijd hadden ze tips en informatie uitgewisseld. Zo pessimistisch had hij haar nog nooit gehoord.

'Misschien kan ik helpen,' zei hij.

'Todorov en Riordan?' raadde ze. Ze deed haar ogen open en keek hem aan.

'Precies.'

'Waarom zit jij eigenlijk hier en niet daar?' Ze gebaarde naar het politiebureau.

'Omdat ik je iets wou vragen.'

'Ik moet zeker weer iets opgraven?'

'Je kijkt dwars door me heen, Mairie.'

'Wat ik allemaal voor jou gedaan heb, John, en wat heb ik ervoor teruggekregen?'

'Dat zou nu wel eens anders kunnen zijn.'

Ze lachte vermoeid. 'Dat zeg je altijd.'

'Oké dan, noem het je afscheidscadeautje.'

Ze keek hem aandachtiger aan. 'Dat was ik vergeten – je bent binnenkort weg.'

'Ik bén al weg. Corbyn heeft me geschorst.'

'Hoezo dat?'

'Ik was lelijk geweest tegen een vriendje van hem, Sir Michael Addison.'

'De bankier?' Haar stemming leek met haar toonhoogte te stijgen.

'Er is een verband – een los verband – tussen hem en Todorov.'

'Hoe los?'

'Een kennis of zes.'

'Toch intrigerend.'

'Ik wist dat je dat zou zeggen.'

'En jij gaat me vertellen hoe het zit?'

'Ik zal je vertellen wat ik kan,' verbeterde Rebus haar.

'In ruil voor...?'

'Een zekere Andropov.'

'Dat is die Russische industrieel.'

'Inderdaad.'

'Sinds kort in de stad met een handelsmissie.'

'Die is al terug naar huis. Andropov is gebleven.'

'Dat wist ik niet.' Ze tuitte haar lippen. 'En wat wil je weten?'

'Wie hij is en hoe hij aan zijn geld komt. Bovendien staat ook hij in verband met Todorov.'

'Omdat het allebei Russen zijn?'

'Ik heb gehoord dat ze elkaar kennen, uit het verre verleden.'

'En?'

'En de avond dat Todorov stierf, had hij in dezelfde bar zitten drinken als zijn oude klasgenoot.'

Mairie Henderson blies een lage, langgerekte fluittoon. 'Dat weet verder niemand?'

Rebus schudde zijn hoofd. 'En er is nog veel meer.'

'Als ik er een verhaal van maak, raden jouw bazen direct wie m'n bron is.'

'Die bron is over een paar dagen ambteloos burger.'

'En dan staat-ie droog?'

'Staat-ie droog,' stemde hij in.

Ze kneep haar ogen samen. 'Ik durf te wedden dat er nog bergen vuile was zijn die jij buiten zou kunnen ophangen.'

'Bewaar ik voor m'n memoires, Mairie.'

Ze keek hem weer aan. 'Dan heb je vast een ghostwriter nodig,' verklaarde ze. Het klonk niet als een grapje.

De redactie van de *Scotsman* was gevestigd in een modern kantoorgebouw onder aan Holyrood Road, tegenover de BBC en het parlementsgebouw. Hoewel Mairie haar vaste baan bij de krant al enkele jaren geleden vaarwel had gezegd, was ze er nog steeds een bekend gezicht, met haar eigen toegangspasje.

'Hoe heb je dat voor elkaar gekregen?' vroeg Rebus terwijl hij zich bij de receptie inschreef. Henderson tikte tegen de zijkant van haar neus en Rebus speldde zijn bezoekersbadge op. Achter de receptie was een grote open kantoortuin die slechts bemand leek door een staf van nog geen tien journalisten. Toen Rebus er iets over zei, hield Henderson hem voor dat hij nog in het verleden leefde.

'Tegenwoordig heb je niet veel mankracht nodig om een krant te maken.'

'Je klinkt niet al te enthousiast.'

'Het oude gebouw had nog een beetje karakter. En ook het oude redactiekantoor, waar iedereen als bezeten door elkaar liep om verhalen in elkaar te draaien. Hoofdredacteur met z'n mouwen opgestroopt, die liep te vloeken en te tieren. Persklaarmakers die rookten als een schoorsteen en woordspelingen in de kopij probeerden te smokkelen... knippen en plakken met de hand. Alles is tegenwoordig zo...' Ze zocht het juiste woord. 'Efficiënt,' zei ze uiteindelijk.

'Politiewerk was vroeger ook leuker,' verzekerde Rebus haar, 'maar we maakten ook meer fouten.'

'Op jouw leeftijd mag je best nostalgisch zijn.'

'Maar dat ben jij niet?'

Ze haalde alleen haar schouders op, ging aan een onbemande computer zitten en gebaarde naar hem dat hij een stoel bij moest trekken. Een man van middelbare leeftijd met een ruige baard en een leesbrilletje kwam langs en zei hun goedendag.

'Hallo, Gordon,' antwoordde Henderson. 'Wat is het wachtwoord ook alweer?'

'Connery,' zei hij.

Ze bedankte hem en lachte even toen hij was doorgelopen. 'De helft van die lui hier,' zei ze op zachte toon tegen Rebus, 'denken dat ik nog op de loonlijst sta.'

'Handig als je zo'n beetje in en uit kunt fladderen.' Hij keek toe hoe ze het wachtwoord intypte en in de computer op zoek ging naar de naam Andropov.

'Voornaam?' vroeg ze.

'Sergej.'

Ook die voerde ze in en halveerde daarmee het aantal hits.

'We hadden toch overal een internetverbinding kunnen maken?' vroeg Rebus zich af.

'Dit is niet het gewone internet, dit is de nieuwsdatabank.'

'Van de *Scotsman?*'

'En elke andere krant die je kunt verzinnen.' Ze tikte op het scherm. 'Ruim vijfhonderd hits,' verklaarde ze.

'Lijkt veel.'

Ze keek hem even aan. 'Is niks. Zal ik ze printen of loop je er zelf even doorheen?'

'Laat maar eens kijken hoe het gaat.'

Ze stond op en duwde haar stoel opzij zodat Rebus de zijne dichter naar het scherm kon rijden. 'Ga ik even een rondje maken, kijken wat de roddels zijn.'

'En wat zeg ik als iemand me vraagt wat ik aan het uitspoken ben?'

Ze dacht even na. 'Zeg maar dat je van de economieredactie bent.'

'Oké.'

Ze liet hem zijn gang gaan en nam de trap naar de bovenverdieping. Rebus begon te klikken en te lezen. De eerste paar artikelen gingen over Andropovs zakenleven. Met de perestrojka was de greep van de staat op de economie verslapt, zodat mensen als Andropov belangen konden verwerven in de metaalindustrie, de mijnbouw en dergelijke sectoren. Andropov had zich toegelegd op zink, koper en aluminium, later uitgebreid met steenkolen en staal. Uitstapjes naar gas en olie hadden weinig opgeleverd maar in de andere sectoren had hij een fortuin vergaard. Misschien meer dan een fortuin, want de autoriteiten hadden een onderzoek naar hem gestart wegens corruptie. Afhankelijk van welke onderzoeksjournalist over hem schreef was Andropov ofwel een martelaar ofwel een boef. Na twintig minuten probeerde Rebus het zoekresultaat te verkleinen door 'achtergronden' aan de zoektermen toe te voegen. Het leverde een beknopte biografie op. Geboren in 1960, hetzelfde jaar als Alexander Todorov, in de Moskouse buitenwijk Zhdanov, net als Todorov.

'Zo zo,' mompelde Rebus in zichzelf. Informatie over scholen of universiteiten die Andropov had bezocht ontbrak. Zijn jonge jaren, zo leek het, waren helemaal niet nagegaan. Rebus probeerde Andropovs naam te combineren met die van Todorov, maar vond geen enkel resultaat. Maar toen hij de vermeldingen van Todorov doorliep – zeventienduizend van over de hele wereld; daarbij vergeleken waren die vijfhonderd van Andropov dus inderdaad niks – kwam hij op het idee verder te zoeken naar de universiteitscarrière van de dichter. Sommige van zijn colleges waren te downloaden, maar er was niets te vinden over ongepastheden met studentes. Misschien had Andropov hem wat op de mouw gespeld.

'Hallo.' De man met de baard was terug.

'Morgen,' antwoordde Rebus. Hij meende zich te herinneren dat de man Gordon heette en Gordon tuurde nu over zijn schouder naar het scherm.

'Ik dacht dat Sandy met die kwestie-Todorov bezig was,' merkte hij op.

'Klopt,' zei Rebus. 'Ik doe alleen achtergrondresearch.'

'Ah.' Gordon knikte langzaam, alsof dit alles verklaarde. 'Sandy staat zeker nog te kleumen bij Gayfield Square?'

'Zostraks nog wel,' bevestigde Rebus.

'Wedden dat de politie het weer verknalt, zoals gebruikelijk?'

'Ik zou er nog geen biertje op durven zetten,' zei Rebus met een nijdige ondertoon.

'Ach ja, graven maar weer...' Gordon lachte terwijl hij verder liep.

'Eikel,' zei Rebus, net hard genoeg om gehoord te worden. Gordon hield zijn pas in maar draaide zich niet om en liep na een ogenblik verder. Dacht dat hij het niet goed had verstaan of had geen zin in ruzie. Rebus hervatte zijn leeswerk, schakelde van Todorov weer over op Andropov en kwam bijna direct een naam tegen die hij herkende: Roddy Denholm. Blijkbaar kochten de Russische nouveaux riches graag kunst. De prijzen op veilingen bereikten recordhoogten. Een plutocraat was geen plutocraat zonder de obligate Picasso of Matisse. Rebus haalde een paar nieuwsartikelen op het scherm, met foto's gemaakt tijdens veilingen in Moskou, New York en Londen. Vijf miljoen hier, tien miljoen daar... Andropov werd slechts zijdelings vermeld als iemand met belangstelling voor kersverse kunst, hoofdzakelijk Britse. Hij kocht dan ook heel zorgvuldig in bij galeries en tentoonstellingen, liever dan bij veilinghuizen als Sotheby's of Christie's. Onder zijn recente aankopen waren twee Alison Watts en werk van Callum Innes, David Mach, Douglas Gordon en Roddy Denholm. De naam Denholm had Rebus van Siobhan – hij was de man van het kunstproject in het parlement, voor wie Riordan had gewerkt. De auteur van het artikel had opgemerkt dat 'aangezien al deze kunstenaars Schotten zijn, de heer Andropov zich misschien op Schotland is gaan concentreren'. Rebus noteerde de namen en begon aan een stel nieuwe zoekopdrachten. Na nog een kwartier kwam Mairie Henderson terug met twee koppen koffie.

'Melk, geen suiker.'

'Moet kunnen,' zei Rebus bij wijze van dankjewel.

'Wat heb je tegen Gordon gezegd?' Ze had haar stoel bijgetrokken.

'Hoezo?'

'Scheen te denken dat je iets tegen hem had.'

'Sommige mensen hebben nou eenmaal lange tenen.'

'Wat het ook was, hij is tot de conclusie gekomen dat je wel van het management zal zijn.'

'Ik heb altijd gedacht dat ik het in me had...' Rebus keek net lang genoeg weg van het scherm om haar een knipoog te geven. 'Als ik op de printknop druk, waar komen de pagina's dan uit?'

'Dat apparaat daar.' Ze wees naar een hoek van de zaal.

'Dus dan moet ik helemaal daarheen lopen om ze op te halen?'

'Kun je iemand voor je láten doen, als je toch van het management bent...'

28

De journalisten waren weggezworven van Gayfield Square. Misschien omdat het bijna lunchtijd was of omdat een ander nieuwsverhaal hun aandacht trok. Siobhan Clarke had een bijeenkomst gehad met hoofdinspecteur Macrae en de korpschef. Corbyn zag het niet zitten om de leiding van het onderzoek aan Siobhan te laten, hoe vurig Macrae het ook voor haar had opgenomen.

'Laten we inspecteur Starr van Fettes erbij halen,' had Corbyn aangehouden.

'Zoals u wilt,' had Macrae uiteindelijk gecapituleerd.

Naderhand had hij zuchtend tegen Siobhan gezegd dat de korpschef gelijk had. Clarke had alleen haar schouders opgehaald en toegekeken hoe hij de telefoon pakte en om Derek Starr vroeg. Nog geen halfuur later was Starr, met verse coiffure en glimmende manchetknopen, in het recherchekantoor gearriveerd en riep hij het team bij elkaar voor wat hij een 'peptalk' noemde.

'PEP – is dat ook niet een pensioenregeling?' mompelde Hawes. Haar manier om aan te geven dat ze aan Siobhans kant stond. Clarke glimlachte terug om haar te laten weten dat ze het op prijs stelde.

Na een bliksembezoek aan Macrae's kantoor legde Starr de nadruk op het 'zwakke verband' tussen de twee sterfgevallen en stelde dat ze daar 'in dit prille stadium' niet te veel achter moesten zoeken. Hij vond dat het team gesplitst moest worden in een groep die zich concentreerde op Todorov en een andere op Riordan. Toen richtte hij zijn aandacht op Siobhan Clarke: 'En dan bent u de spil, brigadier Clarke. Dat wil zeggen: áls er raakvlakken tussen de twee zaken zijn, plakt u ze aan elkaar.' Hij keek de kamer rond en vroeg of iedereen begreep hoe hij het wilde aanpakken. Het instemmend gemompel werd overstemd door een langgerekte boer van Ray Reynolds.

'Chili con carne,' verklaarde hij half verontschuldigend terwijl de agenten om hem heen met blocnotes en papieren waaierden. De telefoon op Siobhans bureau ging over en ze nam hem op, met een vinger in haar andere oor om de rest van Starrs oratie te dempen.

'Brigadier Clarke,' meldde ze zich.

'Is inspecteur Rebus daar?'

'Op het moment niet. Kan ik u helpen?'

'U spreekt met Stuart Janney.'

'Ach ja, meneer Janney. U spreekt met brigadier Clarke, we hebben elkaar ontmoet in het parlement.'

'Nou brigadier, die inspecteur Rebus van u vroeg me naar de afschriften van Alexander Todorovs bankrekening...'

'En die hebt u?'

'Ik weet dat het even geduurd heeft, maar er zijn procedures...'

Clarke ving de blik van Phyllida Hawes op. 'Waar bent u op dit moment, meneer Janney?'

'Het hoofdkantoor.'

'Kan ik misschien een paar collega's langs sturen om ze op te halen?'

'Waarom niet? Zou mij een ritje besparen.' Janney snoof onder het praten.

'Bedankt. Bent u het komende uur nog daar?'

'Zo niet, dan laat ik de envelop achter bij mijn assistente.'

'Heel vriendelijk van u.'

'Hoe gaat het met het onderzoek?'

'We maken vorderingen.'

'Goed om te horen. De kranten van vanmorgen schijnen te denken dat u een verband ziet tussen de dood van Todorov en die brand in dat huis.'

'Je kunt niet alles geloven wat je leest.'

'Toch merkwaardig.'

'Wat u zegt, meneer Janney. Nogmaals bedankt.' Clarke hing op en keerde zich om naar Phyllida Hawes. 'Ik heb een mooi klusje voor jou en Col. Jullie gaan naar het hoofdkantoor van First Albannach en je haalt Todorovs bankafschriften op bij een zekere Stuart Janney.'

'Bedankt,' mimede Hawes.

'En terwijl jullie weg zijn, ga ik zelf ook maar even op pad. Nancy Sievewright zal me wel niet meer kunnen zíén...'

Net op dat moment klapte Starr in zijn handen ten teken dat de bijeenkomst klaar was, 'tenzij iemand nog een echt stomme vraag heeft'. Met zijn ogen speurde hij de kamer af of iemand zijn hand durfde op te steken. 'Akkoord dan,' blafte hij, 'aan de slag!'

Hawes rolde met haar ogen en wurmde zich door het gedrang naar waar Colin Tibbet stond, schijnbaar in de ban van Derek Starr. Siobhan Clarke merkte dat Todd Goodyear haar kant op schuifelde.

'Denkt u dat inspecteur Starr me bij het team wil houden?' vroeg hij zachtjes.

'Maak maar gewoon dat je niet te veel opvalt.'

'En hoe doe ik dat?'

'Je bent die banden van die commissievergaderingen toch aan het beluisteren?' Ze zag Goodyear knikken. 'Ga daar gewoon mee door en als hij vraagt wie je bent, zeg dan maar dat je de enige was die zo'n ondankbare taak op zich wilde nemen.'

'Ik weet nog altijd niet goed wat ik volgens u zou kunnen vinden.'

'Weet ik zelf ook niet,' bekende Clarke. 'Maar je weet nooit hoe een koe een haas vangt.'

'Goed dan.' Goodyear klonk verre van overtuigd. 'En u bent de schakel tussen de twee helften van het onderzoek?'

'Als-ie dat bedoelt met "spil".'

'Gaat u dan ook de persconferenties houden?'

Clarke snoof bij wijze van antwoord. 'Derek Starr laat echt niemand anders voor de camera's.'

'Hij ziet er meer uit als een verkoper dan als een rechercheur,' merkte Goodyear op.

'Dat is-ie ook,' stemde Clarke in. 'En wat-ie verkoopt is zichzelf. Probleem is dat-ie er zo verrekte goed in is.'

'Bent u niet jaloers?' Ze stonden andere rechercheurs in de weg die elkaar verdrongen om een stukje kantoor voor zichzelf in beslag te nemen.

'Inspecteur Starr gaat nog ver komen,' zei ze en liet het daarbij. Goodyear keek toe terwijl ze haar tas over haar schouder slingerde.

'U gaat ergens naartoe,' concludeerde hij.

'Goed gezien.'

'Iets waar ik bij kan helpen?'

'Jij moet al die banden nog afluisteren, Todd.'

'Waar zit inspecteur Rebus eigenlijk?'

'In het veld,' legde Clarke uit; hoe minder mensen wisten dat hij geschorst was, dacht ze, hoe beter.

Temeer daar Rebus ondanks – of eigenlijk juist vanwége – zijn schorsing inderdaad meer dan actief was in het veld.

Nancy Sievewright was niet erg blij toen Clarke zich meldde via de intercom, maar was uiteindelijk naar beneden gekomen en had de rechercheur gezegd dat ze zin had in warme chocola.

'Er zit hier op de hoek zo'n zaakje.'

In de koffiebar bestelden ze hun drankjes en gingen op leren banken tegenover elkaar zitten. Sievewright zag eruit alsof ze niet genoeg had geslapen. Ze droeg nog altijd een kort rokje met loshangende rafels en een dun spijkerjack, maar aan haar benen had ze een dikke zwarte maillot en aan haar handen gebreide handschoenen zonder vingers. Ze had chocolademelk met slagroom en marshmallows gevraagd en hield de mok tussen beide handpalmen terwijl ze ervan nipte en op de marshmallows kauwde.

'Nog last gehad van meneer Anderson?' vroeg Clarke. Sievewright schudde alleen haar hoofd. 'We hebben Sol Goodyear gesproken,' ging Clarke verder. 'Je had niet gezegd dat hij in dezelfde straat woonde als waar die dichter is doodgeslagen.'

'Waarom zou ik?'

Clarke haalde alleen haar schouders op. 'Hij schijnt zich niet te beschouwen als je vriendje.'

'Hij neemt me in bescherming,' beet ze terug.

'Tegen wie?' vroeg Clarke, maar de jonge vrouw vond dat geen antwoord waard. De muziek in de zaak stond vrij hard en recht boven hen hing een speaker in het plafond. Het was een of ander dansnummer met een pompende beat en Clarke ergerde zich mateloos en ging aan de bar vragen of het wat zachter kon. Het meisje deed wat ze vroeg, zij het met tegenzin en minimaal effect.

'Daarom kom ik graag hier,' zei Sievewright.

'Het chagrijnige personeel?'

'De muziek.' Sievewright tuurde over de rand van haar mok naar Siobhan. 'Maar wat zei Sol dan wél over me?'

'Gewoon dat je niet z'n vriendin was. Maar toen ik hem sprak begon ik me iets af te vragen...'

'Wat dan?'

'Over die avond.'

'Dat was een of andere halvegare in een pub...'

'Ik bedoel niet de aanval op Sol, ik bedoel die op die dichter. Je was onderweg om spul bij Sol te kopen. Dus toen je op het lijk stuitte was je ófwel op de heenweg naar Sols huis, of op de terugweg...'

'Wat maakt het uit?' Sievewright zat met haar voeten te schuifelen en keek erop neer alsof ze ze niet meer onder controle had.

'Nou, nogal wat. Weet je nog toen ik voor de eerste keer bij je thuis kwam?'

Sievewright knikte.

'Toen was er iets wat je zei... of meer de manier waaróp je het zei. Moest ik gisteren ineens aan denken toen ik Sol had gesproken.'

De jonge vrouw hapte toe. 'Wat dan?' vroeg ze, zo terloops als het haar afging.

'Jij zei tegen ons: "Ik heb niks gezién." Maar je legde de nadruk op "gezien", terwijl ik denk dat de meeste mensen de nadruk op "niks" hadden gelegd. Dus toen begon ik me af te vragen of dat jouw manier was om niet de hele waarheid te zeggen zonder nou direct te liegen.'

'Ik kan je niet meer volgen.' Sievewrights knieën gingen nu als zuigers op en neer.

'Ik vraag me af of je niet al bij Sol aan de deur was geweest, had aangebeld en gewacht. Je wist dat hij je verwachtte. Misschien heb je er een tijdje gestaan omdat je dacht dat hij wel snel zou komen. Misschien heb je hem gebeld maar nam hij niet op.'

'Omdat-ie het te druk had met neergestoken worden.'

Clarke knikte langzaam. 'Dus je staat bij hem voor de deur en ineens hoor je onder aan de steeg iets. Je gaat terug naar de hoek om te kijken.'

Maar Sievewright schudde heftig haar hoofd.

'Oké dan,' kwam Clarke haar tegemoet, 'je ziét niks, maar je hoort wel iets, of niet, Nancy?'

De jonge vrouw keek haar lang aan, verbrak toen het oogcontact en slurpte nog wat van haar warme chocola. Toen ze antwoord gaf, werd ze door de muziek overstemd.

'Dat heb ik niet verstaan,' zei Siobhan verontschuldigend.

'Ik zei ja.'

'Je had iets gehoord?'

'Een auto. Die optrok en...' Ze stopte en staarde naar het plafond terwijl ze nadacht. Uiteindelijk keek ze Clarke weer aan. 'Eerst was er gekreun. Ik dacht misschien een zatlap die moest kotsen. Hij brabbelde maar wat, dacht ik. Maar misschien was het wel Russisch. Achteraf zou dat best kunnen, hè?' Ze scheen bevestiging bij Clarke te zoeken, dus Clarke knikte nogmaals.

'En toen een auto?' hielp ze haar weer op gang.

'Kwam aangereden en stopte. De deur ging open en ik hoorde zo'n geluid, zo'n soort doffe dreun, en toen hield-ie op met kreunen.'

'Een personenauto, denk je?'

'Klonk niet als een busje of een vrachtwagen.'

'Maar je hebt hem niet gezien?'

'Tegen de tijd dat ik de hoek omkwam was hij weg. Ik zag alleen iemand tegen de muur liggen.'

'Nou snap ik waarom je gilde, denk ik,' zei Clarke. 'Je dacht dat het Sol was?'

'Eerst wel. Maar toen ik dichterbij kwam, zag ik dat hij het niet was.'

'Waarom ben je niet weggelopen?'

'Dat stel kwam erbij. Ik wilde weggaan, maar die man zei dat ik moest blijven. Als ik ervandoor was gegaan, had het toch ook een rare indruk gemaakt? En hij kon jullie zó m'n signalement geven.'

'Zit wat in,' gaf Siobhan toe. 'Waarom dacht je dat het Sol zou kunnen zijn?'

'Als je drugs dealt, maak je vijanden.'

'Zoals?'

'Zoals die klootzak die hem bij die pub met een mes te lijf ging.'

Clarke knikte nadenkend. 'Nog anderen?'

Sievewright begreep waar ze naartoe wilde. 'Denk je dat ze die dichter misschien bij vergissing hebben doodgeslagen?'

'Ik weet het niet.' Hoe waarschijnlijk was dat? Het bloedspoor liep terug naar de parkeergarage, dus degene die Todorov daar aanviel moest geweten hebben dat hij Sol Goodyear niet was. Maar wat de genadeklap betrof... Tja, dat kon dezelfde persoon zijn geweest, maar ook iemand anders. En Sievewright had gelijk – dealers maken vijanden. Misschien moest ze het daar zelf eens met Sol over hebben, kijken of hij namen voor haar had. Maar het zat er natuurlijk dik in dat hij die voor zich zou houden, misschien wel om zelf wraak te nemen. Ze zag in gedachten hoe Sol over de kartellijn van de hechtingen wreef, alsof hij die wilde uitwissen. Zag hoe de twee jongens opgroeiden, Sol en zijn broertje Todd, opa gestorven in de gevangenis en ouders die het leven niet aankonden. Op welk punt had Todd besloten zich van zijn broer los te snijden? En had Sol eronder geleden?

'Mag ik er nog een?' onderbrak Sievewright haar gedachten en hield haar lege mok op.

'Als jij betaalt.'

'Ik heb geen geld.'

Clarke zuchtte en gaf haar een briefje van vijf. 'En doe mij nog maar een cappuccino,' zei ze.

29

'Hij laat zich niet makkelijk vangen,' zei Terence Blackman met fladderende handen.

Blackman dreef een galerie in hedendaagse kunst in William Street aan de westkant van de stad. De galerie bestond uit twee zalen met witte wanden en geschuurde vloerplanken. Blackman zelf was nauwelijks anderhalve meter lang, mager met een buikje, en waarschijnlijk dertig, veertig jaar ouder dan hij zich kleedde. Op zijn hoofd een matje bruin haar dat eruitzag alsof het geverfd was, of misschien was het wel zo'n duur *weave*-geval. Zijn huid was met een reeks kleine chirurgische ingrepen strak om zijn gezicht getrokken, zodat zijn scala aan gelaatsuitdrukkingen beperkt was. Volgens zijn website trad Blackman op als Roddy Denholms agent.

'Waar zit hij nu dan?' vroeg Rebus, terwijl hij een sculptuur ontweek die eruitzag als een massale knokpartij van ijzeren kleerhangers.

'Melbourne, denk ik. Kan ook Hongkong zijn.'

'Hebt u iets van hem in huis op het moment?'

'Nou, er is zelfs een wachtlijst. Stuk of vijf kopers, geld speelt geen rol.'

'Russen?' raadde Rebus.

Blackman staarde hem aan. 'Sorry, inspecteur, waarom wilde u Roddy ook alweer spreken?'

'Hij was bezig met een project in het parlement.'

'Een molensteen om onze nek,' zuchtte Blackman.

'Meneer Denholm had er allerlei geluidsopnames bij nodig en de man die daarvoor zorgde blijkt ineens dood.'

'Wat?'

'Hij heet Charles Riordan.'

'Dood?'

'Ik vrees van wel. Een brand in zijn...'

Blackman sloeg zijn handen tegen zijn wangen. 'En de tapes?'

Rebus staarde hem aan. 'Fijn dat u zo met hem begaan bent, meneer.'

'O, ja, natuurlijk, vreselijk voor de familie en, eh...'

'Volgens mij hebben de opnames het wel overleefd.'

Blackman sloeg dankbaar zijn ogen ten hemel en vroeg toen wat de kunstenaar ermee te maken had.

'Meneer Riordan is vermoord. Wij vroegen ons af of hij misschien iets heeft opgenomen wat iemand niet zinde.'

'In het parlement, bedoelt u?'

'Was er een speciale reden waarom meneer Denholm juist de Commissie Stedelijke Vernieuwing had uitgekozen voor dit project?'

'Ik heb geen flauw idee.'

'Dan begrijpt u wel waarom ik hem wil spreken. U hebt misschien zijn mobiele nummer?'

'Hij neemt niet altijd op.'

'Dan kunnen we in elk geval een boodschap inspreken.'

'Misschien wel.' Blackman klonk niet enthousiast.

'Dus als u me dat nummer zou kunnen geven,' drong Rebus aan. De kunsthandelaar zuchtte weer en gebaarde Rebus hem te volgen naar een deur achter in de zaal. Het was een overvol kantoortje, maat bezemkast, bezaaid met doeken zonder lijst en lijsten zonder doek. Blackmans eigen mobiel hing aan de oplader maar hij trok de plug eruit en drukte op een paar toetsen tot het nummer van de kunstenaar op het schermpje verscheen. Rebus toetste het op zijn eigen mobiel in en vroeg ondertussen wat Denholms werk zoal opbracht.

'Hangt af van de afmetingen, materialen, manuren...'

'Maar grofweg?'

'Tussen de dertig en vijftig...'

'Duizend pond?' Rebus wachtte op de bevestigende knik van de galeriehouder.

'En hoeveel ramt hij er per jaar uit?'

Blackman keek chagrijnig. 'Ik zei u al, er is een wachtlijst.'

'En welke heeft Andropov gekocht?'

'Sergej Andropov heeft er oog voor. Ik had toevallig een vroeg werk in olieverf van Roddy weten te bemachtigen, waarschijnlijk geschilderd in het jaar dat hij van de Glasgow School of Art kwam.' Blackman raapte van het bureau een briefkaart op. Het was een reproductie van het schilderij. 'Het heet *Hopeless*.'

Rebus kon er niet meer in ontdekken dan kindergekrabbel. Hopeloos vatte het goed samen.

'Voor een pre-videowerk van Roddy heeft het een recordbedrag opgebracht,' voegde de kunsthandelaar eraan toe.

'En hoeveel hebt u eraan overgehouden, meneer Blackman?'

'Een percentage, inspecteur. En als u me nu wilt excuseren...'

Maar Rebus had alle tijd. 'Fijn om te zien dat mijn belastingcenten in uw zak terechtkomen.'

'Als u die opdracht van het parlement bedoelt, hoeft u zich geen zorgen te maken – die wordt helemaal gedragen door de First Albannach Bank.'

'Betaald, bedoelt u?'

Blackman knikte beslist. 'Maar nu moet u me echt excuseren...'

'Gul van ze,' merkte Rebus op.

'De FAB is een geweldige kunstfinancier.'

Nu was het Rebus' beurt om te knikken. 'Een paar kleine dingen nog. Enig idee waarom Andropov zich in de Schotse kunst begeeft?'

'Omdat hij ervan houdt.'

'Geldt dat ook voor die andere Russische miljonairs en miljardairs?'

'Er zijn er zeker bij die er een goeie investering in zien, anderen doen het voor hun plezier.'

'En om iedereen te laten weten hoe rijk ze zijn?'

Blackman bood hem een flinterdun glimlachje. 'Misschien speelt dat ook mee.'

'Net als het jacht in de Caraïben – ik heb een grotere dan jij. En het herenhuis in Londen en de juwelen voor het tweede vrouwtje...'

'U weet er blijkbaar alles van.'

'Verklaart nog niet waarom ze in Schotland geïnteresseerd zijn.' Ze waren vanuit het kantoortje teruggegaan naar de tentoonstellingszaal.

'Historische banden, inspecteur. Russen zijn bijvoorbeeld dol op Robert Burns, misschien zien ze een communist avant la lettre in hem. Ik weet niet meer wie het was, Lenin misschien, zei dat als in

Europa een revolutie zou komen, die waarschijnlijk in Schotland zou beginnen.'

'Maar dat is toch allemaal veranderd? We hebben het hier over kapitalisten, niet over communisten.'

'Historische banden,' herhaalde Blackman. 'Misschien denken ze nog steeds dat er een revolutie in het vat zit.' En hij glimlachte droevig, zodat Rebus begon te denken dat de man wellicht zelf ooit partijlid was geweest. God, waarom ook niet? Rebus was opgegroeid in Fife, daar had je vrijwel niets dan mijnen en arbeiders. In Fife was het eerste en misschien zelfs enige communistische parlementslid van Groot-Brittannië ooit gekozen. In de jaren vijftig en zestig zaten de gemeenteraden er vol communisten. Rebus had de Algemene Staking van 1926 zelf niet meegemaakt maar hij had er van een tante veel verhalen over gehoord: barricades, dorpen en steden geblokkeerd – praktisch een eenzijdige onafhankelijkheidsverklaring. Volkskoninkrijk Fife. Hij glimlachte even voor zich uit en knikte naar Terence Blackman.

'Met revolutie bedoelt u zeker onafhankelijkheid?'

'Kan moeilijk slechter gaan dan met de lui die nu de dienst uitmaken...' Blackmans mobiel ging over en hij haalde hem uit zijn zak en liep bij Rebus weg, met een klein handgebaar bij wijze van afscheid.

'Bedankt voor uw tijd,' mompelde Rebus op weg naar de deur.

Op het trottoir buiten probeerde hij het nummer van de kunstenaar. Nadat zijn mobiel een flink aantal keren was overgegaan, zei een mechanische stem dat hij een boodschap kon achterlaten. Dat deed hij en belde toen een ander nummer. Siobhan Clarke nam op.

'Aan het genieten van je vrije tijd?' vroeg ze.

'Moet jij zeggen – hoor ik daar een espressomachine?'

'Ik moest even weg. Corbyn heeft Derek Starr teruggehaald.'

'Dat zagen we al aankomen.'

'Klopt,' gaf ze toe. 'Dus ik zit een beetje te babbelen met Nancy Sievewright. Ze zegt dat ze de avond dat Todorov werd vermoord bij Sol aan de deur was geweest om aan spul te komen. Maar Sol was elders opgehouden, zoals we nu weten. Nancy hoorde wel een auto aan komen rijden en iemand die eruit sprong en onze dichter een knal voor zijn kop gaf.'

'Dus dan is-ie twee keer aangevallen?'

'Kennelijk.'

'Allebei de keren door dezelfde persoon?'

'Geen idee. Ik begon me af te vragen of Sol zelf misschien het eigenlijke doelwit was, de tweede keer.'

'Is een mogelijkheid.'

'Je klinkt sceptisch.'

'Kan Nancy je horen?'

'Even naar de plee.'

'Nou, wat dacht je dan hiervan? Todorov wordt in de parkeergarage besprongen, dat weten we al. Hij strompelt naar buiten, maar de aanvaller stapt kalmpjes zijn of haar auto in en rijdt hem achterna, en besluit het karwei af te maken.'

'Je bedoelt dat die auto ook in de parkeergarage stond?'

'Niet per se... kan ook op straat hebben gestaan. Zou het nog een trip naar het stadhuis waard zijn? Nog eens naar de camerabeelden kijken? Tot nu toe hebben we alleen op voetgangers gelet...'

'Jouw vriend bij de Cameratoezichtcentrale vragen ons de nummers te geven van alle auto's die King's Stables Road in of uit zijn gekomen?' Ze leek het idee te overwegen. 'Punt is, Starr is weer helemaal teruggegaan naar het straatroofscenario.'

'Je hebt hem nog niks verteld over die auto?'

'Nog niet.'

'En ga je dat doen?' vroeg hij plagerig.

'Of hou ik het voor mezelf, zoals jij zou doen? En als ik dan gelijk heb en hij ongelijk, oogst ik het applaus?'

'Je leert snel bij.'

'Ik moet er eens goed over nadenken.' Maar hij kon horen dat ze al half overtuigd was. 'En wat ben jij aan het doen? Ik hoor auto's.'

'Beetje winkelen.'

'Maak dat je grootmoeder wijs.' Ze zweeg. 'Nancy komt eraan, ik kan beter ophangen...'

'Zeg nog even: heeft Starr zo'n voor-volk-en-vaderland-speech gehouden?'

'Wat denk je?'

'Ik wed dat Goodyear stond te kwijlen.'

'Weet ik niet. Col vond het wél mooi... ik heb hem en Phyl naar First Albannach gestuurd. Janney heeft Todorovs bankafschriften.'

'Dat werd tijd.'

'Nou ja, hij had ook veel aan z'n hoofd: naar Gleneagles, die Russen verwennen...'

Om nog maar te zwijgen over uitstapjes naar Granton met Cafferty en Andropov, had Rebus kunnen aanvullen. In plaats daarvan zei hij tot ziens en hing op. Keek rond naar de winkeltjes, overwegend boetieks met damesmode. Realiseerde zich dat het maar twee minuten lopen was naar het Caledonian Hotel.

Ach, waarom niet? vroeg hij zichzelf af. Antwoord: waarom niet?

Bij de receptie vroeg hij naar 'de kamer van meneer Andropov'. Maar daar nam niemand op. De receptioniste vroeg of hij een boodschap wilde achterlaten maar hij schudde zijn hoofd en slenterde de bar in. Geen Freddie. De barkeeper was een jonge blonde vrouw met een Oost-Europees accent. Op haar openingsvraag antwoordde Rebus dat hij graag een Highland Park had. Ze vroeg of hij er ijs bij wilde en hij leidde eruit af dat ze nieuw in het vak was, of in Schotland. Hij schudde zijn hoofd en vroeg waar ze vandaan kwam.

'Kraków,' zei ze. 'In Polen.'

Rebus knikte alleen. Zijn voorouders kwamen uit Polen, maar dat was alles wat hij van het land wist. Hij hees zich op een kruk en pakte een hand nootjes uit een schaal.

'Alstublieft,' zei ze terwijl ze hem het glas voorzette.

'En wat water alstublieft.'

'Natuurlijk.' Ze klonk beteuterd, geërgerd over haar vergissing. Ze bracht een halve liter kraanwater in een kan. Rebus schonk een paar druppels in zijn glas en liet het rondwalsen in zijn hand.

'Hebt u met iemand afgesproken?' vroeg ze.

'Hij zoekt mij, denk ik.' Rebus draaide zich om naar de spreker. Andropov moest weer in het hoekje hebben gezeten, uit het zicht van de bar. Hij produceerde een glimlach maar zijn ogen stonden koud.

'Handlanger niet bij u?' vroeg Rebus.

Andropov negeerde het. 'Nog een fles water,' zei hij tegen de serveerster. 'En nu zonder ijs.'

Ze knikte en pakte de fles uit een koelkast, schroefde de dop los en schonk een glas in.

'Zo, inspecteur,' was Andropov begonnen, 'was u inderdaad naar mij op zoek?'

'Eigenlijk was ik gewoon in de buurt. Ik ben op bezoek geweest bij de galerie van Terence Blackman.'

'Houdt u van kunst?' Andropov had zijn wenkbrauwen opgetrokken.

'Ik hou erg van Roddy Denholm. Vooral dat vroege werk dat hij door kinderen van de kleuterschool liet maken.'

'U drijft er de spot mee.' Andropov had zijn glas gepakt. 'Op mijn rekening,' instrueerde hij de serveerster. Toen, tegen Rebus: 'Komt u bij me zitten?'

'Dit is dezelfde tafel, hè?' vroeg Rebus terwijl ze tegenover elkaar plaatsnamen.

'Ik weet niet goed wat u bedoelt.'

'De tafel waar u zat op de avond dat Alexander Todorov hier kwam.'

'Ik wist niet eens dat hij hier is geweest.'

'Cafferty heeft zijn drank betaald. En toen Todorov weg was, is Cafferty hier bij u komen zitten.' Rebus stopte even. 'Bij u en de minister van Economische Ontwikkeling.'

'Ik ben onder de indruk.' Andropov leek het te menen. 'Echt waar. Ik zie dat u een man bent die zich niet laat afschepen.'

'Niet laat omkopen ook.'

'Dat geloof ik ook.' De Rus glimlachte weer, en weer bereikte de lach zijn ogen niet.

'En, waar hebt u het met Jim Bakewell over gehad?'

'Dat zal u verbazen, maar het ging over economische ontwikkeling.'

'U denkt over investeren in Schotland?'

'Ik vind het zo'n gastvrij land.'

'Maar we hebben niets van die dingen waar u mee bezig bent – geen gas, of steenkool of staal...'

'Gas en steenkool hebt u wel. En olie, natuurlijk.'

'Nog een jaar of twintig.'

'In de Noordzee, ja, maar u vergeet het westen. Olie genoeg in de Atlantische Oceaan, inspecteur, en vroeg of laat beschikken we over de technologie om die te winnen. En dan zijn er nog de alternatieven: wind- en golfslagenergie.'

'En al die gebakken lucht in het parlement, niet te vergeten.' Rebus nipte aan zijn whisky en liet de drank in zijn mond rondgaan. 'Verklaart nog niet waarom u braakliggende terreinen in Edinburgh bekijkt.'

'Er ontgaat u echt maar weinig, hè?'

'Hoort bij het vak.'

'Is dat vanwege meneer Cafferty?'

'Misschien. Hoe hebt u elkaar leren kennen?'

'Door zaken, inspecteur. Volkomen legaal allemaal, kan ik u verzekeren.'

'Is dat waarom justitie in Moskou achter u aan zit?'

'Politiek,' legde Andropov met een gekwelde blik uit. 'En weigeren de nodige zakken te vullen.'

'Dus u bent een zondebok?'

'De dingen gaan zoals ze gaan...' Hij zette het glas aan zijn lippen.

'In Rusland zit al een heel clubje rijkelui in de gevangenis. Bent u niet bang om daar straks bij te zitten?' Andropov haalde alleen zijn schouders op. 'Hier hebt u gelukkig zat vrienden gemaakt, niet alleen bij de Labourpartij maar ook bij de SNP. Moet prettig zijn als je zo goed wordt ontvangen.' De Rus zei nog altijd niets, dus besloot Rebus van onderwerp te veranderen. 'Vertelt u me eens over Alexander Todorov.'

'Wat wil u weten?'

'U had het erover dat hij was ontslagen als docent omdat hij te vriendschappelijk met zijn studentes omging.'

'Ja?'

'Daar kan ik nergens iets over vinden.'

'Het is in de doofpot gestopt, maar er waren in Moskou genoeg mensen die ervan wisten.'

'Toch raar dat u me zoiets vertelt, maar vergeet te vermelden dat u samen bent opgegroeid – zelfde leeftijd, zelfde buurt...'

Andropov keek hem aan. 'Ik moet alweer toegeven dat ik onder de indruk ben.'

'Hoe goed kende u hem?'

'Nauwelijks. Ik vrees dat ik voor Alexander alles ben geworden waar hij een hekel aan had. Hij zou woorden hebben gebruikt als "hebzuchtig" en "meedogenloos", terwijl ik het liever "onafhankelijk" en "dynamisch" noem.'

'Was hij een ouderwetse communist?'

'U kent het Engelse woord *bolshie*? Dat komt van "bolsjewiek", een Russisch woord. De bolsjewieken waren in hun tijd ook knap meedogenloos, maar hier betekent *bolshie* alleen nog lastig of eigenwijs... en dat was Alexander.'

'Wist u dat hij in Edinburgh woonde?'

'Ik denk dat ik het in de krant heb gezien.'

'Hebt u hem hier ontmoet?'

'Nee.'

'Raar dat hij hier een borrel kwam drinken...'

'Vindt u?' Andropov haalde weer zijn schouders op en nam een slokje water.

'Nou ja, hier zit u, allebei in Edinburgh: samen opgegroeid, allebei beroemd op uw eigen manier, en dan neem je geen contact op?'

'We zouden elkaar niets te zeggen hebben gehad,' verklaarde Andropov. Toen: 'Wilt u nog wat drinken, inspecteur?'

Rebus zag dat hij zijn glas leeg had. Hij schudde zijn hoofd en kwam overeind.

'Ik zal meneer Bakewell laten weten dat u langs bent geweest,' zei Andropov.

'Laat het Cafferty ook maar weten als u wilt,' riposteerde Rebus. 'Hij kan u vertellen dat ik niet loslaat als ik m'n tanden ergens in heb gezet.'

'En toch lijken u en hij erg op elkaar... Het was me een genoegen, inspecteur.'

Buiten probeerde Rebus een sigaret op te steken in de dwarrelwind. Hij trok net de kraag van zijn jack op toen de taxi aan kwam rijden, zodat hij ontsnapte aan de aandacht van Megan Macfarlane en Roddy Liddle, het Schotse parlementslid en haar assistent, die strak voor zich uit kijkend de lobby van het hotel in marcheerden. Rebus blies de rook hemelwaarts en vroeg zich af of Sergej Andropov zou aarzelen om ook hun te laten weten met wie hij zojuist had zitten praten.

30

Toen Siobhan Clarke de krappe recherchekamer van politiebureau West End binnenkwam, klonk er applaus. Slechts twee van de zes bureaus waren bezet, maar beide aanwezigen wilden blijk geven van hun waardering.

'Wat ons betreft mag je Ray Reynolds zo lang houden als je wil,' zei inspecteur Shug Davidson grijnslachend alvorens hij haar voorstelde aan een agent genaamd Adam Bruce. Davidson zat met zijn benen op zijn bureau, zijn stoel schuin achterover.

'Fijn om te zien dat jullie zo hard aan het werk zijn,' merkte Clarke op. 'Waar is iedereen?'

'Kerstinkopen doen, denk ik. Kan ik dit jaar een aardigheidje van je verwachten, Shiv?'

'Ik dacht erover om Ray leuk in te pakken en terug te sturen.'

'Als je het maar laat. En, beetje opgeschoten met Sol Goodyear?'

'Ik geloof niet dat "opschieten" het goeie woord is.'

'Een smeerlap, hè? Dag en nacht verschil met z'n broer. Wist je dat Todd 's zondags naar de kerk gaat?'

'Dat zei hij.'

'Dag en nacht...' Davidson schudde langzaam zijn hoofd.

'Maar kunnen we het even over Larry Fintry hebben?'

'Wat is daarmee?'

'Zit die vast?'

Davidson snoof. 'De cellen barsten uit hun voegen, Shiv, weet jij net zo goed als ik.'

'Op borgtocht vrij dus?'

'Tegenwoordig moet het wel volkerenmoord of kannibalisme zijn, anders sta je zó weer buiten.'

'En waar zit hij nou dan?'

'In een opvangcentrum in Bruntsfield.'

'Wat voor opvangcentrum?'

'Verslavingszorg. Hoewel ik me afvraag of hij op dit uur van de dag daar is.' Davidson keek op zijn horloge. 'Hunter Square of de Meadows misschien.'

'Ik kom net uit een koffietent op Hunter Square.'

'Veel mafketels tegengekomen?'

'Wel wat daklozen,' corrigeerde Clarke hem. Het was haar opgevallen dat Bruce weliswaar ingespannen op een computer bezig was, maar dan met een spelletje Mijnenveger.

'De bankjes achter het oude ziekenhuis,' was Davidson weer begonnen, 'daar hangt-ie ook wel eens rond. Beetje fris nu, misschien. Dagcentra in de Grassmarket of de Cowgate zou ook kunnen... waar moet je hem voor hebben?'

'Ik begon me af te vragen of Sol Goodyear een prijs op zijn hoofd heeft staan.'

Davidson joelde. 'Zo'n kleine etter?'

'Dan nog...'

'Dan nog moet iemand wel knetter zijn om Lijpe Larry zo'n klus te geven. Het stelt niks voor, Shiv: Sol moest Larry gewoon hebben omdat hij geld van hem tegoed had. Heeft-ie waarschijnlijk gezegd dat-ie geen dope meer kreeg en is Larry z'n laatste stop doorgeslagen.'

'Nieuwe bedrading, ja, dat moeten ze die man geven,' vulde Bruce aan, zijn blik nog altijd vast gericht op zijn spel.

'Als je zo nodig naar die Lijpe Larry wil gaan zoeken, moet jij weten, maar verwacht niet dat je iets wijzer van hem wordt. En ik zie Sol Goodyear nog altijd niet als doelwit van een aanslag.'

'Hij moet vijanden hebben.'

'Maar ook vrienden.'

Clarke kneep haar ogen samen. 'Te weten?'

'Ze zeggen dat-ie weer bij Big Ger in dienst is. Nou ja, niet direct "in dienst", maar hij dealt met zijn zegen.'

'Kun je dat bewijzen?'

Davidson schudde zijn hoofd. 'Nadat ik jou had gesproken ben ik wat gaan bellen en kwamen er zulke verhalen uit. En nog iets, trouwens...'

'Wat dan?'

'Dat Derek Starr van Fettes is teruggehaald om jóúw onderzoek over te nemen.' Aan het naburige bureau begon Bruce kakelgeluidjes te maken. 'Doet pijn, zeker?' vervolgde Davidson.

'Zat er dik in dat Derek het zou overnemen – hij is een rang hoger dan ik.'

'Nee, maar toen jij een zekere inspecteur genaamd Rebus onder je had, zaten ze er blijkbaar niet mee...'

'Ik stuur Reynolds echt terug, hoor,' dreigde Clarke.

'Moet je eerst Starr om toestemming vragen.'

Ze bleef hem strak aankijken en hij barstte in lachen uit. 'Wacht maar af,' gaf ze hem te verstaan en liep de deur uit.

In haar auto vroeg ze zich af wat ze nu nog kon doen om niet naar Gayfield Square terug te hoeven. Antwoord: niet veel. Rebus had het over beveiligingscamera's gehad. Misschien kon ze omrijden langs het stadhuis en inderdaad een verzoek indienen. Of ze kon Megan Macfarlane bellen en weer met haar afspreken, ditmaal over Charles Riordan en zijn opnames van haar commissie. Dan was er nog Jim Bakewell; Rebus wilde dat ze hem zou horen over de borrel die hij met Sergej Andropov en Big Ger Cafferty had gedronken.

Cafferty...

Hij leek als een soort onweerswolk boven de stad te hangen, terwijl toch weinig inwoners van Edinburgh zelfs maar wisten wie hij was. Zijn halve loopbaan lang had Rebus geprobeerd die gangster uit te schakelen. Als Rebus met pensioen ging, werd zij ermee opgezadeld, niet omdat zíj dat wilde maar omdat Rebus het vast niet zou opgeven. Hij zou willen dat zij afmaakte wat hij niet had gekund. Ze dacht weer aan de avonden dat ze op het bureau was gebleven om zich met Rebus te buigen over de onopgeloste zaken die het meest aan hem waren blijven knagen... Wat moest ze met zo'n erfenis? Voor haar voelde het meer als extra ballast. Thuis had ze een stel oerlelijke tinnen kandelaars die haar tante haar had nagelaten. Ze kon het niet over haar hart verkrijgen om ze weg te gooien, dus lagen ze al jaren weggestopt achter in een la – misschien ook wel de beste plek voor Rebus' oude dossiers.

Haar telefoon ging over; het nummer begon met 556, iemand van Gayfield Square die haar belde. Ze kon wel raden wie.

'Hallo?'

Inderdaad, Derek Starr. 'Je bent ertussenuit geknepen,' zei hij, en hij probeerde zijn verwijt luchtig te laten klinken.

'Ik moest iemand op West End spreken.'

'Waarover?'

'Sol Goodyear.'

Het bleef even stil. 'Leg me dat eens uit,' zei hij.

'Woont vlak bij waar Todorov is gevonden. Degene die hem heeft gevonden is een vriendin van hem.'

'En dus?'

'Wilde ik een paar details checken.'

Hij moest wel degelijk begrijpen dat ze iets achterhield, evengoed als zij wist dat hij er niets aan kon doen.

'En wanneer kunnen we u weer op het nest terugverwachten, brigadier Clarke?'

'Ik moet alleen nog even langs het stadhuis.'

'Camera's?' raadde hij.

'Klopt. Wordt niet langer dan een halfuurtje.'

'Iets van Rebus gehoord?'

'Geen kik.'

'Ik hoor van hoofdinspecteur Macrae dat hij geschorst is.'

'Het schijnt.'

'Geen fraaie finale, hè?'

'Anders nog iets, Derek?'

'Jij bent mijn rechterhand, Siobhan. En dat blijft zo, of ik moet erachter komen dat je me niet trouw bent.'

'Wat bedoel je daar precies mee?'

'Ik wil niet dat je nog meer slechte gewoonten van Rebus overneemt.'

Meer kon ze niet verdragen, dus ze hing op. 'Arrogante kwal,' mompelde ze en startte de auto.

'En, waar heb jij gisteravond uitgehangen?' vroeg Hawes. Ze zat in de passagiersstoel, Colin Tibbet reed.

'Met een paar maten wat gaan drinken.' Hij wierp een blik in haar richting. 'Jaloers?'

'Jaloers op jou en die bierbuiken met wie jij omgaat? Dacht het niet.'

'Dacht ik wel,' zei hij grijnzend. Ze reden naar de zuidoosthoek van de stad, richting de rondweg en de groene gordel. Het had onder de inwoners niet veel verbazing gewekt dat FAB toestemming had gekregen om een nieuw hoofdkantoor te bouwen in wat tot dan toe was aangemerkt als beschermd natuurgebied. Een dassenburcht was verplaatst en een golfbaan opgekocht voor exclusief gebruik door de bankmedewerkers. Het enorme glazen gebouw lag iets meer dan een kilometer van de nieuwe Royal Infirmary, wat Hawes handig leek als een bankemployé zich sneed aan al die bankbiljetten die hij moest tellen. Aan de andere kant zou het haar niets verbazen als de zorgverzekeraar het FAB-complex had voorzien van een eigen ziekenboeg.

'Ik ben thuisgebleven, nou je het vraagt,' zei ze, terwijl Col afremde voor het rode stoplicht. Hij remde op de motor, zoals je het op rijles leert: niet hard remmen maar terugschakelen. Iedereen die ze verder kende had die techniek direct na het rijexamen overboord gezet, maar Colin niet. Ze durfde te wedden dat hij ook zijn onderbroeken streek.

Ze begon er echt de pest over in te krijgen dat ze, ondanks de vele ingebakken fouten die ze bij hem ontdekte, toch op hem viel. Misschien was het ook maar bij gebrek aan beter. Dat ze het gewoonweg niet zonder vent kon stellen was een onuitstaanbare gedachte – maar het begon er onderhand wel op te lijken.

'Nog wat te zien op de buis?' vroeg hij.

'Een documentaire over dat mannen vrouw worden.' Hij keek haar aan om te zien of ze hem in de maling nam. 'Echt waar,' ging ze door. 'Al dat oestrogeen in het kraanwater. Jullie zuipen ervan en dan krijg je borsten.'

Daar kauwde hij even op. 'Hoe komt er dan oestrogeen in het kraanwater?'

'Kun je dat zelf niet bedenken?' Ze maakte een gebaar alsof ze een toilet doortrok. 'En dan al die hormonen in het vlees. Dat verandert je chemisch evenwicht.'

'Ik wil niet dat m'n chemisch evenwicht verandert.'

Daar moest ze om lachen. 'Zou wel een goeie verklaring zijn,' zei ze plagerig.

'Waarvoor?'

'Dat je zo dol op Derek Starr bent geworden.' Hij trok een vies gezicht en ze lachte weer. 'Zoals je naar hem zat te kijken toen hij die speech hield... of-ie Russell Crowe in *Gladiator* was, of Mel Gibson in *Braveheart*.'

'*Braveheart* heb ik in de bioscoop gezien,' zei Tibbet. 'Het publiek ging staan juichen en zwaaien met hun vuisten. Zoiets heb ik nog nooit gezien.'

'Omdat Schotten niet vaak iets hebben om trots op te zijn.'

'Vind je dat we ons moeten afscheiden?'

'Misschien wel,' gaf ze toe. 'Als lui zoals die van First Albannach dan tenminste niet meteen naar het zuiden vertrekken.'

'Wat hadden ze vorig jaar ook alweer voor winst?'

'Acht miljard, iets in die koers.'

'Je bedoelt acht miljoen?'

'Acht miljárd,' herhaalde ze.

'Dat kan toch niet kloppen.'

'Wou je zeggen dat ik zit te liegen?' Ze vroeg zich af hoe hij het gesprek een andere richting in had gestuurd zonder dat ze het had gemerkt.

'Ga je je toch afvragen, hè?' was hij verdergegaan.

'Wat?'

'Waar de macht werkelijk ligt.' Hij haalde zijn ogen lang genoeg van de weg om haar aan te kijken. 'Heb je zin om straks wat te gaan doen?'

'Met jou, bedoel je?'

Hij haalde zijn schouders op. 'De kerstmarkt begint vanavond. Kunnen we even gaan kijken.'

'Kan.'

'Wat eten daarna.'

'Ik zal erover nadenken.'

Ze gaven richting aan om de poorten van het hoofdkantoor van de First Albannach Bank in te draaien. Voor hen lag een constructie van glas en staal, vier verdiepingen hoog en een straat lang. Vanuit het wachthokje verscheen een portier om hun naam en kenteken te noteren.

'Parkeerplaats zes-nul-acht,' gaf hij ze te verstaan. En hoewel er dichter bij de ingang genoeg plekken vrij waren, zag Hawes haar collega gehoorzaam doorrijden naar 608.

'Maak je geen zorgen,' zei ze terwijl hij de handrem aantrok, 'ik kan het wel lopen vanaf hier.'

En lopen werd het, langs de in het gelid opgestelde sportwagens, stationcars en suv's. Aan de inrichting van het terrein werd nog gewerkt en net achter een hoek van het hoofdgebouw waren bremstruiken te zien en een van de fairways van de golfbaan. Toen de deuren open gleden, betraden ze een drie verdiepingen hoog atrium. Achter de receptiebalie een winkelgalerij: drogist, supermarkt, koffiebar, krantenkiosk. Een mededelingenbord gaf informatie over de crèche, de fitnessruimte en het zwembad. Roltrappen naar de eerste galerij en glazen liften naar de verdiepingen daarboven. De receptioniste verwelkomde hen met een stralende glimlach.

'Welkom bij FAB,' zei ze. 'Als u hier even wil tekenen en ik uw legitimatie met foto mag zien...'

Ze voldeden aan haar verzoek en ze kondigde aan dat meneer Janney in een vergadering zat maar dat zijn secretaresse hen verwachtte.

'Derde verdieping. Ze wacht op u bij de lift.' Ze kregen elk een gelamineerd pasje en nog een glimlach. Een beveiliger hielp hen door een detectiepoortje, waarna ze aan de andere kant hun sleutels, gsm's en kleingeld weer verzamelden.

'Verwacht u problemen?' vroeg Hawes aan de man.

'Code groen,' verklaarde hij plechtig.

'Een hele opluchting voor ons allemaal.'

De lift bracht ze naar de derde verdieping, waar een jonge vrouw in een zwart broekpak hen opwachtte. Voor zich uit hield ze de gele A4-envelop. Hawes pakte hem aan, de vrouw knikte een keer, draaide zich toen om en marcheerde terug door een schijnbaar eindeloze gang. Tibbet had niet eens de kans gehad de lift uit te komen en toen Hawes weer instapte, schoven de deuren dicht en zakten ze naar beneden. Nog geen drie minuten nadat ze het gebouw binnen waren gegaan, stonden ze zich in de kou af te vragen wat er zojuist was gebeurd.

'Dat is geen kantoor,' verklaarde Hawes, 'maar een machine.'

Tibbet floot instemmend door zijn tanden en keek toen het parkeerterrein rond.

'Waar staan wij ook alweer?'

'Daar, aan de andere kant van de wereld,' gromde Hawes en begon aan de oversteek.

Terug in de passagiersstoel maakte ze de envelop open en haalde er een stapeltje papier uit: fotokopieën van bankafschriften. Op de bovenste zat een gele Post-it. De handgeschreven boodschap suggereerde dat Todorov mogelijk elders nog fondsen bezat, zoals de cliënt had aangegeven toen hij de rekening opende. Er was één overschrijving geweest van een bank in Moskou. Het briefje was getekend 'Stuart Janney'.

'Zat er goed bij,' verklaarde Hawes. 'Zesduizend op z'n lopende rekening en achttien op de spaarrekening.' Ze controleerde de data van de transacties: geen belangrijke stortingen of opnames in de dagen voorafgaand aan zijn dood en daarna helemaal geen. 'Wie z'n pinpas ook heeft meegenomen, die gebruikt hem kennelijk niet.'

'Terwijl er zat te halen viel,' stemde Tibbet in. 'Vierentwintigduizend pop... zeggen ze nog dat kunstenaars arm zijn.'

'Kouwe zolderkamertjes zijn zo passé,' stemde Hawes in. Ze was bezig met haar mobiel. Clarke nam op en Hawes gaf haar de hoofdzaken. 'Heeft de dag van zijn dood nog honderd pond opgenomen.'

'Waar?'

'Automaat op Waverley Station.' Hawes fronste ineens. 'Waarom vertrok hij van het ene station uit Edinburgh en kwam hij op het andere station terug?'

'Hij had een afspraak met Charles Riordan. Ik geloof dat Riordan vaak bij een Indiaas restaurant in die buurt at.'

'Kunnen we hem moeilijk meer vragen, hè?'

'Niet echt, nee,' erkende Clarke. Hawes hoorde stemmen op de achtergrond, toch klonk het een stuk rustiger dan Gayfield Square.

'Waar ben je nou, Shiv?' vroeg ze.

'Stadhuis, praten over camerabeelden.'

'Wanneer ben je terug op het bureau?'

'Met een uurtje misschien.'

'Je klinkt ontroostbaar. Verder nog iets gehoord van onze favoriete inspecteur?'

'Ik neem aan dat je Rebus bedoelt en niet Starr. Het antwoord is nee.'

'Vertel het haar eens,' zei Tibbet, 'over die bank.'

'Colin zegt dat ik je moet vertellen wat een lol we bij First Albannach hebben gehad.'

'Chic zeker?'

'Ik heb mindere resorts meegemaakt; op de waterglijbanen na hebben ze daar alles.'

'Heb je Stuart Janney gesproken?'

'Die zat in een vergadering. Om de waarheid te zeggen was het meer lopendebandwerk. Binnenkomen, wegwezen, dank u beleefd.'

'Ze moeten om hun aandeelhouders denken. Als je winst tegen de tien miljard loopt, heb je geen behoefte aan slechte publiciteit.'

Hawes richtte zich tot Colin Tibbet. 'Siobhan zegt dat de winst vorig jaar tíén miljard was.'

'Plusminus,' vulde Clarke aan.

'Plusminus,' herhaalde Hawes voor Tibbet.

'Ga je je toch afvragen,' herhaalde Tibbet zachtjes, en hij schudde langzaam zijn hoofd.

Hawes staarde naar hem. Zoenbare lippen, dacht ze. Jonger dan zij en minder ervaren. Materiaal waar ze iets mee kon doen, vanavond om te beginnen misschien.

'Ik spreek je straks,' zei ze tegen Clarke en hing op.

31

Dr. Scarlett Colwell wachtte op Rebus in haar kantoor op George Square. Het uitzicht vanaf deze verdieping zou schitterend zijn geweest als de dubbele ramen niet vol condens hadden gezeten. 'Deprimerend, hè?' verontschuldigde ze zich. 'Veertig jaar geleden gebouwd en rijp voor de sloop.'

In plaats van op het uitzicht richtte Rebus zijn aandacht op de planken vol Russische naslagwerken, met gipsen bustes van Marx en Lenin als boekenstandaards. Aan de tegenoverliggende muur waren affiches en kaarten geprikt, waaronder een foto van een dansende president Jeltsin. Colwells bureau stond voor het raam maar keek de kamer in. Twee bij elkaar geschoven tafels boden net genoeg ruimte voor de acht stoelen die eromheen stonden. Op de grond stond een waterkoker waar ze bij hurkte om oploskoffie in twee mokken te scheppen.

'Melk?' vroeg ze.

'Graag,' zei Rebus met een blik op haar weelderige bos haar. Haar rok trok strak en accentueerde de lijn van haar heup.

'Suiker?'

'Alleen melk.'

De waterkoker sloeg af, ze schonk de mokken vol en gaf hem de zijne voor ze opstond. Ze stonden dicht bij elkaar tot ze zich opnieuw verontschuldigde voor de krappe ruimte en zich terugtrok achter haar bureau, terwijl Rebus zijn achterste tegen de tafel liet rusten.

'Fijn dat ik u even kon spreken.'

Ze blies in haar koffie. 'Graag gedaan. Ik schrok vreselijk toen ik het hoorde van meneer Riordan.'

'U had hem in de Poetry Library ontmoet?' raadde Rebus.

Ze knikte en moest het haar uit haar gezicht strijken. 'En bij Word Power.'

Rebus knikte op zijn beurt. 'Dat is die boekwinkel waar meneer Todorov heeft voorgelezen?'

Colwell wees naar de muur. Ditmaal viel Rebus de foto van Alexander Todorov op, in een theatrale pose, een arm geheven, de mond wagenwijd open.

'Ziet er niet uit als een boekwinkel,' merkte Rebus op.

'Ze waren naar een grotere ruimte uitgeweken, een lunchroom in Nicolson Street. Dan nog zat het stampvol.'

'Hij is in z'n element, niet?' Rebus bekeek de foto van dichterbij. 'Hebt u deze gemaakt?'

'Ik kan er niet veel van,' begon ze verontschuldigend.

'Ik ben wel de laatste die daarover kan oordelen.' Hij draaide zich om en glimlachte naar haar. 'Dus Charles Riordan maakte daar ook opnames?'

'Klopt.' Ze zweeg. 'Daarom kwam het trouwens heel goed uit dat u me belde, inspecteur...'

'O?'

'Omdat ik op het punt stond u te bellen, met een verzoek.'

'Wat kan ik voor u doen, dr. Colwell?'

'Er is een tijdschrift, de *London Review of Books*. Zij hebben het in memoriam gezien dat ik in de *Scotsman* had geschreven en ze willen een gedicht van Alexander publiceren.'

'Tot zover kan ik het volgen.' Rebus zette de mok aan zijn lippen.

'Het is een nieuw gedicht in het Russisch, hij heeft het voorgelezen in de Poetry Library.' Ze lachte verlegen. 'Ik geloof zelfs dat hij het nog maar net af had. Zodat ik er geen tekst van heb, en misschien niemand.'

'Hebt u z'n prullenbak doorgekeken?'

'Zou het harteloos klinken als ik ja zei?'

'Helemaal niet. Maar u hebt het niet gevonden?'

'Nee... daarom heb ik iemand van Riordans studio gesproken, een heel aardige man.'

'Dat zal Terry Grimm geweest zijn.'

Ze knikte weer en veegde haar haar weer terug. 'Hij zei dat er een opname was.'

Rebus dacht terug aan het uur dat hij met Siobhan in haar auto naar een dode man had zitten luisteren. 'Die wilt u lenen?' raadde hij; hij herinnerde zich dat Todorov inderdaad een paar gedichten in het Russisch had voorgedragen.

'Even maar, zodat ik er een vertaling van kan maken. Mijn eerbewijs aan hem, zeg maar.'

'Dat lijkt me geen probleem.'

Ze straalde en hij kreeg het gevoel dat ze, als het bureau niet tussen hen in had gestaan, hem wel had willen knuffelen. In plaats daarvan vroeg ze of ze naar het bureau zou moeten komen om de cd te beluisteren of dat ze hem kon meenemen. Het bureau... waar Rebus zich niet meer mocht vertonen.

'Ik kan hem wel langsbrengen,' zei hij, en haar glimlach verbreedde zich om snel weer weg te ebben.

'De deadline is volgende week,' schoot haar te binnen.

'Geen probleem,' stelde Rebus haar gerust. 'En het spijt me dat we de moordenaar van meneer Todorov nog niet hebben opgespoord.'

Haar gezicht verstrakte nu. 'U doet vast uw uiterste best.'

'Dank u voor het vertrouwen.' Hij zweeg even. 'U hebt me nog niet gevraagd wat ik kom doen.'

'Ik dacht dat u daar zelf wel mee zou komen.'

'Ik ben bezig geweest met de achtergrond van meneer Todorov, kijken of hij vijanden had.'

'Alexander had de hele stáát tegen zich in het harnas gejaagd, inspecteur.'

'Dat wil ik wel aannemen. Maar ik hoor ook steeds zo'n verhaal dat hij als docent is ontslagen omdat hij te vriendschappelijk met zijn studentes omging. Punt is, ik vermoed dat degene die me dat vertelt niet helemaal koosjer is.'

Maar ze schudde haar hoofd. 'Nee, in feite is het wel waar – Alexander heeft me er zelf over verteld. De beschuldigingen waren opgeklopt, natuurlijk, ze wilden hem er gewoon uit werken, goedschiks of kwaadschiks.' Er klonk plaatsvervangende verontwaardiging in haar stem door.

'Vindt u het erg als ik u vraag... heeft hij met ú ooit iets geprobeerd?'

'Ik heb een partner, inspecteur.'

'Met alle respect, u bent een mooie vrouw en ik heb de indruk gekregen dat Alexander Todorov erg van vrouwen hield. Ik weet

287

niet of een partner hem afgeschrikt zou hebben, of het moest een ninjakrijger zijn.'

Ze vuurde weer een volmaakte glimlach op hem af en sloeg met geveinsde bescheidenheid haar wimpers neer.

'Nou ja,' gaf ze toe, 'u hebt wel gelijk. Een paar borrels deden altijd wonderen voor Alexanders libido.'

'Mooie manier om het te zeggen. Zijn woorden?'

'Helemaal de mijne, inspecteur.'

'Hij moet u toch als vriendin hebben gezien, anders had hij u niet in vertrouwen genomen.'

'Ik weet niet goed of hij echte vrienden had. Zo zijn schrijvers soms, ze zien de mensen om zich heen alleen als bronmateriaal. Kunt u zich voorstellen dat je met iemand in bed ligt en weet dat hij er later over zal schrijven? Dat de hele wereld straks leest over uw intiemste momenten?'

'Ik begrijp wat u bedoelt.' Rebus kuchte even. 'Maar hij moet een of andere manier hebben gehad om dat libido, zoals u het noemt... te blussen?'

'Ach ja, vrouwen genoeg, inspecteur.'

'Studentes? Hier in Edinburgh?'

'Zou ik niet kunnen zeggen.'

'Of hoe zat het met Abigail Thomas van de Poetry Library? Ik begreep dat u dacht dat ze verliefd op hem was.'

'Was niet wederzijds, denk ik,' zei Colwell smalend. Toen, na een ogenblik stilte: 'Denkt u echt dat Alexander door een vrouw is vermoord?'

Rebus haalde zijn schouders op. Hij dacht aan Todorov die met een flink stuk in zijn kraag King's Stables Road af kwam zetten en een vrouw ontmoette die hem gratis seks aanbood. Zou hij met een vreemde zijn meegegaan? Wie weet. En zeker als het iemand was die hij kende...

'Heeft meneer Todorov het ooit met u gehad over een zekere Andropov?' vroeg hij.

Ze kauwde een paar keer op die naam, diep in gedachten, en gaf toen op. 'Sorry,' zei ze.

'Nog een onwaarschijnlijke naam: een zekere Cafferty?'

'Aan mij hebt u niet veel, hè?' zei ze hoofdschuddend.

'Soms zijn de dingen die we uitsluiten even belangrijk als de dingen die we weten,' stelde hij haar gerust.

'Zoals bij Sherlock Holmes?' zei ze. 'Als je hebt uitgesloten wat –' Ze onderbrak zichzelf fronsend. 'Dat citaat kan ik nooit onthouden, maar u kent het vast wel?'

Hij knikte, wilde niet ongeletterd overkomen. Elke dag kwam hij onderweg naar zijn werk langs een standbeeld van Sherlock Holmes aan de rotonde naar Leith. Was er pas later achter gekomen dat het de plek markeerde van het huis waar Conan Doyle zijn jeugd had doorgebracht en dat later was afgebroken.

'Hoe gaat het dan?' vroeg ze.

Hij haalde zijn schouders op. 'Ik haal het ook steeds door elkaar, net als u.'

Ze stond op en kwam achter haar bureau vandaan, haar rok streek langs zijn benen toen ze hem passeerde. Ze pakte een boek van een plank. Op de rug kon Rebus zien dat het een citatenboek was. Ze vond het gedeelte over Doyle en liet haar vinger erlangs glijden tot ze vond wat ze zocht.

' "Wanneer men het onmogelijke heeft geëlimineerd, moet dat wat overblijft, hoe onwaarschijnlijk het ook is, de waarheid zijn." '

Ze fronste weer. 'Zo herinner ik het me niet. Ik dacht dat het te maken had met het elimineren van het mogelijke, niet het omgekeerde.'

'Mmm,' bromde Rebus, in de hoop dat ze het als instemming zou opvatten. Hij zette zijn lege mok op tafel. 'Goed, mevrouw Colwell, als ik u die tape bezorg...'

'Voor wat hoort wat?' Ze klapte het boek dicht en tussen de pagina's kwam een stofwolkje vandaan.

'Nou ja, ik vroeg me af of ik de sleutel van Todorovs flat nog even mocht hebben.'

'U boft. Iemand van de Gebouwendienst zou hem komen ophalen, maar daar heb ik nog niets van vernomen.'

'Wat gaan ze met zijn spullen doen?'

'Het consulaat zegt dat zij ze wel zullen ophalen. Hij moet toch érgens familie hebben in Rusland.' Ze was weer om haar bureau gelopen en opende een la waar ze de sleutelring uit haalde. Rebus nam hem met een knikje van haar aan. 'Op de begane grond hier zit een conciërge,' legde ze uit. 'Als ik er niet ben, kunt u de sleutel altijd bij hem afgeven.' Ze stopte even. 'En die opname vergeet u niet?'

'Beloofd.'

'Ik bedoel maar, ze leken er bij de studio van overtuigd dat er maar één kopie van is. Die arme meneer Riordan... wat een verschrikkelijke manier om te sterven.'

Terug buiten daalde Rebus de trappen af van George Square naar Buccleuch Place. Er hingen wat studenten rond. Ze zagen er... studentikoos uit, dat was het enige woord. Hij bleef onder aan de trap staan om een sigaret op te steken, maar de temperatuur was aan het dalen, dus hij besloot dat hij wel kon wachten tot hij binnen was.

Aan Todorovs flat was niets veranderd sinds zijn eerste bezoek, behalve dat de proppen papier uit de prullenbak gladgestreken op het bureau waren gelegd, waarschijnlijk door Scarlett Colwell op zoek naar het nieuwe gedicht. Rebus was de zes exemplaren van *Astapovo Blues* vergeten. Moest iemand met een eBay-account zoeken om ze te verpatsen. Toen hij aandachtiger rondkeek in de kamer, leek het hem dat iemand een paar boeken uit de verzameling van de dichter had meegenomen. Ook Colwell? Of iemand anders van de universiteit? Rebus vroeg zich af of iemand hem voor was geweest en de markt binnenkort overspoeld zou worden met Todorov-memorabilia. Zou de prijs van zijn boeken drukken. Hij realiseerde zich dat zijn telefoon overging en haalde hem uit zijn zak. Herkende het nummer niet, maar het werd voorafgegaan door een buitenlands landnummer.

'Inspecteur Rebus,' zei hij.

'Hallo, u spreekt met Roddy Denholm. Ik reageer op uw mysterieuze boodschap.' De zangerige Anglo-Schotse stem verried een goede opleiding.

'Er is niet veel mysterieus aan, meneer Denholm. Bedankt dat u terugbelt.'

'U hebt geluk dat ik een nachtmens ben, inspecteur.'

'Het is hier midden op de dag...'

'Maar in Singapore niet.'

'Meneer Blackman dacht of Melbourne of Hongkong.'

Denholm lachte met een schor rokerslachje. 'Ach, en in feite zou ik overal kunnen zitten, niet? Voor mijn part bij u om de hoek. Verrekt leuke dingen, die mobieltjes...'

'Als u inderdaad om de hoek zit, kunnen we elkaar misschien goedkoper even treffen.'

'Of u kunt een vlucht naar Singapore nemen.'

'Ik probeer wat aan m'n CO_2-uitstoot te doen.' Rebus blies de rook van zijn sigaret naar het plafond.

'Waar bent u dan op dit moment, inspecteur?'

'Buccleuch Place.'

'Ah ja, de buurt van de universiteit.'

'In de flat van een dode.'

'Geen zin die ik ooit eerder heb gehoord, geloof ik.' De kunstenaar klonk onder de indruk.

'Hij zat niet in uw branche, meneer. Een dichter genaamd Alexander Todorov.'

'Ik heb wel van hem gehoord.'

'Hij is ruim een week geleden vermoord en uw naam dook op in het onderzoek.'

'Spannend.' Het klonk alsof Denholm het zich gemakkelijk maakte op een hotelbed. Rebus deed hetzelfde en ging op de bank zitten, met een elleboog op zijn knie.

'U bent bezig met een project in het nieuwe parlementsgebouw. Er was iemand die daar geluidsopnames voor u maakte...'

'Charlie Riordan?'

'Ik ben bang dat hij ook dood is.' Rebus hoorde een lage fluittoon aan de andere kant van de lijn. 'Iemand heeft zijn huis in de brand gestoken.'

'En de tapes, zijn die er nog?'

'Voor zover we weten wel.'

Denholm hoorde de ondertoon in Rebus' stem. 'Ik zal wel klinken als een onverschillige klootzak,' erkende hij.

'Maakt u zich geen zorgen – het was ook het eerste wat uw agent vroeg.'

Denholm grinnikte. 'Evengoed, arme kerel...'

'Kende u hem?'

'Sinds dat parlementsproject pas. Leek een aardige vent, capabel... heb eigenlijk niet veel met hem gepraat.'

'Het punt is dat meneer Riordan ook aan het werk was geweest voor Alexander Todorov.'

'Jezus, wil dat zeggen dat ik als volgende aan de beurt ben?'

Rebus kon niet uitmaken of hij een grapje maakte of niet. 'Dat lijkt me niet.'

'U belt me niet om me te waarschuwen?'

'Ik vond het gewoon een interessante samenloop van omstandigheden.'

'Behalve dat ik die Todorov al helemaal niet ken.'

'Misschien niet, maar een van uw fans wel – Sergej Andropov.'

'Die naam zegt me wel iets...'

'Hij verzamelt werk van u. Russische zakenman, is samen met meneer Todorov opgegroeid.' Rebus hoorde hem weer fluiten. 'Hebt u hem nooit ontmoet?'

'Niet dat ik weet.' Het bleef een ogenblik stil. 'En u denkt dat die Andropov die dichter heeft vermoord?'

'We trekken alle mogelijkheden na.'

'Was het ook zo'n obscure isotoop, zoals bij die vent in Londen?'

'Nee, hij is zwaar mishandeld en uiteindelijk heeft iemand hem de schedel ingeslagen.'

'Niet direct subtiel dus.'

'Niet direct. Iets anders, meneer Denholm: hoe bent u op het idee gekomen om de Commissie Stedelijke Vernieuwing te kiezen voor uw project?'

'Zij hebben míj gekozen, inspecteur. Wij vroegen wie er eventueel aan het project zou willen meewerken en hun voorzitter zei dat ze er wel wat in zag.'

'Megan Macfarlane?'

'Ego van hier tot Tokio, inspecteur – en ik kan het weten.'

'Dat geloof ik.' Rebus hoorde zoiets als een deurbel.

'Dat zal de roomservice zijn,' legde Denholm uit.

'Dan zal ik u niet langer storen,' zei Rebus. 'Bedankt voor het bellen, meneer Denholm.'

'Geen probleem.'

'Hoewel, nog één ding...' Rebus aarzelde lang genoeg om zich van de volle aandacht van de kunstenaar te verzekeren. 'Ik zou, voordat u opendoet, toch even nagaan of het inderdáád de roomservice is.'

Hij klapte zijn mobiel dicht en gunde zichzelf een lachje.

32

'Kan niet veel zijn, als het op zoiets past,' merkte Siobhan Clarke op. Ze was terug op het bureau en aangezien hoofdinspecteur Macrae elders was, had ze zijn kantoor gevorderd om Terry Grimm goed te kunnen ontvangen. Gezeten aan het bureau van haar baas hield ze de *memorystick* van doorzichtig plastic tussen duim en wijsvinger en liet hem kantelen in het licht.

'Zou u nog van staan te kijken,' zei Grimm. 'Ik schat dat er iets van zestien uur op staat. En er had nog meer op gekund als er nog wat bruikbaars was geweest. Maar helaas heeft het meeste de brand niet overleefd.' Hij had de zakken met bewijsmateriaal meegebracht. Ze zaten goed dicht maar verspreidden nog een lichte houtskoolgeur.

'Hebt u nog iets bijzonders gezien?' Clarke stopte. 'Of gehoord, moet ik misschien zeggen.'

Grimm schudde zijn hoofd. 'Maar wat ik wel heb gedaan...' Hij diepte uit zijn binnenzak een cd in een plastic hoesje op. 'Charlie had die Russische dichter ook bij een andere gelegenheid opgenomen, een paar weken geleden. Ik kwam het materiaal toevallig tegen in de studio, dus ik heb een kopietje voor u gebrand.' Hij gaf haar de cd.

'Bedankt,' zei ze.

'Een of andere docent van de universiteit heeft gebeld over die andere voordracht die Charlie heeft opgenomen, maar voor zover ik weet hebben jullie daar de enige kopie van.'

'Mevrouw Colwell zeker?'

'Ja, die was het.' Hij staarde naar de rug van zijn handen. 'Iets opgeschoten met het zoeken naar wie het gedaan heeft?'

Ze gebaarde in de richting van het rechercheokaal. 'U ziet wel, we zitten niet op onze lauweren te rusten.'

Hij knikte, maar zijn blik liet de hare niet los. 'Mooi ontwijkend antwoord,' zei hij.

'Het is een kwestie van het "waarom" achterhalen, meneer Grimm. Als u ons daarmee kunt helpen, zouden we het enorm op prijs stellen.'

'Ik heb erover lopen malen. En Hazel en ik praten er ook de hele tijd over. Maar we kunnen er geen touw aan vastknopen.'

'Nou ja, maar áls u iets bedenkt...' Ze kwam overeind, ten teken dat het gesprek voorbij was. Door de glazen scheidingswand kon ze zien dat er in het rechercheloaal een oploopje was ontstaan, waaruit Todd Goodyear tevoorschijn kwam. Hij klopte een keer, kwam binnen en deed de deur achter zich dicht.

'Als ik wil kunnen verstaan waar ze het over hébben op die commissietapes, moet ik met m'n spullen verkassen,' klaagde hij. 'Het lijkt het apenhuis wel.' Hij herkende Terry Grimm en knikte bij wijze van begroeting.

'Die opnames in het parlement?' raadde Grimm. 'Zit je die nog steeds door te ploegen?'

'En de boer, hij ploegde voort.' Goodyear had een stapeltje papier onder een arm. Hij stak het naar Clarke uit. Ze zag dat hij zijn aantekeningen voor elke tape had uitgetypt. Het waren hele waslijsten. In haar jonge jaren als rechercheur zou ze het zelf ook zo grondig hebben aangepakt... in de tijd voordat Rebus haar geleerd had de bochten af te snijden.

'Bedankt,' zei ze. 'Dan is deze voor jou...' En overhandigde hem de memorystick. 'Meneer Grimm schat het op een uur of zestien.'

Goodyear zuchtte diep en langdurig en vroeg Terry Grimm hoe het in de studio ging.

'Ach, het gaat, bedankt.'

Clarke bladerde door de getypte vellen. 'Zit er iets bij waar je van opkeek?' vroeg ze Goodyear.

'He-le-maal niks,' antwoordde hij.

'Moet je je voorstellen hoe wíj ons voelden,' vulde Grimm aan, 'dagen aan één stuk, terwijl de ene na de andere politicus voortreutelde...'

Goodyear schudde alleen zijn hoofd, niet van zins zich de situatie in te beelden.

'Wat jullie hebben zijn dan nog de leukste stukjes,' verzekerde Grimm hem.

Het viel Clarke op dat in het grote lokaal de rust was weergekeerd. 'Wat was er aan de hand?' vroeg ze Goodyear.

'Beetje bonje in het mortuarium,' legde hij nonchalant uit terwijl hij de memorystick in de lucht gooide en opving. 'Iemand die het lijk van Todorov kwam opeisen. Inspecteur Starr wou weten wie het hardst kon rijden.' Weer een worp en een vangst. 'Reynolds zei dat hij dat was. Daar was niet iedereen het mee eens...' Pas nu begon hem op te vallen dat Clarke hem nijdig aanstaarde en brak hij zijn zin af. 'Ik had het meteen moeten zeggen?' raadde hij.

'Juist,' antwoordde ze met een stille woede in haar stem. En toen, tegen Terry Grimm: 'Agent Goodyear laat u wel even uit. Nogmaals bedankt dat u bent gekomen.'

Ze snelde de trap af naar de parkeerplaats en stapte in haar auto. Stak de sleutel in het contact en trok op. Ze wilde weten waarom Starr niets had gezegd. Waarom hij háár niet had gevraagd, maar de klus aan een van zijn jongens had gegeven – Ray Reynolds, nota bene! Omdat zij ervandoor was gegaan zonder iets te zeggen? Om haar op haar nummer te zetten?

Vragen genoeg voor inspecteur Derek Starr.

Aan het eind van Leith Street sloeg ze rechts af, toen scherp naar links de North Bridge op. Rechtdoor bij de Tron en schuin rechts, voor het kruisende verkeer langs en Blair Street in, weer langs Nancy Sievewrights appartement. Als de Talking Heads Londen inderdaad een 'small city' vonden, moesten ze Edinburgh eens proberen. Nog geen acht minuten na haar vertrek van Gayfield Square reed ze de parkeerplaats van het mortuarium op, zette haar auto neer naast die van Reynolds en vroeg zich af of ze zijn tijd had verbeterd. Tussen twee anonieme witte bestelbussen van het mortuarium stond nog een auto geparkeerd, een grote oude Mercedes Benz. Clarke beende erlangs naar de deur met het bord PERSONEEL, draaide de kruk en liet zichzelf binnen. Er was niemand in de gang en niemand in de personeelskamer, hoewel er stoom oprees uit een waterkoker die net was afgeslagen. Ze liep door de bewaarzaal, opende de deur naar een volgende gang en nam een paar traptreden naar een hoger niveau. Hier lag de ingang voor het publiek. Hier wachtten de verwanten die hun dierbare kwamen identificeren, en werden naderhand de formaliteiten afgewikkeld. Meestal klonk er alleen gedempt gesnik en heerste er een sfeer van stille overpeinzing, totaal en akelig zwijgen. Vandaag niet.

Nikolaj Stahov herkende ze direct. Hij droeg dezelfde lange zwarte jas als de eerste keer dat ze hem had gezien. Naast hem stond zo te zien ook een Rus, misschien een jaar of vijf jonger maar een stuk langer en breder. Stahov stond in het Engels te betogen tegen Derek Starr, die hem aanhoorde met zijn armen over elkaar, voeten uiteen, alsof hij bedacht was op een robbertje vechten. Naast hem stond Reynolds en achter hen vier medewerkers van het mortuarium.

'Wij hebben rechten,' was Stahov bezig. 'Wettelijk recht... moreel recht.'

'Het moordonderzoek loopt,' legde Starr uit. 'Het stoffelijk overschot moet hier blijven voor het geval nader onderzoek vereist is.'

Stahov had links van zich Clarke zien aankomen. 'Help ons, alstublieft,' riep hij haar aan. Ze kwam een paar stappen dichterbij.

'Is er iets aan de hand?'

Starr nam haar fronsend op. 'Het consulaat wil het stoffelijk overschot van meneer Todorov repatriëren,' legde hij uit.

'Alexander hoort in zijn vaderland begraven te worden,' verklaarde Stahov.

'Staat er iets over in zijn testament?' vroeg Clarke.

'Testament of geen testament, zijn vrouw is in Moskou begraven –'

'Iets wat ik u al had willen vragen,' viel Clarke hem in de rede. Stahov had zich helemaal tot haar gewend, hetgeen Starr leek te ergeren. 'Wat is er eigenlijk met zijn vrouw gebeurd?'

'Kanker,' verklaarde Stahov. 'Ze konden opereren, maar dan was de baby gestorven. Dus wilde ze eerst de zwangerschap afmaken.' Stahov trok machteloos zijn schouders op. 'De baby is dood geboren en toen had de moeder nog maar een paar dagen te leven.'

Het verhaal leek de hele zaal tot rust te hebben gebracht. Clarke knikte langzaam. 'Waarom ineens zo'n haast, meneer Stahov? Alexander is nu acht dagen dood... waarom hebt u tot nu gewacht?'

'We willen hem alleen naar huis terugbrengen, met de gepaste eerbied voor zijn internationale status.'

'Ik dacht dat het er in Rusland niet zo best voor stond met zijn status. Zei u niet dat de Nobelprijs tegenwoordig niet veel voorstelt in Moskou?'

'Een regering kan veranderen.'

'Wilt u zeggen dat u opdracht heeft van het Kremlin?'

Stahovs ogen verrieden niets. 'Als er geen naaste familie is, wordt de staat verantwoordelijk. Ik ben gemachtigd om zijn lichaam op te eisen.'

'Maar wij zijn niet gemachtigd om het vrij te geven,' wierp Starr tegen, die in Clarke's richting was geschuifeld om weer in Stahovs gezichtsveld te komen. 'U bent diplomaat; u zult toch weten dat er protocollen bestaan.'

'Wat betekent dat precies?'

'Dat betekent,' legde Clarke uit, 'dat we het lichaam vasthouden tot we van de rechter of van hogerhand andere opdrachten krijgen.'

'Het is een schandaal.' Stahov gaf zijn handen iets te doen door aan de revers van zijn jas te trekken. 'Ik zie niet goed hoe zo'n situatie uit de openbaarheid kan blijven.'

'Ga bij de kranten uw beklag doen,' daagde Starr hem uit. 'Kijk maar wat u daarmee opschiet.'

'Dien een verzoek tot repatriëring in,' adviseerde Clarke de Rus. 'Dat is het enige wat u kunt doen.'

Stahov ving haar blik weer op en knikte langzaam, draaide zich toen op zijn hakken om en begaf zich naar de uitgang, gevolgd door zijn chauffeur. Zodra de twee de deur uit waren, greep Starr Clarke bij haar arm.

'Wat doe jij hier?' siste hij.

Ze trok zich los uit zijn greep. 'Ik had hier de hele tijd al moeten zijn, Derek.'

'Jij moest mij op Gayfield vervangen.'

'Je bent zonder een woord vertrokken.'

Misschien voelde Starr aan dat hij deze discussie niet kon winnen. Hij keek rond naar de toeschouwers – Reynolds en de medewerkers van het mortuarium – en liet zijn norse blik varen. 'Daar hebben we het misschien nog wel eens over,' besloot hij.

Clarke was al niet van plan de discussie verder op te spelen, maar ze liet hem een ogenblik wachten terwijl ze deed alsof ze nadacht. 'Oké,' zei ze uiteindelijk.

Hij knikte en richtte zich tot het mortuariumpersoneel. 'Goed dat u ons hebt gebeld. Als ze nog eens iets proberen, weet u ons te vinden.'

'Denkt u dat ze hem midden in de nacht zullen proberen mee te smokkelen?' fantaseerde een van de mannen.

Een van zijn collega's giechelde. 'Da's lang niet meer gebeurd, Davie,' merkte hij op.

Siobhan Clarke besloot er niet op door te vragen.

33

Ze hadden zich verzameld aan een tafel in de achterkamer van de Oxford Bar. John Rebus had laten weten dat hij wat privacy nodig had, dus ze hadden de ruimte voor zichzelf. Niettemin praatten ze op gedempte toon. Rebus was begonnen met een uitleg over zijn schorsing en de waarschuwing dat het gevaarlijk voor hen was om met hem gezien te worden. Clarke nipte aan haar tonic – geen gin vanavond. Colin Tibbet had Phyllida Hawes aangekeken om te zien hoe zij reageerde.

'Als ik moet kiezen tussen Derek Starr en u... simpel zat,' had Hawes geantwoord.

'Simpel zat,' had Tibbet herhaald, al klonk hij niet helemaal overtuigd.

'Wat is het ergste wat mij kan overkomen?' had Todd Goodyear bijgedragen. 'Terug naar West End, in uniform? Dat gebeurt toch wel een keer.' En hij had zijn halve pint in Rebus' richting geheven.

Daarna lieten ze de gebeurtenissen van die dag de revue passeren – waarbij Rebus zijn relaas enigszins kuiste, want hij was immers geschorst.

'Megan Macfarlane of Jim Bakewell heb je nog steeds niet gesproken?' vroeg hij Clarke.

'Ik heb het nogal druk gehad, John.'

'Sorry,' proestte Goodyear en verslikte zich bijna in een slok bier, 'dat doet me eraan denken: toen u naar het mortuarium was is er opgebeld door het kantoor van Jim Bakewell. Er staat voor morgen een afspraak met hem gepland.'

'Nou, hartelijk bedankt en proost, Todd.'

Hij kromp zichtbaar. Hawes zat te vertellen dat ze blij was met elk excuus om niet op het bureau te hoeven zijn.

'Je kunt er je kont niet keren,' stemde Tibbet in. 'Ik deed vanmiddag mijn bureaula open en iemand had er een halve boterham in laten liggen.'

'Hebben ze jullie bij de bank niet op lunch getrakteerd?' vroeg Rebus.

'Paar broodjes pâté de foie gras, meer niet,' liet Hawes hem weten. 'Om eerlijk te zijn deed die tent me denken aan een hele chique en dure lopende band, maar toch een lopende band.'

'Tien miljard winst.' Tibbet kon er nog altijd niet over uit.

'Meer dan het bruto nationaal product van sommige landen,' vulde Goodyear aan.

'Laten we hopen dat ze na de onafhankelijkheid hier blijven,' zei Rebus. 'Zet hen en hun grootste concurrent bij elkaar, geen slecht begin voor een klein landje.'

Clarke zat hem aan te kijken. 'Denk je dat Stuart Janney daarom zo tegen Megan Macfarlane aanschurkt?'

Rebus haalde zijn schouders op. 'De nationalisten zouden niet blij zijn als bedrijven zoals FAB hun boeltje pakken. Dat geeft zo'n bank wel enige invloed.'

'Bij Megan Macfarlane zeker?'

'Nou, ze is wél de toekomst, denk je niet? Banken moeten aan de lange termijn denken als ze winst willen halen. Soms aan de hele lange termijn.' Hij keek nadenkend. 'Misschien zijn ze trouwens niet de enigen...'

Zijn gsm begon te trillen, dus bekeek hij het nummer. Ook een mobiel nummer, een dat hij niet kende. Hij klapte het apparaat open.

'Hallo?'

'Stroman.' Cafferty's koosnaam voor Rebus, waarvan de herkomst in een diep verleden begraven lag. Rebus was overeind gekomen, liep richting de bar voorin, de twee treden af en de avondlucht in.

'Je hebt een ander nummer,' zei hij.

'Om de paar weken. Maar intimi mogen het wel weten.'

'Fijn.' Nu hij toch buiten stond nam Rebus de gelegenheid te baat om een sigaret op te steken.

'Daar ga je nog eens aan dood, weet je.'

'Vroeg of laat gaan we allemaal.' Rebus bedacht wat Stone had gezegd over het afluisteren van Cafferty's telefoongesprekken... konden ze mobieltjes ook afluisteren? Misschien ook een reden waarom Cafferty steeds van nummer wisselde.

'Ik wil je spreken,' zei de gangster.

'Wanneer?'

'Nu natuurlijk.'

'En waarover precies?'

'Kom maar gewoon naar het kanaal.'

'Waar bij het kanaal?'

'Weet je wel,' sneerde Cafferty en hing op. Rebus staarde naar de telefoon voor hij hem dichtklapte. Hij was de straat op gelopen. Geen probleem op dit uur van de avond, geen verkeer. En als er toch auto's Young Street in kwamen rijden, waren ze op afstand te horen. Dus bleef hij midden op straat staan en staarde rokend in de richting van Charlotte Square. Een van de vaste klanten had hem een tijdje geleden verteld dat het gebouw in Georgian stijl aan de andere kant van de straat de residentie van de eerste minister was. Hij vroeg zich af wat de leider van het land vond van de wonderlijke gezelschapjes die je soms rokend buiten de Oxford Bar kon aantreffen.

De deur ging open en Siobhan Clarke kwam naar buiten terwijl ze haar armen in de mouwen van haar jas liet glijden. Todd Goodyear kwam direct achter haar aan, kennelijk geheel voldaan na slechts één halve pint.

'Dat was Cafferty,' liet Rebus hun weten. 'Hij wil me spreken. Gaan jullie ergens heen?'

'Afgesproken met m'n vriendin,' legde Goodyear uit. 'We gaan naar de kerstverlichting kijken.'

'Het is nog maar november,' verzuchtte Rebus.

'Is vanavond om zes uur aangegaan.'

'En ik wou maar eens op huis aan,' zei Clarke.

Rebus stak zijn wijsvinger vermanend op: 'Nooit samen de kroeg uit gaan – krijg je geklets van.'

'Waarom wil Cafferty je spreken?' vroeg Clarke.

'Zei hij niet.'

'Ga je?'

'Zou niet weten waarom niet.'

'Waar heb je afgesproken – op een goed verlichte plek, hoop ik?'

'Het kanaal, bij die bar aan het bassin van Fountainbridge. Wat zijn Phyl en Col van plan?'

'Ze hadden het over Princes Street Gardens,' zei Goodyear. 'Het reuzenrad en de ijsbaan zijn open.'

Clarke hield haar blik op Rebus gericht. 'Heb je versterking nodig?'

De uitdrukking op zijn gezicht maakte een antwoord overbodig.

'Nou...' Goodyear trok zijn kraag op terwijl hij naar de lucht keek. 'Zie ik jullie morgen.'

'En gedraag je, hè Todd?' maande Rebus, en hij keek hem na terwijl de jongeman richting Castle Street liep.

'Hij is wel oké, hè?' probeerde hij. Maar Clarke liet zich niet afleiden.

'Je kan niet zomaar in je eentje naar Cafferty gaan.'

'Dat zou toch echt niet voor het eerst zijn.'

'Maar voor je het weet is het voor het laatst.'

'Als ik in het kanaal drijf, weet jij tenminste wie je binnen moet halen.'

'Dat ís niet iets om grapjes over te maken!'

Hij legde zijn handpalm tegen haar schouder. 'Het is goed, Siobhan,' verzekerde hij haar. 'Maar er is één complicatie... het zou kunnen dat de DGM Cafferty in de gaten houdt.'

'Wat?'

'Die ben ik gisteravond tegen het lijf gelopen.' Toen hij de uitdrukking op haar gezicht zag, trok hij zijn hand terug en stak hem verontschuldigend op. 'Ik leg het je nog wel uit, maar het punt is dat ze willen dat ik uit de buurt blijf.'

'Doe dat dan.'

'Absoluut,' zei hij en stak het visitekaartje van Stone naar haar uit. 'En wat jíj dan voor me moet doen is deze Stone bellen en zeggen dat inspecteur Rebus hem dringend moet spreken.'

'Wat?'

'Gebruik de telefoon van de Ox, hij hoeft je mobiele nummer niet te weten. Je noemt geen naam, je zegt alleen dat Rebus hem wil spreken op het pompstation. Dan hang je op.'

'Godsamme, John...' Ze staarde neer op het kaartje.

'Hé, nog achtenveertig uur en je hebt geen kind meer aan me.'

'Je bent geschorst en moet je eens zien wat voor kind ik nóú aan je heb.'

'Een engeltje toch?' zei Rebus glimlachend.

'Een ongezeglijk stuk vreten,' antwoordde Clarke, maar ze liep toch terug de bar in om te gaan bellen.

'Langzamer ging zeker niet?' was Cafferty's openingszin. Hij stond weer op de voetgangersbrug over het kanaal, met zijn handen in de zakken van zijn lange camel jas.

'Waar is je auto?' vroeg Rebus, met een blik over het verlaten braakliggende terrein achter zich.

'Ik ben komen lopen. Het is maar een minuut of tien.'

'En geen lijfwacht?'

'Niet nodig,' verklaarde Cafferty.

Rebus stak een sigaret op. 'Dus je wist dat ik hier gisteravond was geweest?'

'Sergejs chauffeur had je herkend.' De man die Rebus dinsdagavond bij het hotel moordzuchtig had aangestaard. 'Ben je ons helemaal naar Granton gevolgd?'

'Het was een mooie avond voor een ritje.' Rebus probeerde rook in de richting van Cafferty's gezicht te blazen, maar de wind gaf hem geen kans.

'Het is allemaal legaal, weet je. Je kunt ons volgen wat je wil.'

'Zal ik doen, dank je.'

'Sergej houdt van Schotland, daar komt het in feite op neer. Zijn vader las hem vroeger *Schateiland* voor. Ik moest hem meenemen naar de Queen Street Gardens. De vijver daar schijnt Robert Louis Stevenson op het idee gebracht te hebben.'

'Machtig interessant.' Rebus staarde naar het glasachtige oppervlak van het kanaal. Misschien maar net een meter diep, maar hij wist dat er mensen in waren verdronken.

'Hij denkt erover zijn bedrijven hier te vestigen,' zei Cafferty.

'Ik wist niet dat we zoveel tin- en zinkmijnen hadden.'

'Nou ja, misschien niet ál zijn bedrijven.'

'Ik snap eigenlijk niet goed waarom. We hebben toch nog altijd een uitleveringsverdrag met Rusland.'

'Weet je het zeker?' vroeg Cafferty met een plagerig lachje. 'Hoe dan ook, we hebben óók politiek asiel, of niet?'

'Moet nog zien of dat voor jouw maat opgaat.'

Cafferty lachte alleen.

'Die avond in het hotel,' ging Rebus verder. 'Jij en Todorov, toen jij en Andropov, toen kwam er nog een zekere minister Bakewell bij... waar ging dat eigenlijk allemaal over?'

'Ik dacht dat ik dat al had uitgelegd – ik had geen idee wie die man was die ik wat te drinken gaf.'

'Je wist niet dat Todorov en Andropov samen zijn opgegroeid?'
'Nee.'

Rebus tipte zijn as de lucht in. 'En waar heb je het met de minister voor Economische Ontwikkeling over gehad?'

'Ik wed dat je diezelfde vraag aan Sergej hebt gesteld.'

'En wat denk je dat hij heeft geantwoord?'

'Hij heeft je waarschijnlijk gezegd dat we het over economische ontwikkeling hebben gehad – wat toevallig ook waar is.'

'Jij schijnt grote stukken land op het oog te hebben, Cafferty. Andropov zorgt voor het geld, jij voor de contacten?'

'Allemaal open en eerlijk.'

'Weet hij hoe je als huisjesmelker te werk bent gegaan? Flats volstouwen met huurders, brandgevaar, uitkeringscheques inpalmen en verzilveren...'

'Je klampt je écht aan elke strohalm vast, hè? Je zou denken dat je daar lag.' Cafferty priemde met zijn vinger naar het kanaal.

'Je hebt een appartement in Blair Street dat je verhuurt aan Nancy Sievewright en Eddie Gentry.' Twee huurders maar, nu Rebus eraan dacht, ongebruikelijk voor die rattenvallen van hem. 'Nancy is bevriend met Sol Goodyear,' ging hij verder, 'zo bevriend dat ze haar spul van hem krijgt. Dezelfde avond dat Sol in de Haymarket een mes in zijn ribben krijgt, struikelt Nancy bij Sol om de hoek over het lijk van Todorov.' Rebus had zijn gezicht dicht naar dat van de gangster gebogen. 'Snap je waar ik naartoe wil?' beet hij hem toe.

'Niet echt.'

'En nu wil het consulaat Todorovs lijk het land uit smokkelen.'

'Die strohalmen van jou zitten nog los ook, Rebus.'

'Het zijn geen strohalmen, Cafferty, het zijn kabeltouwen. En raad eens wie er straks mee opgeknoopt wordt?'

'Rustig aan,' vermaande Cafferty hem. 'Wat een woordkunst. Misschien moet je zelf ook eens gedichten gaan schrijven.'

'Probleem is: de enige twee woorden die ik ken die op "Cafferty" rijmen zijn "gangster" en "klootzak".'

De gangster grinnikte en lachte zijn dure kronen bloot. Toen snoof hij de lucht op en kuierde naar de andere kant van de brug. 'Ik ben niet ver hiervandaan opgegroeid, wist je dat?'

'Ik dacht in Craigmillar.'

'Maar ik had een oom en tante in Gorgie en die pasten op me

als mijn moeder moest werken. M'n pa had een maand voor ik geboren moest worden al de benen genomen.' Hij draaide zich om naar Rebus. 'Jij bent niet in de stad opgegroeid, toch?'

'Fife,' verklaarde Rebus.

'Dan heb je het abattoir niet meer meegemaakt. Soms had je een stier die ertussenuit brak. Dan ging het alarm af en moesten wij als kinderen binnenblijven tot de scherpschutter kwam. Ik weet nog dat ik een keer voor het raam stond te kijken. Een geweldig beest was het, snot en stoom spoten uit zijn neus en hij schopte zijn poten alle kant op bij de gedachte aan al die vrijheid.' Hij zweeg. 'Tenminste, tot het moment dat die schutter zich op een knie liet zakken, richtte en hem door zijn kop schoot. Die poten klapten dubbel en de glans was weg uit zijn ogen. Een tijdlang heb ik mezelf zo gezien – als de laatste vrije stier.'

'Pas maar op voor de scherpschutter, dan,' zei Rebus.

'Het gekke is,' zei Cafferty met een bijna spijtig glimlachje, 'tegenwoordig denk ik eerder dat jij het bent, Rebus. Je schopt en bokt en snuift, gewoon omdat je niet om kunt gaan met het idee dat ik legale zaken doe.'

'Komt omdat het alleen maar een "idee" is.' Hij zweeg en mikte het restant van zijn sigaret in het water. 'Je hebt me toch niet hierheen laten komen om herinneringen op te halen, wel?'

De gangster haalde zijn schouders op. 'We krijgen niet veel kansen meer voor dit soort kleine tête-à-têtes. En toen Sergej me vertelde dat je ons die avond was gevolgd... ach, misschien leek me dat wel een goed excuus.'

'Ik ben geroerd.'

'Ik heb op het nieuws gehoord dat inspecteur Starr is ingevlogen om het onderzoek te leiden. Ze hebben jou alvast in de wei gezet, niet? Maar goed dat je een gezond pensioen wacht.'

'En helemaal eerlijk verdiend.'

'Nou krijgt Siobhan de kans om te schitteren.'

'Die kan jou wel aan, Cafferty.'

'Dat zullen we nog wel eens zien.'

'Als ik maar op de eerste rij mag zitten.'

Cafferty had zijn aandacht verlegd naar de hoge bakstenen muur waarachter het herontwikkelingsgebied lag. 'Het was gezellig, Rebus. Graas lekker verder.'

Maar Rebus liet nog niet los. 'Heb je het gehoord van die Rus in Londen? Pas maar op met wie je speelt, Cafferty.'

'Die gaat mij echt niet vergiftigen. Sergej en ik, wij bekijken de dingen op dezelfde manier. Duurt nog een paar jaar, dan is Schotland onafhankelijk, daar kun je vergif op innemen. We hebben genoeg Noordzeeolie voor dertig jaar en Joost mag weten hoeveel nog in de Atlantische Oceaan. In het slechtste geval sluiten we een deal met Westminster en houden we tachtig, negentig procent van de poet over.' Cafferty trok zijn schouders even op. 'En dan gaan we het geld uitgeven aan onze bekende hobby's: drank, drugs en gokken. Zetten we in elke stad een supercasino en kijken we toe hoe de winsten zich opstapelen.'

'Zo zo, een stille staatsgreep...'

'De Sovjets hebben altijd al gedacht dat er in Schotland een revolutie zou komen. Zal voor jou niks uitmaken, hè? Jij staat voorgoed buitenspel.' Met een wuivend handgebaar keerde Cafferty zich om.

Rebus bleef nog even staan, al wist hij dat hij hier niets meer te zoeken had. Toch aarzelde hij. De Cafferty die hij gisteravond had gezien was een acteur op het toneel geweest, met de auto en de chauffeur als rekwisieten. De Cafferty van vanavond was anders, meer bespiegelend. Zoveel gezichten in Cafferty's garderobe, een masker voor elke gelegenheid. Rebus overwoog hem een lift naar huis aan te bieden, maar waarom eigenlijk? In plaats daarvan draaide hij zich om en liep naar zijn auto en stak een nieuwe sigaret op. Hij dacht aan het verhaal van de stier dat de gangster had verteld. Zou het ook zo voelen als je gepensioneerd was: al die vreemde en onrustbarende vrijheid, meedogenloos kort van duur?

'Geen Leonard Cohen voor jou als we thuiskomen,' berispte hij zichzelf. 'Je bent al morbide genoeg.'

In plaats daarvan draaide hij Rory Gallagher: 'Big Guns' en 'Bad Penny', 'Kickback City' en 'Sinnerboy'. De whisky gleed weg, drie grote, maar verdund met evenveel water. Na Rory kwam Jackie Leven, en daarna Page and Plant. Hij overwoog Siobhan te bellen maar deed het niet. Ze hoefde zich niet altijd met zijn zorgen bezig te houden. Hij had niets gegeten maar hij had geen trek.

Toen de telefoon overging had hij waarschijnlijk bijna een uur liggen slapen. Het whiskyglas stond nog op de armleuning, met zijn hand eromheen geklemd.

'Geen druppel gemorst, John,' feliciteerde hij zichzelf terwijl hij met zijn vrije hand de hoorn opnam.

'Hallo, Shiv.' Hij had haar nummer herkend. 'Wou je weten of ik het heb overleefd?'

'John...' De toon van haar stem was genoeg: er was iets gebeurd, iets ergs.

'Zeg het maar,' zei hij terwijl hij uit zijn stoel opstond.

'Cafferty ligt op de intensive care.' Daar liet ze het bij. Rebus klauwde met zijn vrije hand door zijn haar, tot hij zich realiseerde dat hij eigenlijk geen vrije hand had. Het glas was op het tapijt gevallen en zijn schoenen zaten onder de whiskyspetters.

'Wat is er gebeurd?' vroeg hij.

'Dat is precies wat ik jou wou vragen,' flapte ze eruit. 'Wat is er in godsnaam bij het kanaal gebeurd?'

'We hebben wat gepraat.'

'Alleen gepraat?'

'Erewoord.'

'Nou, ik weet niet hoe jij praat, want hij heeft een schedelbasisfractuur. Plus botbreuken, bloeduitstortingen...'

Rebus kneep zijn ogen samen. 'Is hij bij het kanaal gevonden?'

'Nee maar, goed geraden.'

'En ben je daar nou?'

'Shug Davidson heeft de moeite genomen me te bellen.'

'Ik ben er over vijf minuten.'

'Nee, niks daarvan... je hebt gedrónken, John. Je gaat neuzelig klinken na de eerste vier, vijf glazen.'

'Laat me dan ophalen.'

'John...'

'Laat me goddomme ophalen, Siobhan!' Hij streek weer door zijn haar en trok eraan. Ik word er hier in geluisd, zei hij tegen zichzelf.

'John, hoe kan Shug je nou in de buurt laten? Hij moet je wel als verdachte behandelen. Als hij een verdachte op de plaats delict toelaat...'

'Ja, goed, absoluut.' Rebus keek op zijn horloge. 'Ik heb hem een uur of drie geleden voor het laatst gezien. Wanneer is-ie gevonden?'

'Tweeënhalf uur geleden.'

'Dat is niet best.' Zijn gedachten dwarrelden door elkaar. Hij liep richting de keuken, met het idee dat een paar liter water misschien zouden helpen. 'Heb je Calum Stone nog het bos ingestuurd?'

'Ja.'

'Shit.'

'Hij is hier nu ook, met zijn partner.'

Rebus kneep zijn ogen dicht. 'Praat niet met ze.'

'Komt-ie nou mee. Ik stond met Shug te praten toen ze aankwamen, en raad eens wat hij meteen zei?'

'Iets in de trant van "goh, u klinkt precies als die vrouw die me voor joker naar een benzinepomp in Granton heeft gestuurd"?'

'Iets in die trant.'

'Je kunt alleen maar de waarheid zeggen, Shiv – dat ik je opdracht heb gegeven om die lui te bellen.'

'Terwijl jij geschorst was en ík dat donders goed wist.'

'Shit, ja, het spijt me Siobhan.' De kraan liep nog en de gootsteen was bijna vol. Twintig, dertig centimeter. Hij wist dat er mensen waren verdronken in veel, veel minder.

34

Toen de taxi hem bij de Leamington Lift Bridge afzette, stond ze met over elkaar geslagen armen te wachten, als een uitsmijter voor een exclusieve club.

'Je mág hier niet komen,' herhaalde ze met haar kaken op elkaar.

'Ik weet het,' zei hij. Veel publiek: mensen onderweg naar huis na een avondje uit, flatbewoners uit de buurt, zelfs een binnenvaartschipper en zijn vrouw. Die stonden aan dek met dampende mokken in de hand.

'Hoe komt je haar zo nat?' vroeg Clarke.

'Geen tijd om de droogkap op te stellen,' antwoordde hij. Hij kon alles zien; dichterbij komen hoefde niet. Mensen van de technische recherche die met zaklampen het voetpad aan de overkant afspeurden. Booglampen die werden ingeplugd in een electriciteitskast waar de aangemeerde schepen waarschijnlijk ook hun stroom vandaan haalden. Veel mensen zwijgend aan het werk. Een groepje klonterde rond een bepaald punt op het voetpad samen.

'Hebben ze hem daar gevonden?' vroeg hij. Clarke knikte. 'Zo'n beetje waar hij was toen ik wegging.'

'Een stel onderweg naar huis stuitte op hem. Een van de ambulancemensen kende hem van gezicht. West End snelde natuurlijk meteen toe en Shug dacht dat ik het misschien zou willen weten.'

Een paar leden van de TR stonden tot hun middel in het kanaal. Ze zagen eruit als sportvissers, compleet met waadbroeken met bretels.

'Ze zullen een peuk van mij vinden,' zei Rebus. 'Tenzij hij is weggedreven of opgegeten door een eend.'

'Mooi als ze er DNA van kunnen trekken.'

Hij draaide zich naar haar toe en pakte haar bij een arm. 'Ik zeg niet dat ik hier niet ben geweest – ik zeg dat hij zo gezond als een vis was toen ik wegging.'

Ze kon hem niet aankijken en hij liet haar los. 'Wat jij denkt moet je niet denken,' zei hij zacht.

'Je weet helemaal niet wat ik denk!'

Hij keek weer voor zich en zag inspecteur Shug Davidson opdrachten geven aan een paar uniformagenten van bureau West End. Stone en Prosser stonden net achter hem, diep in een eigen gesprek gewikkeld.

'Nog even en ze zien je,' waarschuwde Clarke hem. Rebus knikte. Hij had zich al een paar stappen terug laten zakken in de menigte toeschouwers. Ze volgde hem tot ze achteraan stonden, op het punt waar hij zijn auto had geparkeerd toen hij Cafferty had gevolgd. Zijn hoofd bonkte.

'Heb je toevallig aspirine bij je?' vroeg hij.

'Nee.'

'Maakt niet uit, ik weet waar ik eraan kan komen.'

Ze begreep waar hij op doelde. 'Dat meen je niet.'

'Moet jij eens opletten.'

Ze hield hem met haar blik vast, keek toen achterom naar het kanaal en nam een besluit. 'Ik breng je wel,' zei ze. 'Mijn auto staat op Gilmore Place.'

Onderweg naar het Western General zeiden ze niet veel. Cafferty was daarheen gebracht, niet alleen omdat het dichterbij was dan de Royal Infirmary, maar ook omdat het gespecialiseerd was in hoofdtrauma's.

'Heb je hem al gezien?' vroeg Rebus toen ze het parkeerterrein van het ziekenhuis opreden..

Clarke schudde haar hoofd. 'Toen Shug me belde, dacht hij dat hij goed nieuws voor me had.'

'Hij kent onze geschiedenis met hem natuurlijk,' overwoog Rebus.

'Maar hij had direct in de gaten dat er iets niet lekker zat.'

'Heb je hem gezegd dat ik met Cafferty had afgesproken?'

Ze schudde haar hoofd weer. 'Dat heb ik tegen niemand gezegd.'

'Had je eigenlijk wel moeten doen -- nou krijg je er misschien stront mee. Stone komt er toch gauw genoeg achter.'

'Wacht maar tot ze erachter komen dat ik ervandoor ben gegaan.' Ze draaide een parkeerhaven in en zette de motor uit, draaide zich toen in zijn richting. 'Oké,' zei ze, 'de hele waarheid.'

Hij keek haar in de ogen. 'Ik heb hem niet aangeraakt.'

'Waar hebben jullie over gepraat?'

'Andropov en Bakewell... Sievewright en Sol Goodyear...' Hij haalde zijn schouders op en besloot dat hij de stier en het abattoir niet hoefde te noemen. 'Het gekke is dat ik hem bijna een lift naar huis had aangeboden.'

'Had het maar gedaan.' Ze klonk iets minder streng.

'Wil dat zeggen dat je me gelooft?'

'Ik moet wel, of niet? Wat wij allemaal hebben meegemaakt... als ik jóú niet kan vertrouwen, waar blijven we dan in godsnaam?'

'Bedankt,' zei hij zacht en kneep in haar hand.

'Maar ik heb ook nog de waarheid te goed over dat gedoe met de DGM.' Ze trok haar hand van onder de zijne weg.

'Ze houden Cafferty in de gaten. Ze waren erachter gekomen dat ik dat ook deed en zeiden dat ik uit de buurt moest blijven.' Hij haalde zijn schouders weer op. 'Dat is het zo'n beetje.'

'En zo'n dolle stier als meneer Rebus doet natuurlijk precies het tegenovergestelde.'

Rebus zag ineens een beeld voor ogen: de stier die door zijn poten zakt, kogel tussen zijn ogen... Hij schudde het van zich af. 'Laten we maar eens gaan kijken wat de schade is,' zei hij.

In het ziekenhuis was de eerste vraag die hun werd gesteld: 'Bent u familie?'

'Hij is m'n broer,' verklaarde Rebus. Meer hoefde hij niet te zeggen, ze werden meteen naar een wachtkamer gebracht die op dit uur van de nacht uitgestorven was. Rebus pakte een tijdschrift op. Bladzijden vol roddels over beroemdheden, maar aangezien het blad een halfjaar oud was konden de beroemdheden alweer in de vergetelheid zijn verzonken. Hij bood Clarke het blad aan, maar ze schudde haar hoofd.

'Je broer?' zei ze.

Rebus haalde alleen zijn schouders op. Zijn echte broer was anderhalf jaar geleden gestorven. De afgelopen decennia had Rebus veel minder aandacht voor hem gehad dan voor Cafferty... en waarschijnlijk ook minder tijd met hem doorgebracht.

Je familie kun je niet kiezen, dacht hij bij zichzelf, maar je vijanden wel.

'Wat als-ie doodgaat?' vroeg Clarke en vouwde haar armen. Ze had haar benen gestrekt en bij de enkels over elkaar geslagen, diep onderuitgezakt in de stoel.

'Zoveel geluk heb ik niet,' zei Rebus. Ze fronste haar wenkbrauwen.

'Heb je enig idee wie erachter kan zitten?'

'Zullen we er een multiplechoicevraag van maken?' vroeg hij.

'Hoeveel namen heb je?'

'Hangt ervan af of hij zijn Russische vrienden kwaad heeft gemaakt.'

'Andropov?'

'Om te beginnen. Die Stone zei dat de DGM Cafferty bijna in zijn zak had. Wie weet lopen er allerlei figuren rond die dat niet kunnen laten gebeuren.' Hij zweeg toen de klapdeuren aan het eind van de gang open zwaaiden en een onwaarschijnlijk jonge arts in de traditionele witte doktersjas op hen af kwam stappen met papieren in een hand en een pen tussen zijn tanden. Hij haalde de pen uit zijn mond en stak die in zijn borstzak.

'U bent de broer van de patiënt?' vroeg hij. Rebus knikte. 'Nou, meneer Cafferty, ik hoef u niet te vertellen dat Morris gezegend lijkt te zijn met een ongewoon harde schedel.'

'Wij noemen hem Ger,' zei Rebus. 'Soms Big Ger.'

De jonge arts knikte en raadpleegde zijn formulieren.

'Dus het gaat goed met hem?' vroeg Clarke.

'Allesbehalve. We maken morgenochtend weer een scan. Hij is nog buiten bewustzijn, maar er is nog voldoende hersenactiviteit.' Hij zweeg even, alsof hij overwoog wat ze nog meer moesten weten. 'Als er met grote kracht op de schedel wordt ingeslagen, schakelen de hersenen zich uit om zichzelf te beschermen, of de schade althans te beperken en vast te stellen. Het probleem is dat we soms moeite hebben ze weer op te starten.'

'Net als met een computer?' opperde Siobhan. De dokter leek daarmee in te stemmen.

'Het is nog te vroeg om te zeggen of de hersenen van uw oom beschadigd zijn,' zei hij tegen haar. 'Geen bloedstolsels voor zover we kunnen zien, morgen weten we meer.'

'Hij is mijn oom niet,' zei ze bits. Rebus gaf een klopje op haar arm.

'Het is een schok voor haar,' zei hij tegen de arts. En terwijl

Clarke haar arm wegtrok: 'Dus er is hard op hem in geslagen?'

'Twee, drie keer waarschijnlijk,' stemde de dokter in.

'Van achteren aangevallen?' Bij elke vraag werd de dokter ongeduriger.

'De slagen zijn achter op de schedel toegebracht, ja.'

Rebus keek Siobhan Clarke aan. Alexander Todorov was ook van achteren aangevallen en zo hard geslagen dat hij eraan was bezweken. 'Kunnen we naar hem toe, dokter?' vroeg Rebus.

'Zoals ik al zei, hij is op het moment niet bij kennis.'

'Dat maakt ons niet uit...' De arts keek nu bezorgd. 'Is toch geen probleem?' drong Rebus aan.

'Hoort u eens. Ik heb gehoord wie meneer Cafferty is... ik weet dat hij in Edinburgh een bepaalde reputatie heeft.'

'Nou en?' vroeg Rebus.

De arts bevochtigde zijn droge lippen. 'Nou ja, u bent zijn broer... en al die dingen die u wil weten. Zeg me alstublieft dat u niet achter degene aan gaat die dit heeft gedaan.' Hij probeerde het luchtig te laten klinken. 'Onze zalen liggen toch al overvol,' zei hij met een zwak glimlachje.

'We willen hem gewoon even zien, dat is alles,' zei Rebus, en gaf de jongere man een geruststellend klopje op zijn arm.

'Ik zal zien wat ik kan doen. Wacht u hier maar als u wilt.'

Rebus ging gehoorzaam weer zitten. Ze zagen de arts door de klapdeuren verdwijnen. Maar toen de deuren tot stilstand kwamen, verscheen er een gezicht in een van de patrijspoortraampjes van de wachtkamer.

'Ach jee,' zei Rebus en maakte Clarke opmerkzaam op de nieuwaangekomenen – inspecteur Calum Stone en brigadier Andy Prosser. 'Nu ga je ze netjes uitleggen hoe het is gegaan, Shiv. En als jij het niet doet, doe ik het.' Ze knikte dat ze het had begrepen.

'Kijk eens aan,' zei Stone terwijl hij met zijn handen in zijn zakken aan kwam kuieren. 'Wat doet u hier, inspecteur Rebus?'

'Hetzelfde als u, neem ik aan,' zei Rebus en ging weer staan.

'Nou, gezellig, allemaal samen,' ging Stone verder, balancerend op zijn hakken. 'Jullie om te horen of het slachtoffer nog ademhaalt en wij om na te gaan of we net enkele duizenden manuren door de plee hebben zien trekken.'

'Stom dat jullie met observeren waren gestopt,' merkte Rebus op.

Stone liep rood aan van woede. 'Omdat jíj hem moest spreken,' hij wees naar Clarke, 'heb je je vriendin hier ons met een smoes laten bellen!'

'Dat ontken ik niet,' zei Rebus kalm. 'Ik heb brigadier Clarke opdracht gegeven om jullie te bellen.'

'En waarom in godsnaam?' Stone's ogen boorden zich in die van Rebus.

'Cafferty wou me spreken. Hij zei niet waarom, maar ik had jullie er liever niet bij.'

'Waarom niet?'

'Omdat ik me zou afvragen waar jullie zaten, misschien naar jullie zou rondkijken. Cafferty had het kunnen merken, hij heeft een zesde zintuig voor zulke dingen.'

'Hij laat zich anders wel voor z'n kop slaan,' wierp Prosser tegen.

Dat kon Rebus niet ontkennen. 'Ik zal je zeggen wat ik brigadier Clarke hier heb gezegd,' ging hij verder. 'Als ik van plan was Cafferty de kop in te slaan, waarom zou ik haar dan vertellen over die afspraak? Of iemand probeert me erin te luizen, of het is toeval.'

'Toeval?'

Rebus haalde zijn schouders op. 'Iemand die hem toch al te grazen wou nemen, alleen toevallig op dat moment...'

Stone richtte zich tot zijn partner. 'Geloof jij er iets van, Andy?' Prosser schudde langzaam zijn hoofd en Stone keek Rebus weer aan. 'Andy gelooft er niets van en ik ook niet. Je wilde Cafferty voor jezelf en je wilde niet dat wíj hem voor die tijd in de kraag zouden vatten. Je pensioen is in zicht, dus de tijd dringt. Je gaat daar met hem praten en er gaat iets mis, je gaat door het lint. Voor je het weet ligt hij gestrekt en zit jij in de stront.'

'Behalve dat het zo niet is gegaan.'

'Hoe is het dán gegaan?'

'We hebben wat gepraat en ik ben naar huis gereden en daar gebleven.'

'Wat was er zo dringend aan dat hij je moest spreken?'

'Niet veel, eigenlijk.'

Prosser snoof ongelovig terwijl Stone in zichzelf grinnikte. 'Weet je, Rebus, het is maar goed dat wij er niet bij waren, aan het kanaal.'

'Hoezo?'

'Dan lag jij er nu in,' zei Stone triomfantelijk. Rebus draaide zijn hoofd naar Clarke.

'En ze zeggen dat de stand-upcomedy dood is.'

'Is niet dood,' zei ze, zoals hij had verwacht. 'Ruikt alleen raar.'

Stone priemde met een wijsvinger in haar richting. 'Denk maar niet dat jij niet in de stront zit, brigadier Clarke.'

'Ik heb je al gezegd,' viel Rebus hem in de rede, 'ik neem de volle verantwoordelijkheid –'

'Hoor jezelf eens praten,' gromde Stone. 'Je vriendin schoonpraten is wel het laatste waar je je mee bezig zou moeten houden.'

'Ik ben zijn vriendin niet.' Het bloed was Clarke naar de wangen gestegen.

'Dan ben je z'n handlanger, bijna net zo erg.'

'Stone,' siste Rebus, 'als jij niet heel goed uitkijkt...' In plaats van zijn zin af te maken, begon hij zijn beide handen tot vuisten te ballen.

'Jij doet helemaal niets, Rebus. Jij legt een verklaring af en dan mag je God op je blote knieën danken als je ergens een advocaat vindt die je zaak wil aannemen omdat-ie toch niks te doen heeft.'

'Calum,' waarschuwde Prosser zijn collega, 'die klootzak staat op het punt om je er een te verkopen...' Prosser leunde naar voren, klaar om bij voorbaat terug te slaan. Alle vier bleven ze zo een ogenblik staan toen ze de deuren dicht zagen klappen. Een verpleegster stond verwonderd te kijken. Rebus probeerde haar telepathisch het zwijgen op te leggen, maar dat mislukte.

'Meneer Cafferty?' De woorden gericht aan Rebus en niemand anders. 'Als u bent uitgepraat, u kunt nu even bij uw broer...'

DAG ACHT

Vrijdag 24 november 2006

35

Toen Rebus de volgende ochtend wakker werd, kwam dat door aanhoudend gezoem van de intercom. Hij rolde zich op zijn andere zij en keek op zijn horloge: nog geen zeven uur. Nog donker buiten en een paar minuten voordat de timer de centrale verwarming in werking zou stellen. Het was koud in de kamer en de vloer van de gang zoog de warmte uit zijn voeten toen hij naar de voordeur liep en daar de hoorn opnam.

'Is er brand?'

'Hangt ervan af hoe je ertegenaan kijkt.' Rebus herkende de stem maar kon hem niet plaatsen. 'Kom op, John,' klonk de stem neuzelig. 'Met Shug Davidson.'

'Aan het dauwtrappen?'

'Ik ben nog niet naar bed geweest.'

'Beetje vroeg voor een slaapmutsje.'

'Vind je ook niet? Nou, laat je me nog binnen?'

Rebus' vinger aarzelde boven de knop van de voordeur. Als hij die indrukte, voelde hij, zou dat zijn hele wereld veranderen, en waarschijnlijk niet ten goede. Probleem: wat was het alternatief?

Hij drukte op de knop.

Inspecteur Shug Davidson was een van de goeden. In het korps heerste het geloof dat de mensheid eenvoudig was in te delen in twee kampen: goeden en slechten. Davidson had weinig vijanden gemaakt en veel vrienden. Hij was consciëntieus en pragmatisch, menselijk en meelevend. Maar deze ochtend stond zijn gezicht ernstig, en dat was maar deels toe te schrijven aan slaapgebrek. Bovendien had hij een collega in uniform bij zich. Rebus had de deur op een kier gezet terwijl hij zich in de slaapkamer terugtrok om wat kleren aan te trekken en riep naar buiten dat Davidson thee kon zetten als hij er zin in had. Maar Davidson en de uniform-agent bleven blijkbaar net zo lief in de gang staan, zodat Rebus zich langs hen heen moest wurmen naar de badkamer. Hij poetste zijn tanden met meer zorg dan gewoonlijk en staarde naar zijn gezicht in de spiegel. Hij staarde nog toen hij zijn mond droog veegde. Terug in de gang zei hij 'schoenen' en begaf zich naar de woonkamer, waar hij ze naast zijn stoel vond.

'Moet ik hieruit opmaken,' vroeg Rebus terwijl hij met de veters worstelde, 'dat West End het niet kan stellen zonder mijn fijngeslepen recherchecapaciteiten?'

'Stone heeft ons alles verteld van je afspraakje met Cafferty,' verklaarde Davidson. 'En Siobhan noemde je sigarettenpeuk. Maar dat was niet het enige wat we in het kanaal hebben gevonden...'

'O?'

'We hebben ook een plastic overschoen gevonden, John. Zo te zien zat er bloed op.'

'Zo'n overschoen als de technische recherche draagt?'

'De TR draagt ze, ja, maar wij ook.'

Rebus knikte langzaam. 'Ik heb er een stel in de kofferbak van mijn Saab liggen.'

'De mijne liggen in het handschoenenkastje van mijn vw.'

'Wel net zo handig, nou je het zegt.' Rebus leek zijn veters eindelijk naar tevredenheid gestrikt te hebben. Hij kwam overeind en maakte oogcontact met Davidson. 'Dus ik ben een verdachte, Shug?'

'Goed gesprek, dat we allemaal weten waar we aan toe zijn.'

'Tot uw dienst, inspecteur Davidson.'

Eerst waren er nog een paar taken te verrichten: sleutels vinden, telefoon, jas uitkiezen om over zijn colbertjasje aan te trekken. Maar toen waren ze klaar. Rebus deed de voordeur achter zich op slot en volgde Davidson naar beneden, met de agent als achterhoede.

'Heb je het gehoord van die arme kloot in Londen?' vroeg Davidson.

'Litvinenko?'

'Net overleden. Thallium hebben ze uitgesloten, wat dat ook moge zijn.'

Blijkbaar werden de rechercheurs geacht achter in de Passat plaats te nemen terwijl de uniformagent reed. Van Marchmont tot

Torphichen Place was tien minuten rijden. Het was stil op Melville Drive, de ochtendspits was nog niet begonnen. Op de Meadows liepen al wel joggers met reflecterende strips op hun schoenen, die oplichtten in het schijnsel van de koplampen. Ze wachtten op de Tollcross tot het stoplicht op groen sprong, ontweken de eenrichtingsstraat naar Fountainbridge en reden kort daarna langs het café aan het bassin bij het kanaal. Hier had Rebus staan wachten tot Cafferty en Andropov naar buiten kwamen, die avond dat hij ze naar Granton was gevolgd. Rebus probeerde zich te herinneren of er bij het kanaal zelf beveiligingscamera's hingen. Hij dacht van niet. Maar misschien wel buiten het café. Dat hij ze niet had opgemerkt wilde nog niet zeggen dat ze er niet waren. Lag niet voor de hand dat ze hem hadden opgepikt toen hij in de buurt rondhing, maar je wist het nooit. De Leamington Lift Bridge werd 's avonds niet vaak gebruikt, maar hij werd gebruikt. Dronkenlappen kwamen er bijeen met hun flessen, jongelui zwierven er rond op zoek naar actie. Kon iemand iets hebben gezien? Een figuur die wegrende? De flat aan Leamington Road waar hij die eerste avond had geparkeerd... als een inwoner op het juiste moment uit zijn raam had gekeken...

'Ik denk dat ik erin geluisd word, Shug,' zei Rebus toen de auto op de rotonde rechts afsloeg en door de smalle boog van Gardner's Crescent manoeuvreerde om bij de volgende stoplichten links af te slaan, Morrison Street in. Ze waren terug in het eenrichtingsgebied en zouden nog een paar keer rechts af moeten slaan om het bureau van de c-divisie te bereiken.

'Mensen zat die zullen vinden dat-ie een medaille verdient,' zei Davidson. 'De vent die Cafferty voor zijn kop heeft geknald, bedoel ik.' Hij zweeg even en richtte zijn blik op Rebus. 'Laat het duidelijk zijn dat ik daar niet bij hoor.'

'Ik was het niet, Shug.'

'Dan is er niks aan de hand, toch? We zijn van de politie, John, wíj weten dat onschuldige mensen altijd vrijuit gaan.'

Daarna zwegen ze totdat de surveillancewagen voor het bureau stopte. Geen media, constateerde Rebus dankbaar, maar toen ze de hal binnenkwamen zag hij Derek Starr die met Calum Stone stond te fluisteren.

'Mooie dag voor een lynchpartij,' begroette Rebus hen. Davidson liep door, dus Rebus volgde hem.

'Doet me eraan denken,' begon Davidson, 'volgens mij wil Klachten ook met je praten.'

Klachten: Interne Zaken, agenten die niets liever deden dan hun eigen collega's in de vuilnisbak stoppen.

'Schijnt dat je een paar dagen geleden geschorst bent,' ging Davidson verder, 'maar je daar niets van hebt aangetrokken.' Hij was blijven staan voor de deur van een verhoorkamer. 'Hier, John.' De deur ging naar buiten toe open om te voorkomen dat een ondervraagde zich binnenin kon barricaderen. Gebruikelijke opstelling van tafel en stoelen met cassetterecorders en zelfs een videocamera hoog boven de deur, gericht op de tafel.

'De kamer bevalt me wel,' zei Rebus, 'maar is het ontbijt inbegrepen?'

'Ik kan waarschijnlijk wel een broodje bacon laten brengen.'

'Met bruine saus,' stelde Rebus voor.

'Thee of koffie?'

'Thee met melk alsjeblieft, garçon. Geen suiker.'

'Ik zal kijken wat ik kan doen.' Davidson sloot de deur achter zich en Rebus ging aan tafel zitten en liet zijn hoofd op zijn armen rusten. Dus de TR had een overschoen gevonden. Wat dan nog? Misschien was een van de TR-lui er zelf een kwijtgeraakt. Bloedvlekken konden best stukken boombast of roest zijn, daar was in het kanaal geen gebrek aan. Gewone rechercheurs droegen ook overschoenen, maar wie nog meer? Mensen in het ziekenhuis... mortuarium misschien, plekken die steriel moesten blijven. Hij dacht aan het slot van zijn kofferbak en hoe hij zich had voorgenomen het te laten repareren. Het ging wel dicht maar dat kostte veel moeite en dan nog sprong het bij het minste of geringste open. Cafferty wist wat Rebus' auto was. Stone en Prosser ook. Had Andropovs chauffeur hem gezien, die dag buiten het stadhuis? Nee, want toen waren ze met Siobhans auto gegaan, toch? Maar Rebus had de Saab aan de weg achtergelaten toen hij Cafferty en Andropov was gevolgd naar het café... toen had een van beide lijfwachten uit zijn kofferbak kunnen pakken wat hij wilde. Cafferty had het zelf gezegd: de chauffeur van Andropov had Rebus herkend... Een overschoen met bloedvlekken – hoe groot was de kans dat ze er iets op zouden vinden dat verwees naar Rebus? Er was niets van te zeggen.

'Je laatste dagen als politieman, John,' zei hij tegen zichzelf. 'Geniet ervan.'

De deur ging open en er verscheen een agente met een plastic bekertje.

'Thee?' speculeerde hij en snoof aan de inhoud.

'Als u het zegt,' antwoordde ze voordat ze zich tactisch terugtrok. Hij nam een slokje en besloot er ook maar van te genieten. Toen de deur weer openging was het Shug Davidson met een derde stoel.

'Zo'n broodje bacon heb ik nog nooit gezien,' merkte Rebus op.

'Broodjes komen eraan.' Davidson zette de stoel naast de zijne en ging zitten. Hij haalde twee cassettebandjes uit zijn zak, pelde de verpakking eraf en schoof ze in de recorder.

'Moet ik een advocaat bellen, Shug?'

'Jij bent de rechercheur, zeg jij het maar,' antwoordde Davidson. Toen ging de deur nogmaals open en maakte inspecteur Calum Stone zijn entree. Hij had een dossiermap bij zich en zijn gezicht stond grimmig.

'Jullie hebben je laten inpakken?' raadde Rebus, met zijn blik op Davidson. Maar het antwoord kwam van Stone.

'De DGM heeft voorrang.'

'Nou, dan mag je van mijn bureau ook wel een paar zaken overnemen,' zei Rebus. Stone grijnsde alleen en opende zijn map. Hij was omgekruld bij de hoeken, zat vol koffievlekken en vertoonde alle kenmerken van een dossier dat telkens weer is doorgenomen op zoek naar een nieuwe invalshoek in het geval-Cafferty. Typisch; Rebus had thuis ongeveer net zo'n map.

'Goed, inspecteur Davidson,' zei Stone, die zijn jasje en overhemdmanchetten rechttrok en gemakkelijk ging zitten, 'als u dat cassetteapparaat aanzet, kunnen we ter zake komen.'

De broodjes arriveerden een halfuur later. Stone kwam uit zijn stoel en begon te ijsberen maar slaagde er niet geheel in zijn ergernis te verbergen dat er voor hem niets was besteld. Rebus' broodje was koud en er zat ketchup op in plaats van HP-saus, maar hij viel er met overdreven smaak op aan.

'Heerlijk,' liet hij zich ontvallen, en even later: 'Echte boter ook.' Davidson bood aan zijn eigen broodje met Stone te delen, maar die wuifde het aanbod weg. 'Daar hoort nog een bakje thee bij,' opperde Rebus, en Davidson, die met een mond vol taai deeg zat, moest hem gelijk geven. Dus kwam er verse thee waarmee ze de laatste resten wegspoelden. Rebus veegde tevreden wat bloem uit zijn mondhoeken alvorens te verklaren dat hij klaar was voor 'de tweede ronde'.

De recorder werd weer aangezet en Rebus vervolgde zijn verdediging van Siobhan Clarke en de rol die ze had gespeeld in de gebeurtenissen van de vorige avond.

'Ze doet álles wat u haar zegt,' meende Stone.

'Inspecteur Davidson hier wil u vast wel verzekeren dat brigadier Clarke helemaal niet zomaar doet wat ik zeg...' Rebus maakte zijn zin niet af maar keek naar Davidson, die knikte. 'Inspecteur Davidson knikt,' voegde hij er ter wille van de opname aan toe. Toen streek hij met een vinger over de brug van zijn neus. 'Goed, laten we samenvatten waar het op neerkomt: ik heb niet geprobeerd iets voor u te verbergen. Ik geef toe dat ik Cafferty gisteravond heb gesproken. Dat was aan het kanaal. Maar ik heb hem niet aangeraakt.'

'U geeft toe dat u een observatie-eenheid van de DGM een verkeerde richting in hebt gestuurd?'

'Achteraf stom,' erkende Rebus.

'Maar dat is alles?'

'Dat is alles.'

Stone keek naar Davidson en toen weer naar Rebus. 'In dat geval, inspecteur, hebt u er vast geen bezwaar tegen als we nu naar de dactylokamer gaan?'

Rebus staarde Stone aan. 'Je gaat me voorgeleiden?'

'We vragen je vrijwillig vingerafdrukken af te staan,' legde Davidson uit.

'En een DNA-monster,' vulde Stone aan.

'We moeten alles uitsluiten, John.'

'En als ik dat weiger?'

'Waarom zou een onschuldige man zoiets weigeren?' vroeg Stone. De grijns was terug.

36

Siobhan Clarke maakte zich geen illusies dat ze op het parkeerter-rein van Gayfield Square een parkeerplek zou vinden – die nieuw-komers van over de hele stad kwamen natuurlijk ook met de au-to. Haar flat was maar een minuut of vijf lopen en haar auto stond op een plek voor vergunninghouders. Dus liep ze naar het werk met in haar zak een discman. Die had ze onder haar bed gevon-den, onder een dikke laag stof. Ze had de batterijen vervangen en geconstateerd dat de plug van haar iPod-koptelefoontje erin paste. Onderweg haalde ze koffie bij de koffiebar in het souterrain in Broughton Street waar ze met Todd Goodyear had afgesproken. Leek al eeuwen geleden. Derek Starr had haar nieuwe rekruut ken-nelijk nog altijd niet opgemerkt; zoveel nieuwe gezichten in het re-cherchekantoor, dat Todd best nog een tijdje onopgemerkt kon blij-ven.

Toen ze binnenkwam zat er iemand aan haar bureau. Ze kwak-te haar schoudertas op de grond naast de stoel bij wijze van hint. Toen die niet werkte, gaf ze met haar vinger een tikje tegen het oor van de indringer. Hij keek op van zijn telefoongesprek en ze ge-baarde dat hij moest ophoepelen. Hij keek niet blij maar stond toch op en maakte plaats terwijl hij zijn gesprek voortzette. Todd Good-year stond voor haar met nieuwe aantekeningen van de opnames bij de Commissie Stedelijke Vernieuwing.

'Het lijkt niet meer zo heel druk hier,' merkte Clarke op. In haar ooghoek zag ze dat Derek Starr in een ernstig gesprek was gewik-keld met Macrae in diens kamer.

'We hebben twee verhoorkamers gevorderd,' legde Goodyear uit. 'Nummer 1 en 2, het schijnt dat het in 3 te koud is.' Toen, na een veelbetekenende stilte: 'Wat hoor ik nou over Cafferty?'

'Heb je het van je vriendin gehoord?' Clarke nipte aan haar cappuccino. Goodyear knikte.

'Ze moest naar het kanaal komen,' bevestigde hij.

'Heeft je avond zeker verpest?'

'Risico van het vak.' Hij wachtte even. 'Ze heeft jou er ook gezien. Hoe wil je het spelen?'

Ze begreep eerst niet wat hij bedoelde, maar realiseerde zich toen dat Todd bij het gesprek buiten de Ox was geweest. Hij wist ook dat Rebus op weg ging naar een afspraak met Cafferty.

'Als iemand ernaar vraagt,' zei ze, 'zeg je maar gewoon wat je weet. Inspecteur Rebus heeft ook al met het onderzoeksteam gepraat.'

Goodyear blies wat lucht uit. 'Verdenken ze hem?'

Clarke schudde haar hoofd. Al wist ze donders goed dat het in de kamer van Macrae precies daarover ging. Zodra Goodyear zich had teruggetrokken diepte ze de cd-speler op uit haar tas en pakte de cd uit de bovenste la van haar bureau. Todorovs voordracht op de avond van boekwinkel Word Power. Ze plugde de oordopjes in, krikte het volume op en sloot haar ogen.

Een lunchroom, de espressomachine siste ergens op de achtergrond. Charles Riordan moest vooraan in het publiek hebben gezeten. Ze hoorde hoe Todorov zijn keel schraapte. Een vrouw van de boekhandel verwelkomde iedereen en maakte wat inleidende opmerkingen. Clarke kende de lunchroom. Hij lag in de buurt van de oude Odeonbioscoop en was populair onder studenten. Grote, gerieflijke sofa's en ambientmuziek, zo'n zaak waar je je schuldig voelde als je iets bestelde waar geen Fair Trade of biologisch bij stond. Aan het geluid te horen sprak de dichter zonder luidsprekers. Maar Riordans microfoon was goed. Als hij van positie veranderde, hoorde ze geluiden uit het publiek: een hoest hier, gesnuif daar. Die geluiden leken Riordan evenveel te interesseren als Todorovs optreden. In stijl: de man speelde graag luistervink.

Toen de dichter begon te spreken behandelde hij ongeveer dezelfde thema's als in zijn voordracht in de Poetry Library: maakte dezelfde grapjes om het ijs te breken, zei hoe hartelijk hij de Schotten vond. Clarke stelde zich voor hoe zijn ogen het publiek afspeurden naar vrouwen die in hun hartelijkheid misschien nog een stapje verder wilden gaan. Hij week een paar keer van het Poetry

Library-scenario af en kondigde op een bepaald punt aan dat hij een gedicht ging voorlezen van Robert Burns. Het heette 'A Parcel of Rogues in a Nation'. Todorov las het voor met een zwaar accent, nadat hij zich had verontschuldigd voor het feit dat hij bepaalde woorden zou 'verengelsen':

Vaarwel al onze Schotse faam,
Vaarwel aloude glorie!
Vaarwel zelfs aan de Schotse naam,
Zo rijk aan strijdhistorie!
De Sark die stroomt tot Solway's zand,
De Tweed: nu demarcatie
Van een gewest van Engeland –
Zo'n pak gespuis in een natie!

Hij las nog twee strofen, telkens besloten met dezelfde regel. Applaus en een paar kreten toen de dichter klaar was. Todorov ging verder met nog een paar gedichten uit *Astapovo Blues* en sloot af met de melding dat de bundel aan de deur te koop was. Nadat de ovatie was weggestorven had Riordan zijn microfoon weer op de zaal gericht en reacties op de voordracht opgevangen.

'Koop jij er een?'

'Beetje duur, tien pond... we hebben ze nou trouwens bijna allemaal al gehoord.'

'Waar gaan jullie naartoe?'

'De Pear Tree, denk ik.'

'Wat vond je ervan?'

'Beetje bombastisch.'

'Gaat het zaterdag nog door?'

'Hangt van de kinderen af.'

'Regent het nu weer?'

'De hond zit nog in de auto.'

Toen het gerinkel van een mobieltje, dat zweeg toen de eigenaar opnam.

En iets zei wat Clarke verdacht Russisch in de oren klonk. Een paar woorden maar, tot de stem werd gedempt. Had de dichter zelf een mobieltje? Voor zover ze wist niet. Moest het dus iemand in het publiek zijn? Ja, want nu was de microfoon teruggedraaid en ving op hoe de boekverkoopster Todorov bedankte.

'En als u straks misschien nog wat van onze voorraad zou willen signeren?' vroeg ze hem.

'Natuurlijk. Met alle plezier.'

'Dan wat drinken in de Pear Tree? Op onze kosten, natuurlijk... Weet u zeker dat we u niet tot een etentje kunnen verleiden?'

'Ik probeer de verleiding uit de weg te gaan, schat. Is niet goed voor een dichter op leeftijd.' Maar toen werd Todorovs aandacht afgeleid. 'Ah, meneer Riordan, niet? Is het goed gegaan met de opnames?'

'Prima, dank u.'

Sprekende doden, dacht Clarke onwillekeurig. Gelijktijdig zweeg ook de microfoon. De timer op de walkman gaf aan dat ze bijna een uur had zitten luisteren. Macrae's kantoor was leeg, van Starr was geen spoor meer te bekennen. Clarke deed de oordopjes uit en keek op haar mobiel naar gemiste oproepen. Geen. Ze probeerde Rebus' vaste nummer maar kreeg zijn antwoordapparaat. Zijn mobiel nam hij ook niet op. Ze zat met de telefoon tegen haar getuite lippen te tikken toen Todd Goodyear terugkwam.

'Ik heb nog wat gehoord van m'n vriendin,' zei hij.

'Hoe heet ze ook alweer?'

'Sonia.'

'En wat heb je van Sonia gehoord?'

'Toen ze in het kanaal aan het zoeken waren, hebben ze een overschoen gevonden. Je weet wel, die plastic dingen met elastiek om je enkel?'

'Over contaminatie van de plaats delict gesproken.'

Hij begreep wat ze bedoelde. 'Nee,' begon hij, 'niet verloren door iemand van het plaats-delictteam. Er zaten bloedspatten op. Nou ja, dat denken ze tenminste.'

'Dus dan zou de dader die hebben aangehad?' Goodyear knikte. Kleding die je op een plaats delict moest dragen, beschermende overall, muts, overschoenen en wegwerphandschoenen, allemaal om te voorkomen dat je sporen achterliet. Ja, maar dat mes sneed aan beide kanten, nietwaar? De onderzoekers zorgden ervoor dat ze geen valse sporen achterlieten, maar iemand anders die dezelfde beschermende kleding droeg kon iemand vermoorden zonder bang te hoeven zijn dat hij diens bloed of haar of vezels op zich kreeg. De kleding dumpen, of beter nog, verbranden, en wie deed je wat?

'Wat jij denkt moet je niet denken,' waarschuwde Clarke Good-year met dezelfde woorden die Rebus tegenover haar had gebruikt. 'Inspecteur Rebus heeft er niets mee te maken.'

'Zeg ik ook niet.' Goodyear leek gepikeerd door de beschuldiging.

'Wat zei Sonia nog meer?'

Hij haalde bij wijze van antwoord alleen zijn schouders op. Clarke maakte een wuifgebaar en hij begreep de hint en draaide zich om naar het bureau waar hij aan had gezeten maar dat in zijn afwezigheid een nieuwe eigenaar had gevonden. Terwijl hij erop afliep om te protesteren pakte Clarke haar jas en tas en liep de trap af en Gayfield Square op. Rebus stond aan de stoeprand geparkeerd. Ze glimlachte heel even, opende de deur aan de passagiers-kant en stapte in.

'Je telefoon staat uit,' liet ze hem weten.

'Ben er nog niet aan toegekomen om hem weer aan te zetten.'

'Heb je het gehoord? Ze hebben een overschoen gevonden.'

'Shug heeft me al van m'n bed gelicht om me te verhoren,' zei Rebus terwijl hij de pincode van zijn mobiel intoetste. 'Stone was er ook bij, die genoot voor tien.'

'Wat heb je tegen ze gezegd?'

'De waarheid, de hele waarheid en niets dan de waarheid.'

'Het is geen geintje, John!'

'Weet ik beter dan wie ook,' sputterde hij. 'Maar het wordt pas problematisch als ze er straks achter komen dat die overschoen uit mijn kofferbak komt.'

Ze staarde hem aan. 'Stráks?' echode ze.

'Ga maar na, Shiv. Ze kunnen die overschoen daar alleen maar hebben achtergelaten om me nog steviger in het pak te naaien. Mijn kofferbak sluit al maanden niet goed en het enige wat erin zit zijn plaats-delictspullen.'

'En een paar oude bergschoenen,' corrigeerde ze hem.

'Aye,' stemde hij in, 'en als ze een bergschoen hadden kunnen gebruiken, hadden ze het vast niet nagelaten.'

'Maar wie zijn "ze"? Denk je nog steeds aan Andropov?'

Hij trok zijn wangen met zijn handpalmen omlaag, waarmee hij de bloeddoorlopen ogen met donkere kringen en de grijze stoppels accentueerde. 'Bewijs het maar eens,' antwoordde hij uiteindelijk.

Clarke knikte instemmend en ze bleven een tijdje zwijgend zitten, tot Rebus vroeg wat er verder gaande was.

'Starr en Macrae zijn de dag begonnen met een intiem overleg.'

'Daar zal mijn naam wel gevallen zijn.'

'En het enige wat ik heb gedaan is die andere voordracht van Todorov afluisteren.'

'Hard aan de arbeid, dat mag ik graag zien.'

'Riordan heeft de microfoon nu en dan op het publiek gericht. Ik heb het idee dat ik een Russische stem heb gehoord.'

'O?'

'Ik dacht erover om even langs Word Power te wippen om ernaar te vragen.'

'Wil je een lift?'

'Graag.'

'Doe me eerst een lol, wil je? Ik heb die cd van het andere optreden van Todorov nodig.'

'Hoezo?' Hij vertelde haar van Scarlett Colwell en het nieuwe gedicht. 'Dus je hebt nog steeds een oogje op haar?'

'Ga hem nou maar halen.'

Ze opende het portier maar aarzelde toen. 'Bij dat optreden voor Word Power las Todorov een gedicht van Burns voor: "A Parcel of Rogues in a Nation".'

Rebus knikte. 'Dat ken ik. Gaat erover dat de Engelsen ons hebben opgekocht. Schotland had bij een kolonisatiepoging in Panama al zijn geld verloren en Engeland stelde voor de twee landen te verenigen.'

'Wat was daar zo erg aan?'

'Ik vergeet steeds dat jij Engels bent. Toen waren we geen natie meer, Siobhan.'

'Maar een pak gespuis?'

'Volgens Burns, ja.'

'Klinkt alsof Todorov een beetje een Schotse nationalist was.'

'Misschien zag hij hier net zoiets gebeuren als wat hij in zijn eigen land had gezien... verkwanseld voor goud, tin, zink, gas...'

'Weer Andropov?'

Rebus kon alleen zijn schouders ophalen. 'Ga die cd nou maar halen,' zei hij.

37

De boekwinkel was klein en overvol. Rebus vreesde dat hij een display zou omstoten als hij zich ook maar omdraaide. De vrouw achter de kassa zat met haar neus in een boek dat *Labyrinth* heette. Ze werkte parttime en was niet bij de voordracht van Todorov geweest.

'We hebben wel een paar boeken van hem.'

Rebus keek in de richting die ze wees. 'Zijn ze gesigneerd?' vroeg hij. Clarke gaf hem een por in zijn ribben voordat ze de medewerkster vroeg of er die avond foto's waren gemaakt. Ze knikte en mompelde iets over de website van de winkel. Clarke keek Rebus aan.

'Had ik meteen aan moeten denken,' zei ze tegen hem. Dus reden ze terug naar haar flat, waar Rebus besloot liever dubbel te parkeren dan een parkeerplek verderop te zoeken.

'Ik ben hier al een tijd niet geweest,' zei hij toen hij haar door de smalle gang volgde. De flat was ongeveer net zo ingedeeld als de zijne, maar alles was net een slag kleiner.

'Niks tegen jou,' verontschuldigde ze zich. 'Ik vraag niet vaak mensen op bezoek.'

Inmiddels waren ze in de woonkamer. Chocoladewikkels op het tapijt voor de bank, naast een leeg wijnglas. Op de bank zelf zat een grote, eerbiedwaardig uitziende teddybeer. Rebus pakte hem op.

'Het is een Steiff,' liet Clarke hem weten. 'Heb ik al sinds ik klein was.'

'Heeft-ie een naam?'

'Ja.'

'Mag ik die weten?'

'Nee.' Ze was doorgelopen naar het computerbureautje bij het raam en zette de laptop die erop stond aan. Ze had zo'n s-vormig bankje dat goed heet te zijn voor je rug, maar ze zette haar voeten op de steun die voor de knieën was bedoeld. Een paar ogenblikken later had ze de website van Word Power gevonden. Klikte op 'Nieuws' en toen op 'Foto's' en scrolde langzaam naar beneden. Daar was Todorov, die aan het publiek werd voorgesteld. Vooraan zaten mensen op de grond en achterin stonden ze, en allemaal zaten ze te luisteren met de toewijding van overtuigde gelovigen.

'Hoe moeten we daar de Russen uit halen?' vroeg Rebus, en hij steunde met zijn handen op de rand van het tafelblad. 'Kozakkenmutsen? IJspriem in hun oor?'

'We hebben die lijst nooit goed bekeken,' zei Clarke.

'Welke lijst?'

'Die we van Stahov hebben – Russische ingezetenen in Edinburgh. Hij had er zelfs zijn eigen naam op gezet, weet je nog? Ik vraag me af of zijn chauffeur er ook op staat.' Ze tikte op het scherm. Alleen zijn gezicht was zichtbaar. Hij zat op een bruine leren sofa en voor hem zaten of hurkten mensen op de grond. De foto's waren niet door een professionele fotograaf gemaakt, want bijna iedereen had rode ogen. 'Ik heb je toch verteld over dat gedoe bij het mortuarium? Stahov die het lijk van Todorov wou repatriëren? Ik weet bijna zeker dat deze vriend er ook bij was.' Ze tikte weer op het scherm. Rebus boog zich voorover om het beter te kunnen zien.

'Dat is de chauffeur van Andropov,' zei hij. 'We hebben elkaar laatst diep in de ogen gekeken in de lobby van het Caledonian Hotel.'

'Dan moet hij voor twee bazen werken, want toen Stahov achter in zijn oude Mercedes klom, kroop deze vent achter het stuur.' Ze keek naar hem op. 'Denk je dat hij met ons wil praten?'

Rebus haalde zijn schouders op. 'Misschien beroept hij zich op zijn diplomatieke onschendbaarheid.'

'Was hij die avond met Andropov in de bar?'

'Niemand heeft hem genoemd.'

'Heeft misschien buiten staan wachten met de auto.' Ze wierp een blik op haar horloge.

'Wat nu?' vroeg Rebus.

'Ik heb die afspraak met Jim Bakewell, de ster van het Schotse parlement.'

'Waar heb je afgesproken?'

'In het Schotse parlement.'

'Zeg hem dat je dringend aan koffie toe bent – zit ik aan het tafeltje ernaast.'

'Heb jij niks beters te doen?'

'Zoals wat?'

'Uitzoeken wie Cafferty te grazen heeft genomen.'

'Denk je niet dat er verband tussen is?'

'Dat wéten we niet.'

'Ik ben zelf dringend aan zo'n parlementaire espresso toe,' hield Rebus aan.

Ze kon een lach niet onderdrukken. 'Goed dan,' zei ze. 'En ik nodig je echt een keer te eten uit, dat beloof ik.'

'Moet je wel bijtijds zijn... binnenkort staat m'n agenda bol van de afspraken.'

'Voor sommige mensen is hun pensioen het begin van een nieuw leven,' stemde ze in.

'Ik ben niet van plan om duimen te gaan zitten draaien,' verzekerde hij haar.

Clarke was van het bankje opgestaan. Ze bleef voor hem staan, armen langs haar lijf, ogen op hem gericht. De stilte duurde vijftien, twintig seconden, waarna Rebus glimlachte, met het gevoel dat ze een lang gesprek hadden gevoerd zonder woorden nodig te hebben.

'Kom,' verbrak hij de betovering.

Ze belden vanuit de auto naar het Western General om te horen hoe het met Cafferty ging.

'Hij is niet bijgekomen,' herhaalde Rebus de boodschap voor Clarke. 'Later op de dag doen ze nog een scan en ze geven hem medicijnen om een bloedprop te voorkomen.'

'Vind je dat we hem bloemen moeten sturen?'

'Beetje vroeg voor een krans.'

Ze hadden een kortere route via Calton Road genomen en geparkeerd in een woonstraat in Abbeyhill. Clarke zei dat Rebus haar vijf minuten voorsprong moest geven, hetgeen hem de tijd liet voor een sigaret. Er liepen veel toeristen rond; enkelen waren geïnteresseerd in het parlementsgebouw maar de meerderheid ging het om het paleis van Holyrood aan de overkant. Een stel scheen zich te verbazen over de bamboetralies voor sommige ramen van het parlement.

'Hebt u dat nou ook?' mompelde Rebus voor zich uit; hij vertrapte zijn peuk en begaf zich naar binnen. Terwijl hij zijn zakken leegde en klaar ging staan voor de metaaldetector vroeg hij een van de beveiligers naar dat bamboe.

'Geen flauw idee,' zei de man. 'Voor de apen misschien?'

Aan de andere kant van het poortje verzamelde hij zijn spullen en zocht de koffiebar op. Clarke stond in de rij en hij sloot achter haar aan. 'Waar is Bakewell?' vroeg hij.

'Komt eraan. Hij is blijkbaar niet zo'n "koffietype", maar ik zei dat de koffie niet voor hem bedoeld was, maar voor mij.' Ze bestelde cappuccino en pakte wat geld uit haar portemonnee.

'Dan bestel maar meteen voor mij,' zei Rebus. 'Doe maar een dubbele.'

'Wil je dat ik hem ook voor je opdrink?'

'Kan wel de laatste espresso zijn waar je me ooit op trakteert,' zei hij verwijtend.

Ze vonden twee lege tafeltjes naast elkaar en namen plaats. Rebus maakte zich ietwat zorgen over de grote, hol klinkende ruimte. Als iemand hem had gezegd dat hij op een vliegveld was, had hij het kunnen geloven. Hij kon niet bedenken wat de ruimte moest uitdrukken. Een krantenartikel van een paar jaar geleden was hem bijgebleven; de journalist meende dat het gebouw veel te groots was voor zijn concrete functie, dat het in feite 'een onafhankelijk parlement in spe' was. Zat misschien iets in als je bedacht dat de architect een Catalaan was.

'Brigadier Clarke?' Jim Bakewell schudde Clarke de hand en ze vroeg hem of hij iets wilde. 'We kunnen uw koffie wel meenemen naar mijn kantoor,' was zijn enige antwoord.

'Ach, nu we toch hier zijn...'

Bakewell zuchtte, ging zitten en zette zijn bril recht. Hij droeg een tweedjasje en iets wat eruitzag als een das van tweed op een geruit overhemd.

'Ik heb maar even nodig, meneer,' was Clarke begonnen. 'Ik wilde u wat vragen over Alexander Todorov.'

'Ik ben erg geschrokken toen ik het hoorde,' verklaarde Bakewell, maar hij trok ondertussen de vouwen van zijn broekspijpen recht.

'U bent samen met hem te gast geweest in *Question Time*?'

'Klopt.'

'Kunt u me zeggen hoe hij in het algemeen op u overkwam?'

Bakewells ogen hadden een melkblauwe kleur. Hij knikte een passerende bewonderaar toe voordat hij op de vraag inging. 'Ik was aan de late kant, had vastgezeten in het verkeer. Had maar nauwelijks tijd om hem de hand te schudden voor we de zaal in werden geleid. Hij wilde geen make-up, herinner ik me.' Hij zette zijn bril af en begon die te poetsen met zijn zakdoek. 'Hij was nogal kortaf tegen iedereen maar voor de camera deed hij het prima.' Hij zette zijn bril weer op en propte de zakdoek in zijn broekzak.

'En daarna?' vroeg Clarke.

'Volgens mij ging hij er direct vandoor. Niemand blijft eigenlijk hangen, dan moet je over koetjes en kalfjes praten met elkaar.'

'Heulen met de vijand?' vertaalde Clarke.

'Iets in die trant, ja.'

'En ziet u Megan Macfarlane ook zo?'

'Megan is een schat van een vrouw...'

'Maar u gaat niet bij elkaar op de thee?'

'Niet direct, nee,' zei Bakewell met een dun glimlachje.

'Mevrouw Macfarlane schijnt te denken dat de SNP in mei de verkiezingen gaat winnen.'

'Onzin.'

'Denkt u niet dat Schotland Blair een pak voor zijn broek wil geven vanwege Irak?'

'Schotland heeft geen trek in onafhankelijkheid,' verklaarde Bakewell nors.

'Ook niet in Trident-raketten.'

'Labour gaat zich prima redden in mei, brigadier. Daar hoeft u geen nachtje minder om te slapen.'

Clarke leek haar gedachten te ordenen. 'En hoe was het de laatste keer dat u hem zag?'

'Ik geloof niet dat ik u kan volgen.'

'De avond dat meneer Todorov werd vermoord had hij net wat gedronken in het Caledonian Hotel. Daar was u ook.'

'O ja?' Bakewell trok zijn wenkbrauwen samen alsof hij het zich probeerde te herinneren.

'U zat aan een hoektafeltje met een zekere Sergej Andropov, een zakenman.'

'Was dat dezelfde avond?' Hij zag Clarke langzaam knikken.

'Nou, dat neem ik dan van u aan.'

'Meneer Andropov en meneer Todorov zijn samen opgegroeid.'

'Dat is nieuws voor me.'

'Todorov zat aan de bar. U hebt hem niet gezien?'

'Nee.'

'Hij kreeg een drankje aangeboden door een bekende gangster hier, Morris Gerald Cafferty.'

'Meneer Cafferty is wel bij ons aan tafel komen zitten, maar hij had niemand bij zich.'

'Had u hem al eens ontmoet?'

'Nee.'

'Maar u kende zijn reputatie?'

'Ik wist dat hij... nou ja, "gangster" is misschien wat zwaar, brigadier. Maar hij is een nieuwe weg ingeslagen.' De politicus aarzelde. 'Tenzij u bewijs heeft van het tegendeel.'

'Waar hebt u het met die twee heren over gehad?'

'Handel... het economisch klimaat.' Bakewell haalde zijn schouders op. 'Niks spectaculairs.'

'En toen Cafferty bij u kwam zitten zei hij niet toevallig iets over Alexander Todorov?'

'Niet dat ik me kan herinneren.'

'Hoe laat bent u daar weggegaan, meneer?'

Bakewell blies zijn wangen vol en liet de lucht ontsnappen terwijl hij nadacht. 'Kwart over elf... zoiets.'

'En Andropov en Cafferty waren er nog?'

'Ja.'

Clarke liet een stilte vallen. 'Hoe goed dacht u dat Cafferty meneer Andropov kende?'

'Zou ik u niet kunnen zeggen.'

'Maar het was niet de eerste keer dat ze elkaar spraken?'

'Het bedrijf van meneer Cafferty vertegenwoordigt meneer Andropov in een paar vastgoedprojecten.'

'Waarom heeft hij Cafferty gekozen?'

Bakewell lachte geërgerd. 'Dat kunt u hem beter zelf vragen.'

'Ik vraag het u, meneer.'

'Ik heb het gevoel dat u zit te vissen, brigadier, en niet al te subtiel ook. Als minister van Economische Ontwikkeling moet ik met goed aangeschreven zakenmensen praten over toekomstig ontwikkelingspotentieel.'

'Dus u had uw adviseurs bij de hand?' Clarke zag hoe Bakewell nadacht over de formulering van zijn antwoord. 'Als u daar in functie was,' duwde ze door, 'zou ik aannemen dat u zich door uw medewerkers liet bijstaan?'

'Het was een informeel gesprek,' baste de minister.

'Hebt u die regelmatig, meneer, met uw functie?' Bakewell stond op het punt haar de wind van voren te geven, dan wel de aftocht te blazen. Hij drukte met zijn handen op zijn knieën, klaar om op te staan. Maar er kwam een vrouw op hem af en ze sprak hem al aan.

'Jim, waar heb jij je verstopt?' Megan Macfarlane's blik ging naar Clarke en haar glimlach verdween. 'O, u bent het.'

'Ik krijg het vuur aan de schenen gelegd over Alexander Todorov,' legde Bakewell uit. 'En Sergej Andropov.'

Macfarlane fronste naar Clarke en leek klaar voor de aanval maar Clarke gaf haar geen kans. 'Ik ben blij dat ik u tref, mevrouw Macfarlane,' zei ze. 'Ik wilde u nog wat vragen over Charles Riordan.'

'Wie?'

'Hij maakte bij uw commissie opnames voor een kunstproject.'

'Dat project van Roddy Denholm, bedoelt u?' Macfarlane klonk belangstellend. 'Wat is daarmee?'

'Meneer Riordan was bevriend met Alexander Todorov en nu zijn ze allebei dood.'

Maar als Clarke had gehoopt Macfarlane af te leiden had ze gefaald. Het parlementslid priemde een vinger in Rebus' richting. 'Wat moet hij daar zo stilletjes?'

Bakewell keek naar Rebus maar had geen idee wie hij was. 'Ik kan je niet volgen,' bekende hij.

'Dat is haar baas,' legde Macfarlane uit. 'Zo te zien was je vertrouwelijke gesprekje toch niet zo vertrouwelijk, Jim.'

De verbazing in Bakewells blik maakte plaats voor woede. 'Is dat waar?' vroeg hij Clarke. Maar Macfarlane, die haar lol blijkbaar niet op kon, had het woord weer genomen.

'En sterker nog: ik hoor dat hij is geschorst, op de valreep voor zijn pensioen.'

'En hoe hebt u dat gehoord, mevrouw Macfarlane?' vroeg Rebus.

'Ik heb gisteren een gesprek gehad met uw korpschef en ik liet uw naam toevallig vallen.' Ze klakte met haar tong. 'Dit gaat hij niet leuk vinden, hè?'

'Het is een schandaal,' sputterde Bakewell, die nu uiteindelijk overeind kwam.

'Ik heb het nummer van James Corbyn wel voor je,' zei Macfarlane hulpvaardig en zwaaide met haar mobiel. Haar assistent Roddy Liddle stond inmiddels naast haar, zwaar beladen met mappen en klappers.

'Een schandaal!' herhaalde Bakewell, op een toon die mensen deed opkijken. Twee beveiligers toonden bijzondere belangstelling.

'Zullen we?' stelde Clarke Rebus voor. Hij had nog een flinke slok espresso staan, maar het leek hem wel zo galant haar te begeleiden nu ze naar de uitgang beende.

38

'Wat nu?' vroeg Rebus terwijl hij haar terugbracht naar Gayfield Square.

'Met Stahovs chauffeur praten, lijkt me.'

'Denk je dat het consulaat dat goed zal vinden?'

'Heb jij een beter idee?'

Hij haalde zijn schouders op. 'Ik bedoel dat het misschien gemakkelijker is om hem een keer op straat in zijn kraag te grijpen.'

'En als hij geen Engels spreekt?'

'Volgens mij wel,' verklaarde Rebus; hij wist nog hoe hij Cafferty's lijfwacht had zien praten met de chauffeur van Andropov toen hun auto's die avond aan het kanaal geparkeerd stonden. 'En zo niet, dan kennen we allebei een aardige tolk.' Rebus gebaarde naar de achterbank, waar hij de cd op had gegooid. 'Die straks bij me in het krijt staat.'

'Dus ik pluk die chauffeur gewoon van de straat voor verhoor?' Ze staarde Rebus aan. 'Hoeveel meer trammelant wil je dat ik me op de hals haal?'

De Saab passeerde de stoplichten bij Regent Street en reed Royal Terrace in. 'Hoeveel meer kun je hebben?' vroeg hij uiteindelijk.

'Niet veel,' bekende ze. 'Denk je dat Bakewell de baas belt?'

'Best mogelijk.'

'Dan heb ik vast een schorsing te pakken, net als jij.'

Hij keek haar aan. 'Gezellig toch?'

'Volgens mij ben jij aan pensioen toe, John.'

Plotseling zat er een surveillancewagen achter hen die met zijn lichten knipperde. 'Jezus, wat nou weer?' vroeg Rebus aan niemand in het bijzonder. Hij zette de auto net voor de volgende rotonde aan de kant en stapte uit.

De agent nam de tijd om de pet recht te zetten die hij zojuist op zijn hoofd had gezet. Hij was niet iemand die Rebus kende.

'Inspecteur Rebus?' controleerde de agent. Rebus knikte bevestigend.

'Ik heb opdracht om u binnen te halen.'

'Waarheen?'

'West End.'

'Geeft Shug Davidson een surpriseparty voor me?'

'Daar weet ik niks van.'

Hij misschien niet, maar Rebus wel. Wat Shug ook met hem van plan was, zeker geen feestje. Rebus keerde zich om naar Clarke. Ze was inmiddels uitgestapt en liet haar handen op het dak rusten. Een paar voetgangers waren blijven staan om het schouwspel te volgen.

'Neem jij de Saab,' droeg hij haar op. 'Zorg dat dr. Colwell die cd krijgt.'

'En die chauffeur?'

'Sommige dingen moet je zelf maar uitmaken.'

Hij stapte achter in de surveillancewagen. 'Toeters en bellen, jongens,' zei hij. 'We kunnen Shug Davidson niet laten wachten.'

Op Torphichen Place werd hij echter niet opgewacht door Shug Davidson maar door inspecteur Calum Stone, gezeten achter de enige tafel in de verhoorkamer, terwijl brigadier Prosser met zijn handen in zijn zakken in de hoek stond.

'De hele fanclub is aanwezig,' merkte Rebus op en ging tegenover Stone zitten.

'Ik heb nieuws voor je,' antwoordde Stone. 'Dat bloed op die overschoen was van Cafferty.'

'DNA heb je meestal niet zo snel.'

'Oké dan – Cafferty's bloedgroep.'

'Ik voel een "maar" aankomen.'

'Geen bruikbare vingerafdrukken,' gaf Stone toe.

'Oftewel je kunt niet bewijzen dat hij uit mijn kofferbak komt?' Rebus klapte zijn handen samen en begon op te staan. 'Nou, fijn om te weten...'

'Ga zitten, Rebus.'

Rebus overwoog het advies enkele seconden en ging toen zitten.

'Cafferty is nog buiten bewustzijn,' legde Stone uit. 'Ze noemen het nog geen coma, maar zo beschouwen ze het wel. Volgens de dokter zou hij zijn laatste dagen wel eens als kasplant kunnen slijten.' Zijn ogen vernauwden zich. 'Dus kunnen we je misschien toch niet van dat gouden horloge afhouden.'

'Denk je nog steeds dat ik het was?'

'Ik weet het goddomme zeker.'

'En ik heb brigadier Clarke gewoon alles verteld omdat zij jullie het bos in moest sturen?' Rebus zag dat Stone bij elk woord knikte.

'Je hebt je plaats-delictspullen aangetrokken om geen bloed op je te krijgen,' beet Prosser hem vanuit zijn hoek toe. 'Overschoen waait het kanaal in, maar je kunt het niet riskeren erachteraan te gaan...'

'Daar hebben we het allemaal al over gehad!' beet Rebus terug.

'En we komen er ongetwijfeld nog uitgebreid op terug,' dreigde Stone. 'Zodra we ons onderzoek hebben afgerond.'

'Was het maar vast zover.' Nu stond Rebus op. 'Was dat alles?'

Stone knikte alleen weer en wachtte tot Rebus bij de deur was voor hij nog een vraag op hem afvuurde. 'De agenten die je binnen hebben gehaald zeiden dat je een vrouw bij je had – brigadier Clarke neem ik aan?'

'Natuurlijk niet.'

'Leugenaar,' blafte Prosser.

'Je bent nog steeds geschorst, Rebus,' was Stone verdergegaan. 'Wil je haar echt mee omlaag trekken?'

'Dat is grappig, nog geen halfuur geleden vroeg zij me dat ook al...' Rebus duwde de deur open en maakte zich uit de voeten.

Dr. Scarlett Colwell zat achter haar computer toen Siobhan Clarke haar kamer binnenkwam. Clarke vond dat de vrouw een tikje te veel make-up gebruikte en er zonder beter uit zou zien. Wel mooi haar, al vermoedde ze dat daar wat verf aan te pas was gekomen.

'Ik heb de cd van de poëzievoordracht voor u,' zei Clarke en legde hem op het bureau.

'Dank u wel.' Colwell pakte de cd op en bestudeerde hem.

'Zou u ergens naar willen kijken voor me?'

'Natuurlijk.'

'Als ik dan even op uw computer mag...' De academica stond op en gebaarde naar haar plaats aan het bureau. Clarke wurmde zich langs haar heen en Colwell keek over haar schouder mee hoe ze de site van Word Power opzocht en doorklikte naar de fotogalerij, zodat de foto's uit de lunchroom op het scherm verschenen. 'Die foto,' zei ze, met een knikje naar de foto van Todorov aan de muur van haar kamer. 'Hebt u er toevallig meer gemaakt?'

'Die waren zo slecht dat ik ze gedeletet heb. Ik ben niet zo handig met een camera.'

Clarke knikte en wees naar het scherm. 'Herinnert u zich hém?' vroeg ze.

Colwell tuurde naar het gezicht van de chauffeur. 'Die was er, ja.'

'Maar u weet niet wie hij is?'

'Moet ik hem kennen?'

'Heeft Todorov met hem gepraat?'

'Zou ik niet weten. Wie is hij?'

'Een Rus... hij werkt op het consulaat.'

Colwell bekeek het gezicht aandachtiger. 'Weet u,' zei ze, 'ik denk dat hij er in de Poetry Library ook bij was.'

Clarke keerde zich naar haar om. 'Weet u het zeker?'

'Met een andere man...' Maar ze begon haar hoofd te schudden. 'Hoewel, heel zeker weet ik het niet.'

'Neem gerust de tijd,' nodigde Clarke haar uit, dus Colwell duwde met beide handen haar krullen naar achteren en dacht nog eens na.

'Ik weet het echt niet zeker,' bekende ze na een stilte, en liet haar haar weer rond haar gezicht vallen. 'Misschien haal ik de twee avonden door elkaar – snapt u wat ik bedoel?'

'Dat u de man in de ene situatie denkt te zien omdat u weet dat hij er de andere avond bij was?'

'Precies. Hebt u andere foto's van hem?'

'Nee.' Maar Clarke typte de naam Nikolaj Stahov in de zoekmachine. Dat leverde niets op, dus gaf ze Colwell een beschrijving van de medewerker van het consulaat.

'Zegt me niets,' zei Colwell verontschuldigend, dus probeerde Clarke het nogmaals, dit keer met een beschrijving van Andropov. Toen Colwell weer haar schouders ophaalde, zocht Clarke de website van de *Evening News* op. Bladerde een paar dagen terug tot ze het verhaal had gevonden over de Russische handelsmissie en hun eetfestijn. Naast het artikel een groepsfoto; ze wees een van de gezichten aan.

'Die komt me wél bekend voor,' erkende Colwell.

'Van de Poetry Library?'

De academica haalde haar schouders op en zuchtte diep. Clarke zei dat het geen punt was en belde met haar mobiel de Poetry Library.

'Mevrouw Thomas?' vroeg ze toen haar oproep werd beantwoord.

'Is er vandaag niet,' luidde het antwoord van de vrouw aan de andere kant. 'Kan ik u helpen?'

'U spreekt met brigadier Clarke. Ik ben bezig met het onderzoek naar de moord op Alexander Todorov en ik moet haar wat vragen.'

'Ze is vandaag thuis... hebt u haar nummer?'

Clarke noteerde het nummer en belde het. Ze vroeg Abigail Thomas of ze thuis internet had en loodste haar vervolgens door de links naar Word Power en de krant.

'Mmm, ja,' zei Thomas uiteindelijk, 'allebei, denk ik. Zaten ergens vooraan, tweede rij of zo.'

'Weet u dat zeker?'

'Vrij zeker.'

'En het zal wel niet, maar ik vraag het toch maar even... heeft niemand die avond foto's gemaakt?'

'Misschien iemand die een camera in zijn mobieltje had of zo.'

'En u hebt geen beveiligingscamera in de Library?'

'Het is een bibliothéék,' benadrukte Abigail Thomas.

'Het was maar een vraag... Bedankt voor uw hulp.' Clarke hing op.

'Waarom is het zo belangrijk?' onderbrak Colwell haar gemijmer.

'Is het misschien ook niet,' gaf de rechercheur toe. 'Maar Todorov en Andropov hebben in dezelfde bar een borrel gedronken, de avond dat Todorov is vermoord.'

'Aan dat krantenartikel te zien is meneer Andropov een soort zakenman?'

'Ze zijn in dezelfde wijk in Moskou opgegroeid. Inspecteur Rebus zegt dat ze elkaar kenden.'

'O.'

Clarke zag dat ze Colwell op een idee had gebracht. 'Wat is er?' vroeg ze.

'Dat zou iets kunnen verklaren,' overwoog Colwell.

'Te weten?'

De academica pakte de cd weer op. 'Dat nieuwe gedicht van Alexander.' Ze liep naar de boekenkast en hurkte ervoor neer. Er stond een draagbaar stereosetje en ze schoof de cd erin en drukte op play. De kamer vulde zich met geluiden van de toehoorders die hun plaats opzochten en kuchten. 'Ongeveer halverwege,' dacht Colwell hardop en hield de *next*-knop ingedrukt. Maar daarmee kwam ze direct aan het eind van de opname terecht. 'Ach ja,' zei ze, 'het is natuurlijk één lange track.' Dus ging ze terug naar het begin en drukte op fastforward.

'Toen ik ernaar luisterde,' zei Clarke, 'viel me op dat hij sommige gedichten in het Engels voorlas en sommige in het Russisch.'

Colwell knikte. 'Dat nieuwe gedicht was in het Russisch. Ah, hier heb je het.' Ze stapte terug naar haar bureau, pakte een blocnote en pen en begon diep geconcentreerd te schrijven. Na een tijdje vroeg ze Clarke de opname terug te spoelen. Weer luisterden ze en Clarke drukte op pauze als ze het idee had dat Colwell het niet kon bijhouden. 'Ik zou eigenlijk meer tijd moeten hebben,' verontschuldigde Colwell zich. 'Dit is niet de manier om een gedicht te vertalen.'

'Noem het maar een kladversie,' moedigde Clarke haar aan. Colwell streek haar lokken achterover en begon opnieuw. Na twintig minuten gooide ze de pen op het bureau. Op de cd vertelde Todorov het publiek dat het volgende gedicht uit *Astapovo Blues* kwam.

'Hij heeft over dat nieuwe gedicht niets gezegd,' realiseerde Clarke zich.

'Niets,' stemde Colwell in.

'Geen inleiding of niks.'

Colwell schudde haar hoofd en duwde haar haar weer naar achteren. 'Ik denk niet dat veel mensen in de gaten hebben gehad dat het een nieuw stuk was.'

'Maar kunt u met zekerheid zeggen dat het nieuw wás?'

'In zijn flat liggen zo te zien geen kladversies, en zijn gepubliceerde werk ken ik vrij goed.'

Clarke knikte dat ze het begreep en stak haar hand uit. 'Mag ik?' De academica keek weifelend maar gaf haar uiteindelijk toch de blocnote. 'Het is echt een heel ruwe aanzet... ik heb geen idee waar de regels beginnen en eindigen...'

Clarke negeerde haar en begon te lezen.

De wintertong likt de kinderen van Zhdanov... De duivelstong likt Moeder Rusland, smaakpapillen gedoopt in edelmetalen. Harteloze honger... De hebzuchtige buik kent geen voldoening, geen rust, geen liefde. De lust rijpt, maar wil alleen verzwelgen. Kruimels vallen van tafel voor iedereen in de hitte van de hongersnood, penitenties voor iedereen terwijl de winterschaduw valt... Zo'n troep schooiers in mijn land.

Clarke las het nog twee keer door en keek Colwell aan. 'Niet erg goed, hè?'

'Een ruwe aanzet,' zei de academica verdedigend.

'Ik bedoel niet uw vertaling,' stelde Clarke haar gerust.

Uiteindelijk knikte Colwell. 'Maar er spreekt wel woede uit.'

Clarke herinnerde zich wat professor Gates had gezegd bij de sectie op Todorov: *Hier is iemand razend geworden.* 'Ja,' stemde ze in. 'En al die beeldspraak over eten...'

Colwell begreep wat ze bedoelde. 'Dat artikel in de krant? Maar dat is toch pas verschenen nadat Alexander dood was?'

'Klopt, maar dat banket was een paar dagen daarvoor – misschien wist hij ervan.'

'Dus u wil zeggen dat dit gedicht over die zakenman gaat?'

'Ter plekke bedacht, alleen om hem te jennen. Andropov heeft een fortuin vergaard met die "edelmetalen" waar Todorov het over heeft.'

'En dan is hij de duivel?'

'U klinkt niet erg overtuigd.'

'Het is een ruwe vertaling... Bij sommige frasen moest ik gokken. Ik heb er echt meer tijd voor nodig.'

Clarke knikte langzaam en bedacht toen iets. 'Mag ik u nog een andere cd laten horen?' Ze diepte hem op uit haar tas en knielde bij de stereoset. Weer duurde het even voor het juiste moment was gevonden, het moment waarop Charles Riordan, na de voordracht bij Word Power, met zijn rondhengelende microfoon de Russische stem had opgepikt.

'Dit hier,' zei Clarke.

'Het zijn maar een paar woorden,' zei Colwell. 'Hij neemt de telefoon op. Het enige wat hij zegt is "hallo" en "ja".'

'Het was te proberen,' zuchtte Clarke, en haalde de cd eruit en kwam overeind. Ze reikte weer naar de blocnote. 'Kan ik het gedicht vast meenemen? Dan kunt u rustig verder werken aan een versie die u accurater vindt?'

'Was Alexander gebrouilleerd met die zakenman?'

'Ik weet het niet.'

'Maar het kan een motief zijn, niet? En als ze elkaar in die bar hebben teruggezien...'

Clarke stak waarschuwend een hand op. 'We hebben geen bewijs dat ze elkaar zelfs maar hebben gezien in die bar, dus ik wou u vriendelijk vragen om dit allemaal voor u te houden. Anders zou u het onderzoek in gevaar kunnen brengen.'

'Ik begrijp het.' De academica knikte instemmend. Clarke scheurde het vel uit de blocnote en vouwde het in vieren.

'Nog één tip,' zei Clarke toen ze klaar was met vouwen. 'In de laatste regel citeert hij Robert Burns. En die zegt niet een "troep schooiers", maar een "pak gespuis"...'

39

Rebus zat aan het bed van Morris Gerald Cafferty.

Hij had zijn legitimatie getoond en de dagzuster gevraagd of Cafferty nog ander bezoek had gekregen. Ze had haar hoofd geschud.

Nee, want wat hij Rebus ook voorspiegelde, Cafferty had geen vrienden. Zijn vrouw was dood, zijn zoon jaren geleden vermoord. Zijn oude getrouwe rechterhand was na een onenigheid 'verdwenen'. Thuis had hij nog maar één lijfwacht, wiens voornaamste zorg op dit moment waarschijnlijk was waar zijn salaris volgende maand vandaan zou komen. Er waren ongetwijfeld accountants en advocaten – Stone zou wel weten wie precies – maar dat was niet het slag mensen dat iemand een fruitmand kwam brengen. Cafferty lag nog op de intensive care, maar Rebus had twee artsen horen praten over een naderend beddentekort. Misschien zouden ze hem overplaatsen naar een open afdeling. Of, als zijn financiën niet bevroren waren, naar een privékamer. Voor het moment scheen hij tevreden met de slangen, de apparaten en de flikkerende monitoren. Op zijn schedel waren draden vastgeplakt die de hersenactiviteit maten. Vanuit infusen druppelden vloeistoffen in een arm. Cafferty had kennelijk een soort nachthemd aan met een voorkant maar, zo raadde Rebus, geen achterkant. Blote armen overdekt met haren die eruitzagen als zilverdraad. Rebus ging staan en boog zich over Cafferty's gezicht, benieuwd of de monitor enig besef van zijn nabijheid zou verraden, maar de beelden bleven ongewijzigd. Hij volgde de route van Cafferty's lichaam naar de apparatuur en vandaar naar de wandcontacten. Cafferty was niet stervende, zoveel had de dokter wel bekendgemaakt. Nog een reden om hem van de intensive care weg te halen. Hoe intensief moest je een kasplant verzorgen? Rebus bekeek Cafferty's knokkels en vingernagels, de dikke polsen, de droge witte huid op de ellebogen. Hij was een forse kerel, ja, maar niet bijzonder gespierd. De nek vertoonde plooien, als de kringen van een net gevelde boom. De onderkaak hing slap neer en de mond werd door een buis opengehouden. Van één mondhoek liep een spoor naar beneden, waar speeksel was opgedroogd tot een korst. Met gesloten ogen maakte Cafferty een vrij ongevaarlijke indruk. Het beetje haar dat nog op zijn schedel stond moest gewassen worden. De staten die aan het voeteneind van het bed hingen leerden Rebus niets. Ze waren niet meer dan een manier om het leven van de patiënt te reduceren tot rijen cijfers en grafieken. Niet te zeggen of een stijgende lijn een goed of een slecht teken was...

'Wakker worden, ouwe lul,' fluisterde Rebus de gangster in het oor. 'Het speelkwartier is voorbij.' Geen krimp. 'Je kan je toch niet verschuilen in die dikke kop van je. Ik blijf gewoon zitten wachten.'

Geen reactie, afgezien van een gorgelend keelgeluid, en dat geluid maakte Cafferty zo om de dertig seconden. Rebus liet zich weer in zijn stoel zakken. Toen hij was gekomen, had de zuster gevraagd of hij de broer van de patiënt was.

'Maakt het wat uit?'

'Nee, u lijkt gewoon op hem,' had ze gezegd terwijl ze wegwaggelde. Het leek hem wel een leuk verhaal voor de patiënt, maar voordat hij eraan kon beginnen voelde hij iets trillen in het borstzakje van zijn shirt. Hij haalde zijn mobiel eruit en keek om zich heen of iemand er wat van zou zeggen.

'Zeg het eens, Shiv,' zei hij.

'Andropov en zijn chauffeur zaten in de zaal in de Poetry Library. Todorov heeft ter plekke een gedicht verzonnen en ik denk dat het tegen Andropov gericht was.'

'Interessant.'

'Hebben ze je pauze gegeven?'

Het duurde even voordat Rebus besefte wat ze bedoelde. 'Ik word niet ondervraagd. Zat alleen maar bloed op die overschoen – zelfde bloedgroep als Cafferty.'

'Waar ben je dan nou?'

'Op ziekenbezoek.'

'Jezus, John, wat zullen ze daarvan denken?'

'Ik was niet van plan om een kussen op zijn gezicht te duwen.'

'Maar stel dat hij de pijp uit gaat terwijl je er bent?'

'Scherp denkwerk, brigadier Clarke.'

'Ga dan weg.'

'Waar wil je afspreken?'

'Ik moet terug naar Gayfield Square.'

'Ik dacht dat we de chauffeur gingen oppikken?'

' "We" doen helemaal niks.'

'Wat, wil je het eerst aan Derek Starr vragen?'

'Ja.'

'Hij weet lang niet zoveel van deze zaak als wij.'

'John, op dit moment hebben we nul komma nul.'

'Vind ik niet. De verbanden beginnen duidelijk te worden... dat voel je toch zelf ook wel?' Hij was uit zijn stoel opgestaan, maar alleen om zich weer over Cafferty's gezicht te buigen. Uit een van de apparaten klonk een luide pieptoon, gevolgd door een hoorbare zucht van Clarke.

'Je zit nog bij hem,' verklaarde ze.

'Ik dacht dat ik hem met zijn oogleden zag knipperen. Dus waar spreken we af?'

'Ik moet het eerst met Starr en Macrae bespreken.'

'Ga dan naar Stone.'

Ze bleef een ogenblik stil. 'Dat heb ik vast niet goed verstaan.'

'De DGM kan meer dan wij. Geef hun die Todorov-Andropov-link.'

'Waarom?'

'Omdat Stone er iets aan kan hebben bij de zaak die hij tegen Cafferty opbouwt. Andropov is een zakenman... en zakenmensen maken graag deals.'

'Je weet best dat dat niet gaat gebeuren.'

'Waarom sta ik hier dan m'n adem te verspillen?'

'Omdat je denkt dat ik een wit voetje bij Stone moet halen. Hij heeft het in zijn hoofd gehaald dat ik je geholpen heb om Cafferty te grazen te nemen. Het enige wat ik kan doen om hem van dat idee af te helpen is hem dit geven.'

'Soms ben je te slim voor je eigen bestwil.' Hij zweeg even. 'Toch moet je met hem praten. Als het consulaat met diplomatieke onschendbaarheid gaat schermen, staat de DGM sterker dan wij.'

'Hoezo dat?'

'Zij hebben lijntjes met de Special Branch en MI6.'

'Gaan we voor James Bond spelen?'

'Er is maar één James Bond, Shiv,' sprak hij vermanend, in de hoop op een lach die niet kwam.

'Ik zal er eens over nadenken,' zei ze in plaats daarvan, 'als jij belooft dat je binnen vijf minuten uit dat ziekenhuis weg bent.'

'Ik ben al onderweg,' loog hij en verbrak de verbinding. Hij had een droge mond en kon zich niet voorstellen dat de patiënt er bezwaar tegen zou hebben als hij wat dronk van het water dat op het nachtkastje klaarstond. Er stond een doorzichtige plastic kan met ernaast een glas. Rebus dronk twee glazen leeg en besloot toen eens in het nachtkastje zelf te kijken.

Hij had niet verwacht daar Cafferty's horloge, portefeuille en sleutels aan te treffen. Maar aangezien ze er lagen klapte hij de portefeuille open en zag dat er vijf briefjes van tien pond en een stel creditcards in zaten, plus wat stukjes papier met telefoonnummers; geen ervan zei Rebus iets. Het horloge was natuurlijk een Rolex, en hij woog het in zijn hand om zich ervan te vergewissen dat het een echte was. Toen pakte hij de sleutelbos: zes stuks. Ze rinkelden en tinkelden toen hij ze tussen handpalm en vingers liet rollen.

Huissleutels.

Liet ze rinkelen en tinkelen terwijl hij Cafferty aanstaarde.

'Bezwaar?' vroeg hij zacht. En na nog een ogenblik: 'Dacht ik al niet.'

Zijn geluk kon niet op, zo leek het: niemand had de moeite genomen het alarm in te stellen en Cafferty's lijfwacht was elders. Nadat hij zich door de voordeur had binnengelaten, liep Rebus eerst de hoeken van de plafonds na op beveiligingscamera's. Die waren er niet, dus wandelde hij de woonkamer in. Het huis stamde uit de victoriaanse tijd en de hoge plafonds waren voorzien van fijn bewerkte kroonlijsten. Cafferty was kunst gaan verzamelen, grote doeken met explosies van verf die Rebus pijn deden aan zijn ogen. Hij vroeg zich af of er iets van Roddy Denholm bij was. De gordijnen waren dicht en hij liet ze dicht en draaide het licht aan. Tv, hifi en drie sofa's. Niets op het marmeren blad van de salontafel dan wat oude kranten en een leesbril – de gangster was te ijdel om buitenshuis een bril te dragen. Rechts van de haard was een deur en Rebus deed hem open. Cafferty's drankkast, groot genoeg voor een dubbele koelkast, een wand met wijnrekken en een plank vol flessen sterkedrank. Hij sloot de deur voor de verleiding te groot werd en ging terug naar de hal. Meer deuren: een zaal van een keuken, een tuinkamer met pooltafel, linnenkamer, badkamer, kantoor, een tweede, minder formele zitkamer. Hij vroeg zich af of de gangster echt graag ronddwaalde in zo'n groot huis.

'Natuurlijk wel,' beantwoordde hij zijn eigen vraag. Een brede, met tapijt beklede trap. Eerste verdieping: twee slaapkamers met eigen badkamer, een thuisbioscoop met een 42 inch plasmascherm vlak tegen de muur en iets wat eruitzag als een berghok vol dozen en theekisten, merendeels leeg. Op één doos stond een dameshoed, in de doos zelf fotoalbums en schoenen. Het laatste, vermoedde Rebus, wat er van wijlen mevrouw Cafferty was overgebleven. Aan een muur hing een dartsbord; de gaatjes in de muur eromheen suggereerden dat de gebruiker meer zou moeten trainen. Rebus veronderstelde dat het dartsbord in onbruik was geraakt toen de kamer een andere functie kreeg.

De laatste deur op de overloop gaf toegang tot een smalle spiltrap. Op de zolder nog meer kamers: een met een professionele snookertafel met daarop een dekzeil, en een goed gevulde bibliotheek. Rebus herkende de boekenkasten, dezelfde als die hij bij Ikea had gekocht. Meest stoffige paperbacks, thrillers voor meneer en romantiek voor mevrouw. Ook een paar kinderboeken, die waarschijnlijk van Cafferty's zoon waren geweest. De kamers deden weinig gebruikt aan en de vloerplanken kraakten waar hij liep. De gangster nam niet vaak meer de moeite deze laatste trap te beklimmen, veronderstelde Rebus.

Terug beneden aangekomen liep hij Cafferty's werkkamer weer binnen. Het was een ruim vertrek dat uitzag op de achtertuin. Ook hier waren de gordijnen gesloten, maar Rebus waagde het ze op een kiertje te openen om het koetshuis te kunnen zien. Ervoor stonden twee auto's geparkeerd, de Bentley en een Audi. Geen spoor van de lijfwacht. Rebus sloot de gordijnen weer en deed het licht aan. Midden in de kamer stond een oud bureau bezaaid met papieren, zo te zien meest huishoudelijke rekeningen. Rebus ging in de leren bureaustoel zitten en trok wat laden open. Het eerste wat hij tegenkwam was een pistool van een hem onbekend merk, met zoiets als Russische letters op de loop.

'Cadeautje van je kameraad?' giste Rebus. Er zat echter geen munitie in het magazijn en ook in de la lagen geen kogels. Het was lang geleden dat Rebus een vuurwapen in handen had gehad. Hij keurde het op gewicht en balans en legde het met zijn zakdoek terug waar hij het had gevonden. Bankafschriften in de la eronder. Cafferty had zestienduizend pond op zijn lopende rekening staan en een kwart miljoen die hem rente op de geldmarkt opleverde. Een aandelenportfolio voegde nog eens honderdduizend aan de pot toe. Rebus zag geen hypotheekbetalingen, wat betekende dat hij het huis waarschijnlijk al vrij had. Moest in dit deel van de stad gauw anderhalf miljoen waard zijn. En dat was vast en zeker niet alles; Stone had het gehad over verschillende lege vennootschappen en bezittingen in het buitenland. Cafferty bezat bars, clubs, een woningverhuurbedrijf en een snookerhal. Ook zou hij een aandeel in een autoverhuurbedrijf hebben. Rebus' aandacht werd plotseling getrokken door iets in de hoek van de kamer: een degelijke oude brandkast met een combinatieslot. Hij was kopergroen en kwam uit Kentucky. Hij liep ernaartoe en merkte – niet tot zijn verrassing – dat de safe afgesloten was. De enige combinatie die hij kon bedenken was Cafferty's geboortedatum. Achttien tien zesenveertig. Rebus trok aan de kruk en de deur zwaaide open.

Hij gunde zichzelf een glimlach. Kon er niet meer opkomen waarom hij die datum had onthouden maar het was niet voor niets geweest.

De inhoud van de safe: twee dozen 9 millimetermunitie, vier stapeltjes bankbiljetten van twintig en vijftig pond, een paar archiefdozen, diskettes, een juwelenkastje met de halskettingen en oorbellen van wijlen mevrouw Cafferty. Rebus pakte Cafferty's paspoort en bladerde het door: geen bezoeken aan Rusland. Geboortebewijzen van de man zelf, geboorte- en overlijdensakten van echtgenote en zoon. Op de huwelijksakte stond dat Cafferty in 1973 was getrouwd voor de burgerlijke stand in Edinburgh. Hij legde de documenten terug en bestudeerde de diskettes – geen etiketten, geen opschriften. Er stond in het kantoor geen computer, hij was er in het hele huis trouwens geen tegengekomen. Op de onderste plank van de safe stond een kartonnen doosje. Rebus pakte het eruit en maakte het open. Het bevatte een stuk of twintig glimmende zilveren schijfjes. Cd's, dacht hij eerst. Maar toen hij er een tegen het licht hield, zag hij de markering DVD-R, 4,7 GB. Rebus was geen techneut maar hij nam aan dat het ding, wat het ook was, op het systeem boven kon worden afgespeeld. De schijfjes waren geen van alle beschreven, maar er stonden wel gekleurde stippen op – groen, blauw, rood of geel.

Rebus sloot de safe en gaf een slinger aan het draaiwiel, schakelde het licht uit en sloop weer naar boven met de doos dvd's in zijn hand. De thuisbioscoop had geblindeerde ramen en een rij leren leunstoelen, met daarachter een tweede rij bestaande uit een stel tweezitsbanken. Hij hurkte voor de batterij apparaten en legde een dvd in de lade, schakelde het scherm in en trok zich terug in een van de leunstoelen. Hij had drie afstandsbedieningen nodig om alles – scherm, dvd-speler en luidsprekers – aan de gang te krijgen. Gezeten op de rand van de zwarte leren stoel zag hij de beelden verschijnen van wat een beveiligingscamera leek.

Een kamer. Een woonkamer. Een rommeltje van meubilair en menselijke gestalten. Twee van de gestalten maakten zich uit de groep los en liepen hand in hand naar de deur. Het beeld versprong plotseling naar een slaapkamer waar dezelfde twee figuren binnenkwamen, elkaar begonnen te zoenen en hun kleren uittrokken. Tieners. Rebus herkende ze geen van beiden, herkende ook de omgeving niet, die er een stuk armoediger uitzag dan Cafferty's eigen huis.

Oké, dus de oude gangster kwam aan zijn trekken met amateurporno... Rebus spoelde vooruit, maar het beeld bleef gericht op het parende paar. Ze waren vanboven en van opzij gefilmd. Weer een cut en het meisje was in de badkamer, ze zat op het toilet en kleedde zich daarna weer uit om te douchen. Ze was mager, bijna uitgemergeld, en had bloeduitstortingen op haar armen. Hij spoelde verder door, maar er stond niets meer op de schijf.

De volgende: een blauwe stip in plaats van een groene. Andere, maar vergelijkbare locatie; ander, maar vergelijkbaar scenario.

'Zo'n pervers trekje kan er nog wel bij, Cafferty,' mompelde Rebus en drukte op de ejectknop. Hij probeerde nog een groene stip: terug naar het stel op de eerste schijf. Er komt lijn in, John... Rode stip: een andere flat, een joint die rondgaat, een meisje dat een bad neemt, een jongen die zich in zijn slaapkamer aan zijn gerief helpt.

Rebus verwachtte geen verrassingen van de gele stip en viel ook prompt midden in soortgelijke scenario's als ervoor, maar met één veelzeggend verschil: hij kende zowel de flat als de acteurs.

Nancy Sievewright en Eddie Gentry. De flat in Blair Street. De flat die werd verhuurd door MGC Verhuur.

'Zo zo,' zei Rebus in zichzelf. Beelden van een feestje in de woonkamer. Dansen en drank en iets wat volgens Rebus een paar lijntjes coke waren, voor bij de hasj. Een man werd gepijpt op de badkamer, een opstootje in de hal. Volgende schijf: Sol Goodyear komt gedag zeggen en wordt beloond met een stoeipartij in Nancy's slaapkamer en een gezamenlijke wasbeurt in de krappe douchecabine. Hij vertrekt en zij leunt achterover met de hasj die hij heeft achtergelaten en draait zichzelf een smakelijke joint. Woonkamer, badkamer, haar slaapkamer, gang.

'Alles behalve de keuken.' Rebus stopte. 'De keuken,' herhaalde hij tegen zichzelf, 'en de slaapkamer van Eddie Gentry...'

Toen hij eenmaal bij de laatste schijf in de doos was aangekomen, was hij het zat. Het was alsof hij naar zo'n realitysoap op tv keek, maar zonder reclame om de eentonigheid te verdrijven. Maar deze dvd was anders: geen stip. Maar wel geluid. Rebus zag de kamer waarin hij zat, alleen zaten er nu allerlei mannen in de stoelen en banken. Mannen die sigaren rookten. Mannen die wijn slurpten uit kristallen glazen. Praatgrage, aangeschoten, opgewekte mannen die een dvd-vertoning voorgeschoteld kregen.

'Heerlijk gegeten,' merkte een van hen op tegen de gastheer. Er klonk instemmend gebrom en de rook walmde op. De camera was op de mannen gericht, dus die moest... Rebus kwam overeind en liep naar het plasmascherm. Net boven een hoek van de tv was in de muur een gaatje geboord. Niemand zou het ooit zien, of hij zou het voor een beschadiging van het stucwerk houden. Rebus tuurde erin maar zag niets. Hij ging de kamer uit en betrad die ernaast: de badkamer. Wastafel, spiegel en badkamerkastje. In het kastje: niets, geen camera, geen snoeren. Hij boog zich voorover naar het kijkgaatje en keek de thuisbioscoop in. Het commentaar van de mannen op de dvd die ze bekeken liet Rebus geen enkele twijfel dat ze sommige van dezelfde beelden zagen die hij net had bekeken.

'Was mijn vrouw maar zo.'

'Misschien als je 'r eens op rode libanon trakteerde in plaats van chardonnay...'

'Valt te proberen.'

'En ze weten niet dat ze gefilmd worden, Morris?'

Cafferty's stem van achter in de kamer: 'Hebben ze geen idee van,' gromde hij vrolijk.

'Is Chuck Berry niet ooit gepakt voor zoiets?'

'Wou je het eens met die van jou proberen, Roger?'

'Jaartje of twintig getrouwd, Stuart.'

'Nee dus, zeker...'

Rebus was op zijn knieën voor het scherm gaan zitten. Roger en Stuart, met wijn en sigaren verwend door Cafferty en nu genietend van deze eigenaardige vorm van relatiebeheer.

Roger Anderson.

Stuart Janney.

De trots van First Albannach.

'Michael zal de pest in hebben dat hij dit heeft gemist,' ging Janney lachend verder. Sir Michael Addison, ongetwijfeld. Maar volgens Rebus zat hij er helemaal naast. Hij wierp de dvd uit het apparaat en ging terug naar die met het feestje. De pijpster in de badkamer vertoonde een haast griezelige gelijkenis met Gill Morgan, actrice in spe en verwende stiefdochter van Sir Michael. Haar hoofd had zich in de woonkamer ook al over een van de lijntjes coke gebogen. Rebus ging terug naar de opnames in de thuisbioscoop en probeerde na te gaan welke dvd de groep zat te bekijken. Hield zijn blik strak gevestigd op de twee bankiers, op zoek naar tekenen dat een van hen de stiefdochter van hun baas herkende. Reden genoeg voor een wraakoefening tegen Cafferty? Misschien. Maar hoe waren ze hier eigenlijk terechtgekomen? Rebus kon wel een paar redenen bedenken. Vanuit Cafferty's bankafschriften wist hij nu dat hij zijn binnenlandse bankzaken via de FAB regelde. Daarnaast had hij de bank natuurlijk in contact gebracht met een nieuwe en gefortuneerde klant: Sergej Andropov. Misschien waren die twee uit op een deal met de FAB, een vorstelijke lening om tientallen hectares van Edinburgh op te kopen.

Andropov stond op het punt van emigreren, Rusland ontvluchten om aan vervolging te ontkomen. Misschien meende hij dat hij het Schotse parlement kon overhalen hem niet uit te wijzen. Misschien wilde hij zich inkopen in het toekomstige onafhankelijke Schotland. Klein landje, makkelijk om daar een grote naam te worden.

Met Cafferty als havenloods.

Als gulle gastheer die een feestje weet te geven... en op te nemen.

Voor zijn eigen plezier? Of om tegen zijn gasten te gebruiken? Rebus kon zich niet voorstellen dat types als Janney en Anderson er veel last van zouden hebben. Maar nu kwam er iemand anders overeind van een bank op de tweede rij. Rebus had de indruk dat alleen Cafferty zelf en deze man op de achterste rij hadden gezeten.

'Toilet?' vroeg hij.

'Aan de overkant van de overloop,' wees de gastheer hem de weg. Natuurlijk, Cafferty wilde niet dat hij die naast de tv-zaal zou gebruiken, met het risico dat hij de camera ontdekte.

'Zal maar niet vragen wat je daar gaat doen, Jim,' merkte Stuart Janney op, waarmee hij bulderend gelach oogstte.

'Alles in het nette, Stuart,' antwoordde de man die Jim werd genoemd, en hij verliet het vertrek.

Jim Bakewell, de minister van Economische Ontwikkeling. Hetgeen betekende dat Bakewell had gelogen toen hij in het parlementsgebouw tegen Siobhan had gezegd dat hij Cafferty die avond in het hotel voor het eerst had ontmoet.

'Nee, ga nou maar eens klagen bij de korpschef, Jimbo,' mompelde Rebus en priemde met een vinger in diens richting.

Veel meer stond er niet op de dvd. Na een halfuur hadden de gasten de show wel gezien. Het gezelschap bleek nog drie toeschouwers te bevatten die Rebus niet kende. Ondernemers, zo te zien – rooie kop, stevige pens. Aannemers? Leveranciers? Misschien zelfs raadsleden... Rebus wist dat hij er waarschijnlijk wel achter kon komen, maar dan moest hij de dvd meenemen. Op zich prima, zolang niemand merkte dat hij weg was. Als iemand erachter kwam dat Rebus hier was geweest, zouden Cafferty's advocaten hun lol niet op kunnen.

'O ja, John? Welke advocaten dan?'

Ja, immers: wat zou de aanklacht zijn? Camera's ophangen in een flat die je verhuurt? Peanuts – de rechter zou de dvd's met veel belangstelling bekijken en de gangster heenzenden met een boete van niks. Rebus schakelde alle apparatuur zorgvuldig uit en verwijderde eventuele vingerafdrukken, nam de trap naar beneden en deed de safe weer open en plaatste de doos terug; de laatste dvd hield hij. De witmarmeren hal door en terug in de zoet geurende buitenlucht, de voordeur terug op slot. Hij moest Cafferty's sleutels terugbrengen, maar eerst moest hij even nadenken. Hij sloeg buiten het hek links af en boven aan de helling weer links naar Bruntsfield Place en de eerste de beste taxi.

Eddie Gentry deed voor hem open, compleet met eyeliner en rode bandana.

'Nancy is er niet,' zei hij.

'Hebben jullie het bijgelegd?'

'We hebben een openhartig gesprek gehad.'

Rebus moest lachen. 'Vraag je me nog binnen, Eddie? En tussen haakjes: mooie cd.'

Gentry overwoog zijn opties, draaide zich toen om en duwde de deur van de woonkamer open. Rebus volgde hem naar binnen.

'Kijk je ooit naar *Big Brother*, Eddie?' Rebus liep met zijn handen in zijn zakken de kamer rond.

'Ik heb wel wat beters te doen.'

'Kan ik me indenken,' kwam Rebus hem tegemoet. 'Maar weet je wat me niet was opgevallen toen ik hier eerder was?'

'Nou?'

Rebus keek omhoog. 'Je plafonds zijn verlaagd.'

'O ja?'

Rebus knikte. 'Was dat al gebeurd voordat je hier introk?'

'Zal wel.'

'Er kunnen authentieke elementen onder zitten – ornamenten, kroonlijst... Waarom zou de huisbaas die weg willen werken, denk je?'

'Isolatie?'

'Hoezo dat?'

Gentry haalde zijn schouders op. 'Wordt de kamer lager, minder stookkosten.'

'Dus dat is in alle kamers zo? Valse plafonds?'

'Weet ik veel, ik ben geen architect.'

Rebus hield de blik van de jongeman vast en zag een haast onmerkbare trilling in zijn mondhoek. Eddie Gentry voelde zich niet op zijn gemak. De rechercheur liet een lage, aanhoudende fluittoon horen.

'Je weet het, hè?' zei hij. 'Je weet het al die tijd al?'

'Wat weet ik?'

'Dat Cafferty hier naar binnen kan kijken. Camera's in de plafonds, de muren...' Hij wees naar een hoek van de kamer. 'Zie je dat gat? Dat eruitziet alsof iemand op een verkeerde plek heeft geboord?' Gentry vertrok geen spier. 'Daarachter staat een lens op ons gericht. Maar dat weet jij al. En trouwens, misschien moet jij zelfs de camera aan en uit zetten.' Gentry had zijn armen voor zijn borst gevouwen. 'Die opnames die jij bij CR Studios hebt gemaakt, ik wed dat die een fors bedrag hebben gekost. Heeft Cafferty ze betaald? Zat dat ook in de deal? Wat geld in je zak... lage huur... niet te veel medehuurders... en het enige wat je hoefde te doen was een paar feestjes geven.' Rebus speculeerde hardop. 'Stuff geleverd door Sol Goodyear – vast ook goedkoop. Weet je waarom?'

'Waarom?'

'Omdat Sol voor Cafferty werkt. Hij is de dealer, en jij de pooier.'

'Donder op.'

'Pas op, jongen.' Rebus priemde met zijn wijsvinger in de richting van de jongeman. 'Heb je gehoord wat Cafferty is overkomen?'

'Heb ik gehoord.'

'Misschien was iemand niet zo blij met wat hij aan het doen was. Weet je nog, dat feestje met Gill Morgan?'

'Wat is daarmee?'

'Waren dat al de opnames die je van haar hebt?'

'Geen idee.' Rebus keek ongelovig. 'Ik kéék er nooit naar.'

'Je gaf ze gewoon af?'

'Wat niet weet dat niet deert, toch?'

'Ik denk niet dat jij daarover kunt oordelen, Eddie. Weet Nancy ervan?'

Gentry schudde zijn hoofd.

'Alleen jij, hè? Heeft-ie je verteld dat hij in andere appartementen hetzelfde deed?'

'U had het net over *Big Brother* – wat is het verschil?'

Rebus stond dicht op de jongeman toen hij antwoord gaf. 'Het verschil is dat zij wéten dat ze bespioneerd worden. Ik kan niet goed uitmaken wie hier de grootste smeerlap is, jij of Cafferty. Hij zat naar volslagen vreemden te kijken, maar jij, Eddie, jij filmde je vrienden.'

'Is dat soms verboden?'

'O, dat denk ik wel. Hoe vaak is dat filmen gebeurd?'

'Drie, vier keer, hooguit.'

Want tegen die tijd begon het Cafferty te vervelen en nam hij een nieuw appartement, met nieuwe huurders, nieuwe gezichten en lichamen... Rebus liep de gang in, zocht het kijkgat en vond het. Nancy's slaapkamer: verlaagd plafond, keurig geboord gaatje. Badkamer idem dito. Toen Rebus weer in de gang kwam, stond Gentry tegen de muur geleund, zijn armen nog altijd over elkaar, kin uitdagend uitgestoken.

'Waar is de apparatuur?' vroeg Rebus.

'Heeft meneer C opgehaald.'

'Wanneer?'

'Paar weken terug. Zoals ik zei, het is maar drie, vier keer gebeurd.'

'Blijft smeerlapperij. Laten we jouw kamer eens bekijken.' Rebus wachtte niet op een uitnodiging maar opende de deur naar Gentry's slaapkamer en vroeg hem waar de snoeren liepen.

'Die kwamen uit het plafond. Zaten vast aan een dvd-recorder. Als er iets interessants gebeurde, hoefde ik maar op de opnameknop te drukken.'

'En nou staat die hele handel in een andere flat opgesteld zodat je huisbaas z'n ranzige vriendjes kan trakteren op een vers hapje amateurporno.' Rebus schudde langzaam zijn hoofd. 'Ik zou niet in jouw schoenen willen staan als Nancy erachter komt.'

Gentry gaf geen krimp. 'Volgens mij moest u maar eens gaan,' verklaarde hij. 'Poppetje gezien...'

Rebus boog zich dicht naar het gezicht van de jongeman. 'Nou Eddie, daar sla je de spijker op z'n kop: dit poppetje is inderdaad helemaal gezien.' Hij duwde zich langs de jongen de gang in en bleef bij de voordeur even staan. 'Trouwens, dat van die cd was gelogen – die muziek van jou gaat helemaal nergens over. Je hebt het gewoon niet, jong.'

Sloot de deur achter zich en bleef een ogenblik boven aan de trap staan terwijl hij in zijn zak zijn sigaretten zocht.

Kastje dicht.

40

In het recherchekantoor van bureau Gayfield Square heerste de op-
winding van een slakkenrace – het onderzoek schoot voor geen centimeter op. Derek Starr wist het en had moeite de groep gemoti-
veerd te houden. Er was gewoon niet genoeg te doen. Geen
veelbelovende nieuwe aanwijzingen, over Todorov noch Riordan.
Het forensisch lab had een deel van een vingerafdruk gevonden op
een flesje schoonmaakvloeistof, maar het enige wat ze daar tot nu
toe uit konden opmaken was dat hij niet van Riordan was, noch
van iemand in de politiedatabank. Terry Grimm had verteld dat
Riordans huis elke week werd schoongemaakt door een ploeg van
een schoonmaakbedrijf, al kreeg die meestal de opdracht de woonkamer annex studio met rust te laten. De vingerafdruk kon dus ook
van een van de schoonmakers zijn. Niemand durfde met enige zekerheid te beweren dat hij toebehoorde aan de brandstichter. Weer
een spoor dat doodliep. Hetzelfde gold voor de compositietekening
van de vrouw met capuchon bij de parkeergarage: agenten waren
ermee van deur tot deur gegaan en met niets dan zere voeten op
het bureau teruggekomen.

Via de geëigende kanalen had Starr uiteindelijk videobeelden van
de paar camera's in en rond Portobello losgekregen, maar niemand
verwachtte er veel van; meer dan vroeg ochtendverkeer was er niet
op te zien. Zonder enig idee hoe de dader Riordans huis had be-
reikt, was ook dit een kwestie van speld en hooiberg. De manier
waarop Starr naar Siobhan Clarke bleef kijken verried dat hij wist
dat ze dingen voor hem achterhield. In net een halfuur had hij al
tweemaal gevraagd wat ze aan het doen was.

'Ik ben met die opnames van Riordan bezig,' had ze uitgelegd.
Was geen woord van waar: Todd Goodyear was de laatste samen-

vattingen aan het uittypen, duidelijk afgemat door de hele ervaring. Hij zat steeds voor zich uit te staren, alsof hij droomde over ergens waar het leuker was. Clarke wachtte intussen op een telefoontje van Stone, bij wie ze een boodschap op zijn mobiel had achtergelaten. Ze vroeg zich nog steeds af of het wel zo'n goed idee was. Stone en Starr leken de beste maatjes; goede kans dat wat ze tegen de een zei ook bij de ander terechtkwam. Ze had Starr nog niet verteld dat Andropov en zijn chauffeur de voordracht in de Poetry Library hadden bijgewoond.

Buiten het bureau hing geen pers meer rond. Het laatste bericht omtrent de twee sterfgevallen was een marginaal artikeltje op een van de binnenpagina's van de *Evening News* geweest. Starr zat weer in bespreking met Macrae. Misschien zouden ze later op de dag aankondigen dat het onderzoek in tweeën werd gesplitst omdat er geen aanwijzingen aan het licht waren gekomen dat de moord op Todorov in verband stond met de dood van Riordan. Dan werd het team opgeheven en ging de zaak-Riordan terug naar de recherche van Leith.

Tenzij Clarke er iets aan deed.

Tien minuten verder en ze had haar besluit genomen. Starr zat nog in zijn bespreking, dus ze pakte haar jas en liep naar het bureau waaraan Goodyear zat te werken.

'Ga je ergens naartoe?' vroeg hij, ietwat sip.

'Met jou,' zei ze, en de zon was terug in zijn leven.

Naar het consulaat was het maar een minuut of tien rijden. Het was gevestigd in een rij voorname herenhuizen in Georgian stijl, in het zicht van de anglicaanse kathedraal. De straat was zo breed dat er in het midden plaats was voor een strook parkeerplaatsen, waaruit net een auto optrok toen ze arriveerden. Terwijl Goodyear geld in de meter gooide, bestudeerde Clarke de auto naast de hare. Hij leek sterk op de wagen waarmee Andropov bij het stadhuis was verschenen en Nikolaj Stahov bij het mortuarium: een oude zwarte Mercedes met geblindeerde ramen achterin. Hij had echter geen diplomatiek kenteken, dus belde Clarke het bureau om hem na te trekken. De auto stond geregistreerd op naam van de heer Boris Aksanov, met een adres in Cramond. Clarke noteerde de gegevens en beëindigde het gesprek.

'Denk je dat ze ons met hem laten praten?' vroeg Goodyear toen hij terugkwam.

Ze haalde haar schouders op. 'We zullen zien, niet?' Ze stak de rijbaan over naar het consulaat, beklom de drie zandstenen traptreden en drukte op de zoemer. De deur werd opengedaan door een jonge vrouw met de opgeplakte glimlach van de professionele begroeter. Clarke had haar legitimatie al open. 'Ik kom voor meneer Aksanov,' verklaarde ze.

'Meneer Aksanov?' De glimlach week niet van zijn plaats.

'Uw chauffeur.' Clarke draaide met haar hoofd. 'Zijn auto staat daar.'

'Tja, hij is niet hier.'

Clarke staarde de vrouw aan. 'Weet u dat zeker?'

'Natuurlijk.'

'En meneer Stahov?'

'Die is er op het moment ook niet.'

'Wanneer komt hij terug?'

'Later op de dag, dacht ik.'

Clarke keek over de schouder van de vrouw. De vestibule was groot maar kaal, met bladderend schilderwerk en verbleekt behang. Een trap voerde in een boog naar boven, maar ze kon de overloop niet zien.

'En meneer Aksanov?'

'Ik weet het niet.'

'Maar hij is niet aan het rijden met meneer Stahov?'

De glimlach hield het maar net. 'Ik ben bang dat ik u niet kan helpen...'

'Rijdt Aksanov dan soms voor Sergej Andropov?'

De hand van de jonge vrouw sloot zich om de rand van de deur. Clarke begreep dat ze hem in hun gezicht wilde dichtslaan.

In plaats daarvan zei ze: 'Ik kan u niet helpen.'

'Is meneer Aksanov in dienst bij het consulaat?' Maar nu werd de deur inderdaad gesloten, langzaam maar beslist. 'We komen later terug,' zei Clarke nadrukkelijk. De deur klikte in het slot maar ze bleef ernaar staren.

'Ze had een bange blik in haar ogen,' merkte Goodyear op.

Clarke knikte instemmend.

'Zonde van het geld ook, ik heb voor een halfuur in die meter gedaan.'

'Dat kun je declareren.' Clarke draaide zich om en begaf zich naar haar auto maar bleef staan bij de Mercedes en keek op haar horloge. Toen ze achter het stuur kroop vroeg Goodyear of ze terruggingen naar het bureau. Clarke schudde haar hoofd.

'De parkeerwachten hier zijn meedogenloos,' zei ze. 'En die Mercedes staat over precies zeven minuten in het rood.'

'Je wil zeggen dat iemand de meter moet bijvullen?' raadde hij.

Maar Clarke schudde haar hoofd opnieuw. 'Dat mag niet, Todd. Als de eigenaar geen bon wil, moet hij de auto verplaatsen.' Ze draaide haar sleutel in het contact.

'Ik dacht dat ambassades sowieso nooit boetes betalen.'

'Klopt... als ze een diplomatiek kenteken hebben.' Clarke zette haar auto in de versnelling en trok op uit het parkeervak, maar bleef een stukje verder aan de stoeprand staan. 'Kunnen we wel even op wachten, vind je niet?'

'Alles is beter dan die transcripties,' stemde Goodyear in.

'Begint het recherchewerk zijn glamour te verliezen, Todd?'

'Ze mogen mij zó weer in uniform aan het werk zetten.' Hij trok zijn schouders naar achteren en rolde met zijn spieren. 'Nog iets gehoord van inspecteur Rebus?'

'Ze hebben hem weer binnengehaald.'

'Gaan ze hem in staat van beschuldiging stellen?'

'Nou, dat ze hem hebben binnengehaald was om hem te zeggen dat er geen bewijs was.'

'Niks gevonden op die overschoen?'

'Nee.'

'Hebben ze iemand anders in gedachten?'

'Shit, Todd, weet ik veel!' De stilte bleef een seconde of tien in de auto hangen tot Clarke luidop haar wangen leegblies. 'Oké, sorry...'

'Ik zou me eigenlijk moeten excuseren,' zei hij. 'Ik moest m'n neus er weer zo nodig in steken.'

'Nee, ik zit er zelf mee in m'n maag... ik kan in de problemen komen.'

'Hoezo?'

'Cafferty werd geschaduwd door de DGM. John vroeg me om ze een andere kant op te sturen.'

Goodyear zette grote ogen op. 'Fuckaduck,' zei hij.

'Denk om je taalgebruik,' waarschuwde ze hem.

'Geschaduwd door de DGM... Dat ziet er dan vast niet goed uit voor inspecteur Rebus.'

Clarke haalde haar schouders op.

'Geschaduwd door de DGM...' herhaalde Goodyear in zichzelf en hij schudde langzaam zijn hoofd. Clarke's aandacht was afgeleid door iets wat verderop in de straat gebeurde. Er kwam een man het consulaat uit.

'Dat begint ergens op te lijken,' zei ze. Dezelfde man die met Stahov naar het mortuarium was gekomen, dezelfde die op de avond van Word Power was gefotografeerd. Aksanov opende het portier en stapte in. Clarke liet haar motor stationair draaien en wachtte om te zien wat hij ging doen – de auto verplaatsen naar een ander parkeervak of vertrekken. Toen hij het derde vrije vak voorbijreed, had ze haar antwoord.

'Gaan we hem volgen?' vroeg Goodyear en klikte zijn gordel vast.

'Goed gezien.'

'En dan?'

'Ik dacht erover om hem staande te houden voor een of andere overtreding...'

'Is dat verstandig?'

'Weet ik nog niet. We zien wel wat er gebeurt.' De Mercedes gaf richting aan naar links, Queensferry Street in.

'Gaat-ie de stad uit?' giste Goodyear.

'Aksanov woont in Cramond, misschien gaat hij naar huis.'

Queensferry Street werd Queensferry Road. Clarke hield haar snelheidsmeter in de gaten maar hij bleef keurig binnen de limiet. Toen de stoplichten voor hen op rood sprongen keek ze naar zijn remlichten, maar die deden het allebei prima. Als hij op weg was naar Cramond reed hij waarschijnlijk rechtdoor tot de rotonde van Barnton en sloeg daar rechts af. Wilde ze hem zo ver laten gaan? Het leek wel alsof er op Queensferry Road om de honderd meter stoplichten waren. Toen de Mercedes bij de volgende stopte, kroop Clarke dicht naar hem toe.

'Kijk eens achterin, Todd, wil je?' vroeg ze. 'Op de grond voor de achterbank...' Hij moest zijn gordel losmaken om zich te kunnen omdraaien.

'Bedoel je dit?' vroeg hij.

'Doe de stekker daar maar in,' wees ze hem. 'En doe dan je raam omlaag.'

'Zit er een magneet in de voet?' raadde hij.

'Klopt.'

Zodra het blauwe zwaailicht was ingeplugd begon het te werken. Goodyear tilde het door het raam en zette het op het dak. Het stoplicht voor hen was nog steeds rood. Clarke claxonneerde en zag de chauffeur naar haar kijken in zijn achteruitkijkspiegel. Ze gebaarde dat hij zijn auto aan de kant moest zetten. Toen het licht op groen sprong deed hij dat ook, passeerde het kruispunt en zette zijn wielen aan de passagierskant op het trottoir. Clarke passeerde hem en deed toen hetzelfde met haar auto. Andere bestuurders remden af om te kijken maar reden door. De chauffeur was uit de Mercedes gekomen. Hij droeg een zonnebril en een kostuum met stropdas. Hij stond op het trottoir toen Clarke bij hem kwam. Ze hield hem haar legitimatie voor.

'Is er een probleem?' vroeg hij met een zwaar accent.

'Meneer Aksanov? We hebben elkaar in het mortuarium ontmoet...'

'Ik vroeg of er een probleem was.'

'Ik moet u vragen mee te gaan naar het bureau.'

'Wat heb ik gedaan?' Hij had een mobieltje uit zijn zak gehaald. 'Ik bel het consulaat.'

'Schiet u niets mee op,' hield ze hem voor. 'Dat is geen officieel voertuig, dus ik neem aan dat u eigen baas bent. Hebt u geen onschendbaarheid, meneer.'

'Ik werk voor het consulaat.'

'Maar niet alléén voor het consulaat. Stapt u nu alstublieft in.' Haar stem had een koude klank gekregen. Hij had de mobiel nog in zijn hand maar deed er niets mee.

'En als ik weiger?'

'Krijgt u een proces-verbaal wegens belemmering van de rechtsgang – en wat ik verder nog kan bedenken.'

'Ik heb niets misdaan.'

'Meer hoeven we niet te weten, maar we moeten het op het bureau van u horen.'

'Mijn auto,' klaagde hij.

'Die loopt niet weg. We brengen u straks wel terug.' Ze perste er een vriendelijke glimlach uit. 'Beloof ik.'

'Hoe is Sergej Andropov uw klant geworden?' vroeg Clarke.

'Ik ben chauffeur, het is m'n vak.'

Ze zaten in een verhoorkamer op bureau West End; Clarke voelde er niets voor de Rus mee te nemen naar Gayfield Square. Ze had Goodyear op koffie uitgestuurd. Op tafel stond een cassetterecorder, maar die gebruikte ze niet. Ook geen blocnote. Aksanov had gevraagd of hij mocht roken en ze had het toegestaan.

'Uw Engels is goed, ik hoor zelfs iets van een Edinburghs accent.'

'Ik ben met een Edinburghse getrouwd. Ik woon hier al bijna vijf jaar.' Hij inhaleerde wat rook en blies die naar het plafond.

'Houdt zij ook van poëzie?' Aksanov staarde haar aan. 'Nou?' hielp ze hem op gang.

'Ze leest wel boeken... meest romans.'

'Dus u bent de poëzieliefhebber?' Hij haalde zijn schouders op maar antwoordde niet. 'Nog iets van Seamus Heaney gelezen de laatste tijd? Of Robert Burns?'

'Waarom vraagt u me dat?'

'Nou, u bent in twee weken twee keer bij poëzievoordrachten gesignaleerd. Of bent u toevallig een enorme fan van Alexander Todorov?'

'Ze zeggen dat hij de grootste dichter van Rusland is.'

'Bent u het daarmee eens?' Aksanov haalde weer zijn schouders op en bestudeerde het filter van zijn sigaret. 'Hebt u zijn laatste boek gekocht?'

'Ik zie niet wat u dat aangaat.'

'Weet u de titel nog?'

'Ik hoef niet met u te praten.'

'Ik ben bezig met een onderzoek naar twee moorden, meneer Aksanov...'

'En wat heb ík daarmee te maken?' De Rus begon kwaad te worden. Toen ging de deur open en kwam Goodyear binnen met twee bekers.

'Zwart, twee klontjes suiker,' zei hij en zette er een voor Aksanov neer. 'Melk, zonder.' Clarke kreeg het tweede plastic bekertje aangereikt. Ze knikte bij wijze van dank en gaf een miniem signaal met haar hoofd. Voor Goodyear was het voldoende; hij ging met zijn rug tegen de muur geleund aan de andere kant staan, de handen voor zich gevouwen. Aksanov had zijn sigaret uitgedrukt en stond op het punt een volgende op te steken.

'De tweede keer dat u ging,' hield ze hem voor, 'hebt u Sergej Andropov meegenomen.'

'O ja?'

'Volgens getuigen.' Nadrukkelijk schouderophalen, nu met omlaag getrokken mondhoeken. 'Wou u zeggen van niet?' vroeg Clarke.

'Ik zeg niks.'

'Dan ga ik me afvragen wat u te verbergen hebt. Werkte u de avond dat Todorov stierf?'

'Weet ik niet meer.'

'Ik heb het over iets meer dan een week terug.'

'Soms werk ik 's avonds, soms niet.'

'Andropov was in zijn hotel. Hij had een bespreking in de bar.'

'Ik kan u er niets over zeggen.'

'Waarom bent u naar die poëzievoordrachten gegaan, meneer Aksanov?' vroeg Clarke zacht. 'Had Andropov u dat gevraagd? Had hij u gevraagd hem er te brengen?'

'Als ik iets heb misdaan, zeg dan wat!'

'Is dát wat u wil?'

'Ik wil hier weg.' De vingers waarmee hij de nieuwe sigaret vasthield begonnen enigszins te trillen.

'Herinnert u zich de voordracht in de Poetry Library?' vroeg Clarke, die kalm en gelijkmatig bleef praten. 'De man die er opnames maakte? Die is ook vermoord.'

'Ik ben de hele nacht in het hotel geweest.'

Ze begreep het niet goed. 'Het Caledonian Hotel?' veronderstelde ze.

'Gleneagles,' verbeterde hij haar. 'De avond van die brand.'

'Vroeg in de ochtend, om precies te zijn.'

'Avond, ochtend, ik was in Gleneagles.'

'Oké,' zei ze, zich afvragend waarom hij ineens zo geagiteerd was geraakt. 'Voor wie reed u toen, Andropov of Stahov?'

'Allebei. Ze gingen samen. Ik ben er de hele tijd gebleven.'

'Dat hebt u al een paar keer gezegd.'

'Omdat het waar is.'

'Maar van de avond dat meneer Todorov stierf weet u niet meer of u toen werkte of niet?'

'Nee.'

'Het is nogal belangrijk, meneer. We denken dat de dader in een auto reed...'

'Ik heb er niets mee te maken! Ik vind deze vragen totaal onaanvaardbaar!'

'Vindt u dat?'

'Onaanvaardbaar en onzinnig.'

'Is-ie al op?' vroeg ze na vijftien seconden stilte. Hij fronste. 'Uw sigaret,' verduidelijkte ze. 'U had hem net opgestoken.'

De Rus staarde naar de asbak, waar bijna een hele sigaret lag te smeulen die hij net had uitgedrukt.

Nadat ze had geregeld dat een surveillancewagen Aksanov terugbracht naar Queensferry Road, liep Clarke door de gang terug naar waar Goodyear met een paar agenten stond te kletsen. Voordat ze bij hem was ging haar mobiel. Ze herkende het nummer van de beller niet.

'Hallo?' zei ze, en keerde Goodyear en zijn collega's de rug toe.

'Brigadier Clarke?'

'Hallo, dr. Colwell. Ik stond pas nog op het punt om u te bellen.'

'O?'

'Ik dacht dat ik misschien een tolk nodig had. Bleek vals alarm. Wat kan ik voor u doen?'

'Ik heb net naar die cd zitten luisteren.'

'Nog aan het worstelen met dat nieuwe gedicht?'

'Dat eerst, ja... maar daarna heb ik hem tot het eind toe beluisterd.'

'Ja, dat gebeurde mij ook,' erkende Clarke, terugdenkend aan het uur dat ze met Rebus in haar auto had zitten luisteren.

'Helemaal aan het eind,' was Colwell verdergegaan. 'Dus als ook de vragen en antwoorden afgelopen zijn...'

'Ja?'

'Vangt de microfoon nog flarden van gesprekken op.'

'Dat weet ik nog – begint Todorov niet in zichzelf te mompelen?'

'Dat dacht ik ook, en het was moeilijk te verstaan. Maar het is Alexanders stem niet.'

'Van wie wel dan?'

'Geen idee.'

'Maar het is Russisch, toch?'

'O ja, het is zeker Russisch. En nu ik het een paar keer heb afgespeeld, denk ik dat ik erachter ben wat hij zegt.'

Clarke dacht aan Charles Riordan die met zijn alhorende mi-

crofoon rondhengelde in het publiek om commentaar van toehoorders op te vangen. 'Wat zegt-ie dan?' vroeg ze.

'Iets in de trant van: "Ik wou dat hij dood was."'

Clarke verstijfde. 'Wil u dat nog eens herhalen, alstublieft?'

41

Rebus sprak met haar af voor het kantoor van Scarlett Colwell en ze beluisterden de cd samen.

'Klinkt niet als Aksanov,' verklaarde Clarke. Haar mobiel begon te rinkelen en ze gromde even voor ze opnam. De stem aan de andere kant maakte zich bekend als inspecteur Calum Stone.

'Je wilde me spreken?' zei hij.

'Ik kan nu niet praten, ik zal u straks terugbellen.' Ze verbrak de verbinding en schudde langzaam haar hoofd om Rebus te laten weten dat het niets belangrijks was. Hij had gevraagd de relevante passage van de opname nog eens af te spelen.

'Ik zou durven wedden dat het Andropov is,' mompelde hij daarna. Hij zat voorovergeleund, met zijn ellebogen op zijn knieën en zijn handen gevouwen, totaal geconcentreerd op de opname, en had kennelijk geen oog voor Colwell, die nog geen meter voor hem bij de cd-speler gehurkt zat, haar gezicht verborgen achter een gordijn van haar.

'En u weet zeker dat u het goed hebt verstaan?' vroeg Clarke haar.

'Honderd procent,' zei Colwell. Ze herhaalde de Russische frase. Ze had de woorden opgeschreven op een blocnote die Clarke nu in handen had, dezelfde blocnote waar ze haar eerste vertaling van het gedicht op had geschreven.

'"Ik wou dat hij dood was"?' vroeg Rebus voor de zekerheid. Niet "hij moet dood" of "ik vermoord hem"?'

'Iets minder hitsig,' zei Colwell.

'Jammer.' Rebus draaide zich naar Clarke. 'Maar genoeg om mee te beginnen.'

'Meer dan,' stemde ze in. 'Stel dát het Andropov is, tegen wie heeft hij het dan? Moet Aksanov zijn, of niet?'

'En die heb je net laten lopen.'

Ze knikte langzaam. 'Kunnen we altijd weer oppikken... die is hier wel ingeburgerd.'

'Daarom kan het consulaat hem nog wel op het vliegtuig terug naar Moskou zetten.' Rebus staarde haar aan. 'Weet je wat ik denk? Voor Andropov moet het ideaal zijn om iemand in het consulaat te hebben. Zodat hij op de hoogte kan blijven van hoe de zaken er thuis voor staan. Als daar een rechtszaak tegen hem ophanden is, krijgt het consulaat het als eerste te horen.'

'Aksanov als informant?' Clarke knikte instemmend. 'Kan ik me voorstellen, maar méér dan dat?'

'Beul bedoel je?' Rebus dacht hier een ogenblik over na en zag toen de traan die langs de wang van Scarlett Colwell druppelde.

'Sorry,' verontschuldigde hij zich. 'Het valt u natuurlijk rauw op uw dak.'

'Als u degene maar pakt die dit Alexander heeft aangedaan.' Ze streek met de rug van haar hand langs haar wang. 'Zorgt u daar alstublieft voor.'

'Dankzij u zijn we alweer een stapje dichterbij,' stelde hij haar gerust. Hij pakte haar vertaling van het gedicht op. 'Dit zal Andropov goed nijdig hebben gemaakt. Dat hij een duivel wordt genoemd, hebzuchtig, en lid van een "pak gespuis"...'

'Nijdig genoeg om zo'n dichter dood te wensen,' stemde Clarke in. 'Maar om hem dood te maken?'

Rebus staarde haar weer aan. 'Misschien moeten we het hem eens vragen,' zei hij.

Het had Siobhan Clarke ruim een uur gekost om inspecteur Derek Starr bij te praten. Daarna had hij eerst nog een kwartier zitten klagen dat ze hem 'onkundig' had gehouden voordat hij toestemming gaf Sergej Andropov binnen te halen voor verhoor. Eerst moesten ze drie rechercheurs uit de verhoorkamer verjagen. Die hadden er hun werkplek van gemaakt en wilden weten waar ze nu dan met hun spullen heen moesten.

'Het ruikt hier als een oudemannenonderbroek,' merkte Starr op.

'Zou ik niet weten,' antwoordde Clarke met opgetrokken neus. In het recherchekantoor was ze Todd Goodyear tegen het lijf gelopen en ook hij had iets te klagen: dat ze hem in de steek had gelaten op bureau West End. En inderdaad was Clarke na het telefoontje van Colwell rechtstreeks naar haar auto gelopen terwijl Goodyear nog in de gang stond te ginnegappen. Niettemin beantwoordde ze de norse blik van de jongeman koeltjes en gaf hem vier woorden te overpeinzen: *wen er maar aan*. Waarop hij had geantwoord dat hij net zo lief terugging naar Torphichen én het uniform.

Er was een surveillancewagen naar het Caledonian Hotel gestuurd. Veertig minuten later laadde die zijn onwillige menselijke vracht uit bij het bureau. Het was bijna acht uur, de lucht was zwart en de temperatuur daalde.

'Heb ik recht op een advocaat?' was Sergej Andropovs eerste vraag.

'Denkt u dat u er een nodig hebt?' beet Starr terug. Hij had een cd-speler geleend en trommelde er met een vinger op.

Andropov overwoog Starrs antwoord, trok toen zijn jas uit, hing die over de rugleuning van zijn stoel en ging zitten. Clarke zat naast Starr, met haar blocnote en mobiel voor zich. Ze hoopte maar dat Rebus, die buiten in zijn auto zat, geen herrie zou maken.

'Het woord is aan u, brigadier Clarke,' zei Starr en drukte zijn handen tegen elkaar.

'Meneer Andropov,' begon ze, 'ik heb eerder op de dag Boris Aksanov gesproken.'

'Ja?'

'We hebben het gehad over de voordracht in de Scottish Poetry Library... ik geloof dat u er ook bij was?'

'Zei hij dat?'

'Er zijn getuigen genoeg van, meneer.' Ze zweeg even. 'We weten al dat u Alexander Todorov uit Rusland kende en dat u tweeën nou niet de beste vrienden waren...'

'En wie zegt dat dan?'

Clarke negeerde de vraag. 'U was met meneer Aksanov naar die voordracht gegaan en toen moest u aanhoren hoe de dichter ter plekke een nieuw gedicht improviseerde.' Clarke vouwde de vertaling open. '*Harteloze honger... De hebzuchtige buik kent geen voldoening... zo'n pak gespuis...* Niet direct een liefdesbrief, of wel?'

'Het is maar een gedicht.'

'Maar gericht aan ú, meneer Andropov. Bent u niet een van de "kinderen van Zhdanov"?'

'Een van de duizenden.' Andropov lachte schamper. Zijn ogen glansden.

'Tussen haakjes,' zei Clarke, 'ik had u direct mijn medeleven moeten betuigen...'

'Waarmee?' De ogen stonden nu scherp en donker.

'Uw gewonde vriend. Hebt u hem in het ziekenhuis opgezocht?'

'U bedoelt Cafferty?' Hij leek niet onder de indruk van haar tactiek. 'Die overleeft het wel.'

'Daar zullen we er een op drinken.'

'Waar wil ze in godsnaam naartoe?' Andropov richtte de vraag aan Starr, maar Clarke gaf antwoord.

'Wilt u hier eens naar luisteren?' Op haar teken drukte Starr de startknop in. Het geroezemoes aan het eind van Todorovs voordracht vulde het vertrek. Mensen die uit hun stoel opstonden, opmerkingen over de avond, afspraakjes om wat te gaan eten of drinken... en plotseling de Russische verwensing.

'Herkent u het, meneer Andropov?' vroeg Clarke terwijl Starr de opname stilzette.

'Nee.'

'Weet u het zeker? Misschien als inspecteur Starr het nog eens afspeelt...?'

'Zegt u eens, waar gaat dit over?'

'We hebben hier in de stad een forensisch laboratorium, meneer. Daar zijn ze vrij ver met gecomputeriseerde stemherkenning...'

'Wat gaat mij dat aan?'

'Dat gaat u wat aan omdat u dat bent op die opname, die tegen Boris Aksanov zegt dat u de dichter Alexander Todorov dood wenst – de dichter die u net heeft beledigd, de dichter die alles veracht waar u voor staat.' Ze zweeg weer. 'En vierentwintig uur later was diezelfde dichter inderdaad dood.'

'Want toen had ik hem vermoord?' Nu lachte Andropov hardop en breeduit. 'En wanneer precies zou ik dat hebben gedaan? Heb ik mezelf uit de bar van het hotel weggetoverd? Heb ik uw minister van Ontwikkeling gehypnotiseerd zodat hij niet zou merken dat ik verdwenen was?'

'U kunt iemand anders opdracht hebben gegeven,' verklaarde Starr ijzig.

'Nou ja, u zult er een zware klus aan krijgen om dat te bewijzen, want het is gewoon niet waar.'

'Waarom bent u naar die voordracht gegaan?' vroeg Clarke. Andropov staarde haar aan en concludeerde dat hij niets te verliezen had met antwoorden.

'Boris had me verteld dat hij een paar weken eerder naar zo'n voordracht was geweest. Ik was nieuwsgierig. Ik had Alexander nog nooit voor publiek zien optreden.'

'Meneer Aksanov kwam op mij niet over als een poëzieminnaar.'

Andropov haalde zijn schouders op. 'Misschien had het consulaat hem gevraagd te gaan.'

'Waarom zouden ze dat doen?'

'Om na te gaan hoe vervelend Alexander zich wou gaan gedragen tijdens zijn verblijf in de stad.' Andropov ging verzitten in zijn stoel. 'Alexander Todorov was een beroepsdissident – zo kwam hij aan de kost, terend op de zakken van lichtgelovige progressievelingen overal in het Westen.'

Clarke wachtte af of Andropov er nog iets aan wilde toevoegen. 'En toen u zijn nieuwste gedicht hoorde?' vroeg ze toen het stil bleef.

Het schouderophalen was nu meer een gebaar van inschikkelijkheid. 'U hebt wel gelijk, ik was kwaad op hem. Wat dragen dichters bij aan de wereld? Werkgelegenheid? Energie, grondstoffen? Nee... alleen woorden. Vaak nog royaal betaald ook, en in ieder geval bovenmatig verheerlijkt. Het Westen heeft Alexander Todorov aan de borst gedrukt omdat hij voorziet in de behoefte om Rusland als een corrupte en ondermijnende macht te zien.' Andropov had zijn rechterhand tot een vuist gebald maar weerhield zich ervan op tafel te slaan. In plaats daarvan haalde hij diep adem en blies luidruchtig uit door zijn neusgaten. 'Ik heb inderdaad gezegd dat ik wou dat hij dood was, maar ook dat waren maar woorden.'

'En als dat zo is, kan Boris Aksanov er een aansporing in hebben gezien?'

'Hebt u Boris wel eens ontmoet? Dat is geen moordenaar, dat is een teddybeer.'

'Beren hebben ook klauwen,' meende Starr te moeten opmerken. Andropov keek hem misprijzend aan.

'Dank u voor die informatie – als Rus kan ik zoiets natuurlijk niet weten.'

Starr liep rood aan. Om zich een houding te geven, drukte hij weer op play en luisterden ze Andropov nogmaals af. Nog een druk op de pauzeknop en Starr tikte op de cd-speler. 'Ik zou zeggen dat we gegronde redenen hebben om u in staat van beschuldiging te stellen,' verklaarde hij.

'Werkelijk? Laten we dan maar eens kijken wat zo'n beroemde *barrister* van jullie daarover te zeggen heeft – zo noemen jullie advocaten toch?'

'Barristers hebben we in Schotland niet,' beet Derek Starr terug.

'Hier heten ze *advocates*,' legde Clarke uit, 'maar die doen alleen de rechtszaak zelf. Voor juridische bijstand tijdens het onderzoek zou u een *solicitor* nodig hebben – áls we u in staat van beschuldiging stellen.' Haar laatste woorden waren gericht tegen Derek Starr, een pleidooi om niet zo ver te gaan, nu nog niet.

'Nou?' Andropov begreep wat ze bedoelde en richtte zijn vraag ook aan Starr. Die trok met zijn mond maar zei niets. 'Met andere woorden: ik kan gaan?' Andropov had zijn aandacht weer verlegd naar Clarke, maar Starr blafte het antwoord.

'Maar niet het land uit!'

De Rus lachte weer. 'Ik sta helemaal niet te popelen om uit uw prachtige land te vertrekken, inspecteur.'

'Omdat u thuis alleen een warme goelag wacht?' kon Clarke niet nalaten te zeggen.

'Een stoot onder de gordel, mevrouw.' Andropov klonk teleurgesteld in haar.

'Gaat u binnenkort nog eens op bezoek in het ziekenhuis?' voegde ze eraan toe. 'Toch opvallend hoeveel mensen in uw omgeving in het lijkenhuis of in een coma belanden, vindt u niet?'

Andropov was overeind gekomen en pakte zijn jas van de stoel. Starr en Clarke wisselden een blik uit, maar geen van beiden kon een tactiek bedenken om zijn vertrek te vertragen. Goodyear stond net buiten de deur klaar om de Rus uit te laten.

'We spreken elkaar nog,' verzekerde Starr hem.

'Ik zie ernaar uit, inspecteur.'

'En we nemen uw paspoort in,' was Clarke's laatste salvo. Andropov boog licht met zijn hoofd en was ervandoor. Starr, die ook was opgestaan, sloot de deur, liep om het bureau heen en ging tegenover Clarke zitten. Zij had net, zogenaamd om te kijken of ze gemiste oproepen had, de verbinding met Rebus verbroken.

'Als het een van die twee is,' was Starr begonnen, 'is het de chauffeur. Hoe dan ook zouden we wel wat hard bewijsmateriaal kunnen gebruiken.'

Clarke had haar blocnote en mobieltje in haar tas gestopt. 'Andropov heeft gelijk over Aksanov. Ik kan me hem ook niet als een moordenaar voorstellen.'

'Dan moeten we nog eens naar die gang van zaken in het hotel kijken, nagaan of Andropov toch niet een kans kan hebben gehad om Todorov te volgen.'

'Cafferty was er ook, vergeet dat niet.'

'Een van die twee dan.'

'Probleem is,' zuchtte ze, 'dat we nog een derde hebben. Jim Bakewell heeft al verklaard dat ze tot na elven met z'n drieën in die bar hebben gezeten... en tegen die tijd was Todorov dood.'

'Dus dan zijn we weer terug bij af?' Starr deed geen moeite zijn ergernis te verbergen.

'We jutten ze een beetje op,' verbeterde Clarke hem. Toen, na een denkpauze: 'Bedankt dat je het hebt doorgezet, Derek.'

Starr ontdooide zichtbaar. 'Je had eerder naar me toe moeten komen, Siobhan. Ik zit net zo hard op een doorbraak te wachten als jij.'

'Weet ik. Maar je gaat de twee onderzoeken toch splitsen?'

'Hoofdinspecteur Macrae denkt dat het beter is.'

Ze knikte, alsof ze met het idee instemde. 'Werken we morgen?' vroeg ze.

'Overuren in het weekend zijn goedgekeurd.'

'De laatste dag van John Rebus,' zei ze zacht.

'Trouwens,' ging Starr verder, zonder acht te slaan op wat ze zei, 'die agent die Andropov uitliet... zit hij nog maar pas bij het team?'

'Gestuurd door West End,' loog ze.

Starr schudde zijn hoofd. 'De recherche gaat er met het jaar jonger uitzien.'

'En, wat vond je ervan?' vroeg Clarke terwijl ze op de passagiersstoel schoof.

'Van mij krijg je een drie min.'

Ze staarde hem aan. 'Nou, bedankt.' Sloeg de deur dicht. Rebus' auto stond vlak voor het bureau geparkeerd. Hij trommelde met zijn vingers op het stuur, zijn blik recht vooruit.

'Ik was bijna binnen komen rennen,' ging hij verder. 'Dat je zoiets kon missen!'

'Wat missen?'

Pas nu gunde hij haar een blik. 'Die avond in de Poetry Library zat Andropov op een van de voorste rijen. Geen denken aan dat hij die microfoon niet heeft gezien.'

'Dus?'

'Dus zat je helemaal verkeerd met je vragen. Todorov geeft hem een stoot onder de gordel, hij flapt eruit dat hij hem dood wil. Geen punt op dat moment, want de enige andere die Russisch verstaat is zijn chauffeur. Maar dan wordt Todorov inderdaad dood gevonden en heeft onze vriend Andropov ineens een probleem...'

'Die opname?'

Rebus knikte. 'Want als wij die ooit te horen zouden krijgen en lieten vertalen...'

'Wacht heel even.' Clarke wreef met twee vingers over de brug van haar neus en kneep haar ogen dicht. 'Heb je aspirine bij je?'

'Handschoenenkastje misschien.'

Ze keek en vond er een strip met nog twee tabletten. Rebus gaf haar een aangebroken flesje water. 'Als je niet bang bent voor een paar extra bacillen,' zei hij.

Ze schudde haar hoofd ten teken dat dat niet zo was. Slikte de tabletten door en liet haar hoofd een paar keer op haar nek ronddraaien.

'Ik kan het hier horen kraken,' zei hij meelevend.

'Het is wel goed – je wil dus zeggen dat Andropov Todorov niet heeft vermoord?'

'Stel dat hij het niet heeft gedaan – waar zou hij dan het meest mee zitten?' Hij gaf haar een ogenblik tijd om te antwoorden en ging toen verder. 'Dat wíj zouden denken van wel.'

'Met zijn eigen woorden als bewijs?'

'En dat brengt ons bij Charles Riordan.'

Clarke was er weer helemaal bij. 'Daar werd Aksanov helemaal opgewonden van toen ik hem hoorde, hij bleef maar zeggen dat híj al die tijd in Gleneagles was geweest.'

'Misschien bang dat we hem ervoor zouden laten opdraaien.'

'En jij denkt dat Andropov...?'

Rebus haalde zijn schouders op. 'Dan zouden we iets moeten vinden dat bewijst dat hij die nacht uit Gleneagles weg is geweest.'

'Zou hij niet eerder Cafferty hebben gebeld en gezegd dat die er wat aan moest doen?'

'Zou kunnen,' erkende Rebus, nog steeds trommelend op zijn stuur. Ze zwegen een tijdje om hun gedachten op een rij te zetten. 'Weet je nog hoe lastig het was om van het Caledonian Hotel gegevens los te krijgen over hun gasten? Dat zal in Gleneagles wel niet veel makkelijker gaan.'

'We hebben wél een geheim wapen,' zei Clarke. 'Weet je nog met de G8? Macrae had toen een vriend die de leiding had over de beveiliging van het hotel. Die heeft Macrae toen zelfs een rondleiding gegeven.'

'Je bedoelt dat hij de manager ontmoet kan hebben? Dat zou mooi uitkomen.' Weer zwegen ze.

'Weet je wat dit betekent?' vroeg Clarke uiteindelijk.

Rebus knikte weer. 'Dat we nog altijd niet weten wie Todorov aan zijn eind heeft geholpen.'

'Hoe je het ook wendt of keert, Andropov heeft gezegd dat hij hem dood wenste...'

'Zegt nog niet dat hij de wens in daden heeft omgezet. Als ik iedereen een kopje kleiner zou maken die ik verwens, zouden er bar weinig fietsers of studenten over zijn in Edinburgh – of waar dan ook.'

'Zou ik er nog zijn?' vroeg ze.

'Waarschijnlijk wel,' gaf hij toe.

'Ondanks die drie min?'

'Dat had je nou niet moeten zeggen...'

42

'Komt Todd Goodyear er niet bij?' vroeg Rebus.

'Kun je hem niet meer missen?'

Ze zaten in Kay's Bar, een compromis. Het eten was er behoorlijk, maar het bier was ook goed. Iets groter dan de Oxford Bar, toch had het een knusse sfeer behouden. De overheersende kleur was rood, tot en met de zuilen die de tafeltjes scheidden van de bar zelf. Clarke had chili besteld; Rebus had gezegd dat zoute pinda's voor hem genoeg waren.

'Heb je hem onder Starrs radar weten te houden?' vroeg Rebus in plaats van haar vraag te beantwoorden.

'Inspecteur Starr denkt dat Todd rechercheur is.' Ze pikte nog een pinda van Rebus.

'Mag ik ook in jouw chili grabbelen als die komt?'

'Koop ik nog een pakje pinda's voor je.'

Hij nam een grote slok IPA. Zij dronk een giftig uitziende mix van limoensap en spa.

'Nog plannen voor morgen?' vroeg hij.

'Het team heeft de hele dag dienst.'

'Dus geen surpriseparty voor de ouwe?'

'Dat wou jij niet.'

'Dus jullie zijn gewoon met de pet rondgegaan om iets leuks voor me te kopen?'

'En nou staan we allemaal diep rood... Hoe laat loopt je schorsing af?'

'Rond lunchtijd, neem ik aan.' Rebus dacht terug aan het tafereel in het kantoor van Corbyn... Sir Michael Addison die briesend naar buiten stormde. Sir Michael was de stiefvader van Gill Morgan. Gill kende Nancy Sievewright. Nancy en Gill en Eddie Gentry waren bespioneerd en de opnames waren bekeken door Roger Anderson, Stuart Janney en Jim Bakewell. In Edinburgh leek alles met alles samen te hangen. Als rechercheur had Rebus keer op keer gemerkt hoezeer dat waar was. Alles en iedereen. Todorov en Andropov, Andropov en Cafferty, de bovenwereld en de onderwereld. Sol Goodyear kende Nancy en haar clubje ook. Sol was de broer van Todd Goodyear en Todd stond in contact met Siobhan en Rebus zelf. Wisselende partners in zo'n eindeloze danswedstrijd. Hoe heette die film ook alweer? Iets over paarden doodschieten. Dansen en doordansen omdat niets anders ertoe doet.

Probleem was dat Rebus' dans er bijna op zat. Siobhans chili was gearriveerd en hij keek toe hoe ze een papieren servetje op haar schoot openvouwde. Overmorgen ging hij naar de rand van de dansvloer. Nog een paar weken en hij zou verder naar de achtergrond verdwijnen en opgaan in het publiek, van deelnemer naar toeschouwer. Hij had het bij andere politiemensen gezien: ze gingen met pensioen en beloofden contact te houden, maar elk bezoek aan de oude club collega's onderstreepte alleen hoe ver ze uit elkaar waren gegroeid. Dan werd er een avond per maand afgesproken om elkaar op drank en roddels te trakteren. Dan werd het een avond in de zoveel maanden. Dan hield het op.

Alle banden direct doorsnijden was het beste, zei men. Intussen bood Siobhan hem wat van haar eten aan. 'Pak een vork en prik mee.'

'Ik heb echt geen honger,' verzekerde hij haar.

'Je was even helemaal weg.'

'Is de leeftijd.'

'Dus je komt morgen tussen de middag naar het bureau?'

'Geen feestjes, afgesproken?'

Ze schudde instemmend haar hoofd. 'En aan het eind van de middag hebben we de hele handel opgelost.'

'Uiteraard.' Hij glimlachte wrang.

'Ik zal je missen, weet je.' Ze keek aandachtig naar het eten op haar bord.

'Een tijdje misschien,' stemde hij in en zwaaide naar haar met zijn lege glas. 'Tijd voor een rondje.'

'Je bent met de auto, weet je nog?'

'Ik dacht dat jij me wel een lift kon geven.'

'In jouw auto?'

'Bel ik daarna een taxi voor je.'

'Verdomd gul van je.'

'Ik zei niet dat ik hem zou betalen,' zei Rebus, en hij liep naar de bar.

Dat deed hij uiteindelijk wel; hij drukte een briefje van tien pond in haar handen en zei dat hij haar morgen zou zien. Ze had voor zijn Saab een parkeerplek gevonden boven aan Arden Street. Hij had op het punt gestaan haar mee naar binnen te vragen toen er een zwarte taxi aan kwam ronken met zijn daklampje aan. Siobhan Clarke had naar de chauffeur gezwaaid en Rebus zijn autosleutels teruggegeven.

'Gelukje,' had ze gezegd, doelend op de taxi. Rebus had het tientje naar haar uitgestoken en ze had het uiteindelijk aangenomen.

'Rechtstreeks naar huis, hè?' had hij haar gemaand. Toen hij de taxi uit het zicht zag verdwijnen, vroeg hij zich af of hij die wijze raad zelf ook zou opvolgen. Het was bijna tien uur en de temperatuur was nog lang niet tot het vriespunt gedaald. Hij liep de helling af naar zijn voordeur en staarde omhoog naar het erkerraam van zijn woonkamer. Donker. Niemand die op hem zat te wachten. Hij dacht aan Cafferty en vroeg zich af waar de gangster van zou dromen. Droomde je in een coma? Wat deed je anders? Rebus wist dat hij hem kon opzoeken, bij hem gaan zitten. Misschien zou een verpleegster hem een kop thee brengen. Misschien kon ze goed luisteren. Alexander Todorovs schedel was van achteren ingeslagen. Cafferty was van achteren aangevallen, maar alleen op zijn hoofd geslagen, terwijl de dichter eerst was mishandeld. Rebus kon zich niet losmaken van de gedachte dat er een verband moest zijn – waarschijnlijk via Andropov. Andropov met zijn hooggeplaatste vrienden – Megan Macfarlane, Jim Bakewell. Cafferty die feestjes gaf, die Bakewell en de bankiers in de watten legde, ouwe-jongens-krentenbrood... Andropov die zijn zaken naar Schotland wilde verplaatsen, waar zijn nieuwe vrienden hem zouden verwennen en beschermen. Zaken zijn zaken, nietwaar? Wat maakte het uit als Andropov thuis van corruptie werd beschuldigd? Rebus realiseerde zich dat hij nog altijd naar de onverlichte en onaanlokkelijke ramen van zijn flat stond te staren.

'Mooie avond voor een wandeling,' zei hij tegen zichzelf en liep met zijn handen in zijn zakken de helling verder af. In Marchmont zelf was het stil en op Melville Drive reed niet één auto. De Meadows over via Jawbone Walk, waar maar een handvol mensen liep, studenten op weg naar huis na een avond uit. Rebus liep onder de boog door die was gemaakt van de kaken van een echte walvis en vroeg zich – niet voor de eerste keer – af waar die eigenlijk toe diende. Toen zijn dochter klein was, deed hij alsof ze door de walvis werden ingeslikt, zoals Jonas of Pinokkio. In de verte klonk dronken gezang van een stel zwervers op een bankje, al hun aardse bezittingen in een paar plastic tassen naast zich. Het oude ziekenhuiscomplex werd omgebouwd tot nieuwe appartementen die de skyline een ander aanzicht gaven. Toen hij Forrest Road bereikte liep hij door, maar in plaats van rechtdoor richting The Mound sloeg hij bij Greyfriars Bobby links af en daalde af naar de Grassmarket. De meeste pubs waren hier nog open en voor de opvangcentra voor daklozen hingen mensen rond. Toen hij in Edinburgh kwam wonen was de Grassmarket een gribus en moest eigenlijk de hele Old Town nodig een opknapbeurt hebben. Moeilijk om je nu nog voor ogen te halen hoe het er toen uitzag. Er waren mensen die zeiden dat Edinburgh nooit veranderde, maar daar was niets van waar, het veranderde continu. Buiten de Beehive en de Last Drop dromden groepjes rokers samen. Voor de fish-and-chipszaak stond een rij. Een vlaag frituurwalm sloeg Rebus in zijn gezicht toen hij er langsliep en hij ademde diep en genietend in. Ooit had er in de Grassmarket een galg gestaan, waaraan tientallen Covenanters, radicale presbyterianen, waren gestorven. Misschien zou de geest van Todorov ze wel tegenkomen. Hij naderde een volgende driesprong en sloeg rechts af, King's Stables Road in. Toen hij de parkeergarage passeerde bleef hij even staan. Op niveau o, de begane grond, stond maar één auto. De eigenaar kon maar beter opschieten, want de boel ging met een minuut of tien op slot. De auto stond in het vak naast dat waarin Todorov was aangevallen. Geen spoor van een op seks beluste vrouw met een capuchon. Rebus stak een sigaret op en liep door. Hij wist niet waar naartoe. Even verderop kwam King's Stables Road uit op Lothian Road en zou hij tegenover het Caledonian Hotel staan. Zat Sergej Andropov daar nog? Was er iets te winnen bij nog een confrontatie?

'Mooie avond daarvoor,' herhaalde hij in zichzelf.

Maar toen dacht hij aan die pubs in de Grassmarket. Als hij verstandig was, keerde hij op zijn schreden terug, nam een slaapmutsje en een taxi terug naar huis. Hij draaide op zijn hakken om en aanvaardde de terugweg. Toen hij de parkeergarage weer naderde, zag hij de laatste auto wegrijden. Hij stopte aan de stoeprand en de bestuurder stapte uit en liep terug naar de uitgang. Met een sleutel stelde hij een metalen rolluik in werking dat met een elektrisch gezoem neer begon te dalen. De bestuurder bleef niet staan kijken tot het dicht was. Hij zat in zijn auto en trok op richting de Grassmarket.

De knappe parkeerwacht, Gary Walsh. Auto geparkeerd op de begane grond... Had hij Rebus niet gezegd dat hij hem altijd naast het kantoortje op de eerste verdieping zette? Het rolluik was nu dicht, maar het had op borsthoogte een raampje. Rebus zakte wat door zijn knieën om naar binnen te kijken. De verlichting was nog aan; misschien bleef die de hele nacht aan. Tegen het plafond in de hoek kon hij de camera zien hangen. Hij herinnerde zich wat Walsh' collega had gezegd: *die camera stond vroeger min of meer op die plek gericht... maar hij wordt verzet...* Kon Rebus zich iets bij voorstellen: als je in een parkeergarage werkte, wilde je wel dat jouw auto in het zicht van de camera's stond. Ze bekeken het allemaal maar, als je jouw wagen maar in de gaten kon houden...

Macrae's woorden: *er schuilt minder achter dan het lijkt.* Al die verbanden... Cath Mills alias Magere Hein, die Rebus vroeg naar onenightstands en affaires met collega's... Alexander Todorov onderweg naar huis na een dag in Glasgow: een curry met Charles Riordan, een borrel op rekening van Cafferty en sperma op zijn onderbroek.

De vrouw met de capuchon.

Schuilt minder achter dan het lijkt...

Cherchez la femme...

De dichter en zijn libido. Leonard Cohen had een plaat gemaakt die *Death of a Ladies' Man* heette. Een van de nummers: 'Don't Go Home With Your Hard-On'. Nog een: 'True Love Leaves No Traces.'

Traces, sporen: bloed op de vloer van de parkeergarage, olie op de kleren van het slachtoffer, spermavlekken...

Cherchez la femme.

Het antwoord lag zo dichtbij dat Rebus het haast kon proeven.

Dag negen

Zaterdag 25 november 2006

43

Vroeg die ochtend trok Rebus zijn ticket uit de automaat en zag de slagboom schokkerig omhooggaan. Hij was de garage ingereden via het bovenste niveau aan Castle Terrace, maar volgde de pijlen naar beneden. Bij het wachthokje waren meerdere vrije vakken. Rebus liep naar de deur en klopte alvorens hem open te duwen.

'Wat nou?' vroeg Joe Wills, met zijn handen om een mok thee. Hij kneep zijn ogen tot spleetjes nu hij Rebus herkende.

'Ook goeiemorgen, meneer Wills – beetje zware nacht gehad?' Wills had zich niet geschoren, zijn ogen waren roodomrand en waterig en aan het omdoen van zijn das was hij nog niet toegekomen.

'Was wat gaan drinken,' begon de man uit te leggen, 'belt Magere Hein me op de mobiel – Bill Prentice heeft zich ziek gemeld en of ik zijn ochtenddienst kon doen.'

'En ondanks alles bent u meteen gegaan – dat noem ik nog eens plichtsbesef.' Rebus zag de krant op tafel liggen. De dood van Litvinenko werd geweten aan polonium 210; Rebus had er nog nooit van gehoord.

'Wat komt u eigenlijk doen?' ging Joe Wills verder. 'Ik dacht dat jullie hier wel klaar waren.' Rebus zag dat Wills' mok het logo van een plaatselijk radiostation droeg, Talk 107. 'U hebt zeker geen melk bij u toevallig?' vroeg de man. Maar Rebus had zijn aandacht op de monitoren gericht.

'Komt u met de auto naar het werk, meneer Wills?'

'Soms.'

'Ik kan me herinneren dat u zei dat u een "optater" had gehad.'

'Hij loopt nog.'

'Staat hij nu hier?'

'Nee.'

'Waarom niet dan?' Maar Rebus stak een vinger op. 'Als u moest blazen was u nog steeds strafbaar, heb ik gelijk?' Hij zag Wills knikken. 'Heel verstandig van u, meneer. Maar als u wél met de auto naar het werk komt, neem ik aan dat u hem ergens neerzet waar u hem kunt zien?'

'Tuurlijk.' Wills nipte aan zijn thee en deinsde terug van de bittere smaak.

'Met andere woorden: in het zicht van een camera.' Rebus knikte naar de batterij monitoren. 'Altijd op dezelfde plek?'

'Hangt ervan af.'

'En uw collega? Klopt het als ik denk dat hij liever op de begane grond parkeert?'

'Hoe weet u dat?'

Weer negeerde Rebus de vraag. 'Toen ik hier voor het eerst kwam,' zei hij, 'de dag na de moord, weet u nog?'

'Ja?'

'Toen stonden de camera's beneden niet gericht op de plek waar Todorov was aangevallen.' Hij gebaarde naar een van de schermen. 'U zei me dat er vroeger wel een op gericht stond, maar dat die was verzet. Maar zo te zien is hij inmiddels weer verzet en staat hij nu gericht op... laat me raden... het vak waarin meneer Walsh zijn auto neerzet?'

'Gaat dit ergens over?'

Rebus glimlachte zuinig. 'Ik vraag het me gewoon af, meneer Wills: wanneer precies is die camera opnieuw ingesteld?' Hij leunde over de tafel naar de zittende parkeerwacht. 'De laatste dienst die u had voor de moord, durf ik te wedden dat hij net zo stond als nu. In de tussentijd heeft iemand ermee geknoeid.'

'Ik heb u al gezegd, ze worden nu en dan verzet.'

Rebus keek Wills van dichtbij in de ogen toen hij weer begon te praten. 'U weet het, hè? U bent niet het grootste licht aan de hemel, maar u was de eerste die het in de gaten kreeg. Hebt u er iemand over verteld, meneer Wills? Of kunt u goed geheimen bewaren? Of wilt u misschien gewoon een rustig leventje, 's avonds een paar biertjes en melk in uw thee? U bent geen type om een maat te verlinken, of wel? Maar ik zal u een wijze raad geven, meneer, en als u weet wat goed voor u is, zou ik die maar aannemen.' Rebus wachtte even om zich van 's mans onverdeelde aandacht te verzekeren. 'U zegt geen woord tegen uw maat. Want als u dat doet en ik kom erachter, zet ik ú in de cel, en niet hem. Begrijpt u dat?'

Wills zat stokstijf en de mok trilde licht in zijn handen.

'Is dat afgesproken?' drong Rebus aan. De parkeerwacht knikte alleen, maar Rebus was nog niet helemaal klaar met hem.

'Zijn adres,' zei hij en legde zijn notitieblok op tafel. 'Schrijf het voor me op.' Hij keek toe hoe Joe Wills zijn mok neerzette en begon te schrijven. Walsh' cd-verzameling stond op zijn plek; Rebus betwijfelde of Wills er iets aan zou hebben. 'En dan nog één ding,' zei hij toen hij zijn notitieblok terugpakte. 'Als ik met mijn Saab bij de uitgang kom, maakt u de slagboom voor me open. Wat jullie hier aan parkeergeld rekenen is een grof schandaal.'

Shandon lag aan de westkant van de stad, ingeklemd tussen het kanaal en Slateford Road. Niet veel meer dan een kwartiertje rijden, zeker in het weekend. Rebus had zijn cd-speler aangezet, tot hij erachter kwam dat hij naar Eddie Gentry zat te luisteren. Hij haalde de schijf eruit, gooide hem op de achterbank en zette Tom Waits op. Maar de grindbak van Waits' stem vroeg te veel aandacht, dus verkoos hij de stilte. Gary Walsh woonde op nummer 28, een rijtjeshuis in een smalle straat. Naast Walsh' auto was een lege plek, dus zette Rebus de Saab daar neer en sloot hem af. Voor het bovenraam van nummer 28 zaten de gordijnen dicht. Logisch: een man die de late dienst had gewerkt sliep lang uit. Rebus besloot de deurbel te negeren en klopte aan. Toen de deur openging, stond er een op-en-top gesoigneerde vrouw voor hem. Haar kapsel zat onberispelijk en ze was erop gekleed om uit te gaan, afgezien van de schoenen.

'Mevrouw Walsh?' vroeg Rebus.

'Ja.'

'Inspecteur Rebus.' Terwijl zij zijn legitimatiebewijs bestudeerde, bestudeerde hij haar. Achter in de dertig of begin veertig, dus misschien tien jaar ouder dan haar partner. Gary Walsh was dus een *toyboy*. Maar toen Joe Wills mevrouw Walsh een stoot had genoemd, loog hij niet. Ze was goed geconserveerd en gloeide van levenslust. 'Rijp' was het woord dat Rebus te binnen schoot. Aan de andere kant was zo'n uiterlijk niet eeuwig – rijp bleef niet altijd rijp.

'Mag ik even binnenkomen?' vroeg hij.

'Waar gaat het over?'

'De moord, mevrouw Walsh.' Haar groene ogen verwijdden zich. 'Bij uw man op zijn werk.'

'Heeft Gary niets van gezegd.'

'Die Russische dichter? Die onder aan Raeburn Wynd dood is gevonden?'

'Dat stond in de krant...'

'Die was al in de parkeergarage aangevallen.' Haar blik vervaagde enigszins. 'Afgelopen woensdagavond, vlak voordat uw man z'n dienst erop zat...' Hij zweeg even. 'U weet er echt niks van, hè?'

'Hij heeft me er niets van gezegd.' Haar gezicht had iets aan kleur ingeboet. Rebus zocht zijn notitieblok en haalde er een krantenknipsel uit. Er stond een foto van de dichter op, van de omslag van een van zijn boeken.

'Hij heette Alexander Todorov, mevrouw.' Maar ze was naar binnen geschoten, al had ze de deur niet achter zich dichtgedaan. Rebus wachtte even, duwde hem toen open en volgde haar naar binnen. De gang was smal en aan haken naast de trap hing een handvol jassen. Verderop twee deuren: keuken en woonkamer. Zij zat in de laatste op de rand van de bank en gespte een hooggehakte schoen om haar enkel.

'Ik kom te laat,' mompelde ze.

'Waar werkt u?' Rebus keek de kamer rond. Grote tv, grote stereo en kasten vol cd's en video's.

'Parfumerieafdeling,' zei ze.

'Vijf minuten, dat zal toch geen ramp zijn...'

'Gary slaapt, u kunt later terugkomen. Hij moet de auto ook nog naar de garage brengen, de cd-speler laten maken...' Haar stem stierf weg.

'Wat is er, mevrouw Walsh?'

Ze wreef haar handen samen terwijl ze opstond. Rebus betwijfelde of het de hoge hakken waren waardoor ze zo wankelde.

'Mooie duffelse jas trouwens,' merkte hij op. Ze keek hem aan alsof hij in een vreemde taal was gaan praten. 'In de hal,' legde hij uit. 'Die zwarte met die capuchon... ziet er lekker warm uit.' Hij glimlachte vreugdeloos. 'Vindt u het geen tijd me er iets over te vertellen?'

'Er valt niks te vertellen.' Ze keek de kamer rond alsof ze een nooduitgang zocht. 'De auto moet gemaakt...'

'Dat zei u al.' Rebus kneep zijn ogen samen en keek uit het raam naar de Ford Escort. 'Herinnert u zich ineens iets, mevrouw Walsh? Misschien moeten we Gary maar wakker maken, hè?'

'Ik moet naar m'n werk.'

'Eerst heb ik een paar vragen waar ik antwoord op wil hebben.' *Schuilt minder achter dan het lijkt*, de woorden die in Rebus' schedel rondstuiterden. Todorov had hem naar Cafferty en Andropov geleid en hij had zich op hen gefixeerd omdat die twee degenen waren die hem interesseerden, omdat hij wílde dat zij het hadden gedaan. Complotten en dekmantels zien die er niet zijn. Andropov was geschrokken vanwege die ene uitbarsting – dat wilde nog niet zeggen dat hij de dichter had gedood...

'Hoe was u erachter gekomen, van Gary en Cath Mills?' vroeg Rebus zacht. Cath Mills... die Rebus die avond in de bar had bekend dat ze onenightstands bíjna had opgegeven.

De vrouw van Walsh keek hem met afgrijzen aan en liet zich weer op de bank zakken, gezicht in haar handen, perfecte make-up bedorven. Begon 'O god' te mompelen, keer op keer. Toen, uiteindelijk: 'Hij bleef maar zeggen dat het bij één keer was gebleven... één keer maar, en dat het een vergissing was geweest. Een blúnder.'

'Maar u wist wel beter, dacht u,' vulde Rebus aan. Natuurlijk zou Gary Walsh weer in de verleiding raken, weer vreemdgaan. Hij was jong en strak en knap als een popster, terwijl zijn vrouw met de dag ouder werd en de make-up het begon af te leggen tegen de tand des tijds... 'Een nogal drieste actie,' verklaarde hij zacht. 'Met die capuchon op zodat hij de boodschap zou opvangen. Op straat rondhangen, uzelf aan vreemden aanbieden...'

Er biggelden tranen over haar vlekkerige wangen en haar schouders schokten.

Alexander Todorov: verkeerde tijd, verkeerde plaats. Een wulpse vrouw die gratis seks aanbiedt, neemt hem mee de parkeergarage in, waar de camera ze vol in beeld krijgt. Naar de auto van Gary Walsh, al zou Todorov dat niet geweten hebben. Neuken met een man die ze nooit eerder had gezien, zodat haar toekijkende echtgenoot zou weten wat de prijs van verder vreemdgaan was.

'Hebben jullie het tegen de auto gedaan?' vroeg hij. 'Op de motorkap misschien?' Hij tuurde nog altijd naar de Escort en dacht: vingerafdrukken, bloed, misschien zelfs sperma.

'Erin.' Haar stem was nauwelijks meer dan gefluister.

'Erin?'

'Ik had m'n eigen sleutels.'

'Was dat ook de plek waar...?' Hij hoefde de vraag niet af te maken. Ze knikte al, om te laten weten dat Walsh en zijn cheffin hun samenzijn op dezelfde plek hadden genoten.

'Niet mijn idee,' zei ze, en Rebus moest goed luisteren om haar te kunnen verstaan.

'Die man die u had opgepikt,' realiseerde hij zich, 'die wou het in de auto doen?'

Ze knikte weer.

'Beetje gezelliger misschien,' suggereerde hij. Maar toen schoot hem iets te binnen. De vermiste cd... Todorovs laatste voordracht, opgenomen door Charles Riordan... *Auto naar de garage... moet de cd-speler laten maken...* 'Wat is er met de cd-speler, mevrouw Walsh?' vroeg Rebus op zachte toon. 'Het was zijn cd, hè? Hij wou ernaar luisteren terwijl jullie aan het...?'

Ze staarde hem aan door een smurrie van mascara en eyeliner. 'Hij zit vast in het apparaat. Maar ik wist niet, ik wist niet...'

'U wist niet dat hij dood was?'

Ze schudde haar hoofd woest heen en weer en Rebus geloofde haar. Het enige waar ze op uit was geweest was een man, welke man dan ook, en toen het voorbij was, had ze het uit haar hoofd gezet. Had hem niet gevraagd naar zijn naam of nationaliteit, had hem misschien niet eens aangekeken. Misschien had ze zichzelf ook moed ingedronken met een paar stevige borrels.

En haar man had er naderhand niet over willen praten... had haar niets gezegd.

Rebus stond diep in gedachten bij het raam. Zoveel huiselijke ellende door de jaren heen, partners die hun partners leven vergalden, leugens en ontrouw, razernij en etterende rancune. *Hier is iemand razend geworden...* Plotseling of aanhoudend geweld, psychische mishandeling, machtsspelletjes. Liefde die verzuurt of verschaalt met het verstrijken van de jaren...

En dan is daar de echtgenoot, die met een slaperig gezicht de trap af komt en naar zijn vrouw roept: 'Ben je d'r nog?' De hal door en de woonkamer binnen, versleten spijkerbroek en blote voeten, bloot bovenlijf, terwijl hij met één hand over zijn haarloze borst strijkt en met de andere de slaap uit zijn ogen wrijft. Dan knippert als hij zich realiseert dat er een vreemde in de kamer staat... zijn vrouw aankijkt voor een verklaring... haar gezicht vertrokken van verdriet, nat van de tranen... dan terug naar Rebus, die hij nu herkent, dan naar de deur, een vluchtplan overwegend.

'Zonder schoenen, Gary?' was Rebus hem voor.

'Ik ren jou er op zwemvliezen nog uit, dikke lul,' sneerde Walsh.

'En daar is die plotseling opkomende woede waar we naar op zoek waren,' zei Rebus met een dun glimlachje. 'Wil je je vrouw misschien eens vertellen wat er met Alexander Todorov is gebeurd toen je hem in handen kreeg?'

'Hij viel in de auto in slaap,' begon mevrouw Walsh, die de film in haar hoofd terugdraaide, haar ogen schraal en rood, maar strak op haar jonge man gericht. 'Ik realiseerde me dat hij dronken was, ik kreeg hem niet wakker... dus ik heb hem laten liggen.' Gary had zijn hoofd tegen de deurpost geleund en hield met zijn handen achter zich de klink vast.

'Ik weet niet waar ze het over heeft,' teemde hij uiteindelijk. 'Echt niet.'

Rebus had zijn mobiel in zijn hand en toetste het nummer dat hij moest hebben. Hij hield zijn blik op Walsh gevestigd en Walsh staarde naar hem terug, nog altijd klaar om ervandoor te rennen. Rebus hield de telefoon aan zijn oor.

'Siobhan?' zei hij. 'Een nieuwtje om je ochtend goed te maken.' Hij was bezig haar het adres te geven toen Gary Walsh zich omdraaide en naar de voordeur rende, met uitgestoken hand om het slot open te maken. Hij had de deur een paar centimeter open, een straaltje vrijheid scheen naar binnen, toen Rebus' volle gewicht hem van achteren trof en hem beroofde van de lucht in zijn longen én de kracht in zijn benen. De deur sloeg weer dicht en hij gleed op zijn knieën, hoestend en proestend terwijl het bloed uit zijn ingedrukte neus liep. Zijn vrouw zat erbij alsof ze het niet had gemerkt, met haar gezicht in haar handen op de rand van de bank, diep weggezakt in haar eigen ellende. Rebus raapte zijn mobiel op van het tapijt, hij voelde de adrenaline door zijn lijf pompen en zijn hart bonken. Een van de leuke kanten van zijn werk die hij zou missen...

'Sorry hoor,' zei hij tegen Clarke. 'Ik ben net iemand tegen het lijf gelopen...'

44

Een team van de technische recherche had de Ford Escort opgehaald en het had een van hun specialisten maar een paar minuten
gekost om de vastgelopen cd eruit te halen. Op de speler in bureau
Gayfield Square draaide hij perfect. Er stond niets op geschreven
dan het woord 'Riordan', net als op de kopie die Riordan zelf voor
Siobhan Clarke had gemaakt. Meer goed nieuws: het zag ernaar
uit dat de gereedschapskist in de achterbak wat zou opleveren. De
klauwhamer had Walsh afgespoeld, maar er waren meer bloed-
sporen. De rest van de auto zou vanbinnen en vanbuiten op vingerafdrukken en andere sporen worden onderzocht door Ray Duff
en zijn jongens in het laboratorium op Howdenhall. Het was, zoals zelfs Derek Starr erkende, 'een mooi resultaat'. Starr had weinig meer van de dag verwacht dan overwerkdeclaraties. In plaats
daarvan stond hij op zijn tenen te hippen en had hij voordat iemand anders er de kans voor had gehad de korpschef thuis gebeld
– tot groot ongenoegen van hoofdinspecteur Macrae, die direct
daarná door Starr was gebeld.

In verhoorkamer 1 zat Gary Walsh en in verhoorkamer 2 Louisa
Walsh, elk met hun eigen verhaal. Zijn verdedigingswal begaf het
slechts bij stukjes en beetjes, naarmate de harde bewijzen zich op-
stapelden: de hamer, de bloedspatten, het naderhand verzetten van
de camera om aannemelijk te maken dat hij van het hele gebeuren
niets had gezien. Een huiszoekingsbevel was geregeld. De rechercheurs vroegen Walsh of ze in of rond zijn huis of werkplek mogelijk eigendommen van Alexander Todorov zouden aantreffen,
maar hij had zijn hoofd geschud.

*Ik wou hem niet doodmaken, ik wou hem alleen uit mijn auto
hebben... Lag daar te snurken terwijl hij net mijn vrouw had ge-*

naaid... stinkend naar drank en zweet en haar parfum... Ik gaf hem een paar klappen en hij waggelde naar buiten... Ik stapte in de auto en trok op, toen zag ik dat hij aan de cd-speler had gezeten, die deed het niet meer... Dat was goddomme de druppel... Toen zag ik hem weer bij dat steegje en ik ging helemaal door het lint... Ik was gewoon door het dolle heen, het kwam allemaal door haar... Ik dacht als ik een paar spullen meeneem, lijkt het op een beroving... Die liggen onder aan Castle Rock, ik heb ze over de muur gekeild...

'Dus,' zei Siobhan Clarke, 'na wat we allemaal overhoop hebben gehaald gaat het gewoon om een relatieprobleem?' Ze klonk daas en verslagen en leek de waarheid maar moeilijk te kunnen aanvaarden. Rebus haalde meelevend zijn schouders op. Hij was terug in bureau Gayfield Square, met de uitdrukkelijke toestemming van inspecteur Derek Starr. 'Op mijn verantwoording,' had hij gezegd.

'Mooi van je,' had Rebus gemompeld.

'Hij maakt een nummertje buitenshuis,' ging Clarke verder, meer tegen zichzelf dan tegen Rebus, 'biecht het op aan mevrouw en zij neemt wraak. Meneer gaat uit zijn bol en de arme dronken tor die zich door mevrouw laat verleiden eindigt in het mortuarium?' Ze schudde langzaam haar hoofd.

'En koude, zuivere dood,' merkte Rebus op.

'Dat is een regel van Todorov,' zei Clarke. 'En het was allesbehalve "zuiver".'

Rebus haalde traag zijn schouders op. '*Cherchez la femme*, zei Andropov tegen me. Hij wou me zand in de ogen strooien, maar hij had nog gelijk ook.'

'Dat drankje van Cafferty... die opnames die Riordan van de voordracht had gemaakt... Andropov, Stahov, Macfarlane en Bakewell...?' Ze telde de namen af op haar vingers.

'Hadden er allemaal niks mee te maken,' bevestigde Rebus. 'Uiteindelijk was het niets anders dan een vastgelopen cd en een man die door het lint ging.' Ze stonden in de gang buiten de verhoorkamers en praatten op gedempte toon, bewust als ze zich waren dat Walsh en zijn vrouw vlak achter de deuren aan weerskanten zaten. Clarke lachte wat triest in zichzelf toen er een uniformagent om de hoek kwam. Rebus herkende hem als Todd Goodyear.

'Terug in het huzarenpak?' vroeg Rebus hem.

Goodyear streek met zijn handen over de voorpanden van zijn uniform. 'Ik draai weekenddienst in West End, maar toen ik het hoorde moest ik toch even langskomen. Is het waar?'

'Schijnt van wel,' zuchtte Clarke.

'Die man van de parkeergarage?' Hij zag haar knikken. 'Dus die tapes van Riordan waar ik al die uren aan heb gezeten...?'

'Allemaal deel van het leerproces,' stelde Rebus hem gerust, en hij gaf de jongeman een klap op zijn schouder. Goodyear staarde hem aan.

'U bent er weer,' realiseerde hij zich.

'Jou ontgaat niet veel, hè?'

Goodyear stak zijn hand uit naar Rebus. 'Ik ben blij dat ze voor die aanslag op Cafferty iemand anders zoeken.'

'Ik weet niet zeker of ik helemaal uit beeld ben, maar in ieder geval bedankt.'

'U moet de kofferbak van uw auto eens na laten kijken.'

Rebus grinnikte. 'Heb je gelijk in, Todd. Zo gauw als ik een minuutje tijd heb...'

Goodyear draaide zich naar Clarke. Nog een handdruk en een dankjewel voor haar hulp.

'Je hebt het oké gedaan, kid,' zei ze op John Wayne-toon. Het bloed steeg hem naar zijn wangen, hij gaf nog een laatste hoofdknik en ging de weg terug die hij was gekomen.

'God weet hoeveel werk hij aan die opnames in het parlement heeft gehad,' fluisterde Clarke. 'En allemaal voor niks.'

'Soms zit het mee, soms zit het tegen, Shiv.'

'Je moet die auto van je echt laten repareren.'

Hij keek omstandig op zijn horloge. 'Maakt niet veel meer uit, wel? Over een paar uur kan ik die plaats-delictset in de vuilnisbak gooien, met de rest.'

'Nou, maar voor die tijd...'

Hij keek haar aan. 'Ja?'

'Jij hebt me de jouwe laten zien, dus ik neem aan dat je nou de mijne wil zien.'

Hij sloeg zijn armen over elkaar en wipte heen en weer op zijn voetzolen. 'Leg uit,' zei hij.

'Gisteravond hebben we gezegd dat we de hele boel vandaag voor vijven afgehandeld wilden hebben.'

'Klopt.'

'Dus laten we eens naar het kantoor gaan en zien wat die slimme hoofdinspecteur Macrae voor ons heeft gedaan.'

Rebus volgde haar geïntrigeerd. Het lege recherchekantoor zag eruit alsof er een bom was gevallen. Het Todorov-Riordanteam had alleen zijn sporen achtergelaten.

'Niemand om zelfs maar een biertje mee te drinken,' klaagde Rebus.

'Beetje vroeg,' vermaande Clarke hem. 'Trouwens, ik dacht dat je geen feestje wilde.'

'Maar om ons succes met de zaak-Todorov te vieren...'

'Noem je dat een succes?'

'Het is een resultaat.'

'En wat koop je ervoor, voor al die resultaten?'

Hij stak zijn vinger naar haar op. 'Volgens mij ben ik net op tijd weg – nog een paar weken en je bent helemaal verzuurd.'

'Maar het zou toch fijn zijn om te kunnen denken dat we er iets toe doen, vind je niet?' antwoordde ze met nog een zucht.

'Ik dacht dat je me dat juist ging laten zien?'

Ze glimlachte – uiteindelijk – en ging aan haar computer zitten. 'Ik heb het volgens het boekje gedaan, Macrae gevraagd of zijn vriendje op Gleneagles een goed woordje voor ons kon doen. Ze hebben beloofd dat ze me de gegevens vanmorgen vroeg zouden mailen.'

'Gegevens? Waarvan?'

'Gasten die laat op de avond of vroeg in de ochtend uit het hotel zijn weggegaan, voordat Riordan is vermoord. Die zijn uitgecheckt of teruggekomen.' Ze klikte een paar keer rap met haar muis. Rebus liep achter haar om zodat hij mee kon kijken.

'Wie wed jij, Andropov of zijn chauffeur?'

'Een van die twee, dat zeker.' Maar toen opende ze de e-mail en viel haar mond open.

'Zo zo,' was alles wat Rebus zei.

Het kostte ze de rest van de ochtend en een groot deel van de middag om de resterende stukjes in elkaar te passen. Ze hadden de informatie uit Gleneagles en hadden zelfs geluk toen ze doorvroegen naar het kenteken van de gast. Gewapend hiermee was Graeme MacLeod – op Rebus' verzoek opgetrommeld van de golfbaan – in de Cameratoezichtcentrale nog eens aan de slag gegaan met de beveiligingstapes uit Joppa en Portobello. Dat hij nu wist naar welk voertuig hij op zoek was maakte zijn taak een stuk gemakkelijker. In de tussentijd was Walsh voorgeleid en zijn vrouw vrijgelaten. Rebus had de verklaringen van beide echtelieden doorgenomen terwijl Clarke meer geïnteresseerd leek in een rugbywedstrijd op de radio – Schotland, dat op Murrayfield werd ingemaakt door Australië.

Het was vijf uur 's middags tegen de tijd dat ze verhoorkamer 1 binnengingen, de geüniformeerde agent bedankten en zeiden dat hij kon gaan. Rebus was een halfuur daarvoor buiten een sigaret gaan roken en had verbaasd gezien dat het al donker was; de dag was ongemerkt voorbijgegaan. Nog zoiets van het werk dat hij zou gaan missen. Maar het was nog niet te laat om wat plezier te beleven. Toen de agent de deur van verhoorkamer 1 achter zich dicht begon te duwen, vroeg Rebus Clarke fluisterend in haar oor om hem twee minuten met de verdachte alleen te laten; hij voegde eraan toe dat hij echt geen domme dingen van plan was. Ze weifelde maar gaf hem toen zijn zin. Rebus keek of de deur goed dichtzat, draaide zich om naar de tafel en trok de stoel naar zich toe. Hij wist inmiddels hoe hij de metalen poten maximaal irritant over de vloer kon laten schrapen.

'Ik heb me af zitten vragen,' begon hij, 'wat uw relatie met Andropov nu eigenlijk inhoudt en ik ben tot deze conclusie gekomen: u wilt zijn geld. Het kan u of uw bank niets schelen hoe hij eraan is gekomen.'

'Wij doen geen zaken met boeven, inspecteur,' verklaarde Stuart Janney. Hij droeg een coltrui van blauw kasjmier op een geelgroene ribbroek en bruine leren instappers; vrijetijdskleding, maar te bestudeerd om ontspannen te ogen.

'Levert toch applaus op,' zei Rebus, 'een multimiljonair met al zijn zaken binnenhalen. De zaken gaan goed bij FAB, hè, meneer Janney? Winst loopt in de miljarden, maar het blijft een wrede wereld – de mens is de mens een wolf en die dingen meer. Je moet altijd zorgen dat ze je naam onthouden...'

'Ik geloof niet dat ik begrijp waar u heen wil,' zei Janney en sloeg ongeduldig zijn armen over elkaar.

'Sir Michael Addison beschouwt je waarschijnlijk als zijn oogappel. Maar dat zal niet lang meer duren, Stuart – wil je weten waarom?'

Janney leunde achterover in zijn stoel, schijnbaar onbewogen en niet van plan toe te happen.

'Ik heb de film gezien,' liet Rebus hem op nauwelijks meer dan fluistertoon weten.

'Welke film?' Janneys blik ontmoette die van Rebus en hield hem vast.

'Die film waarin jij naar een andere film zit te kijken. Cafferty had ook een camera gericht staan op zijn thuisbioscoop, wil je dat geloven? En daar zitten jullie dan gezellig van amateurporno te genieten.' Rebus had de dvd uit zijn zak gehaald.

'Een misstapje,' gaf Janney toe.

'Voor de anderen misschien, maar niet voor jou.' Rebus glimlachte ijskoud en zwaaide met de zilveren schijf tot hij het licht weerkaatste in Janneys ogen zodat hij moest knipperen. 'Nee, Stuart, in jouw geval gaat het een heel stuk verder dan een "misstapje".'

Rebus zette zijn ellebogen op tafel en leunde verder naar voren. 'Dat feestje? Die scène in de badkamer? Weet je nog, die pijpster, die stonede pijpster? Ze heet Gill Morgan – gaat er een belletje rinkelen? Je zat te kijken naar de geliefde stiefdochter van je baas die coke snuift en iemand klaarlebbert. Hoe komt dat over als je Sir Mike de volgende keer op een borrel tegenkomt?'

Het bloed trok zo snel weg uit Janneys gezicht dat het leek alsof hij aan beide voeten een kraantje had. Rebus stond op, duwde de dvd weer in zijn colbertzak en liep naar de deur om Siobhan Clarke binnen te laten. Ze keek hem vragend aan, maar begreep dat ze niets te horen zou krijgen. Dus nam ze Rebus' stoel over en legde een map en een paar foto's op tafel. Rebus zag hoe ze een ogenblik de tijd nam om zich een houding te geven. Ze keek nog eens in zijn richting en glimlachte.

Hij knikte bij wijze van antwoord: *Jouw beurt.*

'Maandagavond twintig november,' begon Clarke, 'verbleef u in het Gleneagles Hotel in Perthshire. Maar u besloot eerder te vertrekken dan gepland. Waarom dat, meneer Janney?'

'Ik wilde terug naar Edinburgh.'

'En daarom pakte u om drie uur 's ochtends uw spullen en liet de rekening opmaken.'

'Er lagen bergen werk op me te wachten op het kantoor.'

'Maar ook niet zoveel,' hielp Rebus hem herinneren, 'dat u geen tijd had om die lijst met Russen van meneer Stahov bij ons langs te brengen.'

'Klopt,' zei Janney, nog altijd worstelend met het nieuws dat Rebus hem had gebracht. Wat Rebus hem ook had verteld, Clarke zag wel dat de bankier aangeslagen was. Prima, dacht ze, uit z'n evenwicht...

'Ik denk,' zei ze, 'dat u ons die lijst bracht omdat u graag wilde weten wat we aan Charles Riordan gingen doen.'

'Wat?'

'Ooit gehoord van de hond die terugkeert naar zijn braaksel?'

'Shakespeare, zeker?'

'De Bijbel, om precies te zijn,' verbeterde Rebus hem. 'Spreuken.'

'Niet precies naar de plaats delict,' ging Clarke verder, 'maar wel naar de plek waar u kon zien wat er gaande was, een paar vragen kon stellen...'

'Ik geloof niet dat ik u kan volgen.'

Clarke liet vier tellen stilte vallen, opende de map en bladerde er wat in. 'U woont in Barnton, meneer Janney?'

'Klopt.'

'Steenworp van de Forth Road Bridge.'

'Tja.'

'En zo bent u ook uit Gleneagles teruggekomen zeker?'

'Dat zal wel.'

'Anders via Stirling en de M9,' liet Clarke hem weten.

'Of als je per se wil,' vulde Rebus aan, 'zou je de Kincardine Bridge kunnen nemen.'

'Maar welke route je ook neemt,' ging Clarke verder, 'u komt altijd via het westen of noorden de stad in.' Ze wachtte weer even. 'Dus daarom zaten we ons op ons hoofd te krabben toen we erachter kwamen dat uw zilveren Porsche Carrera anderhalf uur nadat u had uitgecheckt bij Gleneagles is gesignaleerd op Portobello High Street.' Ze schoof de opname van de beveiligingscamera in Janneys richting. 'Datum en tijd staan erbij, ziet u? Die van u was zo'n beetje de enige auto op straat, meneer Janney. Kunt u ons misschien uitleggen wat u daar deed?'

'Dit moet een vergissing zijn...' Janney staarde schuin opzij, zijn blik gefixeerd op de grond en niet op de foto voor hem.

'En dat gaat u in de rechtbank ook zeggen?' daagde Rebus hem uit. 'En die rampzalig dure advocaat van u gaat dat ook tegen de rechter en de jury zeggen?'

'Misschien had ik gewoon geen zin om naar huis te gaan,' opperde Janney, zodat Rebus zijn handen ineensloeg.

'Kijk, dat begint erop te lijken!' zei hij. 'Met zo'n wagen, u wilde gewoon een eind toeren langs de kust! Misschien wilde u wel doorrijden tot de grens...'

'Maar ik zal u zeggen wat er volgens ons echt is gebeurd,' viel Clarke hem in de rede. 'Sergej Andropov maakte zich zorgen over een geluidsopname.' Bij het woord 'opname' schoten Janneys ogen naar Rebus, en Rebus gaf hem een vette knipoog. 'Misschien heeft hij het er met u over gehad,' ging Clarke verder, 'of misschien was het zijn chauffeur. Het probleem was dat hij een opmerking had gemaakt van dat hij Todorov dood wenste – en dat Todorov nu dood wás. Als die opname bekend werd, ging meneer Andropov het schip in – moest hij misschien het land uit of werd hij uitgeleverd. Schotland moest zijn toevluchtsoord worden, een veilige schuilplaats. Het enige wat hem in Moskou wacht is een showproces. En als hij vertrekt, zijn al die potentieel lucratieve deals ook weg. Tientallen miljoenen, ook weg. Daarom besloot u een praatje te gaan maken met Charles Riordan. Het praatje leverde niets op en ineens was hij bewusteloos –'

'Ik kén die Charles Riordan niet eens!'

'Da's raar,' zei Rebus, gespeeld nonchalant, 'uw bank is de hoofdsponsor van een kunstinstallatie waaraan hij in het parlement werkte. Als we wat rondvragen, wed ik dat we er snel achter komen dat u hem ooit ergens hebt ontmoet...'

'Ik denk niet dat u hem dood wilde hebben,' ging Clarke verder, met zo veel mogelijk medeleven in haar stem. 'U wilde alleen die opname gewist zien. U sloeg hem bewusteloos en ging op zoek naar de tape, maar dat was een speld in een hooiberg, duizenden en duizenden tapes en cd's in dat huis van hem. Dus toen hebt u dat vuurtje aangestoken – niet zo'n uitslaande brand die het hele huis verwoest en alleen de verkoolde botten overlaat van wie niet op tijd weg kan komen. Het ging u alleen om de tapes – te veel om mee te nemen, maar ook geen tijd om ze allemaal uit te zoeken. Dus doopte u een stuk papier in een flesje cleaner, stak het aan en vertrok.'

'Dat slaat nergens op,' zei Janney met een stem die schor was van emotie.

'Probleem was,' ging Clarke verder, 'al dat geluiddempende materiaal brandde zo gretig... Toen bleek dat Riordan dood was, zochten we een verdachte die beide moorden kon hebben gepleegd – en Andropov leek nog steeds de eerstaangewezene. Dus al uw werk was vergeefs, meneer Janney. Charles Riordan is dood – en dood om niets.'

'Ik heb het niet gedaan.'

'Is dat de waarheid?'

Janney knikte en keek alle kanten op, behalve die van de rechercheurs.

'Nou, oké,' liet Clarke hem weten. 'Dan hoeft u zich nergens zorgen over te maken.' Ze sloeg de map dicht en raapte de foto's op. Janney kon het nauwelijks geloven. Clarke stond op. 'Dan zijn we er wel zo'n beetje,' bevestigde ze. 'Wippen we nog even langs de dactylokamer en dan kunt u gaan.'

Janney was overeind gekomen, maar liet beide handen op tafel rusten om overeind te blijven. 'Dactylokamer?' informeerde hij.

'Een formaliteit, meneer,' stelde Rebus hem gerust. 'We moeten uw vingerafdrukken nemen.'

Janney had nog geen aanstalten gemaakt om mee te gaan. 'Waarvoor in hemelsnaam?'

Clarke gaf antwoord. 'Op dat flesje *cleaner* is een vingerafdruk achtergebleven. Die moet wel afkomstig zijn van degene die de brand heeft gesticht.'

'Maar het kan niet die van jou zijn, hè, Stuart?' vroeg Rebus. 'Jij was aan het genieten van je toer langs onze prachtige kust, in de frisse nachtlucht...'

'Vingerafdruk.' Het woord stuiterde over Janneys lippen als een diertje op de vlucht.

'Beetje rondrijden met de auto, hou ik ook van,' was Rebus verdergegaan. 'Ik ga vandaag met pensioen, dus ik krijg er de komende tijd ruimschoots de kans voor. Misschien kun je me eens laten zien welke route je hebt genomen... Waarom ga je weer zitten, Stuart?'

'Moeten we iets voor u halen, meneer Janney?' vroeg Clarke bezorgd.

Stuart Janney keek naar haar, toen naar Rebus, alvorens te concluderen dat het plafond zijn volle aandacht verdiende. Toen hij

weer iets zei, was zijn stem zo schor dat geen van beide rechercheurs hem goed verstond.

'Wilt u dat nog eens herhalen?' vroeg Clarke beleefd.

'Haal maar een advocaat voor me,' gehoorzaamde Janney.

45

'Als er in de film iemand met pensioen gaat of ontslag krijgt,' zei Siobhan Clarke, 'loopt hij altijd met een doos het gebouw uit.'

'Klopt,' stemde Rebus in. Hij had zijn bureau doorgekeken en helemaal niets van persoonlijke aard gevonden. Hij bleek niet eens een eigen mok te hebben, hij dronk gewoon uit wat er voorhanden was. Uiteindelijk stak hij maar een paar goedkope balpennen in zijn zak, en een sachet antigrieppoeder waarvan de houdbaarheidsdatum al een jaar was verstreken.

'Vorig jaar december had je griep,' herinnerde Clarke hem.

'En nog sleepte ik mijn armzalige karkas elke dag naar het werk.'

'Waar u een hele week hebt zitten niezen en kreunen,' voegde Phyllida Hawes eraan toe, met haar handen op haar heupen.

'En mij hebt aangestoken,' verklaarde Colin Tibbet.

'Ach, wat hebben we een lol gehad,' zei Rebus met een theatrale zucht. Geen spoor van hoofdinspecteur Macrae; wel had hij een memo achtergelaten dat Rebus zijn legitimatiekaart maar op zijn bureau moest achterlaten. Derek Starr was ook afwezig. Over zessen, dus hij zat in een club of wijnbar de resultaten van die dag te vieren en zijn gebruikelijke versierpraatjes te oefenen. Rebus keek het recherchekantoor rond. 'Hebben jullie echt niks voor me gekocht, stelletje lamstralen?'

'Heb je gezien wat een gouden horloge tegenwoordig kost?' zei Clarke met een lachje. 'Daar staat tegenover dat de achterkamer van de Ox voor vanavond is gereserveerd en honderd pond is gestort voor de rekening; wat we vanavond niet opdrinken is voor jou voor later.'

Rebus overwoog haar woorden. 'Dus waar het na al die jaren op neerkomt is dat jullie willen dat ik me doodzuip?'

'En we hebben om negen uur een tafel geboekt in Café St. Honore, kruipafstand van de Ox.'

'En kruipafstand terug,' voegde Hawes eraan toe.

'Alleen wij vieren?' vroeg Rebus.

'Er komen nog wel wat gezichten opdagen. Macrae heeft gezegd dat hij langs zou wippen. Tam Banks en Ray Duff, professor Gates en dr. Curt, Todd en zijn vriendin...'

'Die ken ik nauwelijks,' klaagde Rebus.

Clarke sloeg haar armen over elkaar. 'Hij was niet zo gemakkelijk te overreden, dus denk maar niet dat ik ze nu ineens ga ontuitnodigen!'

'Mijn feestje, maar jouw regels, hè?'

'En Shug Davidson komt ook,' herinnerde Hawes Clarke eraan.

Rebus rolde met zijn ogen. 'Ach verdorie, ik ben nog altijd verdachte voor die aanslag op Cafferty!'

'Zo ziet Shug het in elk geval niet,' zei Clarke.

'En Calum Stone?'

'Ik dacht niet dat hij zou willen komen.'

'Je weet donders goed wat ik bedoel.'

'Zijn we er klaar voor?' vroeg Hawes. Ze keken allemaal naar Rebus en hij knikte. Eigenlijk had hij een paar minuten voor zichzelf willen hebben, om fatsoenlijk afscheid van het gebouw te nemen. Niet dat het veel uitmaakte. Gayfield Square was een woutenkeet als alle andere. Een oude priester die Rebus had gekend, nu al een aantal jaren dood, had gezegd dat politiemensen net als de clerus waren, met de wereld als hun biechtstoel. Stuart Janney moest zijn zonden nog opbiechten. Hij had een nacht in de cel om zijn opties te overwegen. Morgen of maandag zou hij, met een advocaat aan zijn zijde en Siobhan Clarke tegenover zich, zijn versie van het verhaal vertellen. Rebus dacht niet dat Siobhan zichzelf iets weg vond hebben van een priester. Hij keek naar haar nu ze haar armen in haar mouwen liet glijden en nakeek of ze alles wat ze nodig had in haar schoudertas had gestopt. Hun blikken ontmoetten elkaar even en ze wisselden een glimlach. Rebus liep Macrae's kantoor binnen en legde zijn legitimatiekaart op de hoek van zijn bureau. Hij dacht terug aan al de politiebureaus die hij had gekend: Great London Road, St. Leonard, Craigmillar, Gayfield Square. Mannen en vrouwen met wie hij had gewerkt, de meesten met pensioen, sommigen al lang dood. Opgeloste en onopgelost gebleven zaken, dagen in de rechtbank, urenlang wachten om te getuigen. Papierwerk, juridisch gekonkel en blunders. Met tranen bespatte getuigenverklaringen van slachtoffers en hun familie. Hatelijkheden en ontkenningen van de beklaagden. De menselijke dwaasheid blootgelegd, al die Bijbelse hoofdzonden blootgelegd, plus nog een paar andere.

Maandagochtend zou hij zijn wekker niet nodig hebben. Hij kon de hele dag over zijn ontbijt doen, zijn pak terughangen in de kast, waar het alleen nog uit kwam voor begrafenissen. Hij kende alle doemverhalen: mensen die de ene week met pensioen gingen en een week later tussen zes planken lagen, alsof het leven met het werk ook zijn zin verloor. Hij had zich vaak afgevraagd of hij de stad misschien beter de rug kon toekeren. Met de opbrengst van zijn flat kon hij ergens anders een ruime eengezinswoning kopen – aan de kust van Fife, of op de westelijke eilanden bezaaid met distilleerderijen, of in de vroeger zo gevaarlijke grensstreek in het zuiden. Maar hij kon zich niet voorstellen dat hij ooit weg zou gaan uit Edinburgh. Het was de zuurstof in zijn bloedstroom, en toch had de stad nog geheimen voor hem. Hij had er gewoond sinds hij bij de politie kwam en de twee – stad en werk – waren verstrengeld geraakt. Met elke nieuwe misdaad had hij iets nieuws over de stad geleerd en nog altijd wist hij er lang niet alles van. Een bloedig verleden dat zich mengt met een bloedig heden: covenanters en commercie, een stad van banken en bordelen, vriendschap en vitriool...

Waar de onderwereld de bovenwereld ontmoet...

'Wat er in dat koppie...' Het was Siobhan, in de deuropening.

'Eigenlijk niks.'

'Daar geloof ik niets van. Ben je klaar?' Trok haar tas over haar schouder.

'Als ik ooit klaar ben, is het nu...'

In de Oxford Bar waren ze aanvankelijk maar met zijn vieren. De achterkamer was inderdaad voor hen vrijgehouden – met blauwwitte afzetlinten.

'Leuk,' erkende Rebus, terwijl hij zijn eerste pint van de avond aan zijn lippen bracht. Na een uurtje vertrokken ze naar het restaurant, waar een zak vol cadeautjes wachtte. Van Siobhan een iPod. Rebus protesteerde dat hij nooit met zo'n ding uit de voeten zou kunnen.

'Ik heb er al van alles op gezet,' zei ze. 'The Stones, The Who, Wishbone Ash... noem maar op.'

'John Martyn? Jackie Leven?'

'Zelfs wat van Hawkwind.'

'Mijn slotnummers,' merkte Rebus met een bijna voldane blik op.

Van Hawes en Tibbet kwam een fles vijfentwintig jaar oude malt-whisky en een boek met historische wandelingen door Edinburgh. Rebus kuste de fles en gaf een tikje op het boek en weigerde vervolgens de halve maaltijd zijn oordopjes uit te doen.

'Als ik jullie soms hoor praten, doe mij dan Jack Bruce maar,' legde hij uit.

Slechts twee flessen wijn bij het diner en daarna terug naar de Ox waar Gates, Curt en Macrae waren gearriveerd en het huis trakteerde op een paar flessen champagne. Todd Goodyear en zijn vriendin Sonia kwamen als laatsten. Het was tegen elf uur en Rebus zat aan zijn vierde pint. Colin Tibbet stond buiten diep in te ademen terwijl Phyllida Hawes hem bemoedigend over zijn rug streek.

'Ziet er niet best uit,' merkte Goodyear op.

'Zeven dubbele cognacjes, daar moet je maar net tegen kunnen.'

Er speelde geen muziek, maar dat was ook niet nodig. De verschillende gesprekken waren ongedwongen en vol gelach. Anekdotes vlogen over tafel, de beste kwamen van de twee pathologen. Macrae gaf Rebus een warme handdruk en zei dat hij moest gaan.

'Denk erom dat je ons komt opzoeken,' waren zijn afscheidswoorden.

Derek Starr stond in de hoek over het werk te praten met een verveeld uitziende Shug Davidson. Het feit dat hij was komen opdagen moest wel betekenen dat zijn versierpraatjes in de wijnbar weer eens niet waren aangeslagen. Telkens als Davidson in zijn richting keek, betuigde Rebus hem met een grimas zijn medeleven. Toen er een blad rondkwam met het volgende rondje kwamen Rebus en Sonia naast elkaar te staan.

'Todd vertelde me dat je bij de TR werkt,' zei hij.

'Klopt.'

'Sorry dat ik je niet herken.'

'Ik heb meestal een kapje op,' zei ze met een verlegen glimlach. Ze was klein, misschien net anderhalve meter, met kortgeknipt blond haar en groene ogen. Het jurkje dat ze aanhad deed Japans aan en paste goed bij haar fijne, slanke figuur.

'Hoe lang gaan jij en Todd nu met elkaar?'

'Iets meer dan een jaar.'

Rebus wierp een blik in de richting van waar Goodyear drankjes ronddeelde. 'Moet-ie toch iets goed doen,' bromde hij.

'Hij is knap, hoor. Dat wordt zeker recherche.'

'Misschien komt er een plaats vrij,' stemde Rebus in. 'En, hoe bevalt dat plaats-delictwerk je?'

'Gaat wel.'

'Ik heb gehoord dat je in Raeburn Wynd was, die avond dat Todorov was vermoord.'

Ze knikte. 'En bij het kanaal ook. Ik had pieperdienst.'

'Wel een streep door je plannen met Todd,' zei Rebus meelevend.

'Hoe bedoelt u?' Ze kneep haar ogen samen.

'Niks,' zei Rebus, die zich afvroeg of hij met dubbele tong sprak.

'Ik was degene die die overschoen vond,' voegde ze eraan toe. Toen sperde ze haar ogen open en bracht haar vrije hand naar haar mond.

'Maak je geen zorgen,' stelde Rebus haar gerust. 'Ik schijn niet meer op de verdachtenlijst te staan.'

Ze ontspande zich en lachte voorzichtig. 'Maar het zegt veel over Todds capaciteiten, vindt u niet?'

'Absoluut,' stemde Rebus in.

'Als er in dat stuk van het kanaal iets dreef, was er een goeie kans dat het uiteindelijk onder de brug vast zou komen te zitten – dat zei hij.'

'En hij had gelijk,' erkende Rebus.

'Daarom zouden ze bij de recherche wel gek zijn als ze hem niet namen.'

'We worden wel vaker voor gek versleten,' waarschuwde Rebus haar.

'Maar die zaak-Todorov hebben jullie opgelost,' wierp ze tegen.

'Klopt,' zei Rebus met een vermoeide glimlach. Goodyear stond nu met Siobhan Clarke te babbelen. Hij had net iets gezegd wat haar aan het lachen had gemaakt. Rebus besloot dat het tijd was voor een rookpauze, pakte Sonia's hand en plantte er een kus op.

'De galante heer,' zei ze terwijl hij naar de deur liep.

'Je moest eens weten, kind...'

Hawes en Tibbet stonden verderop in de straat, Tibbet met zijn rug tegen de muur en Hawes tegenover hem. Ze streek het haar van zijn voorhoofd naar achteren. Een club rokers keek toe.

'Dat is mij al een tijdje niet gebeurd,' zei een van hen.

'Wat?' vroeg zijn buurman. 'Dat je ziek was van de drank of dat een vrouw door je haar streek?'

Rebus lachte mee en richtte toen zijn aandacht op zijn sigaret. Aan de andere kant van de straat brandde licht in de residentie van de eerste minister. Die was sinds de decentralisatie een Labour-enclave geweest maar kon nu wel eens in handen vallen van de nationalisten. Rebus kon zich werkelijk niet heugen wanneer Schotland niet in meerderheid voor Labour had gestemd. Zelf had hij in zijn leven maar drie keer gestemd, telkens op een andere partij. Tegen de tijd van het referendum over de decentralisatie en het Schotse parlement had hij alle belangstelling ervoor verloren. Hij had genoeg politici ontmoet – Megan Macfarlane en Jim Bakewell waren niet meer dan de laatsten in de rij – maar volgens hem zou de helft van de stamgasten van de Ox het land beter besturen. Lui als Bakewell en Macfarlane zou je altijd houden. En Stuart Janney draaide dan wel de bak in, maar Rebus betwijfelde of het voor de First Albannach Bank echt iets zou uitmaken. Die zou zaken blijven doen met mensen als Sergej Andropov en Gerald Cafferty, en vuil geld blijven binnenharken met het schone geld. Welvaart en werkgelegenheid: de meerderheid kon het niet schelen waar ze vandaan kwamen en hoe ze in stand bleven. Edinburgh was gebouwd op onzichtbare bedrijfstakken als het bank- en verzekeringswezen. Wie kon het wat schelen als de zaken daar met wat smeergeld werden bespoedigd? Wie kon het wat schelen als een paar mannen bijeenkwamen om stiekem opgenomen video's te bekijken? Andropov had iets gezegd over dichters die zichzelf zagen als miskende wetgevers, maar paste die titel niet beter bij de mannen in de krijtstreeppakken?

'Denk je dat ze 'm beter wil kussen?' vroeg een van de rokers.

Hawes en Tibbet gingen op in een soort omhelzing, hun gezichten tegen elkaar. Rebus wenste hun stilzwijgend veel geluk. Het politiewerk had een wig tussen hem en zijn vrouw gedreven tot zijn huwelijk was gebarsten, maar het hoefde niet zo te gaan; hij kende zat politiemensen die nog getrouwd waren, sommige zelfs met andere politiemensen. Zij kregen het kennelijk wel voor elkaar.

'Volgens mij lukt het 'r ook nog,' antwoordde de andere roker zijn buurman. Achter hen werd de deur opengetrokken en Siobhan Clarke kwam naar buiten.

'Daar ben je,' zei ze.

'Hier ben ik,' bevestigde Rebus.

'We dachten even dat je ertussenuit geknepen was.'

'Ik ben zo terug,' zei hij en stak het peukje naar haar op.

Ze had haar armen om zich heen geslagen tegen de kou. 'Maak je geen zorgen, we doen geen speeches of zo.'

'Je hebt het precies goed ingeschat, Shiv,' stelde hij haar gerust. 'Bedankt.'

Ze accepteerde het compliment met een trekje van haar mond. 'Hoe gaat het met Colin?'

'Ik geloof dat Phyl hem aan het reanimeren is.' Rebus knikte in de richting van de twee figuren, die nu min of meer tot één waren versmolten.

'Ik hoop niet dat ze er morgenochtend spijt van hebben,' mompelde ze.

'Ach, wat is het leven zonder een paar fouten?' daagde een van de rokers haar uit.

'Dat komt bij mij op m'n grafsteen te staan,' verklaarde zijn drinkmaat.

Rebus en Clarke keken elkaar enkele ogenblikken zwijgend aan. 'Kom mee, binnen is het warm,' zei ze. Hij knikte traag, trapte zijn peuk uit en deed wat hem gezegd was.

Het was na middernacht toen zijn taxi tot stilstand kwam voor het Western General Hospital. Hij haalde het tot de gang naar Cafferty's zaal voordat hij door een verpleegster staande werd gehouden.

'U hebt gedronken,' zei ze bestraffend.

'Sinds wanneer stellen de zusters de diagnose?'

'Ik bel de beveiliging, hoor.'

'Waarom?'

'Je kan niet zomaar midden in de nacht op bezoek gaan bij een patiënt. Niet in die toestand.'

'Waarom niet?'

'Omdat de mensen slapen.'

'Ik ga echt niet zitten drummen,' protesteerde hij.

Ze wees naar het plafond. Rebus keek mee en zag de camera die op hen gericht stond. 'U wordt in de gaten gehouden,' waarschuwde ze hem. 'De bewaker kan elk moment hier zijn.'

'Jezus...'

De deuren achter haar – de deuren naar Cafferty's zaal – zwaaiden open. In de deuropening stond een man.

'Laat hem maar aan mij over,' zei hij.

'Wie bent u?' vroeg ze en draaide zich naar hem om. 'Wie heeft u toestemming gegeven om...?' Maar zijn legitimatiekaart legde haar het zwijgen op.

'Inspecteur Stone,' legde hij uit. 'Die man is bij ons bekend. Ik zal ervoor zorgen dat hij u niet verder stoort.' Stone knikte naar een rij stoelen bedoeld voor bezoekers. Rebus kon wel een stoel gebruiken, dus hij protesteerde niet. Toen hij was gaan zitten knikte Stone om de verpleegster te laten weten dat alles onder controle was. Toen ze ervandoor ging, kwam hij naast Rebus zitten, al liet hij tussen hen in een stoel vrij. Hij begon zijn legitimatie terug in zijn zak te schuiven.

'Zo een heb ik ook ooit gehad,' liet Rebus hem weten.

'Wat zit er in die tas?' vroeg Stone.

'M'n pensioen.'

'Dat verklaart een boel.'

Rebus probeerde hem recht aan te kijken. 'Zoals?'

'Wat je achter de kiezen hebt, om te beginnen.'

'Zes bier, drie whisky en een halve fles wijn.'

'En dan staat-ie nog overeind.' Stone schudde ongelovig zijn hoofd. 'En wat doe je dan hier? Onafgemaakt karwei dat je dwarszit?'

Rebus was begonnen zijn pakje sigaretten open te maken toen hij zich herinnerde waar hij was. 'Hoe bedoel je?' vroeg hij.

'Paar stekkers en slangetjes bij Cafferty losmaken?'

'Ik was het niet, bij het kanaal.'

'Er is een overschoen met bloedspetters die iets anders zegt.'

'Ik wist niet dat levenloze dingen konden praten.' Rebus dacht terug aan zijn gesprekje met Sonia.

'Ze hebben een eigen taal, Rebus,' legde Stone uit, 'en de jongens van het lab kunnen die vertalen.'

Ja, dacht Rebus, terwijl zijn geest wat opklaarde. En de technische recherche zorgt dat ze gevonden worden... mensen zoals de kleine Sonia. 'Kan ik aannemen,' zei hij, 'dat je net zelf op ziekenbezoek bent geweest?'

'Ja, begin maar over iets anders.'

'Ik vroeg het me gewoon af.'

Uiteindelijk knikte Stone. 'De hele observatie-actie staat in de koelkast tot hij wakker wordt. Dus ik ben morgenvroeg naar huis. Inspecteur Davidson houdt me op de hoogte.'

'Die zou ik morgen maar geen ingewikkelde vragen stellen,' waarschuwde Rebus. 'Hij is voor het laatst gesignaleerd dansend over Young Street.'

'Daar zal ik aan denken.' Stone kwam overeind. 'Nou, kom op, dan geef ik je een lift.'

'Ik woon helemaal aan de andere kant van de stad,' zei Rebus. 'Ik bel wel een taxi.'

'Dan wacht ik met je tot-ie komt.'

'Niet dat je me niet vertrouwt of zo.'

Stone negeerde de opmerking. Rebus had een paar stappen richting de zaal gezet, maar alleen om door een van de patrijspoorten naar binnen te turen. Hij kon niet zien in welk bed Cafferty lag, bovendien stonden er schermen rond sommige bedden.

'Wat als jíj een paar stekkers hebt losgetrokken?' vroeg Rebus. 'Dan heb je hier de ideale zondebok.'

Maar Stone schudde zijn hoofd en gebaarde net als de verpleegster eerder naar de beveiligingscamera. 'Heb je de tape om te bewijzen dat je de drempel niet over bent geweest. Je kent toch het oude gezegde: de camera liegt niet?'

'Ik ken het wel,' zei Rebus, 'maar ik ben niet zo stom om het ook te geloven.' Dat gezegd hebbende pakte hij zijn tas en ging Stone voor naar de uitgang.

'Je kent Cafferty al heel lang,' zei Stone.

'Bijna twintig jaar.'

'Je hebt voor het eerst tegen hem getuigd in de High Court in Glasgow.'

'Klopt. Verdomde advocaat verwarde me met de vorige getuige en noemde me "meneer Stroman". Sindsdien noemt Cafferty me ook steeds Stroman.'

'Zoals in *The Wizard of Oz*?'

'Heb ik je iets verteld dat je nog niet in je dossier had?'

'Ja, toevallig wel.'

'Fijn om te weten dat ik nog wat achter de hand heb.'

'Ik heb zo'n idee dat je hem niet met rust gaat laten.'

'Cafferty?' Rebus zag Stone knikken.

'Of misschien heb je brigadier Clarke klaargestoomd om de strijd over te nemen.' Stone wachtte op een antwoord, maar Rebus leek er geen te hebben. 'Denk je dat je in het korps nu een gat achterlaat dat niet te vullen is?'

'Zó verwaand ben ik niet.'

'Misschien geldt het voor Cafferty ook: als hij de pijp aan Maarten geeft, blijft de vacature niet lang openstaan. Er lopen genoeg mannetjes met honger rond, jong, snel, gretig...'

'Mijn probleem niet,' zei Rebus.

'Dus dan wordt je feestje alleen bedorven door Cafferty zelf.'

Ze waren bij de hoofdingang van het ziekenhuis aangekomen. Rebus had zijn mobiel in de hand om een taxi te bellen.

'Blijf je echt bij me wachten?' vroeg hij.

'Toch niks beters te doen,' antwoordde Stone. 'Maar die lift kun je ook nog steeds krijgen. Kans dat je op dit uur lang op een taxi moet wachten.'

Het kostte Rebus een halve minuut om een beslissing te nemen. Nadat hij instemmend had geknikt rommelde hij in de tas en haalde de fles Speyside tevoorschijn.

Maandag 27 november 2006

EPILOOG

Buiten treinstation Haymarket stond een rij taxi's geparkeerd, maar Rebus wist zijn Saab in een plekje ernaast te wurmen. Hij toeterde en draaide zijn raampje omlaag. Voor de deuren van het station stonden twee geüniformeerde agenten. Maandagochtend, een frisse en heldere dag. De agenten droegen dikke zwarte jacks over hun kogelvrije vest. Rebus toeterde nogmaals, maar ze besteedden niet de geringste aandacht aan hem. Toen werd een parkeerwacht wakker die het opviel dat de Saab langs een dubbele gele streep stond. Dit trok wel de aandacht van de agenten. Een van hen zei iets tegen zijn collega en kwam aangelopen.

'Laat mij maar,' zei hij tegen de parkeerwacht en hurkte toen zodat zijn hoofd op gelijke hoogte kwam met het openstaande raampje.

'Ik kan u zeker geen inspecteur Rebus meer noemen, hè?' zei Todd Goodyear.

'Niet meer,' stemde Rebus in.

'We vonden het feestje wel leuk, Sonia en ik, alleen de kater niet.'

'Ik heb jou niet echt zien drinken, Todd. Ik bedoel, je had wel een glas in je hand, maar het haalde het eigenlijk nooit helemaal naar je lippen.'

'Er ontgaat u niet veel,' erkende Goodyear met een glimlach.

'Nou, eigenlijk ontgaat me nog van alles, jong.'

'Een gouden horloge zeker?' raadde Goodyear.

'Nee, dat niet precies.' Rebus keek over Goodyears schouder in de richting van diens collega. 'Denk je dat ik jou een halfuurtje zou kunnen lenen?'

Goodyear keek verbaasd. 'Waarvoor?'

'Iets waar ik het met je over wil hebben.'

417

'Ik heb dienst.'

'Weet ik.' Rebus leek van dat argument totaal niet onder de indruk. Goodyear kwam overeind, ging met de andere agent praten en kwam terug naar de auto. Hij zette zijn pet af terwijl hij aan de passagierskant instapte.

'En, mis je de recherche niet?' vroeg Rebus.

'Nou, het was wel... interessant.'

'Ik heb leuk staan kletsen met Sonia, in de Ox.'

'Ze is geweldig.'

'Dat geloof ik.' Rebus zweeg terwijl hij met zijn auto invoegde op de rijbaan.

'Waar gaan we heen?'

'Heb je het gehoord van Andropov?' vroeg Rebus, zonder antwoord te geven op Todds vraag. 'Hij wordt als "ongewenste vreemdeling" teruggestuurd. Dat hoorde ik gisteren van Siobhan. Ze was op het werk om Stuart Janney de kans te geven te bekennen. Die meid gaat maar door... Ze vertelde me dat Stahov eigenlijk een van de goeden is. Hij hield Andropov nauwlettend in de gaten, want hij wou niet dat hij Schotland zou "aansteken" zoals hij met Rusland had gedaan. Stahov stond in contact met Stone.' Rebus zweeg. 'Maar jij kent inspecteur Stone niet, of wel?' Hij zag Goodyear zijn hoofd schudden. 'Hij was degene die Cafferty liet schaduwen.'

'Oké.' Goodyear keek nog altijd niet-begrijpend.

'Andropov wordt in Moskou aangeklaagd voor corruptie,' ging Rebus verder. 'Hij had politiek asiel willen aanvragen, stel je voor. Met aanbevelingen van zijn zakenvrienden. Misschien terecht, hoor, misschien lóópt zijn leven ook gevaar, thuis in Rusland.' Rebus snoof hardop. 'Maar ja, dat is niet ons probleem.'

'Waar gaan we heen?' vroeg Goodyear opnieuw. Opnieuw negeerde Rebus de vraag.

'Weet je wat ik gisteren heb gedaan, terwijl Siobhan aan het buffelen was? Ik ben naar Oxgangs geweest om te kijken hoe ze een paar torenflats neerhaalden. Ik weet nog dat ik daar in de loop der jaren een paar arrestaties heb verricht, maar ik kon me niet herinneren waar het precies om ging. Daar moet ik maar uit opmaken dat mijn tijd inderdaad voorbij is, denk je niet? Er stond vanmorgen een verhaal in de krant dat meer Engelse kiezers dan Schotse vinden dat we onafhankelijk moeten worden.' Rebus keerde zich naar zijn passagier. 'Dan ga je je toch afvragen, hè?'

'Ja, of u na zaterdag wel nuchter bent geworden.'

'Sorry, Todd, ik ratel ook maar door. Ik heb erg lopen piekeren. Er kwamen een paar dingen boven die ik veel eerder in de gaten had moeten hebben.'

'Wat voor dingen?'

'Ik heb toch gelijk als ik denk dat je gelovig bent?'

'Dat weet u.'

'Maar je hebt verschillende soorten gelovigen... en ik vermoed dat jij er zo een bent van het Oude Testament – oog om oog en die dingen.'

'Ik heb geen idee waar u het over hebt.'

'Niet dat ik je ongelijk geef – doe mij ook maar het Oude Testament... goed en kwaad, zo helder als dag en nacht.'

'Ik denk dat u me beter terug kunt brengen naar Haymarket.'

Het advies was aan Rebus niet besteed. 'Zaterdagochtend,' zei hij, 'in de gang voor de verhoorkamers, weet je nog? Jij was weer in uniform en je kwam langs om afscheid te nemen.'

'Dat weet ik nog.'

'Toen zei je tegen me dat ik mijn kofferbak moest laten maken.' Rebus keek zijn passagier aan. 'Ben ik trouwens nóg niet aan toegekomen.'

'Terwijl u nu alle tijd hebt.'

Rebus begon te lachen, maar stopte toen abrupt. 'Maar wat ik me afvroeg... hoe wist je dat?'

'Wat?'

'Dat die kofferbak van mij niet goed sloot. Ik heb het Siobhan gevraagd en zij kan zich niet herinneren dat ze er jou iets over heeft gezegd. En het is zeker niet aan de orde gekomen in onze gesprekjes.'

'Die avond op de plaats waar Todorov was vermoord,' legde Goodyear uit.

Rebus knikte langzaam. 'Net wat ik dacht. Jij was al op Raeburn Wynd toen Shiv en ik aankwamen. Je moet hebben gezien dat wij onze plaats-delictspullen uit de auto pakten, en hebben gezien dat ik de kofferbak niet goed dicht kreeg.'

'Nou en?'

'Tja, dat weet ik niet zeker. Maar ik zal je zeggen wat ik wél zeker weet. Jouw opa is met mijn hulp opgeborgen en toen hij stierf viel jullie familie uit elkaar. Zoiets doet pijn, en die pijn kan jaren aanhouden, Todd. Je broer Sol is ontspoord met de hulp van Big Ger Cafferty. Je wist wat er over mij en Cafferty werd gefluisterd... Siobhan bevestigt dat je haar uitvroeg over ons. Heeft ze nog een rotgevoel over, trouwens.'

'Waarom?'

'Zij denkt dat het misschien allemaal is gekomen omdat zij je heeft verteld dat ik een bloedhekel heb aan Cafferty. In jouw manier van denken is het dan vrij normaal dat ik hem dood zou willen slaan.' Hij wachtte even. 'O, en ze voelt zich ook enigszins schuldig omdat ze je überhaupt bij het team heeft gehaald, voelt zich gepiepeld omdat je je bijbedoeling verborgen wist te houden.'

'Waar gaan we naartoe?' Goodyear had een hand op zijn walkietalkie. Die zat met een clip aan zijn schouderband en kraakte nu en dan.

'Want ik heb het met haar besproken, weet je,' was Rebus verdergegaan, 'en zij denkt dat het klopt.'

'Wat klopt?'

'Zaterdagavond in de kroeg raakte ik met Sonia aan de praat...'

'Dat zei u al.'

'De avond dat Cafferty de hersens is ingeslagen moest jij bijtijds weg omdat je met Sonia had afgesproken.' Rebus stopte weer even. 'Maar dat kon zij zich blijkbaar niet herinneren. En bovendien zei ze dat het jóúw idee was dat ze onder de voetbrug moest kijken.

'Wat?'

'Ze heeft die overschoen gevonden omdat jij had gezegd waar ze moest zoeken.'

'Wacht even...'

'Maar wat typisch is: jij was niet eens aanwezig op de plaats delict, Todd. Ik stel me zo voor dat ze je belde om te zeggen dat ze op weg was naar een klus bij het kanaal. Toen heb je haar gezegd dat ze onder de voetbrug moest kijken – je wist dat er een brug was, en je wist wat ze daar zou vinden.'

'Ik wil uitstappen!'

'Ga je me aangeven wegens ontvoering, Todd?' Rebus glimlachte ijzig. 'Inspecteur John Rebus en Big Ger Cafferty – in jouw ogen de twee grootste vijanden van je familie... en ineens zie je een manier om wraak te nemen op de één en de schuld op de ander te gooien. Je dacht dat er een goeie kans bestond dat er vingeraf-

drukken van mij op die overschoen zaten. Hij lag in mijn kofferbak voor het grijpen. We waren die avond met z'n drieën voor de
Ox, Todd: jij, Siobhan en ik. We wisten alle drie waar ik heen ging,
verder niemand. Je bent me gevolgd, je wachtte tot Cafferty alleen
was en je besloop hem van achteren. Siobhan vertelde me dat je
schrok toen je hoorde dat Cafferty werd geschaduwd. Als ik Stone
niet met een kluitje in het riet had gestuurd, had-ie je op heterdaad
betrapt.'

'Gezwam,' spuugde Goodyear uit.

'Dat zeg jij, maar het maakt in feite ook niks uit, want ik kan
er geen woord van bewijzen.' Hij richtte zich weer naar de jongeman. 'Gefeliciteerd, jongeman, je kan er niet op gepakt worden.
Blijkbaar heb je wat hulp van die Ouwe daarboven gekregen.'

'Ik kan wel voor mezelf zorgen, Rebus – én voor m'n familie.'
De toon van zijn stem was veranderd, harder geworden, net als de
blik in zijn ogen. 'Ik zat al langer over Cafferty na te denken. En
toen Sol neergestoken werd, toen begon het echt te knagen – hoe
anders het leven voor pa en ma had kunnen zijn. Ik wist dat u bij
Cafferty in de buurt kwam, dus ik moest bij u in de buurt zien te
komen.' Hij staarde voor zich uit naar de weg. 'Toen zei u dat u
degene was die tegen m'n opa had getuigd, die er zo hard voor had
gewerkt om hem achter de tralies te krijgen, en ineens leek het allemaal samen te vallen. Ik kon u en Cafferty allebei te grazen nemen.'

'Zoals ik al zei: oog om oog.' Voor hem liep het verkeer dicht.
Rebus haalde zijn voet van het gaspedaal. 'Dus nu zul je je wel heel
goed voelen – naam gezuiverd, gerehabiliteerd, gewroken, al die
dingen meer...'

' "Ik ben rein van mijn zonde." '

'Weer een Bijbelcitaat zeker?' Rebus knikte langzaam voor zich
uit. 'Allemaal goed en wel, maar niet genoeg om je te redden, op
geen stukken na.'

'Rood,' verklaarde Goodyear. Hetgeen betekende dat ze moesten stoppen. Toen de auto stilstond, duwde Goodyear zijn deur
open.

'Ik wou je eigenlijk meenemen naar Cafferty,' liet Rebus hem weten. 'Dacht dat je hem misschien wel weer zou willen zien. De dok-
ters zeggen dat hij vooruitgaat.'

Goodyear was uitgestapt, maar toen Rebus zijn naam riep, boog hij zich weer door de open deur.

'Als Cafferty bijkomt,' verklaarde Rebus, 'ben ik de eerste die hij ziet... en wat denk je dat ik hem ga vertellen? Altijd je rugdekking in de gaten houden, Goodyear. En natuurlijk ook goed vóór je kijken. Cafferty mag dan van alles en nog wat zijn, hij is niet zo'n lafaard die je van achteren neerslaat.'

Goodyear smeet de deur dicht, net op het moment dat het stoplicht op groen sprong. Rebus gaf gas en keek in zijn achteruitkijkspiegel naar Goodyear, die zijn pet weer op zijn hoofd zette. Hij staarde de wegrijdende auto na. Rebus blies luidruchtig zijn adem uit en draaide het raampje wat omlaag. Bij de garage hadden ze voor hem een verbinding gemaakt tussen zijn nieuwe iPod en de autostereo. Hij drukte op play en draaide het volume hoger.

Rory Gallagher: 'Sinner Boy', de hele weg tot Cafferty's ziekenhuisbed.

Daar wachtte Siobhan Clarke op hem. 'Heb je hem gesproken?' vroeg ze. Hij knikte, zijn blik gevestigd op Cafferty's schijnbaar levenloze gestalte; het geregelde gepiep en geknipper van de apparaten begon iets geruststellends te krijgen. De gangster was van de intensive care gehaald, maar de randapparatuur was mee verhuisd.

'Ik hoor dat je club gelijk heeft gespeeld,' zei Rebus tegen Clarke.

'Twee nul voor, verdomme, tot de zeventigste minuut... Niet dat ik er veel van heb meegekregen.'

'Je had het natuurlijk druk met Stuart Janney – heeft-ie nog niet bekend?'

'Het komt eraan.' Ze onderbrak zichzelf. 'En Goodyear dan? Gaat hij het opbiechten?'

'Todd kijkt wel link uit.'

'Ik kan het nog altijd niet uitstaan dat ik –'

'Laat toch gaan, Shiv, hoe kon jij dat nou weten?' Rebus nam plaats op de stoel naast de hare. 'Als het iemand z'n schuld is, dan is het de mijne.'

Ze staarde hem aan. 'Wou je nog wat meer gewicht op die schouders nemen?'

'Ik meen het serieus. Vanaf het moment dat de grootvader de bak in draaide is het misgegaan met Todd en zijn familie, en ik heb dat mede veroorzaakt.'

'Dat wil nog niet zeggen –' Ze brak haar zin af toen hij haar aan-keek.

'Ze vonden wel klasse A-drugs in die kroeg, Shiv, maar die opa van Todd verhandelde niet half zulk zwaar spul.'

'Wat wil je daarmee zeggen?'

Rebus keek strak voor zich uit. 'In die tijd had Cafferty dienders op zijn loonlijst staan, kerels bij de recherche die belastend mate-riaal konden verstoppen waar hij het hebben wou.'

'En heb jij...?'

Rebus schudde zijn hoofd. 'Toch bedankt voor uw vertrouwen.'

'Maar je wist dat het zo was gegaan?'

Hij knikte traag. 'En ik deed er niks aan – zo ging het vroeger. Cafferty zat in de handel en hij zal het niet leuk gevonden hebben dat Harry Goodyear in zijn café onder zijn duiven schoot.' Hij blies zijn wangen vol en liet de lucht eruit ploffen voor hij doorging. 'Een tijdje terug vroeg je me naar mijn eerste dag bij de recherche. Ik zei dat ik het niet meer wist, maar dat was gelogen. Hoe het echt ging, was zo: ik kwam vanuit de politieschool in de kantine van het bureau en het eerste wat ik te horen kreeg was dat ik alles moest vergeten wat ze me op school in het hoofd hadden gestampt. "Nou begint de wedstrijd, knul, en er zijn maar twee teams: zij en wij."' Hij riskeerde weer een blik in haar richting. 'Je dekte je maten als ze tussen de middag te veel whisky hadden gedronken... of bij een arrestatie iets te ver waren gegaan... arrestanten die van de trap vie-len of tegen een muur aan liepen... je dekte íedereen in je team. Ik heb daar staan getuigen terwijl ik donders goed wist dat ik een col-lega dekte die de ouwe erin had geluisd.'

Ze zat hem nog steeds aan te staren. 'En waarom vertel je mij dat? Wat moet ík daar in godsnaam mee?'

'Je verzint wel iets.'

'Dat is nou typisch zo'n rotstreek van jou! Het is allemaal voor-bij en niets meer aan te doen, maar je kunt het niet gewoon voor jezelf houden, je moet het op mijn bord neerleggen.'

'In de hoop op vergiffenis.'

'Nou, die zoek je maar ergens anders!' Ze bleef een ogenblik stil en haar schouders zakten omlaag. Toen, na diep ademhalen: 'De zuster zei dat je hier rechtstreeks vanuit de Ox naartoe bent geko-men, stinkend naar de drank.'

'En?'

'Er was nog een andere rechercheur...'

'Stone,' bevestigde Rebus. 'Hij was bang dat ik de stekker eruit kwam trekken.'

'Volgens mij is er in dat hele verdomde lijf van jou geen spoor van fijngevoeligheid te vinden, denk je wel?'

'Noem je mij nou een olifant in een porseleinkast?'

'Wat denkt u er zelf van?'

Hij overwoog de vraag toch bijna vijf seconden. 'Nou, dan eerder een stier die ontsnapt uit het abattoir,' zei hij, overeind komend. Clarke stond ook op en keek geïntrigeerd toe hoe hij zich over het bed boog alsof hij Cafferty met zijn blik wakker kon maken.

'Ga je hem echt vertellen wat Goodyear heeft gedaan?' vroeg ze.

'Wat moet ik anders?'

'Het aan mij overlaten.' Ze waren op weg naar de uitgang. 'Die kleine etter komt er niet mee weg. Het is een andere tijd, John. Geen handen boven het hoofd, geen doofpotten...'

'O, nou je het erover hebt,' zei hij. 'Ik ben gisteren even bij de Andersons langs geweest.'

Ze staarde hem aan. 'Waarbij je ze volledig hebt ingelicht over je buitenspelsituatie?'

'Hun dochter was thuis van de universiteit. Ze lijkt echt sterk op Nancy.'

'Wat wil je daarmee zeggen?'

'Ik ben met Anderson even naar buiten gegaan en ik zei dat hij volgens mij die avond Nancy had herkend. Van de dvd, bedoel ik. Hij hield van het gevoel van macht dat dat hem gaf, dat hij iets wist wat zij niet wist. Daarom bleef hij haar lastigvallen. Hij vond het niet leuk toen ik opperde dat het er misschien ook mee te maken had dat ze zo op zijn dochter leek.' Hij gunde zichzelf een lachje bij de herinnering. 'En toen heb ik hem verteld wie dat meisje in de badkamer was...'

Zijn blik ontmoette die van Clarke en hij stopte abrupt toen hij zich realiseerde wat ze zou gaan zeggen. Ze zei het toch:

'Welke dvd?'

Hij schraapte uitgebreid zijn keel. 'Dat had ik je niet verteld, was ik vergeten.' Hij hield de deur voor haar open maar ze verzette geen stap.

'Vertel het me dan nu maar,' commandeerde ze.

'Is alleen maar meer informatie waar je niks mee kunt, Shiv. Vertrouw me nou maar, je wil het niet weten.'

'Vertel het me toch maar.'

Rebus had net zijn mond opengedaan toen er vanuit de zaal een schel alarmsignaal klonk. Van medische apparatuur had Rebus geen verstand, maar het geluid van een hartstilstand herkende hij wel, dacht hij, en het geluid kwam van bij Cafferty's bed. Hij stormde terug naar binnen, hees zichzelf op het bed, ging schrijlings op de bewegingloze figuur zitten en begon met beide handen op Cafferty's borst te pompen.

'Mond-op-mond,' riep hij naar Clarke, 'na drie slagen!'

'De verpleging komt eraan,' zei ze. 'Laat het toch aan hen over.'

'Ik laat die klootzak er toch nou niet tussenuit knijpen.' Vlokjes speeksel landden op Cafferty's voorhoofd. Hij pompte verder, met de ene hand op de andere. Telde de slagen. Een, twee, drie. Een, twee, drie. Een, twee, drie. Hij kende mensen die door reanimatie in leven waren gebleven, maar met een paar gebroken ribben van het pompen. Hard duwen, zei hij tegen zichzelf.

'Je waagt het goddomme niet!' siste hij door dichtgeknepen tanden.

Zag de eerste verpleegster die was gearriveerd terugdeinzen omdat ze dacht dat de woorden voor haar bestemd waren.

Het bloed ruiste in zijn hoofd, bijna oorverdovend. Geen zuivere dood voor jou, dacht hij.

Een, twee, drie. Een, twee, drie.

Wat we allemaal hebben meegemaakt... kan toch niet eindigen met een paar klappen van Todd Goodyear...

Een, twee, drie. Een, twee, drie.

Er moet rommel aan te pas komen... en poeha... en bloed.

Een, twee, drie.

'John?'

Een, twee, drie.

'John?' Siobhans stem leek van ergens heel ver weg te komen. 'Het is goed zo. Je kunt loslaten.'

De apparaten gingen tekeer. Zweet in zijn ogen en ruis in zijn oren – kon niet uitmaken of het goed of slecht nieuws was. Uiteindelijk moesten er twee artsen, een beveiliger en een verpleegster aan te pas komen om hem van het bed te slepen.

'Gaat-ie het halen?' hoorde hij zichzelf zeggen. 'Zeg me dat-ie het gaat halen...'

VERANTWOORDING

De vertaling van het tweede motto is afkomstig uit Andrew O'-Hagan, *Blijf bij mij*, vertaling Eugène Dabekaussen en Tilly Maters (De Geus, 2008).

Het fragment uit Robert Burns' gedicht 'Such a Parcel of Rogues in a Nation' is gebaseerd op een vertaling van Erik Honders.

Kat & Muis
In Edinburgh zijn twee meisjes ontvoerd en op brute wijze vermoord. Nu wordt een derde vermist. John Rebus werkt aan deze slopende zaak. Hij rookt en drinkt te veel, en zijn vrouw heeft hem verlaten, met hun dochtertje. Dan beginnen de boodschappen: knopen in stukjes touw en kruisen van lucifershoutjes – een puzzel die alleen Rebus kan oplossen.

Blindeman
In een dichtgetimmerd kraakpand wordt het dode lichaam van een junkie gevonden. Domweg het zoveelste slachtoffer van een overdosis, is de eerste reactie van inspecteur Rebus. Tot steeds meer tekenen op moord wijzen. Rebus bijt zich vast in de affaire en legt een ontluisterend netwerk bloot, dat tot in de hoogste kringen van Edinburgh reikt.

Hand & Tand
Een seriemoordenaar houdt Londen in zijn greep. Rebus heeft de ongelukkige reputatie een expert op het gebied van seriemoord te zijn en moet 'dus' in Londen het onderzoek vlot trekken. Maar Scotland Yard zit niet te wachten op bemoeials. Rebus moet vechten tegen vooroordelen en een bloeddorstige maniak.

De Gehangene
Edinburgh is een toeristenstad én een moderne metropool waarin de misdaad welig tiert. Het is een broeinest van crimes passionnels, rampzalige misstappen en onderhuids gekoesterde afgunst. In deze bundel staan de twee gezichten van Edinburgh centraal,

met als rode draad de onvolprezen laconieke inspecteur John Rebus.

Ontmaskering / Strip Jack

De populaire politicus Gregor Jack wordt in een Edinburghs bordeel betrapt met een prostituee. Rebus sympathiseert met de jonge politicus. Wie is er nou nooit gezwicht voor verleiding? Dan verdwijnt Jacks vrouw. Iemand wil Gregor Jack kapotmaken, en Rebus wil weten waarom.

Zwartboek

Een ambitieuze politieman wordt het slachtoffer van bruut geweld; er is een mysterieuze hotelbrand en Rebus' broer roept zijn hulp in. Rebus zit in zijn maag met een boekje vol gecodeerde aantekeningen van de overleden collega. Corruptie? Afpersing? Het lijkt alsof niemand wil dat het raadsel wordt opgelost. Toch komt Rebus langzaam verder...

Vuurwerk

Tijdens het fameuze festival van Edinburgh wordt een lijk gevonden in Mary King's Close, de plek waar eeuwen geleden pestlijders stierven. Een macabere historische parallel? Het slachtoffer blijkt de zoon van een notoire gangster te zijn. De man zit achter de tralies, maar zijn macht en invloed lijken nu groter dan voordat hij door Rebus werd gearresteerd.

Laat maar bloeden

Alsof de Schotse winter niet erg genoeg is, raakt Rebus verstrikt in een web van intriges dat meer vragen dan antwoorden oplevert. Is de dochter van de burgemeester ontvoerd of weggelopen? Waarom versnippert een gemeenteraadslid documenten die al jaren oud papier zijn? En waarom nodigt een invloedrijke politicus Rebus uit voor kleiduivenschieten?

Gerechtigheid

Bible John vermoordde drie vrouwen en stal drie trofeeën. Johnny Bible moordt om de glorie van zijn naamgenoot te stelen. Olieman Allan Mitchison stierf voor zijn principes en Lenny Spaven om iets te bewijzen. Inspecteur Rebus moet vier zaken oplossen om één

moordenaar te pakken. Eén fout kan fataal zijn, voor zijn baan of
zijn leven...

Door het lint
Rebus is belast met archiefonderzoek naar oorlogsmisdaden. Door
een bendeoorlog kan hij 'ontsnappen'. Edinburgh wordt overgenomen door agressieve nieuwe criminelen die onder meer vluchte-
lingen tot prostitutie dwingen. Als Rebus zich ontfermt over een
getraumatiseerd Bosnisch meisje, raakt hij nog meer gebeten op
bendeleider Tommy Telford.

Dode zielen
Rebus komt erachter dat een pedofiel is teruggekeerd in Edinburgh.
Volgens maatschappelijk werkers is de pedofiel in de stad om 're-
integratieredenen'. Rebus staat voor een dilemma: moet hij de man
bekendmaken om de kinderen te beschermen of moet de man een
kans op een nieuw leven krijgen?

[hier ontbreken de nog niet verschenen delen 12, 13 en 14]

Lazarus
Is Rebus eindelijk te ver gegaan? Zijn baas tegenspreken kan geen
kwaad, maar een volle mok van het beste uit de automaat in haar
richting valt niet te negeren. Rebus moet terug naar de politieacademie voor herscholing. Daar wordt hij geconfronteerd met een
cold case. Intussen moet Rebus' collega Siobhan Clarke het opnemen tegen Rebus' oude vijand Cafferty.

Een kwestie van bloed
Rebus komt net uit het ziekenhuis, met zijn verbrande handen nog
in het verband, wanneer een collega zijn hulp inroept voor een do-
delijke schietpartij op een school. Twee tieners zijn vermoord door
een psychotische ex-militair. Omdat Rebus zelf ex-SAS is raakt hij
gefascineerd door de zaak. Hij begint eraan te twijfelen of de mi-
litair wel de moordenaar is.

De rechtelozen
Een neergestoken illegaal in een achterbuurt: racisme of iets heel
anders? Inspecteur Rebus' moeizame onderzoek zit algauw even

vast als zijn carrière. Zijn collega Siobhan waagt zich ongezond dicht bij een veroordeelde verkrachter. Dan duiken er twee skeletten op onder een pub. Is er verband met de zaak waar Rebus aan werkt?

Gedenk de doden
Het is juli 2005 en de G8-leiders zijn verzameld in Schotland. Door alle protestmarsen, demonstraties en rellen is de politie op oorlogssterkte. Iedereen is op straat, behalve inspecteur Rebus, die strikte orders heeft om het bureau te bemannen. Rebus houdt zich koest, totdat een parlementslid zelfmoord pleegt en er een seriemoordenaar actief lijkt te zijn.

Dode zielen
Rebus komt erachter dat een pedofiel terug is gekeerd in Edinburgh. De collega met wie hij de zaak destijds onderzocht, lijkt inmiddels zelfmoord te hebben gepleegd. Rebus brengt de terugkeer van de pedofiel in de openbaarheid, wat het leven van de man in Edinburgh bijna onmogelijk maakt. Maar dit brengt Rebus niet de bevrediging waar hij op gehoopt had. En dan is er nog de seriemoordenaar Cary Oakes, net ontslagen uit de gevangenis. Oakes flirt met de pers, in de gedaante van journalist Jim Stevens, zeker niet Rebus' grootste vriend.

Laatste ronde
Anderhalve week voor zijn afscheid wordt Rebus opgezadeld met een van de ingewikkeldste zaken uit zijn loopbaan. In Edinburgh is een dissidente Russische dichter vermoord. Is hij een slachtoffer van zinloos geweld? Omdat een belangrijke Russische investeerder in de stad op bezoek is, wordt er bij Rebus op aangedrongen de moord discreet te onderzoeken.